Humanidade

RUTGER BREGMAN

Humanidade

UMA HISTÓRIA OTIMISTA DO HOMEM

Tradução
Claudio Carina

CRÍTICA

Copyright © Rutger Bregman, 2020
Copyright © Editora Planeta do Brasil, 2021
Copyright © Claudio Carina
Título original: *Humankind: A Hopeful History*
Todos os direitos reservados.

Preparação: Thais Rimkus
Revisão: Fernanda Guerriero Antunes e Diego Franco Gonçales
Diagramação: Aline Romão
Capa: Filipa Damião Pinto | Foresti Design

Dados Internacionais de Catalogação na Publicação (CIP)
Angélica Ilacqua CRB-8/7057

Bregman, Rutger
    Humanidade: uma história otimista do homem / Rutger Bregman; tradução de Claudio Carina. – São Paulo: Planeta, 2021.
    464 p.

ISBN 978-65-5535-276-4
Título original: *Humankind – A Hopeful History*

1. Humanidade 2. Antropologia filosófica I. Título II. Carina, Claudio

21-0050   CDD 128

Índices para catálogo sistemático:
1. Humanidade - Antropologia filosófica

2021
Todos os direitos desta edição reservados à
EDITORA PLANETA DO BRASIL LTDA.
Rua Bela Cintra 986, 4º andar – Consolação
São Paulo – SP – CEP 01415-002
www.planetadelivros.com.br
faleconosco@editoraplaneta.com.br

Aos meus pais

SUMÁRIO

Prólogo 11
1. Um novo realismo 19
2. O *Senhor das moscas* da vida real. 37

PARTE 1   O ESTADO DA NATUREZA
3. A ascensão do *Homo cachorrinho* 63
4. O coronel Marshall e os soldados que não atiravam . . . 87
5. A maldição da civilização 105
6. O mistério da Ilha de Páscoa 123

PARTE 2   DEPOIS DE AUSCHWITZ
7. Nos porões da Universidade Stanford 149
8. Stanley Milgram e a máquina de choque 165
9. A morte de Catherine Susan Genovese 183

PARTE 3   POR QUE PESSOAS BOAS SE TORNAM MÁS
10. Como a empatia cega 201
11. Como o poder corrompe 219
12. O que deu errado no Iluminismo 235

PARTE 4   UM NOVO REALISMO
13. O poder da motivação intrínseca 255
14. *Homo ludens* 269
15. É assim que a democracia parece ser 285

PARTE 5 A OUTRA FACE
16. Tomando chá com terroristas 309
17. O melhor remédio para o ódio, a injustiça e o preconceito . . . 329
18. Quando os soldados saíram das trincheiras 345

Epílogo 359
Agradecimentos 376
Notas 378
Índice remissivo 442

"O homem se tornará melhor quando você lhe mostrar como ele é."

Anton P. Tchekhov (1860-1904)

PRÓLOGO

Às vésperas da Segunda Guerra Mundial, o comando do Exército Britânico encontrava-se diante de uma ameaça existencial. Londres corria sério perigo. A cidade, segundo um certo Winston Churchill, constituía "o maior alvo do mundo, uma espécie de vaca tremendamente gorda, uma vaca gorda e valiosa amarrada para atrair feras predadoras".[1]

A fera predadora, claro, eram Adolf Hitler e sua máquina de guerra. Se a população britânica se desestruturasse sob o terror de seus bombardeiros, seria o fim do país. "O tráfego vai parar, os desabrigados vão gritar por socorro, a cidade se tornará um pandemônio", temia um general inglês.[2] Milhões de civis sucumbiriam à pressão, e o Exército nem chegaria a lutar, ocupado com a histeria das massas. Churchill calculou que de 3 a 4 milhões de londrinos fugiriam da cidade.

Para qualquer um que quisesse saber sobre todos os males a ser deflagrados, bastava um livro: *Psychologie des Foules*, ou *Psicologia das multidões*,* de um dos mais influentes acadêmicos de sua época, o francês Gustave le Bon. Hitler leu aquelas páginas na íntegra. Assim como Mussolini, Stálin, Churchill e Roosevelt.

O livro de Le Bon descreve em detalhes como as pessoas reagem a crises. Quase instantaneamente, escreve, "o homem desce vários

---

* LE BON, Gustave. *Psicologia das multidões*. Trad. Mariana Servulo da Cunha. São Paulo: WMF Martins Fontes, 2008.

degraus da escada da civilização".³ O pânico e a violência se impõem, e os humanos revelamos nossa verdadeira natureza.

Em 19 de outubro de 1939, Hitler comunicou a seus generais os planos de ataque dos alemães. "O uso implacável da *Luftwaffe* contra a força de vontade de resistir dos britânicos pode se dar – e se dará – no devido momento", afirmou.⁴

Na Grã-Bretanha, todos ouviam o tique-taque do relógio. Como último baluarte, concebeu-se um plano de escavar uma rede de abrigos subterrâneos em Londres, o que acabou sendo descartado pela preocupação de que a população, paralisada de medo, não sairia mais de lá. Na última hora, alguns hospitais psiquiátricos de campanha foram transferidos para fora da cidade, a fim de atender à primeira onda de vítimas.

E então começou.

No dia 7 de setembro de 1940, 348 aviões de bombardeio alemães atravessaram o canal. Por causa do clima ameno, muitos londrinos estavam fora de casa, e, quando as sirenes tocaram às 16h43, todos os olhares se voltaram para o céu.

Aquele dia de setembro passaria à história como o "Sábado Negro", e o que se seguiu como "a *Blitz*". Durante os nove meses seguintes, mais de 80 mil bombas foram lançadas apenas em Londres. Bairros inteiros foram aniquilados. Um milhão de prédios da capital foram danificados ou destruídos, e mais de 40 mil pessoas morreram no Reino Unido.

Então, como os britânicos reagiram? O que aconteceu quando o país foi bombardeado durante meses sem fim? Os indivíduos ficaram histéricos? Comportaram-se como animais irracionais?

Vou começar com o testemunho ocular de um psiquiatra canadense.

Em outubro de 1940, o dr. John MacCurdy foi de carro até um bairro pobre que havia sido particularmente atingido, no sudeste de Londres. Só restava uma colcha de retalhos de crateras e prédios desmoronados. Se havia um lugar que claramente poderia estar envolto em um pandemônio, era aquele.

E o que o psiquiatra viu, momentos depois de um violento ataque aéreo? "Garotinhos continuavam brincando nas calçadas, consumidores iam às compras, um policial coordenava o tráfego aparentando um tédio majestoso, e os ciclistas desafiavam a morte e as leis do trânsito. Ninguém, até onde pude ver, sequer olhava para o céu."[5]

Na verdade, se há algo em comum em todos os relatos sobre a *Blitz* é a descrição de uma estranha serenidade que se estabeleceu em Londres naqueles meses. Ao entrevistar um casal de ingleses na cozinha da casa deles, um jornalista norte-americano observou que os dois tomavam chá até mesmo com as janelas estremecendo nos batentes. "Não estavam com medo?", quis saber o jornalista. "Ah, não", foi a resposta. "Se estivéssemos, que diferença nos faria?"[6]

Evidentemente, Hitler se esqueceu de levar em conta uma coisa: a quintessência do caráter britânico. O lábio superior petulante. O humor irônico, como expresso por donos de lojas que colocavam cartazes na frente de suas instalações destroçadas anunciando: ESTAMOS MAIS ABERTOS DO QUE O NORMAL. Ou pelo proprietário de um *pub* que propagandeava, em plena devastação: NOSSAS JANELAS FORAM DESTRUÍDAS, MAS NOSSAS BEBIDAS CONTINUAM ÓTIMAS. ENTREM PARA EXPERIMENTAR.[7]

Os britânicos reagiram às incursões aéreas alemãs como se fossem um trem atrasado. Irritante, sem dúvida, mas tolerável. Os serviços ferroviários, como se viu, também continuaram funcionando durante a *Blitz*, e as táticas de Hitler mal arranharam a economia doméstica do país. Mais prejudicial para a máquina de guerra britânica foi a Segunda-feira de Páscoa de abril de 1941, quando todos tiraram o dia de folga.[8]

Semanas após o início da campanha dos bombardeios alemães, as atualizações eram informadas como notícias sobre o clima: "Choveram muitas bombas na noite passada".[9] Segundo um observador norte-americano, "a sensação de tédio dos ingleses é muito mais forte que qualquer outra coisa, e ninguém mais está se protegendo muito".[10]

E quanto à devastação mental? Quanto às milhões de vítimas traumatizadas sobre as quais os especialistas alertaram? Estranhamente, não eram vistas em lugar nenhum. Sem dúvida, havia raiva e tristeza; e uma terrível dor pelos entes queridos perdidos. No entanto, as alas psiquiátricas continuaram vazias. Não só isso. A saúde mental pública, na verdade, até melhorou. O alcoolismo diminuiu. Houve menos suicídios que em tempos de paz. Quando a guerra acabou, muitos ingleses sentiriam saudade dos tempos da *Blitz*, quando todos se ajudavam e ninguém se importava com convicções políticas, tampouco com o fato de alguém ser rico ou pobre.[11]

"A sociedade britânica se fortaleceu de muitas maneiras com a *Blitz*", escreveu depois um historiador inglês. "O efeito causado em Hitler foi de desapontamento."[12]

Quando postas à prova, as teorias enunciadas pelo célebre psicólogo das multidões Gustave le Bon não poderiam ter passado mais longe do alvo. A crise não fez aflorar o pior dos indivíduos, e sim o *melhor* deles. Se houve efeito, os britânicos subiram alguns degraus na escada da civilização. "A coragem, o humor e a bondade das pessoas comuns", confidenciou em seu diário um jornalista norte-americano, "continuam a ser surpreendentes sob condições que apresentam muitos aspectos de um pesadelo."[13]

Esses impactos inesperados dos bombardeios alemães provocaram um debate sobre estratégia na Grã-Bretanha. Enquanto a Força Aérea Real se preparava para lançar sua esquadrilha de bombardeiros contra o inimigo, a questão foi como fazer isso de maneira mais eficaz.

Curiosamente, tendo em vista as evidências, os especialistas militares do país continuavam defendendo a ideia de que o moral da nação poderia ser abatido. Por bombas. Na verdade, não tinha funcionado com a Inglaterra, argumentava-se, mas os ingleses eram um caso especial. Nenhum outro povo do planeta poderia se comparar em termos de resistência e equilíbrio mental. Ao menos não os alemães, com certeza, cuja fundamental "falta de fibra moral" significava que "não resistiriam a um quarto dos bombardeios que os britânicos aguentaram".[14]

Um dos que endossavam essa opinião era Frederick Lindemann, amigo íntimo de Churchill, também conhecido como lorde Cherwell. Uma rara fotografia mostra que era um homem alto, usava bengala e chapéu-coco e tinha uma expressão gélida.[15] No acalorado debate sobre estratégia aérea, Lindemann continuou inflexível: bombardeios *funcionam*. Assim como Gustave le Bon, ele tinha uma visão difusa das massas, definindo-as como covardes e facilmente amedrontáveis.

Com o intuito de provar seu ponto de vista, Lindemann despachou uma equipe de psiquiatras para Birmingham e Hull, duas cidades onde os bombardeios alemães foram particularmente destrutivos. Eles entrevistaram centenas de homens, mulheres e crianças que haviam perdido suas casas durante a *Blitz*, fazendo perguntas sobre os mínimos detalhes, "até a respeito do número de canecas de cerveja tomadas e de aspirinas compradas nas farmácias".[16]

Alguns meses depois, a equipe voltou para relatar os resultados a Lindemann. A conclusão, impressa em letras grandes no frontispício, foi a seguinte:

NÃO HÁ EVIDÊNCIAS DE ABATIMENTO DO MORAL.[17]

E o que Frederick Lindemann fez com tal constatação inequívoca? Ignorou-a. Lindemann já havia decidido que o bombardeio estratégico era uma aposta segura, e não seriam simples fatos que o fariam mudar de ideia.

Assim, o memorando que mandou a Churchill dizia algo totalmente diferente.

> O estudo parece mostrar que ver a própria casa demolida é muito perigoso para o moral. As pessoas parecem se importar mais com isso que com a perda de amigos ou até de parentes. Em Hull eram evidentes os sinais de estresse, apesar de somente um décimo das casas ter sido demolido. Segundo os dados apresentados, podemos causar o mesmo dano em cada uma das 58 principais cidades alemãs. Parece haver poucas dúvidas de que isso abateria o espírito do povo alemão.[18]

Assim encerrou-se o debate sobre a eficácia dos bombardeios. Todo o episódio, segundo um historiador descreveu depois, teve "o cheiro perceptível de uma caça às bruxas".[19] Cientistas conscienciosos que se opunham à tática de ataques a civis alemães foram denunciados como covardes, até traidores.

Nesse meio-tempo, os mercadores de bombas consideram ser necessário desfechar um golpe ainda mais contundente no inimigo. Churchill deu sinal verde, e o inferno caiu do céu sobre a Alemanha. Quando os bombardeios afinal terminaram, as baixas chegaram a um número dez vezes maior que as causadas pela *Blitz*. Em uma só noite em Dresden, foram mortos mais homens, mulheres e crianças que em Londres durante toda a guerra. Mais da metade das cidades da

Alemanha foi destruída. O país se transformou num enorme amontoado de escombros fumegantes.

Enquanto isso, um pequeno contingente das forças aéreas dos Aliados atacava alvos realmente estratégicos, como fábricas e pontes. Até os últimos meses, Churchill continuou afirmando que a maneira mais certeira de ganhar a guerra era lançando bombas sobre civis para abater o moral do país. Em janeiro de 1944, um memorando da Força Aérea Real reafirmava positivamente esse ponto de vista: "Quanto mais nós bombardeamos, mais satisfatório o efeito".

O primeiro-ministro sublinhou essas palavras com sua famosa caneta vermelha.[20]

Mas será que as bombas causaram os efeitos pretendidos?

Vou começar mais uma vez com o testemunho ocular de um respeitado psiquiatra. Entre maio e julho de 1945, o dr. Friedrich Panse entrevistou quase cem alemães cujas casas haviam sido destruídas. "Depois", disse um deles, "eu me senti cheio de energia e acendi um charuto." O clima geral após um ataque, comentou outro, era de euforia, "como depois de uma guerra ter sido vencida".[21]

Não houve sinais de histeria de massa. Ao contrário, em lugares recém-atacados, os moradores se sentiam aliviados. "Os vizinhos foram maravilhosamente prestativos", registrou Panse. "Considerando a gravidade e a duração do estresse, a atitude geral foi notoriamente firme e contida."[22]

Relatos do *Sicherheitsdienst* [Serviço de Segurança], que mantinha estreito contato com a população alemã, transmitem imagem semelhante. Depois dos ataques, as pessoas ajudavam umas às outras. Retiravam vítimas dos escombros, apagavam incêndios. Membros da Juventude Hitlerista iam aos locais para cuidar dos feridos e dos desabrigados. Um merceeiro brincalhão colocou um cartaz na frente de sua loja: VENDE-SE MANTEIGA DERRETIDA![23]

(Tudo bem, o humor inglês é melhor.)

Pouco depois de a Alemanha se render, em maio de 1945, uma equipe de economistas dos Aliados, designada pelo Departamento de Defesa dos Estados Unidos, fez uma visita ao país derrotado para estudar os efeitos dos bombardeios. Mais que qualquer outra coisa, os norte-americanos queriam saber se essa tática era uma boa maneira de vencer uma guerra.

As descobertas dos cientistas foram gritantes: o bombardeio de civis fora um fiasco. Na verdade, parecia até ter fortalecido a economia de guerra alemã e, assim, prolongado o conflito. Eles constataram que, entre 1940 e 1944, a produção alemã de tanques se multiplicou por nove, e a de aviões de caça, por *catorze*.

Uma equipe de economistas britânicos chegou à mesma conclusão.[24] Nas 21 pequenas e grandes cidades pesquisadas, a produção havia aumentado mais rapidamente que num grupo de controle de catorze cidades que não foram bombardeadas. "Começamos a perceber", confessou um dos economistas norte-americanos, "que estávamos diante de um dos maiores erros de cálculo da guerra, talvez o maior."[25]

O que mais me fascina nessa triste história como um todo é que os principais atores caíram na mesma armadilha.

Hitler e Churchill, Roosevelt e Lindemann – todos subscreveram as afirmações do psicólogo Gustavo le Bon de que nosso estado de civilização não passa de um verniz. Tinham certeza de que ataques aéreos dissolveriam esse frágil revestimento. No entanto, quanto mais eles bombardeavam, mais *espesso* esse revestimento ficava. Aparentemente, não era uma fina membrana, mas uma crosta.

Infelizmente, os especialistas militares demoraram para entender esse fato. E, 25 anos depois, as Forças Armadas dos Estados Unidos usariam no Vietnã um poder de fogo três vezes maior que o de todas as bombas lançadas durante a Segunda Guerra Mundial.[26] Desta vez, o fracasso foi em uma escala ainda maior. Mesmo quando a evidência está bem à frente, de alguma forma conseguimos negá-la. Até hoje, muita gente continua acreditando que a resiliência demonstrada pelo povo inglês durante a *Blitz* pode ser atribuída a uma especificidade britânica.

Mas não é característica de um povo. É algo universalmente humano.

1
UM NOVO REALISMO

1

Este livro é sobre uma ideia radical.

Uma ideia que há muito se sabe que deixa governantes nervosos. Uma ideia negada por religiões e ideologias, ignorada pela mídia e apagada dos anais da história do mundo.

Ao mesmo tempo, é uma ideia legitimada por praticamente todos os campos da ciência. Uma ideia corroborada pela evolução e confirmada no dia a dia. Uma ideia tão intrínseca à natureza humana que passa despercebida.

Se ao menos tivéssemos coragem de levá-la mais a sério, seria uma ideia capaz de dar início a uma revolução. Virar a sociedade de cabeça para baixo. Pois, quando se entende seu significado real, não é nada menos que uma droga alucinante que nos levaria a nunca mais ver o mundo da mesma maneira.

E qual é essa ideia radical?

É a de que, no fundo, a maioria das pessoas é bastante decente.

Não conheço ninguém que explique melhor essa ideia que Tom Postmes, professor de Psicologia Social na Universidade de Groningen, na Holanda. Há anos ele vem fazendo a mesma pergunta aos alunos:

> Imaginem um avião fazendo um pouso de emergência e se quebrando em três partes. Enquanto a cabine se enche de fumaça, todos lá dentro percebem: "Precisamos sair daqui". O que acontece?
> - No planeta A, os passageiros viram-se para os que estão ao lado e perguntam se estão bem. Os que precisam de assistência recebem ajuda para sair do avião primeiro. As pessoas estão dispostas a sacrificar a própria vida, mesmo por estranhos que nunca viram antes.
> - No planeta B, cada um cuida de si mesmo. Instala-se o pânico. Todos se empurram e se atropelam. Crianças, idosos e portadores de deficiência são pisoteados.
>
> Agora vem a pergunta: em que planeta nós vivemos?

"Eu estimaria que cerca de 97% das pessoas acham que vivemos no planeta B", diz Postmes. "Mas a verdade é que, na maioria dos casos, vivemos no planeta A."[1]

Não importa a quem você pergunte. De direita ou de esquerda, rico ou pobre, inculto ou bem informado – todos cometem o mesmo erro de julgamento. "Ninguém sabe. Estudantes do curso médio ou de graduação, a maioria dos profissionais, nem mesmo socorristas para casos de emergência", lamenta Postmes. "E não é por falta de pesquisas. Temos acesso a essa informação desde a Segunda Guerra Mundial."

Mesmo os mais momentosos desastres da história seguiram o modelo do planeta A. Vamos considerar o naufrágio do *Titanic*. Se você assistiu ao filme, provavelmente acha que todos entraram em pânico (com exceção do quarteto de cordas). No entanto, a evacuação foi bem-ordenada. Uma testemunha ocular lembrou que "não houve indícios de pânico ou histeria nem gritos de medo ou correrias de um lado para o outro".[2]

Ou vamos considerar os ataques terroristas de 11 de setembro de 2001. Enquanto as Torres Gêmeas queimavam, milhares de pessoas desciam calmamente as escadas, mesmo sabendo que sua vida estava em perigo. Abriam caminho para os bombeiros e os feridos. "E realmente as pessoas diziam: 'Não, não, você primeiro'", relatou um sobrevivente. "Eu não conseguia acreditar que àquela altura as pessoas dissessem 'Não, não, vai você primeiro'. Foi inacreditável."[3]

Existe um mito persistente de que, pela própria natureza, os humanos são egoístas, agressivos e muito suscetíveis ao pânico. É o que o biólogo holandês Frans de Waal gosta de chamar de *teoria do verniz*: a ideia de que a civilização não passa de uma fina camada de verniz que pode descascar ante qualquer provocação.[4] Na realidade, é o oposto. É quando surge uma crise – quando caem bombas ou há uma enchente – que os humanos dão o melhor de si.

Em 29 de agosto de 2005, o furacão Katrina atingiu Nova Orleans. As barragens e os muros de contenção que deveriam proteger a cidade não funcionaram. No rescaldo da tormenta, 80% das residências da área foram inundadas e pelo menos 1.836 pessoas morreram. Foi um dos desastres naturais mais devastadores da história dos Estados Unidos.

Durante aquela semana inteira, os jornais publicaram inúmeros casos de estupro e tiroteio por Nova Orleans. Houve relatos aterrorizantes de gangues itinerantes, saques e franco-atiradores disparando em helicópteros de resgate. Dentro do Superdome, que serviu como o maior abrigo da cidade na tempestade, apinharam-se 25 mil pessoas, sem água nem eletricidade. Jornalistas informaram que duas crianças foram degoladas e que uma menina de 7 anos foi estuprada e morta.[5]

O chefe de polícia disse que a cidade estava à beira da anarquia, e a governadora da Luisiana expressou os mesmos temores. "O que mais me deixa furiosa", declarou, "é que desastres como esse costumam expor o que há de pior nas pessoas."[6]

Essa conclusão viralizou. No jornal inglês *The Guardian*, o aclamado historiador Timothy Garton Ash articulou o que muitos pensaram:

> Basta remover os itens elementares da vida organizada e civilizada – alimento, abrigo, água potável, condições mínimas de segurança pessoal –, que em poucas horas regredimos a um estado hobbesiano da natureza, a uma guerra de todos contra todos. [...] Alguns se transformam temporariamente em anjos, e a maioria volta a agir como primata.

Lá está ela de novo, em toda sua glória: a teoria do verniz. Segundo Garton Ash, Nova Orleans tinha aberto uma pequena rachadura na "fina camada que recobre o fervilhante magma da natureza, inclusive da natureza humana".[7]

Somente meses mais tarde – quando os jornalistas foram embora, as águas da enchente baixaram e os colunistas se dedicaram aos próximos assuntos – os pesquisadores descobriram o que de fato acontecera em Nova Orleans.

O que soou como disparos de armas de fogo foi na verdade o estampido tranquilizador da abertura da válvula de escape de um tanque de gás. No Superdome, seis pessoas morreram: quatro de morte natural, uma de overdose e uma se suicidou. O chefe de polícia foi obrigado a reconhecer que não encontrou nenhum caso oficialmente registrado de estupro ou assassinato. É verdade que houve saques, mas basicamente por grupos que se organizaram para sobreviver, em alguns casos até em conluio com a polícia.[8]

Pesquisadores do Centro de Pesquisas de Desastres da Universidade de Delaware concluíram que "a esmagadora maioria das atividades decorrentes foi pró-social por natureza".[9] Uma verdadeira armada saiu de lugares distantes, como o Texas, para salvar pessoas das enchentes. Centenas de civis organizaram esquadrões de resgate, como os autodenominados Saqueadores Robin Hood – um grupo de onze amigos que saía em busca de alimento, roupas e medicamentos para distribuir aos necessitados.[10]

Em resumo, o Katrina não viu uma Nova Orleans assolada por anarquia e interesses egoístas. Ao contrário, a cidade foi inundada por coragem e altruísmo.

O furacão confirmou o que ciência já sabia sobre a reação humana a desastres. Ao contrário do que em geral vemos em filmes, o Centro de Pesquisas de Desastres da Universidade de Delaware constatou que, em quase setecentos estudos de campo desde 1963, jamais houve uma situação de caos total. Nunca se estabelece o cada um por si. A criminalidade – assassinatos, roubos, estupros – costuma cair. As pessoas não entram em choque, elas se mantêm calmas e resolvem agir. "Seja qual for a extensão dos saques", destaca um pesquisador de desastres, "é sempre insignificante em comparação ao altruísmo que leva a doações espontâneas em massa e à divisão de bens e serviços."[11]

Catástrofes fazem aflorar o melhor nas pessoas. Não conheço nenhuma outra descoberta sociológica, comprovada por tantas evidências concretas, que seja tão sumariamente ignorada. A imagem com que a mídia nos alimenta é quase sempre o oposto do que acontece em casos de desastre.

Enquanto isso, em Nova Orleans, aqueles persistentes boatos estavam custando vidas.

Não querendo se aventurar na cidade sem proteção, os socorristas demoraram a se mobilizar. A Guarda Nacional foi chamada, e, no auge das operações, 72 mil soldados se encontravam no local. "Esses soldados sabem atirar e matar", declarou a governadora, "e espero que façam isso."[12]

E foi o que fizeram. Em Danziger Bridge, na região leste da cidade, a polícia abriu fogo contra seis inocentes, moradores negros e desarmados, matando um garoto de 17 anos e um homem de 40 anos com deficiência mental (cinco dos policiais envolvidos foram depois condenados a longas penas de prisão).[13]

É verdade que o desastre de Nova Orleans foi um caso extremo. Mas a dinâmica durante os desastres é quase sempre a mesma: diante da adversidade, a reação é um movimento de cooperação espontâneo; depois, as autoridades entram em pânico e desencadeiam um segundo desastre.

"Minha impressão é de que o pânico da elite se origina em pessoas de poder, que veem toda a humanidade à própria imagem", escreve Rebecca Solnit, cujo livro A *Paradise Built in Hell* (2009) [Um paraíso construído no inferno] apresenta um magistral relato sobre as consequências do Katrina.[14] Ditadores e déspotas, governadores e generais – todos costumam apelar à força bruta para evitar cenários que só existem na cabeça deles, baseados na suposição de que o cidadão comum é regido pelos próprios interesses, assim como eles.

2

No verão de 1999, em uma pequena escola na cidade de Bornem, na Bélgica, nove crianças foram acometidas por uma estranha doença. Elas chegaram à escola naquela manhã sem sintomas; depois do almoço, estavam doentes. Dor de cabeça. Vômito. Palpitação. Em busca de explicação, a única coisa em que os professores conseguiram pensar foi na Coca-Cola que as nove haviam tomado durante o intervalo.

Não demorou para os jornalistas ficarem sabendo da história. Os telefones do escritório central da Coca-Cola começaram a tocar. Na mesma noite, a empresa soltou um comunicado na imprensa dizendo que milhões de garrafas seriam retiradas das prateleiras dos mercados da Bélgica. "Estamos pesquisando freneticamente e esperamos ter uma resposta definitiva nos próximos dias", disse uma porta-voz.[15]

No entanto, era tarde demais. Os sintomas já haviam se alastrado por todo o país e atravessado a fronteira com a França. Crianças pálidas e inertes entravam em ambulâncias. Em poucos dias, a suspeita abrangia todos os produtos da Coca-Cola. Fanta, Sprite, Nestea,

Aquarius... Todos pareciam ser perigosos para crianças. O "Incidente Coca-Cola" foi um dos piores golpes financeiros nos 107 anos de história da companhia, resultando em *recall* de 17 milhões de caixas de refrigerantes na Bélgica e na destruição do estoque do depósito.[16] No fim, o custo foi de mais de 200 milhões de dólares.[17]

Então, algo estranho aconteceu. Passadas poucas semanas, os toxicologistas divulgaram o relatório do laboratório. O que eles encontraram depois dos testes nas latas do refrigerante? Nada. Nenhum pesticida. Nenhum patógeno. Nenhum metal tóxico. Nada. E os testes de sangue e de urina feitos com centenas de pacientes? Bulhufas. Os cientistas foram incapazes de descobrir qualquer causa química para os graves sintomas que até então haviam sido documentados em mais de mil meninos e meninas.

"Aquelas crianças estavam realmente doentes, sem dúvida alguma", disse um dos pesquisadores. "Mas não por terem tomado Coca-Cola."[18]

Esse incidente remete a uma questão filosófica tão antiga quanto o tempo.

O que é a verdade?

Algumas coisas são verdade, quer você acredite, quer não. A água ferve a 100 °C. Fumar mata. O presidente Kennedy foi assassinado em Dallas em 22 de novembro de 1963.

Outras coisas têm o potencial de ser verdade, se acreditarmos nelas. Nossa convicção torna-se o que os sociólogos chamam de *profecia que se autorrealiza*: ao prever que um banco vai quebrar e convencer um monte de gente a fechar as contas, certamente esse banco vai quebrar.

Ou considere o efeito placebo. Se seu médico receitar um comprimido falso e disser que vai curar sua doença, há uma boa chance de você *se sentir* melhor. Quanto mais dramático o placebo, maiores as chances. Uma injeção, de maneira geral, é mais eficaz que um comprimido, e antigamente até uma flebotomia podia cumprir essa função – não pela medicina medieval ser tão avançada, mas porque as pessoas achavam que tão drástico procedimento teria de causar algum impacto.

E o maior dos placebos? Cirurgia! Vista um avental branco, aplique anestésico, depois saia da sala para tomar um café. Quando o paciente acordar, diga que a operação foi um sucesso. Um abrangente estudo conduzido pelo *British Medical Journal* comparando verdadeiros procedimentos cirúrgicos com falsas cirurgias (em casos de dores nas costas e azia) revelou que os placebos funcionaram em três quartos dos casos e em metade foram tão eficazes quanto o verdadeiro procedimento.[19]

Também funciona no caso inverso.

Ao tomar um comprimido achando que vai ficar doente, há chances de adoecer mesmo. Se avisar aos pacientes que uma droga tem sérios efeitos colaterais, provavelmente isso vai acontecer. Por razões óbvias, o efeito *nocebo*, como é chamado, nunca foi amplamente testado, dada a ética melindrosa de convencer pessoas saudáveis de que estão doentes. Mesmo assim, todas as evidências indicam que nocebos podem ser potentes.

Foi o que as autoridades médicas concluíram na Bélgica, no verão de 1999. É possível que houvesse algo errado com um ou dois refrigerantes que aqueles garotos de Bornem tomaram. Quem pode dizer o contrário? No entanto, à parte esse fato, os cientistas foram inequívocos: as centenas de outras crianças em todo o país se contaminaram por uma "doença psicogênica de massa". Ou seja, foi tudo imaginação.

O que não quer dizer que as vítimas estavam fingindo. Mais de mil crianças belgas realmente sentiram náusea, febre e tontura. Ao acreditar numa coisa, essa coisa pode tornar-se real. Se podemos tirar alguma lição do efeito nocebo, é aquela de que ideias nunca são *meramente* ideias. Nós somos aquilo em que acreditamos. Encontramos o que estamos procurando. E o que previmos acaba acontecendo.

Talvez você esteja percebendo o ponto a que quero chegar: nossa visão sombria da humanidade também é um nocebo.

Se nós *acreditarmos* que a maioria das pessoas não é confiável, será assim que trataremos uns aos outros, para prejuízo de todos. Poucas ideias têm tanto poder de moldar o mundo quanto a maneira como vemos os outros. Porque, em última análise, se obtém o que já era esperado. Se quisermos enfrentar os maiores desafios atuais – desde a crise climática até a nossa desconfiança cada vez maior uns dos outros –, precisamos começar pela visão que temos da natureza humana.

Contudo, este livro não é um sermão sobre a bondade fundamental das pessoas. É óbvio que não somos anjos. Somos criaturas complexas, com um lado bom e um lado não tão bom. A questão é para qual dos lados nos voltamos.

Meu argumento é simplesmente o seguinte: nós, quando ainda somos crianças – em uma ilha não habitada, em meio a uma guerra ou ante uma crise –, temos por natureza uma forte preferência pelo lado bom. Vou apresentar uma considerável evidência científica mostrando quanto uma visão mais positiva da natureza humana é realista. Ao mesmo tempo, estou convencido de que essa visão seria mais realista se começássemos a acreditar nela.

Paira pela internet uma parábola de origem desconhecida, que contém o que acredito ser uma verdade simples, porém profunda.

> Um velho diz ao neto: "Há uma batalha travada dentro de mim. Uma luta terrível entre dois lobos. Um é maligno – raivoso, ganancioso, ciumento, arrogante e covarde. O outro é bondoso – pacífico, amoroso, modesto, generoso, honesto e confiável. Esses dois lobos também estão lutando dentro de você, e dentro de todas as outras pessoas".
>
> Depois de um momento, o garoto pergunta: "Qual dos lobos vai vencer?".
>
> O velho sorri.
>
> "O lobo que você alimentar."

3

Ao longo dos últimos anos, sempre que eu falava com alguém sobre este livro em que estava trabalhando, a reação era de sobrancelhas arqueadas. Expressões de incredulidade. Uma editora alemã recusou sumariamente minha proposta. A justificativa: "Os alemães não acreditam na bondade inerente da humanidade". Um membro da *intelligentsia* parisiense me garantiu que os franceses precisam de um governo com pulso firme. E quando fiz uma turnê pelos Estados Unidos depois da eleição presidencial de 2016, todos, em todo canto, me perguntavam se não faltava um parafuso em minha cabeça.

A maioria das pessoas é decente? Será que nunca liguei a televisão?

Não muito tempo atrás, um estudo feito por dois psicólogos norte-americanos provou mais uma vez quanto a humanidade se apega à ideia de nossa natureza egoísta. Os pesquisadores apresentaram aos participantes do teste diversas situações mostrando outras pessoas fazendo coisas aparentemente agradáveis. E qual foi o resultado? Basicamente, que somos condicionados a ver egoísmo em toda parte.

Ver alguém ajudando um idoso ou uma idosa a atravessar a rua? Que sujeito exibido. Ver alguém oferecendo dinheiro para uma pessoa em condição de rua? Deve estar querendo se sentir melhor consigo mesmo.

Até quando os pesquisadores apresentavam aos participantes dados concretos sobre estranhos devolvendo carteiras perdidas, ou sobre o fato de que a maioria da população não engana nem rouba, grande parte dos participantes não via a humanidade sob uma luz mais positiva. "Em vez disso, decidiram que comportamentos aparentemente altruístas, no fundo, devem ser egoístas", escreveu um dos psicólogos.[20]

O cinismo é a teoria de tudo. O cínico sempre está certo.

Agora você pode pensar algo como: *Espere um pouco, não foi assim que fui criado. No lugar onde nasci, confiamos uns nos outros, ajudamos uns aos outros e deixamos a porta de casa aberta.* E você tem razão, pois é fácil pressupor que as pessoas mais próximas são decentes – amigos, parentes, vizinhos e colegas de trabalho.

No entanto, quando ampliamos a visão para o restante da humanidade, a desconfiança logo assume o controle. Vamos considerar a World Values Survey, uma formidável pesquisa realizada desde os anos 1980 por uma rede de cientistas sociais em mais de cem países. Uma das perguntas-padrão é: "Em termos gerais, você diria que se pode confiar na maioria das pessoas ou que é preciso ter muito cuidado ao lidar com os outros?".

Os resultados são desalentadores. Em quase todos os países, a grande parte acha que as pessoas não são confiáveis. Mesmo em democracias estáveis, como França, Alemanha, Grã-Bretanha e Estados Unidos, a maioria da população compartilha essa triste visão dos seres humanos.[21]

A questão que me fascina há muito tempo é *por que* temos essa visão negativa da humanidade. Se nosso instinto é confiar em nossas comunidades imediatas, por que mudamos de atitude em relação aos indivíduos como um todo? Por que tantas leis e regulamentações, tantas empresas e instituições, partem do pressuposto de que as pessoas não merecem confiança? Por que insistimos em acreditar que vivemos no planeta B, quando a ciência nos dá todas as provas de que vivemos no planeta A?

Será falta de boa formação? Dificilmente. Neste livro, vou apresentar dezenas de intelectuais que acreditam ferrenhamente na imortalidade humana. Convicções políticas? Mais uma vez, não. Um bom número de religiões assume como princípio de fé que os humanos estão atolados no pecado. Muitos capitalistas presumem que todos somos motivados por nossos interesses. Um bocado de ambientalistas vê os humanos como uma praga destrutiva. Milhares de opiniões; uma só visão da natureza humana.

Isso me faz refletir. Por que imaginamos que humanos são maus? O que nos fez começar a acreditar na natureza malévola de nossa espécie?

Imagine por um momento uma nova droga sendo lançada no mercado. É uma droga extremamente viciante, e em pouco tempo todos serão dependentes. Os cientistas investigam e logo concluem que a droga provoca – e estou citando – "uma falsa percepção de perigo, ansiedade, desânimo, sensação de desamparo, desprezo e hostilidade para com os outros e dessensibilização".[22]

Será que usaríamos essa droga? Você deixaria seus filhos a experimentarem? O governo a legalizaria? Para todas as perguntas: sim. Porque estamos falando sobre o que já é um dos maiores vícios hoje. Uma droga que usamos diariamente, fortemente subsidiada e distribuída para nossos filhos em escala maciça.

Essa droga são as notícias.

Cresci acreditando que notícias são boas para o desenvolvimento individual. Que ler os jornais e assistir ao noticiário é um dever do cidadão engajado. Que, quanto mais acompanharmos as notícias, mais bem informados seremos e mais saudável será nossa democracia. Essa é a história que muitos pais continuam contando aos filhos, mas os cientistas estão chegando a conclusões bem diferentes. Notícias, segundo dezenas de estudos, são danosas à saúde mental.[23]

O primeiro a abrir esse campo de pesquisas, nos anos 1990, foi George Gerbner (1919-2005). Foi também ele quem cunhou um termo para definir o fenômeno que descobriu: *síndrome do mundo cruel*, cujos sintomas clínicos são cinismo, misantropia e pessimismo. Pessoas que acompanham notícias são mais propensas a concordar com afirmações como "a maioria das pessoas só se importa consigo mesma". São as que mais acreditam que, enquanto indivíduos, somos incapazes de melhorar o mundo. São as que mais tendem a se sentir estressadas e deprimidas.

Alguns anos atrás, foi pedido a indivíduos de trinta países que respondessem a uma simples pergunta: "No geral, você acha que o mundo está ficando melhor, continua o mesmo ou está piorando?". Em todos, da Rússia ao Canadá, do México à Hungria, a grande maioria respondeu que as coisas estão ficando *piores*.[24] A realidade é exatamente o contrário. Durante as últimas décadas, caíram os índices de pessoas que vivem em extrema pobreza, de vítimas de guerras, de mortalidade infantil, de criminalidade, de fome, de trabalho infantil e de morte por desastres naturais, bem como o número de quedas de aviões. Vivemos na época mais rica, mais segura e mais saudável de todos os tempos.

Por que não percebemos isso? Simples. Porque as notícias são sobre o excepcional, e quanto mais excepcional o evento – seja um ataque terrorista, um levante violento ou um desastre natural –, maior será o valor da notícia. Você nunca verá uma manchete anunciar NÚMERO DE PESSOAS VIVENDO EM EXTREMA POBREZA DIMINUIU EM 137 MIL DESDE ONTEM, embora fosse mais exato informar que isso vem acontecendo *a cada dia durante os últimos 25 anos*.[25] Tampouco você verá uma transmissão ao vivo com um repórter dizendo: "Estou aqui, no meio do nada, onde hoje ainda não há sinais de guerra".

Poucos anos atrás, uma equipe de sociólogos holandeses analisou como os acidentes aéreos são noticiados. Entre 1991 e 2005, enquanto o número de acidentes diminuía em ritmo constante, eles descobriram que a atenção da mídia a esse tipo de acidente aumentou de forma estável. Como se poderia esperar, as pessoas passaram a sentir mais medo de voar em aviões cada vez mais seguros.[26]

Em outro estudo, pesquisadores da mídia compilaram um banco de dados com mais de 4 milhões de notícias sobre imigrantes, crimes e terrorismo, a fim de determinar se havia algum padrão. A conclusão a que chegaram foi de que, quando a imigração ou a violência declinam, os jornais *aumentam* a cobertura desses temas. "Portanto", concluíram, "parece não haver nenhuma relação ou até haver uma relação negativa entre as notícias e a realidade."[27]

Obviamente, quando digo "notícias", não estou me referindo ao jornalismo em geral. Muitas formas de jornalismo nos ajudam a entender o mundo. No entanto, notícias como as que divulgam eventos recentes, incidentais e sensacionais são mais comuns. Oito de cada dez adultos nos países ocidentais consomem notícias diariamente. Na média, passamos uma hora por dia tomando nossa dose de notícias. Somadas ao longo da vida, equivalem a três anos.[28]

Por que os humanos somos tão suscetíveis a notícias sobre desgraças e tristezas? Por duas razões. A primeira é aquela que os psicólogos chamam de *viés de negatividade*: estamos mais sintonizados com o ruim que com o bom. Nos tempos em que éramos caçadores e coletores, era melhor sentir cem vezes mais medo de uma aranha ou de uma cobra que deixar de sentir medo uma vez. Medo demais não nos mataria; medo de menos certamente sim.

A segunda é o fato de que também carregamos o fardo de um *viés de disponibilidade*. Se conseguimos nos lembrar facilmente de exemplos de alguma coisa, logo supomos que essa coisa é relativamente comum. O fato de sermos bombardeados todos os dias por histórias horríveis de desastres aéreos, sequestradores de crianças e decapitações – que tendem a se alojar em nossa memória – distorce por completo nossa visão de mundo. Como observa o estatístico libanês Nassim Nicholas Taleb: "Não somos suficientemente racionais para estarmos expostos à imprensa".[29]

Nesta nossa era digital, as notícias que nos alimentam estão se tornando cada vez mais radicais. Antigamente, os jornalistas não sabiam muito sobre cada um de seus leitores. Eles escreviam para as massas. Os que estão por trás do Facebook, do Twitter e do Google, porém, nos conhecem muito bem. Sabem o que nos choca e horroriza, sabem o que mexe conosco. Sabem como captar nossa atenção e mantê-la para apresentar as porções mais lucrativas de anúncios personalizados.

Esse frenesi da mídia moderna não é nada menos que uma agressão ao corriqueiro. Porque, sejamos honestos, a vida da maioria das pessoas é bem previsível. Normal, porém chata. Assim, apesar de preferirmos ter vizinhos normais com uma vida chata (e felizmente grande parte deles se encaixa nesse perfil), o que é "chato" não chama nossa atenção. O "normal" não vende anúncios. É por isso que o vale do Silício continua nos oferecendo cada vez mais tentações para clicar, pois eles sabem muito bem que, como certa vez ironizou um romancista suíço, "notícias estão para a mente assim como o açúcar está para o corpo".[30]

Alguns anos atrás, decidi mudar minha vida. Deixei de assistir ao noticiário e de consultar meu celular no café da manhã. A partir de então, eu leria um bom livro. Sobre história. Psicologia. Filosofia.

Não demorou, porém, para eu perceber algumas coisas em comum. A maioria dos livros também é sobre o excepcional. Os títulos de história mais vendidos são invariavelmente sobre catástrofes e adversidades, tirania e opressão. Sobre guerras e mais guerras e, para dar um pouco mais de tempero, outra guerra. E se, para variar, não houver guerra, é porque estamos no que os historiadores chamam de *interbellum*, ou entreguerras.

A visão de que a humanidade é ruim também vem dominando a ciência há décadas. Procure um livro sobre a natureza humana, e você vai encontrar títulos como *Demonic Males* [Machos demoníacos], *O gene egoísta* e *The Murderer Next Door* [Vizinho assassino]. Há muito os biólogos adotaram a mais sombria teoria da evolução, segundo a qual, mesmo se um animal *aparentava* fazer algo de bom, era enquadrado como apresentando uma atitude egoísta. Afeições familiares? Nepotismo! Um macaco dividindo uma banana? Explorado por um aproveitador![31] Como ironizou um biólogo norte-americano: "O que se passa por cooperação se transforma numa mistura de oportunismo com exploração. [...] Arranhe um 'altruísta', e verá um 'hipócrita' sangrar".[32]

E em economia? A mesma coisa. Os economistas definem nossa espécie como *Homo economicus*: sempre atento ao ganho pessoal, como robôs egocêntricos e calculistas. Baseados nessa noção da natureza humana, economistas construíram uma catedral de teorias e modelos que acabaram servindo como referência a resmas de legislações.

Contudo, ninguém chegou a pesquisar se o *Homo economicus* de fato existe. Isto é, até o economista Joseph Henrich e sua equipe abordarem o assunto, em 2000. Em visitas a quinze comunidades em doze países, eles aplicaram testes em fazendeiros, nômades, caçadores e coletores, tudo em busca do hominídeo que durante décadas orientou a teoria econômica. Mas foi em vão. Em todas as ocasiões, os resultados mostraram que as pessoas são simplesmente muito decentes. Muito generosas.[33]

Depois de publicar essas influentes descobertas, Henrich continuou sua busca pelo ser mítico a partir do qual muitos economistas teceram teorias. E acabou encontrando o *Homo economicus* em carne e osso. Embora *Homo* não seja exatamente a palavra certa. No fim, o *Homo economicus* não é um humano, mas um chimpanzé. "As previsões do modelo de *Homo economicus* se provaram aplicáveis na previsão do comportamento dos chimpanzés em experimentos simples", observou Henrich. "Assim, todo o trabalho teórico não foi um desperdício, mas aplicado à espécie errada."[34]

Menos engraçado é que essa visão turva da natureza humana vem funcionando como nocebo há décadas. Nos anos 1990, o professor de economia Robert Frank quis saber como a concepção dos humanos enquanto essencialmente egoístas afetaria seus alunos. Ele elaborou uma série de exercícios para avaliar a generosidade dos estudantes. O resultado? Quanto mais estudavam economia, mas egoístas se tornavam. "Nós nos tornamos o que ensinamos", concluiu Frank.[35]

A doutrina de que os humanos são egoístas natos tem uma tradição consagrada no cânone ocidental. Grandes pensadores como Tucídides, Agostinho, Maquiavel, Hobbes, Lutero, Calvino, Burke, Bentham, Nietzsche, Freud e os patriarcas fundadores dos Estados Unidos tinham a própria versão da teoria do verniz da civilização. Todos acreditavam que vivemos no planeta B.

Essa visão cínica já circulava entre gregos antigos. Podemos identificá-la nos textos do primeiro historiador, Tucídides, quando ele descreve uma guerra civil ocorrida na ilha grega de Córcira em 427 a.C. "Com as convenções normais da vida civilizada abolidas pela confusão", escreveu, "a natureza humana, sempre pronta a transgredir mesmo quando existem leis, revelou-se orgulhosamente em suas verdadeiras cores."[36] Em outras palavras, as pessoas se comportaram como feras.

Desde sua origem, o cristianismo também foi permeado por uma visão negativa. Agostinho (354-430), o Pai da Igreja, ajudou a popularizar a ideia de que os humanos nasceram em pecado. "Ninguém está livre do pecado", escreveu, "nem mesmo uma criança cujo ciclo de vida na Terra é de um único dia."[37]

Esse conceito de pecado original continuou popular durante a Reforma, quando os protestantes romperam com a Igreja Católica Romana. Segundo o teólogo e reformador João Calvino: "Nossa natureza não só é destituída e vazia de bem, mas também tão fértil e frutífera para todo mal que não pode ficar ociosa". Essa convicção foi codificada em textos fundamentais dos protestantes, como O *catecismo*, de Heidelberg (1563), que diz que os humanos são "totalmente incapazes de fazer qualquer bem e inclinados a todo o mal".

Estranhamente, não só o cristianismo tradicional, mas também o Iluminismo, que colocou a razão acima da fé, tem raízes numa visão soturna da natureza humana. Os fiéis ortodoxos estavam convencidos de que nossa espécie é essencialmente depravada, e o melhor que podemos fazer é aplicar uma fina camada de piedade. Os filósofos do Iluminismo ainda acreditavam que somos depravados, mas prescreviam um revestimento de razão para encobrir a podridão.

No que diz respeito às noções sobre a natureza humana, é impressionante sua continuidade por todo o pensamento ocidental. "Pois isto pode ser dito dos homens em geral: que eles são ingratos, volúveis, hipócritas", sintetizou Nicolau Maquiavel, o fundador da ciência política. "Todos os homens seriam tiranos se pudessem", concordou John Adams, fundador da democracia dos Estados Unidos. "Somos descendentes de uma interminável série de gerações de assassinos", diagnosticou Sigmund Freud, fundador da psicologia moderna.

No século XIX, Charles Darwin surgiu em cena com sua teoria da evolução, que também logo foi tratada como verniz. O renomado cientista Thomas Henry Huxley (vulgo "buldogue de Darwin") apregoava que a vida é uma grande batalha "do homem contra o homem e de nação contra nação".[38] O filósofo Herbert Spencer vendeu centenas de milhares de livros baseados na avaliação de que devemos atiçar as chamas dessa batalha, já que "todo o esforço da Natureza é se livrar [dos pobres] – para eliminá-los do mundo e abrir lugar para os melhores".[39]

O mais estranho de tudo é que esses pensadores foram quase unanimemente saudados como "realistas", enquanto pensadores dissidentes eram ridicularizados por acreditarem na decência humana.[40] Emma Goldman, feminista cuja luta pela liberdade e pela igualdade foi motivo de calúnia e desprezo durante toda a vida, escreveu certa vez: "Pobre natureza humana, que crimes horríveis foram cometidos em teu nome! [...] Quanto maior o charlatão mental, mais definitiva sua insistência na maldade e na fraqueza da natureza humana".[41]

Só recentemente cientistas de uma série de diferentes campos chegaram à conclusão de que nossa visão sombria da humanidade precisa de uma revisão radical. Essa tomada de consciência ainda é tão incipiente que muitos deles não percebem que não estão sós. Como exclamou uma proeminente psicóloga ao saber dessa nova corrente na biologia: "Meu Deus, então isso também está acontecendo lá?".[42]

4

Antes de falar sobre minha busca por uma nova visão da humanidade, gostaria de compartilhar três alertas.

Primeiro, defender a bondade humana é como enfrentar uma hidra – aquele monstro mitológico de sete cabeças que formava duas novas cabeças a cada uma que Hércules decepava. O cinismo funciona dessa forma. Para cada argumentação misantrópica que você esvazia, outras duas surgirão no lugar. A teoria do verniz é um zumbi que sempre volta.

Segundo, defender a bondade humana é tomar uma posição contra os poderes vigentes. Para os poderosos, qualquer visão esperançosa da natureza humana é uma ameaça direta. Subversiva. Sediciosa. Implica não sermos as feras egoístas que precisam ser domadas, restringidas e regulamentadas. Implica precisarmos de um tipo diferente de liderança. Uma empresa com funcionários intrinsecamente motivados não precisa de gerentes; uma democracia com cidadãos engajados não precisa de políticos de carreira.

Terceiro, defender a bondade humana significa se expor a uma tempestade de ridicularizações. Você vai ser chamado de ingênuo. Obtuso. Qualquer fragilidade no raciocínio será impiedosamente exposta. Basicamente, é mais fácil ser cínico. O professor pessimista que apregoa a doutrina da depravação humana pode prever o que quiser, pois, se suas profecias não se realizam no momento, basta esperar: o fracasso pode estar ao virar a esquina. Ou, então, foi a voz da razão que evitou o pior. Os profetas da desgraça parecem, oh, tão profundos, independentemente do que disserem.

As razões para a esperança, por sua vez, são sempre temporárias. Nada deu errado – ainda. Você não foi enganado – ainda. Um idealista pode estar certo durante toda a vida e, ainda sim, ser descartado como ingênuo. Este livro pretende mudar isso. Pois o que hoje parece irrazoável, irrealista e impossível pode se tornar inevitável amanhã.

Chegou a hora de um novo realismo. Chegou o momento de uma nova visão da humanidade.

2
O *SENHOR DAS MOSCAS* DA VIDA REAL

1

Quando comecei a escrever este livro, sabia que havia uma história a ser abordada.

A história transcorre numa pequena ilha deserta em algum lugar do Pacífico. Um avião acabou de cair. Os únicos sobreviventes são alguns estudantes ingleses, que mal conseguem acreditar na boa sorte que tiveram. É como se tivessem feito uma aterrissagem forçada em um dos livros de aventuras que leram. Nada além da praia, de conchas e água por muitos quilômetros. E melhor ainda: sem nenhum adulto.

Logo no primeiro dia, os garotos instituem uma espécie de democracia. Um dos meninos – Ralph – é eleito líder do grupo. Atlético, carismático e bonito, é o garoto de ouro da turma. O plano de ação de Ralph é simples: 1) divertir-se; 2) sobreviver; 3) fazer sinal de fumaça para navios que passarem.

O primeiro item é um sucesso. Os outros? Não tanto. A maioria dos meninos se mostra mais interessada em brincar e se divertir que em cuidar do fogo. Jack, garoto ruivo, desenvolve uma paixão por caçar porcos, e com o passar do tempo ele e os amigos começam a ficar mais imprudentes. Quando certo dia um navio passa ao longe, todos tinham abandonado seus postos na fogueira.

"Você está desobedecendo as regras!", acusa Ralph, furioso.

Jack dá de ombros. "Quem se importa com isso?"

"As regras são a única coisa que nós temos!"

Quando anoitece, os garotos se sentem aterrorizados, com medo das feras que acreditam perambular pela ilha. Na verdade, as únicas feras estão dentro deles mesmos. Depois de algum tempo, começam a pintar o próprio rosto. A se livrar das roupas. E desenvolvem impulsos incontroláveis – beliscar, chutar, morder.

De todos, só um consegue manter a cabeça fria. Piggy, como os outros o chamam, por ser mais gordo que os demais, é asmático, usa óculos e não sabe nadar. Piggy é a voz da razão, que ninguém ouve. *O que somos nós?*, ele cogita, pesaroso. *Humanos? Ou animais? Ou selvagens?*

Passam-se semanas. Então, um dia, um oficial da Marinha britânica chega à praia. A ilha tornou-se uma terra deserta e fumegante. Três dos meninos, inclusive Piggy, morreram.

"Eu poderia pensar", diz o oficial, repreendendo-os, "que um grupo de garotos ingleses seria capaz de um comportamento melhor que este."

Ralph, outrora líder do bem-comportado grupo de garotos, irrompe em lágrimas.

"Ralph chorou pela perda da inocência", diz o texto, e pelas "trevas do coração humano..."

Essa história nunca aconteceu. Um professor inglês a inventou em 1951. "Não seria uma boa ideia", perguntou William Golding um dia à esposa, "escrever uma história sobre alguns garotos numa ilha, mostrando como realmente se comportariam?"[1]

O livro *Senhor das moscas*, de Golding, venderia dezenas de milhões de exemplares, seria traduzido para mais de trinta línguas e considerado como um dos clássicos do século XX.

Em retrospecto, o segredo do sucesso do livro é claro. Golding tinha um talento magistral de retratar as profundezas mais sombrias da humanidade. "Mesmo se partirmos de um novo começo, nossa natureza nos compele a estragar tudo", escreveu em sua primeira carta à editora.[2] Ou, como explicou mais tarde, "o homem produz o mal como uma abelha produz mel".[3]

Fica claro que Golding tinha o *zeitgeist* dos anos 1960, quando uma nova geração começava a questionar os pais sobre as atrocidades da Segunda Guerra Mundial. Eles queriam saber se Auschwitz havia sido uma anomalia ou se existe um nazista escondido em cada um de nós.

Em *Senhor das moscas*, William Golding evocou a segunda alternativa e obteve sucesso instantâneo. Tanto que o romance "marcou uma mudança cultural", argumentou o influente crítico Lionel Trilling.[4] Golding chegou a ganhar o Prêmio Nobel por sua obra. Seu livro "ilumina a condição humana no mundo hoje com a perspicácia de uma narrativa artística realista e a diversidade e universalidade do mito", escreveu o comitê sueco da premiação.

Atualmente, *Senhor das moscas* é lido como muito mais que um romance. Claro que é uma história inventada, exposta na prateleira de ficção, mas a visão de Golding da natureza humana também o transformou num verdadeiro livro didático sobre a teoria do verniz. Antes de sua publicação, ninguém jamais havia tentado um realismo tão cru em um livro sobre crianças. No lugar de narrativas sentimentais sobre casas em pradarias ou princesinhas solitárias, aqui havia – ostensivamente – uma visão cruel de como meninos eram de fato.

2

Eu era adolescente quando li *Senhor das moscas*. Lembro-me de ter me sentido desiludido enquanto digeria aquela história. No entanto, nem por um segundo pensei em duvidar da visão de Golding sobre a natureza humana.

Isso só aconteceu quando peguei o livro de novo, anos depois. Ao pesquisar a vida do autor, fiquei sabendo quanto ele foi infeliz. Alcoólatra. Com tendência à depressão. Um homem que batia nos filhos. "Sempre entendi os nazistas", confessou Golding, "porque tenho essa natureza." E foi "em parte por causa desse triste autoconhecimento" que ele escreveu *Senhor das moscas*.[5]

Golding não se interessava muito pelos outros. Como observa seu biógrafo, ele sequer se preocupava em grafar o nome de seus conhecidos corretamente. "[Uma] questão mais urgente para mim que conhecer pessoas", disse Golding, era "a natureza do Homem com H maiúsculo."[6]

E foi assim que comecei a ponderar: alguém já teria estudado como crianças de verdade agiriam se estivessem sozinhas numa ilha deserta? Escrevi um artigo sobre o assunto, no qual comparei *Senhor das moscas* com descobertas científicas modernas e concluí que, muito provavelmente, os garotos agiriam de forma diferente.[7] Citei o biólogo Frans de Waal, que afirmou "não haver a menor evidência de que crianças deixadas ao próprio destino fariam isso".[8]

Os que leram o artigo reagiram com ceticismo. Todos os exemplos se referiam a garotos em casa, na escola ou em acampamentos de férias. Eles não respondiam à pergunta fundamental: o que acontece quando meninos ficam *sozinhos* numa ilha deserta?

Assim começou minha busca pelo *Senhor das moscas* da vida real.

É claro que a possibilidade de qualquer universidade ter permitido que pesquisadores usassem meninos sozinhos numa selva por meses a fio como sujeitos de uma pesquisa era remota, mesmo nos anos

1950. No entanto, será que isso não poderia ter acontecido em algum lugar, em algum momento, por acidente? Digamos, depois de um naufrágio?

Comecei com uma busca básica na internet: "Crianças náufragas"; "o *Senhor das moscas* da vida real"; "crianças numa ilha". As primeiras referências que encontrei eram sobre um abominável *reality show* inglês de 2008, que jogava os participantes uns contra os outros. Depois de navegar por um tempo na internet, topei com um blog obscuro que contava uma história cativante: "Um dia, em 1977, seis garotos partiram de Tonga para fazer uma pescaria [...]. Surpreendidos por uma violenta tempestade, os garotos naufragaram numa ilha deserta. O que eles fazem, essa pequena tribo? Um pacto de nunca brigarem".[9]

O artigo não citava fonte. Depois de mais algumas horas clicando, descobri que a história era de um livro de um conhecido anarquista, Colin Ward, intitulado *The Child in The Country* (1988) [As crianças na zona rural]. Ward citava o relato de uma política italiana, Susanna Agnelli, compilado de algum comitê internacional.

Mais esperançoso, saí em busca do relato. E dei sorte: encontrei um exemplar num sebo inglês. Duas semanas depois ele chegava em minha casa. Folheando o volume, encontrei na página 94 o que procurava.

Seis garotos sozinhos numa ilha deserta. A mesma história, os mesmos detalhes, algumas palavras e – mais uma vez – sem fontes.[10]

Tudo bem, pensei, *talvez eu consiga localizar Susanna Agnelli e perguntar de onde saiu a história*. Desta vez, porém, não dei sorte: ela falecera em 2009. *Se aconteceu mesmo, deve haver algum artigo de 1977 a respeito.* Não era só isso... Os garotos podiam estar vivos. Contudo, por mais que pesquisasse, em diversos arquivos, não encontrei nada.

Às vezes só é preciso um golpe de sorte. Um dia, folheando um arquivo de jornais, digitei um número incorretamente e acabei mergulhando nos anos 1960. E lá estava. A referência de Susanna ao ano 1977 acabou sendo um erro tipográfico.

Na edição de 6 de outubro de 1966 do jornal australiano *The Age*, um título me saltou aos olhos: "A HISTÓRIA DOS NÁUFRAGOS DE TONGA". Era a história de 6 garotos que tinham sido encontrados seis semanas antes em uma ilha rochosa ao sul de Tonga, um arquipélago no oceano Pacífico (e protetorado britânico até 1970). Os garotos haviam sido resgatados pelo capitão de um navio australiano após terem ficado isolados na ilha de 'Ata por mais de um ano. Segundo o artigo, o capitão conseguiu, inclusive, que uma emissora de televisão filmasse uma representação da trajetória dos garotos. "A história da sobrevivência deles já é considerada uma das grandes aventuras clássicas marítimas", concluía o artigo.

Eu estava um turbilhão, cheio de questões. Os garotos ainda estavam vivos? Seria possível localizar o filme da televisão? O mais importante, porém, é que eu tinha uma pista: o nome do capitão era Peter Warner. Talvez ele estivesse vivo! Mas como localizar um senhor de idade no outro lado do planeta?

Fiz uma pesquisa pelo nome do capitão, e outro golpe de sorte. Em uma recente edição do *Daily Mercury*, pequeno jornal local de Mackay, na Austrália, vi o título: "COMPANHEIROS COMEMORAM RELAÇÃO DE 50 ANOS". Ao lado, uma pequena fotografia dos dois homens, sorrindo abraçados. O artigo começava:

> Em uma remota plantação de bananas em Tullera, perto de Lismore, moram dois improváveis companheiros [...]. Esses homens têm um sorriso no olhar e uma energia esfuziante que escondem a idade. O mais velho tem 83 anos, filho de um rico industrial. O mais novo, de 67, pode ser considerado filho da natureza.[11]

Os nomes deles? Peter Warner e Mano Totau. Onde eles se conheceram?

Em uma ilha deserta.

3

Partimos numa manhã de setembro. Com minha esposa, Maartje, aluguei um carro em Brisbane, na costa leste da Austrália, e eu me sentia ansioso no volante. O nervosismo podia ter a ver com fazer três exames de habilitação para tirar a carteira de motorista e agora precisar dirigir pelo lado esquerdo da pista. Mas também com estar prestes a conhecer o principal personagem de "uma das grandes histórias clássicas marítimas".

Umas três horas depois, chegamos ao destino, um lugar no meio do nada, reduzido a um ponto no Google Maps. E lá estava ele, na frente de uma casa rebaixada perto da estrada de terra: o homem que tinha resgatado seis garotos cinquenta anos antes. O capitão Peter Warner.

Antes de relatar a história dele, gostaria de contar algumas coisas sobre Peter, pois a vida desse homem já valeria um filme. Era o filho mais novo de Arthur Warner, que já fora um dos mais ricos e poderosos da Austrália. Nos anos 1930, Arthur administrava um vasto império chamado Electronic Industries, que à época dominava o mercado de aparelhos de rádio do país.

Peter foi criado para seguir os passos do pai. No entanto, preferiu fugir de casa aos 17 anos de idade. Foi para o mar em busca de aventuras. "Eu preferia lutar contra a natureza a lutar contra seres humanos", explicou depois.[12]

Peter passou os anos seguintes navegando pelos sete mares, de Hong Kong a Estocolmo, de Xangai a São Petersburgo. Quando finalmente voltou, cinco anos depois, o filho pródigo apresentou ao pai um certificado de capitão sueco. Sem se impressionar, o pai exigiu que o filho aprendesse uma profissão útil.

"Qual é a mais fácil?", perguntou Peter.

"Contabilidade", mentiu Arthur.[13]

Foram necessários mais cinco anos num curso noturno para Peter se formar. Depois foi trabalhar na empresa do pai, mas continuou sentindo o chamado do mar; sempre que podia, Peter ia à Tasmânia, onde tinha uma frota de pesca. Foi essa atividade paralela que o levou a Tonga no inverno de 1966. Peter havia marcado uma audiência com o rei para pedir permissão de pescar lagostas nas águas de Tonga. Infelizmente, sua majestade Taufa'ahau Tupou IV recusou a proposta.

Desapontado, Peter voltou para a Tasmânia, mas fez um pequeno desvio no caminho, fora das águas reais, a fim de lançar suas redes. E foi então que avistou: uma minúscula ilha no mar azul.

A ilha de 'Ata.

Peter sabia que havia muito tempo nenhum barco ancorava lá. A ilha já fora habitada, até um dia sombrio de 1863, quando um navio negreiro surgiu no horizonte e zarpou com os nativos. Desde então, 'Ata ficou deserta, amaldiçoada e esquecida.

Ele, então, notou algo estranho. Observando com binóculo, viu marcas de pequenas queimadas no verde das montanhas. "Incêndios espontâneos não são comuns nos trópicos", explicou para nós, meio século depois. "Resolvi investigar." Enquanto o barco se aproximava da ponta oeste da ilha, Peter ouviu um chamado no cesto da gávea.

"Tem alguém acenando!", gritou um dos tripulantes.

"Imagina", respondeu Peter. "Devem ser grasnados de aves marítimas."

Mas, em seguida, pelo binóculo, viu um garoto. Nu. Com os cabelos caindo nos ombros. Aquela criatura selvagem pulou do penhasco e mergulhou no mar. De repente mais garotos apareceram, gritando a plenos pulmões.

Peter deu ordens para a tripulação pegar suas armas, ciente do costume polinésio de abandonar criminosos perigosos em ilhas remotas. Não demorou para o primeiro garoto chegar ao navio. "Meu nome é Stephen", gritou num inglês perfeito. "Somos seis, e acho que estamos aqui há quinze meses."

Peter se mostrou um tanto cético. Quando subiram a bordo, os garotos disseram que eram alunos de um internato em Nuku'alofa, capital de Tonga. Enjoados da comida da escola, um dia resolveram sair num barco de pesca, mas foram surpreendidos por uma tempestade.

Coerente, pensou Peter. Entrou em contato com Nuku'alofa pelo rádio de bordo.

"Eu estou com seis garotos no barco", disse ao operador. "Se eu der o nome de cada um deles, você pode telefonar para a escola pra saber se são alunos de lá?"

"Fique na linha", foi a resposta.

Passaram-se vinte minutos. (Ao contar essa parte da história, Peter fica com os olhos meio marejados.)

Finalmente, um operador falou pelo rádio: "Você os encontrou! Esses garotos foram dados como mortos. Houve até funerais. São eles, é um milagre!".

Perguntei se Peter tinha ouvido falar do livro *Senhor das moscas*.

"Sim, li esse livro", respondeu, sorrindo. "Mas essa história é totalmente diferente!"

4

Nos meses seguintes, tentei reconstruir com precisão o que aconteceu naquela minúscula ilha de 'Ata. Peter demonstrou ter excelente memória. Mesmo aos 90 anos, tudo o que contou se mostrou coerente com o que surgia de outras fontes.[14]

Minha outra principal fonte morava a algumas horas de Peter. Mano Totau, com 15 anos na época e agora na casa dos 70, tinha no capitão um de seus amigos mais íntimos. Uns dois dias depois de nossa visita a Peter, Mano recebeu a mim e minha esposa em sua garagem em Deception Bay, pouco ao norte de Brisbane.

O *Senhor das moscas* da vida real, contou Mano, começou em junho de 1965.

Os protagonistas eram seis garotos, todos alunos do St. Andrew, um rígido internato católico em Nuku'alofa. O mais velho tinha 16 anos, e o mais novo, 13, e todos compartilhavam algo em comum: estavam entediados. Os adolescentes queriam aventuras, não lições de casa; uma vida no mar, não na escola.

Então eles bolaram um plano de fuga para Fiji, a cerca de 600 quilômetros de distância, ou talvez até a Nova Zelândia. "Muitos garotos da escola sabiam, mas todos achavam que era uma piada", recordou Mano.

Só havia um obstáculo. Nenhum deles tinha um barco, por isso resolveram pegar "emprestado" um dos do sr. Taniela Uhila, um pescador de quem ninguém gostava.

Não demorou para os meninos prepararem a viagem. Dois sacos de banana, alguns cocos e um pequeno fogareiro a gás bastariam. Não ocorreu a nenhum deles levar mapa, muito menos bússola. E nenhum deles era um marujo experiente. Só o mais novo, David, sabia manobrar um barco (o que, segundo ele, "foi o motivo de quererem que ele fosse junto").[15]

A jornada começou sem problemas. Ninguém notou a pequena embarcação saindo do porto naquela tarde. O céu estava limpo, apenas uma pequena brisa encrespava o mar tranquilo.

Naquela noite, porém, os garotos cometeram um erro grave. Eles dormiram. Acordaram algumas horas depois, debaixo de chuva. Estava escuro. Só conseguiam ver ondas espumantes ao redor. Içaram a vela, que o vento imediatamente rasgou em pedaços. Logo depois o leme quebrou. "Quando voltarmos pra casa", ironizou Sione, o mais velho, "vamos dizer a Taniela que o barco é igualzinho a ele... velho e rabugento."[16]

Nos dias que se seguiram, não houve muito motivo para piada. "Ficamos oito dias à deriva", contou Mano. "Sem comida. Sem água."

Os garotos tentaram pescar. Conseguiram recolher um pouco de água de chuva nas cascas de coco e dividiram tudo entre si, cada um tomando um gole de manhã e outro à noite. Sione tentou ferver água do mar no fogareiro, mas ela transbordou e queimou sua perna.

Então, no oitavo dia, eles avistaram um milagre no horizonte. Terra. Uma pequena ilha, para ser mais exato. Não um paraíso tropical com palmeiras ao vento e praias de areia, mas um grande maciço rochoso que chegava a mais de 300 metros acima do nível do mar.

Oito dias à deriva no Pacífico
Trajeto dos 6 garotos até 'Ata

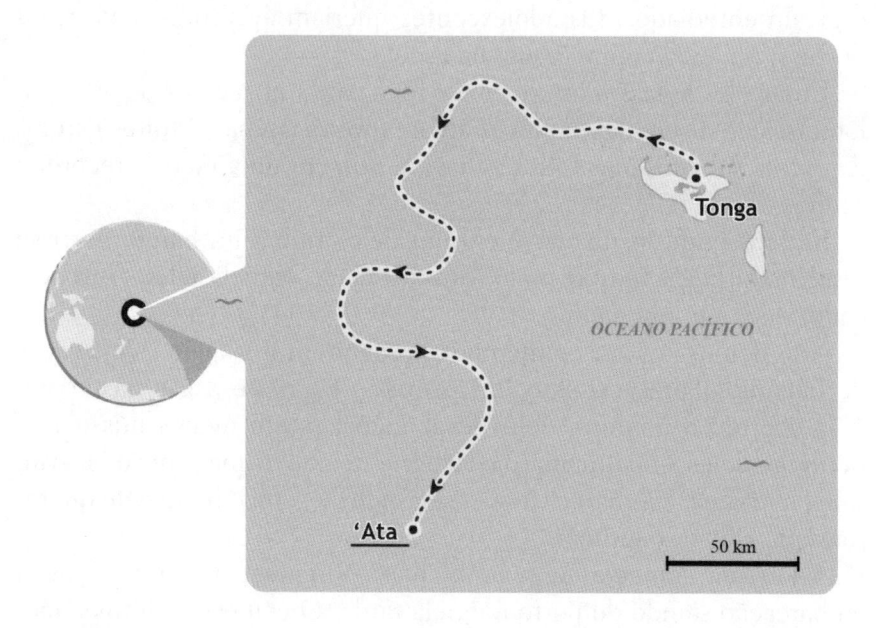

Atualmente, 'Ata é considerada inabitável. Um experiente aventureiro espanhol descobriu isso alguns anos atrás. Achou que seria um bom local para expedições de mergulho em navios naufragados, tendo como público gente rica com desejos exóticos. Foi verificar pessoalmente, mas nove dias depois teve de desistir. Quando um jornalista perguntou se sua empresa se expandiria até aquele afloramento rochoso, ele respondeu, sem hesitar:

"Nunca. A ilha é difícil demais".[17]

Os adolescentes tiveram uma experiência bem diferente. Escreveu o capitão Warner em suas memórias:

> Quando chegamos, os garotos tinham estabelecido uma pequena comuna com horta, troncos de árvore ocos para armazenar água da chuva, academia com halteres peculiares, quadra de badminton, galinheiro e um fogo permanente, tudo com trabalho manual, uma velha faca e muita determinação.[18]

Foi Stephen – que depois se tornou engenheiro – quem, após incontáveis tentativas fracassadas, conseguiu produzir uma faísca esfregando dois gravetos. Enquanto os meninos do livro *Senhor das moscas* trocam socos por causa do fogo, os do *Senhor das moscas* da vida real cuidaram para que o fogo nunca apagasse, por mais de um ano.

Os garotos combinaram de trabalhar em duplas, numa rígida programação de trabalho no jardim, na cozinha e na vigília. Às vezes brigavam, mas sempre que isso acontecia eles resolviam a questão determinando um intervalo. Os encrenqueiros iam para lados opostos da ilha a fim de esfriar a cabeça. "Depois de quatro horas ou coisa assim nós os reuníamos de novo", recordou-se Mano. "Então dizíamos: 'Tudo bem, agora peçam desculpas'. Foi assim que continuamos amigos."[19]

Os dias começavam e terminavam com uma canção e uma prece. Kolo improvisou um violão com um pedaço de madeira velha, meia casca de coco e seis arames que salvaram do barco destroçado – instrumento que Peter guardou por todos esses anos –, e tocava para animar o estado de espírito.

E o estado de espírito realmente precisava ser animado. Quase não choveu durante o verão, o que fez os garotos ficarem loucos de sede. Tentaram construir uma jangada para sair da ilha, mas ela se desfez com o baque das ondas.[20] Depois uma tempestade passou pela ilha e derrubou uma árvore na cabana onde viviam.

O pior de tudo foi quando Stephen escorregou, caiu de um penhasco e quebrou a perna. Os outros desceram atrás dele e o carregaram de volta. Colocaram tala na perna fraturada, improvisando com gravetos e folhas. "Não se preocupe", brincou Sione. "A gente faz seu trabalho enquanto você fica aí deitado como o rei Taufa'ahau Tupou!"[21]

Os garotos só foram resgatados em 11 de setembro de 1966.

Fisicamente, estavam todos em ótima forma. O médico local, dr. Posesi Fonua, ficou admirado com a musculatura dos meninos e com a perna perfeitamente curada de Stephen.

No entanto, não foi o fim da pequena aventura dos seis, pois, quando chegaram a Nuku'alofa, a polícia os aguardava. Seria de esperar que os policiais estivessem emocionados com a volta dos seis garotos perdidos à cidade. Mas não. Eles abordaram o barco de Peter, prenderam os garotos e os levaram para a cadeia. O sr. Taniela Uhila, cujo veleiro os garotos tinham pegado "emprestado" quinze meses antes, ainda estava furioso e resolveu processar todos.

Felizmente para os garotos, Peter bolou um plano. Ele percebeu que a história daquele naufrágio era um material perfeito para Hollywood. Seis garotos isolados numa ilha... Seria um assunto sobre o qual as pessoas falariam durante anos. Como era o contador corporativo do pai, Peter conseguiu os direitos de filmagem para a empresa – e ele já conhecia gente da televisão.[22]

O capitão sabia exatamente o que fazer. Primeiro, ligou de Tonga para o chefe do Channel 7 de Sydney. "Você pode ficar com os direitos para a Austrália. Eu só quero os direitos para o resto do mundo. Depois disso, vamos tirar esses garotos da prisão e os levar de volta à ilha." Em seguida, Peter foi falar com o sr. Uhila e pagou 150 libras pelo barco, libertando os garotos com a condição de que cooperassem com ele no filme.

Alguns dias depois, uma equipe do Channel 7 chegou num velho DC-3 que voava uma vez por semana para Tonga. Ao descrever a cena para mim e Maartje, Peter dá risada. "Três desses tipos de TV, de terno e sapatos pontudos, desceram daquele avião."

Quando o grupo chegou a 'Ata com os seis garotos a tiracolo, a turma do Channel 7 estava verde de enjoo. Para piorar as coisas, ninguém sabia nadar. "Não se preocupe", tranquilizou Peter. "Esses garotos podem salvar vocês."

O capitão levou os homens tremendo de medo num barco a remo até o quebra-mar. "É aqui que vocês descem."

Mesmo cinquenta anos depois, a lembrança faz os olhos de Peter lacrimejarem – desta vez, de tanto rir. "Joguei o pessoal do barco, aqueles australianos da TV começaram a afundar, e o pessoal de Toga mergulhando para pegar todo mundo e passar pelo quebra-mar até chegar aos rochedos."

Depois a equipe teve de escalar o penhasco, o que levou o resto do dia. Quando finalmente chegou ao topo, a equipe de TV desabou de exaustão. Não foi surpresa que o documentário sobre 'Ata não tenha feito sucesso. Não só as tomadas ficaram horríveis, como a maior parte dos filmes em 16 milímetros foi perdida, deixando uma cópia de apenas trinta minutos. "Na verdade, vinte minutos mais os comerciais", corrige Peter.

Naturalmente, logo que eu soube do documentário do Channel 7, quis assistir. Peter não tinha uma cópia. Assim, quando voltei à Holanda, entrei em contato com uma agência especializada em localizar e restaurar velhas filmagens. Por mais que procurassem, porém, não o encontravam em parte alguma.

Foi então que Peter voltou a intervir, me pondo em contato com um cineasta independente chamado Steve Bowman, que fizera uma visita aos garotos, os quais não eram mais garotos, em 2006. Steve estava frustrado pela história deles nunca ter recebido a atenção que merecia. Seu documentário jamais chegou a ser exibido porque o distribuidor foi à falência, mas ele ainda tinha os copiões das entrevistas. Gentilmente, ele se ofereceu para me mostrar as imagens – e também me pôs em contato com Sione, o mais velho da turma. Depois me disse que tinha a única cópia que restava do documentário original em 16 milímetros.

"Posso assistir?", perguntei a Steve.

"É claro", respondeu.

E foi assim, meses depois de ter topado com uma história sobre seis garotos náufragos num blog obscuro, que de repente eu estava assistindo às imagens originais de 1966 no laptop. "Eu sou Sione Fataua", começava. "Eu e cinco colegas de classe do St. Andrew viemos parar nesta ilha em junho de 1965."

O clima quando os garotos voltaram para junto da família em Tonga era de júbilo. Quase toda a população da ilha de Ha ' afeva – com novecentos habitantes – compareceu para recebê-los. "Assim que terminava uma festa, iniciavam-se os preparativos para outra", dizia a voz do narrador do documentário.

Peter foi proclamado herói nacional. Logo recebeu uma mensagem do próprio rei Taufa'ahau Tupou IV, convidando-o para outra audiência. "Obrigado por ter resgatado seis súditos meus", disse sua alteza real. "Há algo que eu possa fazer por você?"

O capitão não precisou pensar muito. "Sim! Eu gostaria de pescar lagostas nessas águas e abrir um negócio aqui."

Desta vez, o rei consentiu. Peter voltou a Sydney, pediu demissão da empresa do pai e encomendou um novo barco. Em seguida, reuniu os seis garotos e ofereceu a oportunidade de eles fazerem o que inicialmente gostariam de ter feito: conhecer o mundo que existia além de Tonga. Contratou Sione, Stephen, Kolo, David, Luke e Mano como tripulantes de seu novo pesqueiro.

O nome do barco? *Ata*.

5

Eis o *Senhor das moscas* da vida real.

Da forma como transcorreu, é uma história enternecedora – coisa de romance que entra na lista dos mais vendidos ou de peças da Broadway e superproduções cinematográficas.

É também uma história que ninguém conhece. Enquanto os garotos de 'Ata foram relegados à obscuridade, o livro de William Golding continua sendo lido por muita gente. Historiadores da mídia chegam a dar créditos ao autor por ser o criador involuntário de um dos gêneros de entretenimento mais populares da televisão atual: o *reality*.

A premissa dos chamados *reality shows*, de *Big Brother* a *Temptation Island*, é a de que os seres humanos, quando deixados sem freios, comportam-se como animais. "Eu li e reli *Senhor das moscas*", declarou o criador da série de sucesso *Survivor* numa entrevista. "Li pela primeira vez quando tinha uns 12 anos, li de novo quando tinha uns 20, mais uma vez quanto tinha 30 e também depois que comecei o programa."[23]

O primeiro programa a lançar esse gênero foi *The Real World*, da MTV. Desde sua estreia, em 1992, todos os episódios abriram com um dos membros do elenco recitando: "Esta é a história real de sete estranhos [...]. Veja o que acontece quando pessoas deixam de se comportar de forma educada e começam a se tornar reais".

Mentir, enganar, provocar, antagonizar – é isso que cada episódio nos faz acreditar ser "o comportamento real". No entanto, se tiver tempo para olhar os bastidores das cenas de programas como esse, vai ver os candidatos serem conduzidos, embriagados e jogados uns contra os outros de maneira nada menos que chocante. Isso mostra a manipulação necessária para fazer aflorar o pior das pessoas.

Outro *reality show*, *Kid Nation*, certa vez tentou juntar quarenta garotos numa cidade fantasma no Novo México, na esperança de que eles se engalfinhassem. Isso não aconteceu. "De tempos em tempos eles achavam que a gente estava se dando bem demais", recordou depois um dos participantes, "e precisavam induzir alguma coisa para nos envolver em alguma disputa".[24]

Você poderia questionar: "Mas que importância tem isso? Todos sabemos que é apenas entretenimento". No entanto, raramente uma história é apenas uma história. Histórias podem ser nocebos. Em um estudo recente, o psicólogo Bryan Gibson demonstrou que assistir a programas de TV do tipo *Senhor das moscas* pode tornar as pessoas mais agressivas.[25] Para crianças, a correlação entre presenciar imagens violentas e a agressividade na idade adulta é mais forte que a correlação entre o amianto e o câncer ou entre a ingestão de cálcio e a densidade óssea.[26]

Histórias cínicas exercem efeito ainda mais marcante na maneira como vemos o mundo. Na Grã-Bretanha, outro estudo demonstrou que garotas que assistem mais a *reality shows* dizem com mais frequência que ser malvada e mentir são características necessárias para se dar bem na vida.[27] Como resumiu o especialista em mídia George Gerbner: "Aqueles que contam as histórias de uma cultura na verdade determinam o comportamento humano".[28]

Chegou a hora de contarmos outro tipo de narrativa.

O *Senhor das moscas* da vida real é uma história de amizade e lealdade, que ilustra quanto nos tornamos mais fortes se pudermos confiar uns nos outros. Claro que é apenas uma história. No entanto, se vamos tornar *Senhor das moscas* uma narrativa obrigatória para milhões de adolescentes, devemos também contar a aventura de garotos que ficaram isolados numa ilha deserta na vida real. "Usei a história da sobrevivência deles em minhas aulas de estudos sociais", recordou-se um dos professores dos garotos no colégio St. Andrews anos mais tarde. "Meus alunos não cansavam de ouvi-la."[29]

Mas o que aconteceu com Peter e Mano? Se por acaso você passar por uma plantação de bananas perto de Tullera e de Lismore, talvez os encontre: dois velhos fazendo piadas. Um, filho de um grande industrial australiano, outro de origem mais humilde. Amigos para toda a vida.

Quando minha mulher tirou uma foto de Peter, ele abriu um armário e fuçou lá por algum tempo, até tirar uma pesada pilha de papéis e me entregar. Eram as memórias dele, explicou, escritas para seus filhos e netos.

Li a primeira página. "A vida me ensinou uma grande coisa", começava, "inclusive a lição de que devemos procurar sempre o que for bom e positivo nas pessoas."

Peter Warner, setembro de 2017. Foto ©Maartje ter Horst.

Mano Totau, setembro de 2017. Foto © Maartje ter Horst.

PARTE 1

O ESTADO DA NATUREZA

"A humanidade é tão igual, em todos os tempos, que a história não nos informa nada de novo ou estranho neste particular. Sua principal utilidade é descobrir os princípios constantes e universais da natureza humana."
David Hume (1711-1776)

Será que a enternecedora história de seis garotos na ilha de 'Ata é uma aberração? Ou tem um significado mais profundo? Trata-se de um caso isolado ou de uma ilustração exemplar da natureza humana?

Em outras palavras, os humanos somos mais propensos a ser bons ou maus?

É uma questão que vem desafiando os filósofos há centenas de anos. Vamos considerar o inglês Thomas Hobbes (1588-1679), cujo *Leviatã* provocou uma onda de choque quando foi publicado, em 1651. Hobbes foi censurado, condenado e castigado, mas ainda assim sabemos o nome dele, enquanto seus críticos foram há muito esquecidos. Minha edição de *The Oxford History of Western Philosophy* define sua obra como "o maior trabalho sobre filosofia política já escrito".

Podemos também considerar o filósofo francês Jean-Jacques Rousseau (1712-1778), que escreveu uma sucessão de volumes que o deixou cada vez mais encrencado. Foi criticado, seus livros foram queimados, e ele ainda teve de enfrentar um mandado de prisão. Ao mesmo tempo, o nome de todos os seus insignificantes perseguidores se perdeu na memória, e Rousseau continua conhecido até hoje.

Os dois filósofos nunca se encontraram. Quando Rousseau nasceu, Hobbes estava morto havia 33 anos. Mesmo assim, eles continuam sendo jogados um contra o outro no ringue da filosofia. Em um *corner* está Hobbes, o pessimista, que queria nos fazer acreditar na maldade da natureza humana. O homem que afirmou que só a sociedade civil podia nos salvar de nossos instintos mais baixos. No outro *corner*, Rousseau, o homem que declarou que, no fundo do coração, todos somos bons. Em vez de ser nossa salvação, Rousseau acreditava que a "civilização" era nossa ruína.

Mesmo que você nunca tenha ouvido falar deles, as visões desses dois pesos – pesados estão na raiz das mais profundas cisões da sociedade. Não conheço nenhum debate que envolva tantas questões ou ramificações tão abrangentes. Punições duras *versus* melhores serviços sociais, reformatórios *versus* escola de arte, administração de baixo para cima *versus* equipes empoderadas, patriarcas de antigamente *versus* pais que cuidam dos filhos – qualquer debate que se possa considerar remete, de alguma forma, à oposição entre Hobbes e Rousseau.

Vamos começar por Thomas Hobbes, que foi o primeiro filósofo a argumentar que, se desejamos realmente nos conhecer, precisamos entender como nossos antepassados viviam. Imagine se pudéssemos voltar cinquenta mil anos. Como iríamos interagir naquela era de caçadores e coletores? Como nos comportaríamos numa época em que não havia um código de leis nem tribunais ou juízes, tampouco prisões ou polícia?

Hobbes achava que sabia a resposta. "Lê-te a ti mesmo", escreveu: ao dissecar os próprios temores e emoções, "lerás e conhecerás quais são os pensamentos e paixões de todos os homens em ocasiões semelhantes".

Quando Hobbes aplicou esse método a si mesmo, seu diagnóstico foi desolador.

Nos velhos tempos, escreveu, éramos livres. Podíamos fazer o que nos agradasse, e as consequências eram horrendas. Em suas palavras, a vida humana naquele estado era "solitária, pobre, desagradável, brutal e curta". O motivo, teorizou, era simples. Os seres humanos são motivados pelo medo. Medo do outro. Medo da morte. Nós ansiamos por segurança e temos "um perpétuo e incansável desejo de ter cada vez mais poder, que só cessa na morte".

O resultado? Segundo Hobbes, "uma situação de guerra de todos contra todos". *Bellum omnium in omnes.*

Mas não se preocupem, ele nos assegurou. A anarquia pode ser domada, e a paz, estabelecida – se todos concordarmos em abrir mão da liberdade. Se nos entregarmos, de corpo e alma, às mãos de um único soberano. O nome que deu a esse governante absoluto foi inspirado num monstro marítimo bíblico: o Leviatã.

O pensamento de Hobbes forneceu a lógica filosófica de um argumento que se repetiria milhares, milhões de vezes depois dele, por diretores e ditadores, por governantes e generais…

"Entreguem-nos o poder, ou tudo está perdido."

Vamos nos adiantar cem anos no tempo e encontrar Jean-Jacques Rousseau, um músico desconhecido, a caminho de uma prisão em Vincennes, perto de Paris. Ele está indo visitar seu amigo Denis Diderot, pobre filósofo que foi preso por fazer uma piada infeliz sobre a amante de um dos ministros do governo.

Então, ao parar para descansar sob a sombra de uma árvore, Rousseau começa a folhear a última edição do *Mercure de France*, quando seus olhos batem num anúncio que mudará sua vida. Estão abertas as inscrições para um concurso de ensaios organizado pela Academia de Dijon. Os candidatos devem responder à seguinte pergunta: "A restauração das ciências e das artes contribuiu para a purificação da moral?".

Imediatamente, Rousseau tem uma resposta. "No momento em que li aquilo, contemplei outro universo e me tornei outro homem", escreveu. Naquele instante, ele percebeu que a sociedade civil não é uma bênção, mas uma maldição. Enquanto seguia caminho até onde seu amigo inocente estava encarcerado, Rousseau entendeu que "o homem é naturalmente bom e que só a partir dessas instituições é que os homens se tornam maus".

O ensaio de Rousseau ganhou o primeiro prêmio.

Nos anos seguintes, ele se tornou um dos mais destacados filósofos de sua época. E, devo dizer, sua obra continua sendo uma leitura deliciosa. Rousseau não era apenas um grande pensador, era também um escritor de talento. Considere este trecho mordaz sobre a invenção da propriedade privada:

> O primeiro homem que, depois de cercar um pedaço de terra, pensou em dizer "isto é meu" e encontrou pessoas simplórias a ponto de acreditar nele foi o verdadeiro fundador da sociedade civil. De quantos crimes, de quantas guerras, de quantos assassinatos, de quantos infortúnios e horrores esse homem teria poupado a espécie humana, que, arrancando as estacas e preenchendo os sulcos, deveria ter gritado a seus companheiros: "Não deem ouvidos a este impostor; vocês estão perdidos se esquecerem que os frutos da terra pertencem igualmente a todos nós e que a própria terra não pertence a ninguém!".

Desde o nascimento dessa maldita sociedade civil, argumentava Rousseau, as coisas começaram a dar errado. Agricultura, urbanização, o Estado – tudo isso nos tirou do caos, mas nos escravizou e nos desgraçou. A invenção da escrita e da prensa tipográfica só piorou as coisas. "Graças aos caracteres tipográficos, os perigosos devaneios de Hobbes [...] continuarão para sempre."

Nos bons tempos de antigamente, antes dos reis e dos burocratas, Rousseau acreditava que tudo era melhor. Quando os humanos existíamos em um "estado da natureza", ainda éramos seres compassivos.

Agora nos tornamos cínicos e interesseiros. Antigamente éramos fortes e saudáveis. Agora somos indolentes e fracos. Segundo sua visão, a civilização foi um erro gigantesco. Nunca deveríamos ter desperdiçado nossa liberdade.

O pensamento de Rousseau forneceu a base da lógica filosófica de um argumento que se repetiria milhares, milhões de vezes depois dele, por anarquistas e agitadores, por espíritos livres e ferrabrases: "Deem-nos liberdade, ou tudo está perdido".

E assim, aqui estamos nós, cem anos depois.

Poucos filósofos tiveram impacto tão profundo em nossas políticas, nossa educação e nossa visão de mundo como esses dois. Toda a ciência da economia baseou-se na premissa hobbesiana da natureza humana, que nos vê como indivíduos racionais e interesseiros. Por sua vez, Rousseau exerceu enorme influência na educação, devido a sua convicção – revolucionária no século XVIII – de que as crianças devem crescer livres e sem restrições.

Até hoje, a influência de Hobbes e Rousseau é marcante. Nossas tendências modernas ao conservadorismo e ao progressismo, ao realismo e ao idealismo, remetem-se aos dois. Sempre que um idealista apregoa mais liberdade e igualdade, Rousseau aprova com um sorriso. Sempre que um cínico resmunga que isso só provocará mais violência, Hobbes concorda com a cabeça.

Os textos desses dois filósofos não são fáceis. Rousseau, em particular, deixa muita margem a interpretações. Hoje, porém, temos condições de testar os principais pontos de discordância. Hobbes e Rousseau, afinal, eram teóricos consumados, enquanto nós estamos reunindo evidências científicas há décadas.

Na primeira parte deste livro, examino a questão: qual filósofo estava certo? Devemos agradecer por termos deixado para trás nossa vida na natureza? Ou um dia já fomos nobres selvagens?

A resposta tem muitas implicações.

3
A ASCENSÃO DO
HOMO CACHORRINHO

1

A primeira coisa a ser entendida sobre a raça humana é que, em termos evolutivos, somos bebês. Acabamos de surgir como espécie. Imagine que toda a história da vida na Terra tivesse se passado em um ano, não em 4 bilhões de anos. Até meados de outubro, as bactérias dominavam a Terra. A vida como conhecemos só surgiu em novembro, com brotos e galhos, ossos e cérebros.

E os humanos? Entramos em cena em 31 de dezembro, mais ou menos às 23h. Depois passamos cerca de uma hora vagando como caçadores-coletores, só chegando à invenção da agricultura às 23h58. Tudo o que chamamos de "história" aconteceu nos sessenta segundos finais antes da meia-noite: todos os castelos, as pirâmides, os cavaleiros e as donzelas, os motores a vapor e os foguetes.

Num piscar de olhos, o *Homo sapiens* ocupou o planeta inteiro, das tundras mais geladas aos desertos mais escaldantes. Até nos tornamos a primeira espécie a sair do planeta e pisar na Lua.

Mas por que nós? Por que os primeiros astronautas não eram bananas? Ou uma vaca? Ou um chimpanzé?

Podem parecer perguntas tolas. No entanto, geneticamente, somos 60% idênticos às bananas, 80% indistinguíveis das vacas e 99% iguais aos chimpanzés. Não é exatamente inevitável que nós ordenhemos vacas, em vez de elas nos ordenharem; que engaiolemos chimpanzés, não o contrário. Por que esse 1% deveria fazer tanta diferença?

História da vida na Terra
(4 bilhões de anos)
Representada como um ano do calendário

Primeira vida na Terra

Janeiro / Fevereiro / Março / Abril / Maio / Junho / Julho / Agosto / Setembro / Outubro / Novembro / Dezembro

Extinção dos dinossauros

23h Surgimento dos primeiros humanos

23h58 Início da agricultura

A ascensão do *homo cachorrinho*

Durante um longo tempo, nossa posição privilegiada foi considerada parte do projeto de Deus. A raça humana era melhor, mais inteligente e superior a todos os outros seres vivos – o pináculo da criação Dele.

Mas vamos imaginar, mais uma vez, que dez milhões de anos atrás (por volta de 30 de dezembro), alienígenas tenham visitado a Terra. Será que poderiam prever o surgimento do *Homo sapiens*? Sem chance. O gênero *Homo* ainda não existia. A Terra ainda era literalmente um planeta dos macacos, e certamente não havia ninguém construindo cidades, escrevendo livros ou lançando foguetes.

A verdade inconveniente é que nós também – as criaturas que nos consideramos tão únicas – somos produto de um processo cego chamado "evolução". Pertencemos à ruidosa família de criaturas muito peludas, também conhecidas como primatas. Até dez minutos antes da meia-noite, ainda vivíamos em companhia de outros hominídeos.[1] Até eles desaparecerem misteriosamente.

Lembro-me muito bem de quando entendi o significado da evolução. Tinha 19 anos e estava ouvindo uma palestra sobre Charles Darwin no iPod. Fiquei deprimido por uma semana. Claro que eu tinha aprendido sobre o cientista inglês quando era garoto, mas estudava numa escola cristã, e o professor de Biologia havia apresentado a evolução como apenas uma teoria excêntrica. Bem, não exatamente, como viria a descobrir depois.

Os ingredientes básicos para a evolução da vida são simples. O necessário:

Muito sofrimento.
Muita luta.
Muito tempo.

Em suma, o processo de evolução se resume ao seguinte: os animais têm mais crias do que podem alimentar. Os que forem ligeiramente mais bem adaptados ao meio ambiente (pense numa pelagem mais grossa ou numa camuflagem melhor) têm uma chance ligeiramente mais alta de sobreviver e procriar. Agora imagine uma amigável corrida de revezamento até a morte, na qual bilhões e bilhões de criaturas mordem o pó, algumas antes de conseguir passar o bastão para as próprias proles. Se essa corrida continuar por tempo suficiente – digamos, quatro bilhões de anos –, as minúsculas variações entre pais e filhos podem se ramificar numa grande e variada árvore da vida.

Só isso. Simples, mas brilhante.

Para o biólogo Darwin, que chegou a pensar em ser padre, a impossibilidade de conciliar a crueldade da natureza com a história bíblica da criação acabou destruindo sua fé em Deus. Considere, escreveu, a vespa parasitoide, um inseto que põe seus ovos em uma lagarta viva. Depois de chocadas, as larvas comem a lagarta de dentro para fora, induzindo uma morte horrível e prolongada.

Que espécie de mente doentia pensaria em algo assim?

Ninguém, esta é a resposta. Não existe uma mente suprema nem um grande projeto. Dor, sofrimento e luta são os motores da evolução. Podemos culpar Darwin por adiar a publicação de sua teoria por anos? Ao escrever a um amigo, ele disse que era "como confessar um assassinato".[2]

A teoria da evolução não parece ter se tornado mais divertida desde então. Em 1976, o biólogo Richard Dawkins publicou seu grande trabalho sobre o papel instrumental dos genes na evolução da vida, significativamente intitulado *O gene egoísta*. É uma leitura deprimente. Você está contando com a natureza para tornar o mundo melhor? Dawkins é muito claro a respeito: espere sentado. "Vamos tentar ensinar generosidade e altruísmo, pois nós nascemos egoístas".[3]

Quarenta anos após sua publicação, o público inglês elegeu *O gene egoísta* como o livro científico mais influente já escrito.[4] No entanto, incontáveis leitores sentiram-se desalentados quando chegaram ao fim. "Apresenta uma visão chocante e pessimista da natureza humana [...], mas não consigo apresentar qualquer argumento para refutar seu ponto de vista", alguém escreveu. "Gostaria de não ter lido."[5]

Então, aqui estamos nós, o *Homo sapiens*, produto de um processo brutal e prolongado. Enquanto 99,9% das espécies foram extintas, nós continuamos aqui. Já conquistamos o planeta e – quem sabe? – a Via Láctea pode ser o próximo passo.

Mas por que nós?

Você poderia supor que é por nossos genes serem os mais egoístas de todos. Porque somos fortes e inteligentes, curtos e grossos... Será? Quanto a ser forte: não, não mesmo. Um chimpanzé pode nos nocautear com a mão nas costas. Um touro pode facilmente nos transpassar com seus chifres pontudos. Nascemos totalmente indefesos, depois nos tornamos frágeis, lentos e não muito hábeis para fugir pelas árvores.

Talvez por sermos tão inteligentes? Aparentemente, é possível pensar que sim. O *Homo sapiens* tem um cérebro colossal, que consome tanta energia quanto uma sauna no polo Norte. Nosso cérebro pode representar apenas 2% do peso do corpo, mas consome 20% das calorias que ingerimos.[6]

E será que os humanos são assim tão inteligentes? Quando fazemos uma conta difícil ou desenhamos uma imagem bonita, em geral aprendemos essa habilidade de outra pessoa. Eu, por exemplo, sei contar até dez. É impressionante, claro, mas duvido que tivesse elaborado um sistema numérico sozinho.

Há anos os cientistas vêm tentando descobrir qual é o animal mais naturalmente inteligente. O padrão de procedimento é comparar nossa inteligência com a de outros primatas, com orangotangos e chimpanzés. (Em geral, com humanos começando a andar, porque tiveram menos tempo de aprender com outras pessoas.) Um bom exemplo é uma série de 38 testes projetados por uma equipe de pesquisadores na Alemanha, que avalia a capacidade de consciência espacial, cálculo e causalidade.[7] O gráfico a seguir mostra os resultados.

Quanto os humanos são realmente inteligentes?
Notas atribuídas em três testes de inteligência

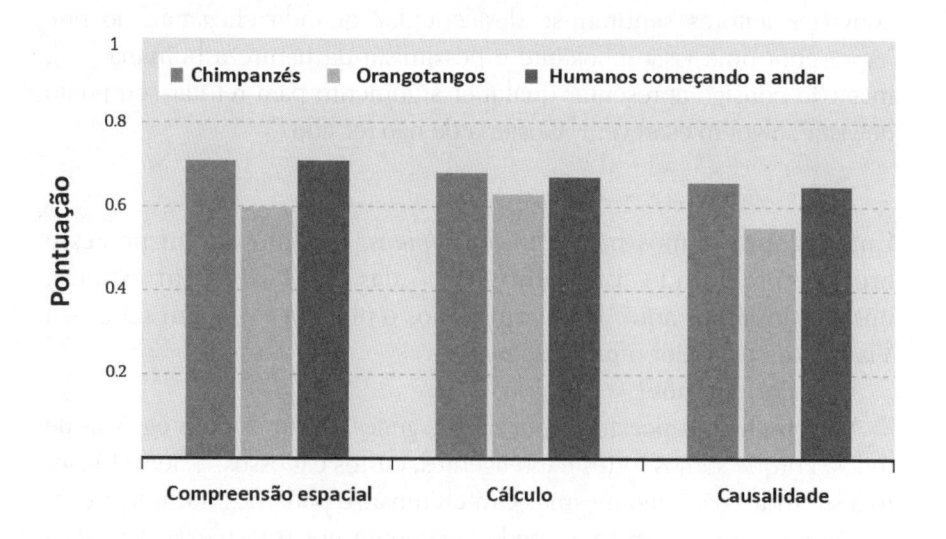

É isso mesmo: humanos começando a andar têm as mesmas notas que animais de zoológico. E fica pior. Ainda por cima, nossa memória funcional e nossa velocidade de processamento de informações – tradicionalmente consideradas pedras angulares da inteligência humana – tampouco ganham qualquer prêmio extra.

Isso foi demonstrado por pesquisadores japoneses, que desenvolveram um teste para avaliar como os adultos se comparam aos chimpanzés. Os sujeitos da experiência foram postos diante de uma tela que piscava uma série de dígitos (de 1 a 9). Depois de certo período – sempre menos de um segundo –, os dígitos eram substituídos por quadrados brancos. Os participantes tinham de apontar os pontos na tela onde os números haviam aparecido, em ordem crescente.

Por pouco tempo, pareceu que o time humano ganharia do time chimpanzé. Quando os pesquisadores *dificultaram* o teste (fazendo os números desaparecerem mais depressa), porém, os chimpanzés passaram à frente. O Einstein da turma foi Ayuma, que se mostrou mais rápido que os outros participantes e cometeu menos erros.[8] Ayuma era um chimpanzé.

Certo, a julgar pela força bruta do cérebro, nós, humanos, não somos melhores que nossos primos mais peludos. Então, para o que estamos usando nosso grande cérebro?

Talvez nós sejamos mais astutos. Esse é o ponto crucial da hipótese da "inteligência maquiavélica", inspirada no nome do filósofo da Renascença Nicolau Maquiavel, autor de *O príncipe* (1513). Em seu manual de regras, Maquiavel aconselha tecer uma teia de mentiras e logros para se manter no poder. Segundo os adeptos dessa hipótese, é exatamente o que fazemos há milhões de anos: divisando maneiras cada vez mais inventivas para enganarmos uns aos outros. E como dizer mentiras consome mais energia cognitiva que dizer a verdade, nosso cérebro cresceu como os arsenais nucleares da Rússia e dos Estados Unidos durante a Guerra Fria. O resultado dessa corrida armamentista mental é o supercérebro *sapien*.

Se essa hipótese fosse verdadeira, seria de esperar que os humanos vencessem de longe outros primatas em jogos que dependem de enganar o oponente. No entanto, não temos essa sorte. Inúmeros estudos mostram que os chimpanzés nos superam nesses testes e que os humanos são péssimos mentirosos.[9] Não só isso: temos uma predisposição para confiar nos outros, o que explica como os vigaristas conseguem enganar suas vítimas.[10]

Isso me leva a outra peculiaridade do *Homo sapiens*. Em seu livro clássico, Maquiavel aconselha a nunca mostrar suas emoções. Faça sua cara de paisagem, recomenda; a vergonha não serve a nenhum propósito. O objetivo é vencer, jogando limpo ou jogando sujo. No entanto, se só a falta de vergonha vence, por que os humanos são a única espécie capaz de *corar*?

Corar, disse Charles Darwin, "é a mais peculiar e a mais humana de todas as expressões". Querendo saber se esse fenômeno era universal, ele mandou cartas a toda a sua rede de contatos no exterior, sondando missionários, comerciantes e burocratas coloniais.[11] Sim, todos responderam: as pessoas aqui também coram.

Mas por quê? Por que a reação de corar não foi eliminada?

2

É agosto de 1856. Em uma pedreira de calcário ao norte de Cologne, dois operários acabaram de fazer uma descoberta fabulosa. Eles desenterraram o esqueleto de uma das criaturas mais controversas que já caminharam pelo planeta.

Não que eles tivessem percebido. Encontrar ossos antigos, principalmente de ursos ou hienas, era rotineiro no trabalho que faziam, e os objetos eram descartados com outros detritos. Desta vez, porém, um supervisor viu os ossos jogados no lixo. Pensando que podiam ser ossos de um urso das cavernas, considerou que seria um presente interessante para Johann Carl Fuhlrott, professor de ciência na escola local. Como muita gente antes da Netflix, Fuhlrott era um ávido colecionador de fósseis.

Assim que viu os ossos, Fuhlrott percebeu que não era uma ossatura normal. De início cogitou que fossem ossos humanos, mas algo não se encaixava. O crânio era estranho. Anguloso e alongado, com sobrancelha protuberante e nariz comprido demais.

Naquela semana, os jornais locais anunciaram a espetacular descoberta de uma "raça de cabeça chata" no vale de Neander. Um professor da Universidade de Bonn, Hermann Schaaffhausen, lê sobre a descoberta e entra em contato com Fuhlrott. Os dois – o amador e o profissional – combinam um encontro para trocar informações. Algumas horas depois, eles chegam a uma conclusão: os ossos não são de um humano qualquer, mas de uma espécie *totalmente diferente* da humana.

"Esses ossos são *antediluvianos*", afirma Fuhlrott.[12] Ou seja, eles datavam de antes da Grande Enchente, o que os tornava reminiscências de uma criatura que viveu antes de Deus inundar a Terra.

É difícil exagerar quanto essa conclusão foi chocante na época. Heresia pura. Quando Fuhlrott e Schaaffhausen anunciaram sua descoberta em uma reunião da renomada Sociedade de Ciência e Medicina do Baixo Reno, a reação foi de espanto e descrédito.[13] Ridículo, protesta um professor de Anatomia, isso é o esqueleto de um cossaco russo que morreu nas guerras napoleônicas. Absurdo, diz outro, é apenas "algum pobre retardado ou um recluso" com a cabeça deformada pela doença.[14]

Depois começaram a surgir mais ossos. Por toda a Europa, museus reviram suas coleções e encontram outros crânios oblongos. De início eles foram descartados como malformados, depois os cientistas começaram a perceber que podiam ser de um espécie de humano totalmente diferente. Não demorou para alguém dar um nome à espécie: *Homo stupidus*.[15] Seus "pensamentos e desejos", expôs um respeitável anatomista, "nunca foram além das de um bruto".[16] A classificação registrada nos anais da ciência é mais sutil, referindo-se ao vale onde os ossos foram encontrados.

Homo neanderthalensis.

Até hoje, a imagem popular do neandertal é de um grosseirão estúpido – e não é difícil entender por quê. Nós precisamos encarar o inquietante fato de que, até não muito tempo atrás, nossa espécie dividiu o planeta com outras espécies de humanos.

Comparação entre os crânios do *Homo sapiens* e do *Homo neanderthalensis*

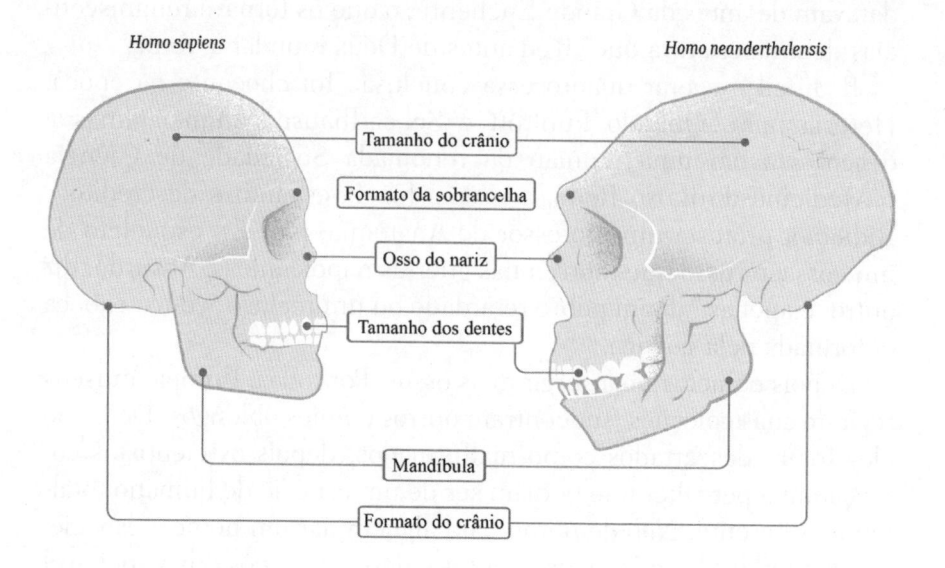

Homo sapiens   *Homo neanderthalensis*

- Tamanho do crânio
- Formato da sobrancelha
- Osso do nariz
- Tamanho dos dentes
- Mandíbula
- Formato do crânio

Os cientistas determinaram que, cinquenta mil anos atrás, havia pelo menos cinco hominídeos além de nós: o *Homo erectus*, o *Homo floresiensis*, o *Homo luzonensis*, o *Homo denisova* e o *Homo neanderthalensis* – todos humanos, assim como o tentilhão, o canário doméstico e o curió são todos aves. Ou seja, além da questão de por que nós colocamos chimpanzés no zoológico, e não o contrário, há outro mistério: o que aconteceu com a "raça dos cabeça chata"? O que fizemos com irmãos e irmãs *Homo*? Por que todos desapareceram?

Será que os neandertais eram mais fracos que nós? Ao contrário, eles eram proto-halterofilistas, com bíceps iguais aos do Popeye depois de comer uma lata de espinafre. Mais importante: eram durões. Foi o que dois arqueólogos norte-americanos constataram nos anos 1990 depois de uma detalhada análise de um grande número de fraturas em ossos de neandertais. Isso os levou a traçar paralelos com um grupo ocupacional moderno que também sofre alta taxa de "choques violentos" com grandes animais. Caubóis de rodeios.

Os arqueólogos entraram em contato com – não é piada – a Associação de Caubóis Profissionais de Rodeios, que nos anos 1980 havia registrado 2.593 contusões entre seus membros.[17] Comparando esses dados com os dos neandertais, eles encontraram semelhanças impressionantes. A única diferença? Os neandertais não estavam montando touros chifrudos nem laçando gado, mas caçando com lanças mamutes e tigres-dentes-de-sabre.[18]

Certo, se não eram mais fracos, talvez os neandertais fossem mais burros que nós?

Aqui as coisas ficam mais dolorosas. O cérebro do neandertal era, na média, 15% maior que nosso cérebro: 1.500 cm^3 *versus* 1.300 cm^3. Se podemos nos gabar de ter um supercérebro, eles tinham um gigacérebro. Nós temos um MacBook Air, enquanto eles tinham o MacBook Pro.

À medida que os cientistas continuaram a fazer descobertas sobre os neandertais, aumentou o consenso de que a espécie era extraordinariamente inteligente.[19] Eles faziam fogueiras e cozinhavam o alimento. Confeccionavam roupas, instrumentos musicais, joalheria e pinturas em cavernas. Inclusive há indícios de que nós tomamos emprestadas algumas invenções dos neandertais, como certas ferramentas de pedra e possivelmente até a prática de enterrar mortos.

Então, como isso aconteceu? Como os neandertais, com sua musculatura e seu grande cérebro, e com a capacidade de sobreviver duas eras do gelo, foram varridos da face da Terra? Após terem conseguido se manter por mais de duzentos mil anos, por que os neandertais saíram do jogo logo depois que o *Homo sapiens* apareceu em cena?

Agora, uma hipótese final, muito mais sinistra.

Se não éramos mais fortes nem mais corajosos e inteligentes que os neandertais, talvez fôssemos mais malvados. "Pode muito bem ter acontecido", especula o historiador israelense Yuval Noah Harari, "que, quando o *Sapiens* encontrou os neandertais, o resultado tenha sido a primeira e mais significativa campanha de limpeza étnica da história."[20] O geógrafo Jared Diamond, ganhador do Prêmio Pulitzer, concorda: "Assassinos já foram condenados a partir de provas circunstanciais.[21]

3

Pode ser verdade? Teremos eliminado nossos primos hominídeos?

Vamos avançar até a primavera de 1958. Lyudmila Trut, estudante de Biologia na Universidade Estadual de Moscou, bate à porta do escritório do professor Dmitri Belyaev. Ele é um zoólogo e geneticista em busca de alguém para conduzir um ambicioso programa de pesquisas. Ela ainda é estudante, mas determinada a conseguir o trabalho.[22]

O professor se mostra gentil e receptivo. Numa época em que a maioria do *establishment* científico soviético tem uma atitude condescendente em relação às mulheres, Dmitri trata Lyudmila como igual. E resolve admiti-la em seu plano secreto. Esse plano exige que ela vá à Sibéria, a um lugar remoto na fronteira com o Cazaquistão e a Mongólia, onde o professor está iniciando um experimento.

Recomenda que Lyudmila pense bem antes de aceitar, pois se trata de um empreendimento perigoso. O regime comunista soviético rotulou a teoria evolucionista como uma mentira propagada por capitalistas, proibindo qualquer tipo de pesquisa genética. Dez anos antes, já tinha executado o irmão mais velho de Dmitri, também geneticista. Por essa razão, a equipe apresentará o experimento para o mundo exterior como um estudo sobre preciosas peles de raposa.

Na realidade, era sobre algo totalmente diferente. "Ele me disse que queria fazer um cachorro a partir de uma raposa", disse Lyudmila, anos mais tarde.[23]

O que a jovem cientista não percebeu é que estava concordando em embarcar numa façanha épica. Juntos, Dmitri Belyaev e Lyudmila Trut desvendariam as verdadeiras origens da humanidade.

Os dois começaram com uma pergunta bem diferente: como se transforma um feroz predador num bicho de estimação amistoso? Cem anos antes, Charles Darwin já tinha notado que animais domesticados – porcos, coelhos, carneiros – mostravam similaridades. Para começar, eram bem menores que seus antepassados selvagens. Tinham dentes menores e em geral orelhas flexíveis, rabos espiralados ou pelagem branca. Talvez o mais interessante de tudo: eles mantinham alguns traços juvenis durante toda a vida.

Era um enigma que intrigava Dmitri havia anos. Por que os animais domésticos eram do jeito que eram? Por que todos aqueles incontáveis fazendeiros, tantos anos atrás, preferiram cachorrinhos e porquinhos com rabo espiralado, orelhas caídas e carinhas de bebê e os criaram por causa dessas características específicas?

O geneticista russo tinha uma hipótese radical. Ele desconfiava que aqueles aspectos fofos eram *subprodutos* de outra coisa, uma metamorfose que acontece de forma orgânica se os animais são consistentemente selecionados, por um período longo o bastante, por causa de uma característica específica: amistosidade.

Então, esse era o plano de Dmitri. Ele queria replicar em umas duas décadas o que a natureza havia levado milênios para produzir. Queria transformar animais selvagens em bichos de estimação, simplesmente selecionando os indivíduos mais amigáveis. Para o experimento, escolheu a raposa-prateada, animal nunca domesticado e tão violento e agressivo que os pesquisadores só conseguiam lidar com ele usando luvas de 5 centímetros de espessura e que cobriam até o cotovelo.

Dmitri disse a Lyudmila para não alimentar muitas esperanças. O experimento levaria anos, talvez toda a vida, e o mais provável é que não resultasse em nada, apesar dos esforços. Lyudmila, porém, não precisou pensar duas vezes. Algumas semanas depois, embarcou no Expresso Transiberiano.

A fazenda de criação de raposas de Dmitri acabou se transformando num enorme complexo, com milhares de jaulas emitindo uma cacofonia de uivos. Apesar de tudo que já havia lido sobre o comportamento das raposas prateadas, Lyudmila não estava preparada para a ferocidade dos animais. Usando luvas de proteção, ela enfiava a mão nas jaulas para ver como os animais reagiam. Se percebia a menor hesitação, Lyudmila selecionava aquela raposa para reproduzir.

Em retrospecto, é impressionante a rapidez com que tudo aconteceu.

Em 1964, com o experimento em sua quarta geração, Lyudmila viu a primeira raposa abanar o rabo. Para ter certeza de que aqueles comportamentos eram realmente resultado da seleção natural (e não adquiridos), Lyudmila e sua equipe reduziram ao mínimo qualquer contato com os animais. Contudo, isso foi ficando cada vez mais difícil: em poucas gerações, as raposas estavam praticamente implorando por atenção. E quem conseguia dizer "não" a um filhote de raposa abanando o rabo com a língua de fora?

Na natureza, as raposas se tornam significativamente mais agressivas com oito semanas de idade, mas as raposas geradas de forma seletiva por Lyudmila continuavam sempre juvenis, não querendo nada além de brincar o dia inteiro. "Essas raposas mais mansas pareciam resistir ao mandamento de crescerem", escreveu depois.[24]

Enquanto isso, houve mudanças físicas perceptíveis. As orelhas das raposas caíram. Os rabos se espiralaram e apareceram manchas na pelagem. Os focinhos ficaram mais curtos, e os ossos, mais finos; além disso, os machos tornaram-se mais parecidos com as fêmeas. As raposas chegaram a latir, como cachorros. E em pouco tempo começaram a responder quando os cuidadores as chamavam pelo nome – um comportamento nunca visto antes em raposas.

Deve-se lembrar que nenhuma dessas características foi levada em conta na seleção de Lyudmila. Seu único critério foi a amistosidade – todas as outras características foram apenas subprodutos.

Em 1978, vinte anos depois do início desse experimento, muita coisa havia mudado na Rússia. Os biólogos não precisavam mais esconder suas pesquisas. Afinal, a teoria evolucionista não era mais um complô capitalista, e o Politburo estava empenhado em promover a ciência russa.

Em agosto desse ano, Dmitri conseguiu que o Congresso Internacional de Genética fosse realizado em Moscou. Os convidados se hospedaram no Palácio Estatal do Kremlin – com capacidade para 6 mil pessoas –, onde o champanhe correu solto e servia-se um bocado de caviar.

Ainda assim, nada disso impressionou tanto os convidados quanto a palestra de Dmitri. Depois de uma breve introdução, as luzes diminuíram e um vídeo foi projetado. A tela mostrava uma improvável criatura: uma raposa-prateada abanando o rabo. Um coro de exclamação se levantou da plateia, e as entusiasmadas conversas continuaram até muito depois de as luzes se reacenderem.

Dmitri, porém, não tinha terminado. Durante a hora seguinte, ele expôs sua ideia revolucionária. A seu ver, anunciou, as mudanças naquelas raposas tinham tudo a ver com hormônios. As raposas mais amistosas produziam menos hormônios de estresse e mais serotonina ("hormônio da felicidade") e oxitocina ("hormônio do amor").

E mais uma coisa, disse Dmitri, no encerramento, isso não acontecia só com raposas. A teoria "também pode ser aplicada aos seres humanos".[25]

Dmitri Belyaev com suas raposas-prateadas, Novosibirsk, 1984. Dmitri morreu no ano seguinte, mas seu programa de pesquisa continua até hoje. Fonte: Alamy.

Em retrospecto, foi uma afirmação histórica.

Dois anos depois de Richard Dawkins ter publicado seu *best-seller* sobre genes egoístas, concluindo que as pessoas "nascem egoístas", lá estava um desconhecido geneticista russo afirmando o contrário. A teoria de Dmitri Belyaev era de que as pessoas eram como macacos domesticados. Que durante dezenas de milhares de anos, os humanos mais amistosos tiveram mais filhos. Que a evolução de nossa espécie, em resumo, baseava-se na "sobrevivência do mais amistoso".

Se Dmitri estivesse certo, nosso corpo deveria mostrar indícios para provar sua teoria. Assim como porcos, coelhos e raposas-prateadas, os seres humanos deveriam ter ficado menores e mais fofos.

Dmitri não tinha meios para testar essa hipótese, mas desde então a ciência avançou. Quando, em 2014, uma equipe americana começou a examinar crânios humanos de diversos períodos dos últimos 200 mil anos, identificou-se um padrão.[26] Descobriram que rostos e corpos se tornaram consideravelmente mais suaves, mais joviais e mais femininos. Nosso cérebro encolheu pelo menos 10%, e nossos dentes e nossas mandíbulas se tornaram, para usar um jargão anatômico, *pedomórficos*. Usando um termo mais simples: infantis.

Se compararmos nossa cabeça com a dos neandertais, as diferenças são ainda mais pronunciadas. Temos o crânio mais curto e mais arredondado, com sobrancelha menos proeminente. Estamos para os neandertais como os cachorros estão para os lobos.[27] E assim como cães adultos parecem filhotes de lobos, os humanos evoluíram para se parecerem com macacos bebês.

Este é o *Homo cachorrinho*.

Domesticação de humanos e cães

Resultado:
- Comportamento mais amistoso
- Mais serotonina e oxitocina
- Estágio juvenil mais longo
- Aparência mais juvenil e feminina
- Melhor comunicação

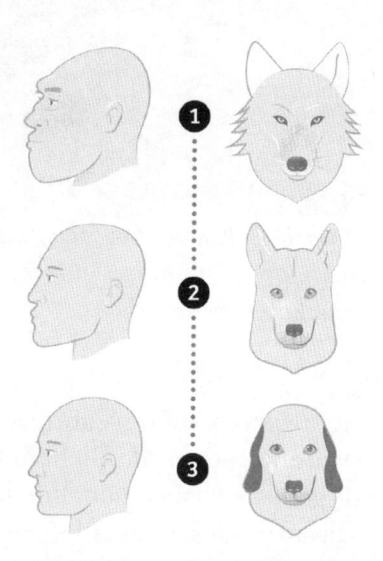

Fonte: Brian Hare, "Survival of the Friendliest", Annual Review of Psychology, *2017.*

Essa transformação de aparência acelerou mais ou menos cinquenta mil anos atrás. O intrigante é que tenha acontecido por volta do desaparecimento dos neandertais e quando criamos uma série de novas invenções – como pedras mais afiadas, linhas de pesca, arcos e flechas, canoas e pinturas em cavernas. Nada disso parece ter sentido evolucionista. As pessoas ficaram mais fracas, mais vulneráveis e mais infantis. Nosso cérebro ficou menor, porém nosso mundo ficou mais complexo.

Como pode? E como o *Homo cachorrinho* conseguiu conquistar o mundo?

4

Quem melhor para responder a essa pergunta que um especialista em *cachorrinhos*? Criado em Atlanta nos anos 1980, Brian Hare era louco por cachorros. Resolveu estudar Biologia, mas logo percebeu que os biólogos não estavam muito interessados por cães. Afinal, os caninos podem ser fofos, mas não são lá tão inteligentes.

Na faculdade, Brian teve aulas com Michael Tomasello, professor de Psicologia do Desenvolvimento que se tornaria seu mentor e colega. A pesquisa de Tomasello concentrava-se em chimpanzés, uma espécie considerada muito mais interessante que os cães. No segundo ano do curso, Brian, então com 19 anos, começou a participar da aplicação de testes de inteligência.

Era um clássico *teste de escolha de objetos*, no qual esconde-se uma guloseima saborosa e os participantes recebem dicas sobre onde a encontrar. Humanos começando a andar se destacam nesse teste, mas os chimpanzés ficam confusos. Por mais enfaticamente que o professor Tomasello e seus alunos apontassem o local onde tinham escondido uma banana, os macacos continuavam desorientados.

Depois de mais um longo dia de gesticulações, Brian desembuchou: "Acho que meu cachorro consegue fazer isso".

"É claro", ironizou o professor.

"Não, é verdade", insistiu Brian. "Aposto que ele consegue passar nesses testes."[28]

Vinte anos depois, Brian hoje é professor de Antropologia Evolutiva. Usando uma série de experimentos meticulosos, ele demonstrou que os cães são incrivelmente inteligentes, em algumas instâncias até mais que os chimpanzés (apesar de terem um cérebro menor).

De início os cientistas não entenderam nada daquilo. Como podem os *cães* serem inteligentes o bastante para passar no teste de escolha de objetos? Com certeza eles não tinham herdado o cérebro dos antepassados lobos, pois estes se davam tão mal nos testes de Brian quanto orangotangos ou chimpanzés. E também não aprenderam com seus tutores, pois os filhotes passavam no teste com 9 semanas de idade.

Colega e consultor de Brian, o primatologista Richard Wrangham sugeriu que a inteligência canina poderia surgir *por si só*, como um subproduto casual, como os rabos espiralados e as orelhas caídas. Brian, porém, não caiu nessa... Como uma característica tão instrumental como a inteligência social poderia ser acidente? O jovem biólogo suspeitava que, ao contrário, nossos ancestrais tinham criado seletivamente os cães mais inteligentes.

Só existia uma maneira de Brian testar sua suspeita. Era hora de fazer uma viagem à Sibéria. Anos antes, Brian lera sobre o obscuro estudo de um geneticista russo que tinha transformado raposas em cães. Quando Brian desembarcou do Expresso Transiberiano, em 2003, Lyudmila e sua equipe já haviam criado 45 gerações. Brian seria o primeiro cientista estrangeiro a estudar as raposas-prateadas – e começou com o teste de escolha de objetos.

Se sua hipótese estivesse correta, as raposas amistosas e as raposas ferozes seriam reprovadas no teste em igual proporção, já que Dmitri e Lyudmila as haviam selecionado baseados na amistosidade, não na *inteligência*. Se Richard, o consultor de Brian, estivesse certo, e a inteligência não fosse um subproduto relacionado à amistosidade, as raposas criadas seletivamente não passariam no teste.

Resumindo: os resultados confirmaram a teoria do subproduto e demonstraram que Brian estava errado. As gerações mais recentes de raposas amistosas não só eram notavelmente astutas, mas também muito mais inteligentes que suas contrapartes agressivas. Como declarou Brian: "As raposas abalaram meu mundo".[29]

Até então, o pressuposto sempre fora de que a domesticação diminuía o poder cerebral, reduzindo a massa cinzenta e, no processo, sacrificando habilidades necessárias para sobreviver na natureza. Todos conhecemos os clichês. Esperto como uma raposa, burro como um jumento. Brian, porém, chegou a uma conclusão completamente diferente. "Se você quiser uma raposa inteligente, não faça a seleção com base na inteligência", afirmou. "Você deve se basear na amistosidade."[30]

5

Isso nos leva de volta à pergunta que formulei no início deste capítulo. O que torna os humanos tão únicos? Por que construímos museus, enquanto os neandertais se encontram expostos lá?

Vamos dar outra olhada nos resultados daqueles 37 testes feitos com primatas e humanos começando a andar. O que deixei de mencionar antes é que os participantes eram também avaliados em uma quarta habilidade: aprendizado social. Isto é, capacidade de aprender com outros. E os resultados desse último teste revelam algo interessante.

O verdadeiro superpoder dos humanos
Notas atribuídas em quatro testes de inteligência

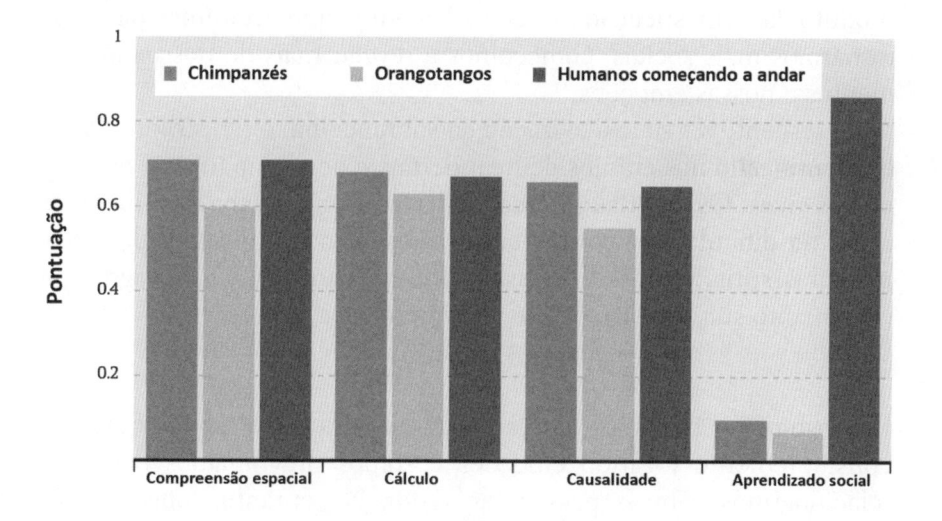

[Gráfico de barras comparando Chimpanzés, Orangotangos e Humanos começando a andar nas categorias: Compreensão espacial, Cálculo, Causalidade e Aprendizado social. Eixo Y: Pontuação de 0 a 1.]

Este quadro ilustra bem a característica que torna os humanos especiais. Chipanzés e orangotangos empatam com humanos de 2 anos de idade em quase todos os testes cognitivos. No entanto, quando se trata de aprendizado, os humanos ganham com a mão nas costas. A maioria das crianças chega a 100%; a maioria dos macacos, a 0%.

Acontece que os humanos são máquinas ultrassociais de aprendizado. Nós nascemos para aprender, nos relacionar e interagir. Por isso, talvez não seja tão estranho que corar seja a única expressão unicamente humana. Afinal, corar é a quintessência da socialização – são pessoas demonstrando que se importam com o que outras pessoas pensam, fomentando confiança e possibilitando a cooperação.

Algo semelhante acontece quando olhamos nos olhos uns dos outros, pois os humanos têm outra característica esquisita: o branco dos olhos. Essa característica exclusiva permite que acompanhemos a direção do olhar do outro. Todos os outros primatas, mais de duzentas espécies ao todo, produzem uma melanina que tinge seus olhos. A exemplo de jogadores de pôquer usando óculos escuros, isso obscurece a direção do olhar.

Mas o mesmo não se dá com os humanos. Somos livros abertos; o foco de nossa atenção fica evidente para qualquer um. Imagine como a amizade e as relações amorosas entre humanos seriam diferentes se não conseguíssemos nos olhar nos olhos. Como confiaríamos uns nos outros? Brian Hare suspeita que nossos olhos incomuns sejam outro produto da domesticação humana. À medida que evoluímos para nos tornarmos mais sociais, começamos a revelar mais de nossos pensamentos e nossas emoções.[31]

Acrescente a isso a suavização da sobrancelha, o *torus supraorbitalis* identificado nos crânios de neandertais e de chimpanzés e orangotangos vivos. Os cientistas acreditam que a sobrancelha protuberante possa ter dificultado a comunicação, pois agora a utilizamos de várias maneiras sutis.[32] Tente expressar surpresa, simpatia ou desagrado e veja quanto sua sobrancelha se movimenta.

Em resumo, os humanos não têm nada de cara de paisagem. Estamos constantemente vazando emoções e somos programados para nos relacionarmos com as pessoas ao redor. No entanto, longe de ser uma desvantagem, esse é nosso verdadeiro superpoder, pois pessoas sociáveis não apenas são mais agradáveis para se ter contato como são mais inteligentes.

A melhor forma de conceitualizar esse fato é imaginar um planeta habitado por duas tribos: a dos gênios e a dos imitadores. Os gênios são brilhantes, e um em cada dez inventa alguma coisa de fato impressionante em algum momento da vida (digamos, uma vara de pescar). Os imitadores são menos dotados cognitivamente, por isso apenas um em cada mil acaba conseguindo aprender a pescar sozinho. Isso faz dos gênios cem vezes mais inteligente que os imitadores.

Os gênios, porém, têm um problema. Eles não são nada sociais. Na média, o gênio que inventa uma vara de pescar só tem um amigo a quem pode ensinar a pescar. Os imitadores têm em média dez amigos, o que os torna dez vezes mais sociais.

Agora vamos supor que ensinar alguém a pescar seja complicado, e que só aconteça na metade das vezes. A pergunta é: qual grupo lucra mais com a invenção? A resposta, estima o antropólogo Joseph Henrich, é que só um de cada cinco gênios vai aprender a pescar, com metade aprendendo sozinho, do próprio jeito; a outra metade aprenderá com alguém. Em comparação, embora somente 0,1% dos imitadores aprenda a técnica sozinho, 99,9% deles vão acabar conseguindo pescar, pois terão aprendido com outros imitadores.[33]

Os neandertais eram um pouco como os gênios. Tinham o cérebro maior, mas coletivamente não eram tão inteligentes. Individualmente, um *Homo neanderthalensis* pode ter sido mais inteligente que qualquer *Homo sapiens*, mas o *sapiens* coabitava com grupos maiores, migravam de um grupo para outro com mais frequência e também podem ter sido melhores imitadores. Se os neandertais fossem um computador superveloz, nós seríamos os antiquados PCs – *com* Wi-Fi. Éramos mais lentos, porém mais bem conectados.

Alguns cientistas teorizam que o desenvolvimento da linguagem humana também foi produto de nossa sociabilidade.[34] A linguagem é um excelente exemplo de sistema que os imitadores podem não ter elaborado por si mesmos, mas que conseguiram aprender uns com os outros – o que, com o tempo, deu origem a humanos falantes, mais ou menos da mesma maneira que as raposas de Lyudmila começaram a latir.

Mas, então, o que aconteceu com os neandertais? Afinal, teriam sido extintos pelo *Homo cachorrinho*?

Esta é uma ideia que daria um bom livro ou um documentário de suspense, mas não há base arqueológica. A teoria mais plausível é que nós, os humanos, conseguimos lidar melhor com as difíceis condições climáticas da última era glacial (115 mil a 15 mil anos atrás) porque desenvolvemos a capacidade de trabalharmos juntos.

E quanto ao deprimente livro *O gene egoísta*? Encaixa-se perfeitamente bem com o pensamento dos anos 1970 – uma era definida como a "década do eu" pela revista *New York*. No fim dos anos 1990, um grande admirador de Richard Dawkins resolveu pôr em prática a visão do autor. Em vez de fazê-lo se sentir pessimista, o livro inspirou o CEO Jeffrey Skilling na administração de toda uma corporação – a gigante energética Enron – com base no mecanismo da ganância.

Skilling estabeleceu um sistema de "Rank & Yank" [Rank e Arranque] nas revisões de desempenho da Enron. Uma nota 1 situava o funcionário entre os melhores da empresa, resultando num bônus significativo. Uma nota 5 jogava o funcionário no fundo, num grupo "mandado para a Sibéria". Além da humilhação, quem não conseguisse outro cargo em duas semanas era demitido. O resultado foi uma cultura empresarial hobbesiana, com uma competição cruel entre os funcionários. No fim de 2001, surgiu a notícia de que a Enron tinha se envolvido numa gigantesca fraude contábil. Quando a poeira finalmente assentou, Skilling estava na cadeia.

Naquela época, 60% das maiores corporações dos Estados Unidos ainda utilizavam alguma variação do sistema Rank & Yank.[35] "É um universo hobbesiano", disse o jornalista Joris Luyendijk sobre o setor financeiro de Londres, na esteira da crise de crédito de 2008, "de todos contra todos, com relações caracteristicamente torpes, brutais e breves."[36] O mesmo se aplica a organizações como Amazon e Uber, que sistematicamente jogam os funcionários uns contra os outros. A Uber, nas palavras de um funcionário anônimo, é uma "selva hobbesiana" em que "você só consegue progredir quando alguém morre".[37]

A ciência avançou consideravelmente desde os anos 1970. Em edições subsequentes de *O gene egoísta*, Richard Dawkins cortou suas afirmações sobre o egoísmo inato dos humanos, e a teoria perdeu crédito entre os biólogos. Embora luta e competição sejam claramente um fator na evolução da vida, agora qualquer aluno do primeiro ano de Biologia aprende que a cooperação é muito mais importante.

Esta é uma verdade tão antiga quanto as montanhas. Nossos antepassados distantes sabiam da importância do coletivo e raramente idolatravam indivíduos. Caçadores-coletores do mundo todo, das tundras mais geladas aos desertos mais abrasadores, acreditavam que tudo está conectado. Viam-se como parte de algo muito maior, vinculado a todos os outros animais, às plantas e à mãe Terra. Talvez eles compreendessem a condição humana melhor que nós a entendemos hoje.[38]

Por isso, será uma surpresa que a solidão possa nos deixar literalmente doentes? Que a falta de contato humano seja comparável a fumar quinze cigarros por dia?[39] Que ter um bicho de estimação reduza o risco de depressão?[40] Os seres humanos anseiam por união e interação.[41] Nosso espírito anseia por relações, assim como nosso corpo sente fome de comida. Foi esse anseio mais do que qualquer outra coisa que possibilitou ao *Homo cachorrinho* chegar à Lua.

Quando compreendi isso tudo, a ideia da evolução deixou de ser deprimente. Talvez não existam um criador nem um plano cósmico. Talvez nossa existência seja apenas acaso, depois de milhões de anos de tentativas às cegas. No entanto, pelo menos não estamos sozinhos. Temos uns aos outros.

4
O CORONEL MARSHALL E OS SOLDADOS QUE NÃO ATIRAVAM

1

E agora vamos ao elefante na sala.

Nós humanos temos um lado escuro. Às vezes o *Homo cachorrinho* faz coisas horríveis e sem precedentes no reino animal. Canários não administram campos de prisioneiro. Crocodilos não constroem câmaras de gás. Nunca em toda a história um coala sentiu-se impelido a contar, trancar e eliminar toda uma raça de seus semelhantes. Esses crimes são especificamente humanos. Assim, além de ser excepcionalmente pró-social, o *Homo cachorrinho* também pode ser terrivelmente cruel. Por quê?

Parece que temos de encarar um fato doloroso: "O mecanismo que faz de nós a espécie mais generosa também faz de nós a espécie mais cruel do planeta", diz Brian Hare, especialista em cachorrinhos.[1] As pessoas são animais sociais, mas temos uma deficiência fatal: sentimos mais afinidade pelos que são mais parecidos conosco.

Esse instinto parece estar decodificado em nosso DNA. Vamos considerar o hormônio oxitocina, que os biólogos há muito sabem ter papel-chave no parto e na amamentação. Quando foi descoberto que o hormônio também era instrumental numa relação amorosa, houve uma onda da entusiasmo. É só borrifar um pouco de oxitocina no nariz, alguns conjeturaram, para ter o melhor encontro amoroso de todos os tempos.

De fato, por que não usar pulverizadores agrícolas nas massas? A oxitocina – substância da qual as fofas raposas siberianas de Lyudmila Trut mostravam altos níveis – nos torna mais bondosos, mais gentis, mais relaxados e serenos. É capaz de transformar um canalha num amigável cachorrinho. Por isso, às vezes é louvado com termos sentimentaloides como "bálsamo da bondade humana" ou "hormônio do abraço".

No entanto, aí surgiu um novo fator. Em 2010, pesquisadores da Universidade de Amsterdã descobriram que os efeitos da oxitocina parecem se limitar ao próprio grupo.[2] O hormônio não somente aumenta a afeição por amigos, como pode intensificar a aversão a estranhos. O resultado é que a oxitocina não fomenta a fraternidade universal. Fortalece sentimentos de "os meus primeiro".

2

Talvez Thomas Hobbes estivesse certo, afinal.

Pode ser que nossa pré-história tenha *mesmo* sido "uma guerra de todos contra todos". Não entre amigos, mas entre inimigos. Não contra os que conhecíamos, mas contra estranhos. Se fosse verdade, a essa altura os arqueólogos já deveriam ter encontrado inúmeros artefatos de nossa agressividade, e por certo suas escavações teriam descoberto evidências de que somos programados para guerra.

Infelizmente, foi o que aconteceu. A primeira pista nesse sentido é de 1924, de quando um minerador desenterrou o crânio de um pequeno indivíduo simiesco no noroeste da África do Sul, perto da aldeia de Taung. O crânio acabou indo parar nas mãos do anatomista Raymond Dart, que o identificou como *Australopithecus africanus*, um dos primeiros hominídeos a andar sobre a face da Terra – dois milhões, possivelmente três milhões de anos atrás.

Desde o começo, Dart ficou perturbado com sua descoberta. Estudando esse crânio e os ossos de outros ancestrais nossos, ele identificou inúmeros ferimentos. O que havia causado esses ferimentos? A conclusão a que chegou não foi agradável. Esses primeiros hominídeos devem ter usado pedras, presas e chifres de animais para matar suas presas, disse Dart, e, pela aparência dos restos mortais, as vítimas não eram apenas animais. Eles também matavam uns os outros.

Raymond Dart tornou-se um dos primeiros cientistas a caracterizar os seres humanos como canibais e sanguinários natos, e sua "teoria do macaco assassino" ganhou manchetes ao redor do mundo. Foi só com o advento da agricultura, meros dez mil anos atrás, afirmou, que mudamos para uma dieta mais compassiva. A própria incipiência da civilização poderia ser a razão para nossa "relutância generalizada" de reconhecer o que somos no fundo.[3]

O próprio Dart não tinha esses escrúpulos. Nossos primeiros ancestrais eram, escreveu,

> assassinos convictos, criaturas carnívoras que capturavam suas presas usando de violência, lutavam com elas até a morte, despedaçando seus corpos, desmembrando-as e saciando sua sede voraz com o sangue ainda quente das vítimas, devorando-as enquanto se debatiam.[4]

Quando Dart abriu caminho, teve início a temporada de caça para a ciência, e diversos cientistas seguiram os passos dele. A primeira entre eles foi Jane Goodall, que estudava nossos primos chimpanzés na Tanzânia. Dado que os chimpanzés havia muito eram considerados pacíficos comedores de plantas, Goodall teve um grande choque quando, em 1974, chegou a uma guerra generalizada entre macacos.

Durante quatro anos, dois grupos de chimpanzés travaram uma batalha brutal. Chocada, Goodall encobriu sua descoberta por muito tempo, e, quando afinal divulgou para o mundo o que viu, muita gente não acreditou. Ela descrevia cenas de chimpanzés "agarrando a cabeça da vítima sangrando, com sangue escorrendo pelo nariz e bebendo-o, torcendo um membro, arrancando pedaços de pele com os dentes".[5]

Um dos alunos de Goodall, um primatologista de nome Richard Wrangham (e consultor do especialista em *cachorrinhos* Brian Hare, do capítulo 3), especulou nos anos 1990 que nossos ancestrais devem ter sido uma espécie de chimpanzé. Traçando uma linha direta daqueles primatas predadores aos campos de batalha do século XX, Wrangham deduziu que a guerra simplesmente estava em nosso sangue, o que fazia dos "humanos modernos os atordoados sobreviventes de um hábito contínuo de cinco milhões de anos de uma agressividade letal".[6]

O que o levou a esse veredito? Simples: os assassinos sobrevivem, os mais fracos morrem. Chimpanzés têm a tendência de formar gangues e atacar semelhantes solitários, da mesma forma que os valentões expressam seus sentimentos mais baixos nos intervalos das aulas escolares.

Você pode questionar: tudo bem, mas esses cientistas estavam falando de chimpanzés e de outros macacos. O *Homo cachorrinho* não é uma espécie única? Não conquistamos o mundo exatamente por sermos afáveis? O que mostram os registros sobre o tempo em que *nós* ainda caçávamos e coletávamos?

Os primeiros estudos pareciam nos inocentar. Em 1959, a antropóloga Elizabeth Marshall Thomas publicou um livro sobre o povo !Kung, que até hoje habita o deserto do Kalahari.[7] Seu título: *The Harmless People* [O povo inofensivo]. Sua mensagem caiu como uma luva para o espírito dos anos 1960, quando uma nova geração de cientistas com tendências de esquerda entraram na cena antropológica, ansiosos para dar uma roupagem rousseauniana a nossos antepassados. Qualquer um que quisesse saber como vivíamos no passado, afirmaram, só precisava observar os nômades no presente.

Elizabeth e seus colegas mostraram que, apesar de algumas rixas ocasionais na selva ou na savana, essas "guerras" tribais resumiam-se a pouco mais que xingamentos. Às vezes alguém disparava uma flecha, mas, se um ou dois guerreiros se ferissem, em geral as tribos encerravam o expediente. "Estão vendo?", disseram os acadêmicos progressistas, Rousseau estava certo, os homens das cavernas eram de fato nobres selvagens.

No entanto, infelizmente para os *hippies*, logo as contraprovas começaram a se amontoar.

Pesquisas mais específicas de antropólogos posteriores determinaram que a teoria do macaco assassino se aplicava também a caçadores-coletores. Suas batalhas rituais poderiam parecer inocentes, mas os sangrentos ataques sob a cobertura da noite e os massacres de homens, mulheres e crianças não podiam ser facilmente descartados. Mesmo os !Kung, quando estudados mais de perto, se revelaram consideravelmente sanguinários, se observados por tempo suficiente. (E a taxa de assassinatos despencou quando o território dos !Kung passou a ser controlado pelo Estado, nos anos 1960. Ou seja, quando o *Leviatã* de Hobbes chegou para impor o Estado de direito.)[8]

E isso foi só o começo. Em 1968, o antropólogo Napoleon Chagnon surgiu com um estudo sobre o povo Yanomami, nativo da Venezuela e do Brasil, que realmente abalou as estruturas. O título? *The Fierce People* [O povo feroz]. O livro descrevia uma sociedade em "crônico estado de guerra". Pior ainda, revelava que os assassinos também tinham mais mulheres e filhos – e, por isso, faz sentido que a violência esteja em nosso sangue.

A discussão, porém, não foi totalmente decidida até 2011, quando se publicou o monumental livro de Steven Pinker, *Os anjos bons da nossa natureza*. Trata-se da maior obra de um psicólogo que já era um dos intelectuais mais influentes do mundo: um calhamaço de 1.088 páginas em fonte ultrapequena e repleto de gráficos e tabelas. Perfeito para nocautear algum inimigo.

"Atualmente, podemos mudar de narrativas para números", escreve Pinker.[9] E esses números falam por si. A média de esqueletos de

21 sítios arqueológicos que mostram sinais de morte violenta? Quinze por cento. Média de mortes causadas por violência em oito tribos forrageadoras atuais? Catorze por cento. A média de todo o século XX, incluindo duas guerras mundiais? Três por cento. A média atual? Um por cento.

"Nós começamos malvados", concorda Pinker com Hobbes.[10] A Biologia, a Antropologia e a Arqueologia apontam para a mesma direção: os humanos podem ser bons com os vizinhos, mas matamos a sangue frio quando se trata de forasteiros. De fato, somos as criaturas mais belicosas do planeta. Felizmente, Pinker reassegura aos leitores, fomos enobrecidos pelos "artífices da civilização".[11] A invenção da agricultura, da escrita e do Estado tem contido nossos instintos agressivos, aplicando uma espessa camada de civilização em nossa natureza torpe e brutal.

Sob o peso de todas as estatísticas apresentadas em seu pesado volume, a questão parecia resolvida. Durante anos, achei que Steven Pinker estava certo e que Rousseau havia se enganado. Afinal de contas, os resultados estavam em números – e os números não mentem.

Foi então que soube do coronel Marshall.

3

Dia 22 de novembro de 1943. Caiu a noite numa ilha do Pacífico, e a Batalha de Makin acabou de começar. A ofensiva segue conforme o planejado, até que acontece uma coisa estranha.[12]

Samuel Marshall, coronel e historiador, está lá como observador, com o primeiro contingente norte-americano chegando à praia para tomar a ilha, que se encontra nas mãos dos japoneses. Raramente um historiador esteve tão perto da ação. A própria invasão é uma operação perfeitamente isolada, quase como um experimento de laboratório. É a oportunidade ideal para Marshall observar ao vivo o que acontece numa guerra.

Naquele dia, os homens avançam mais de 4 quilômetros sob um calor escaldante. Quando param à noite, ninguém tem energia para cavar trincheiras, por isso um acampamento japonês instalado a curta distância dali não é notado. O ataque começa depois de escurecer. As forças japonesas atacam as posições americanas, fazendo nove tentativas ao todo. Apesar de estarem em inferioridade numérica, quase conseguem romper as linhas americanas.

No dia seguinte, Marshall pondera o que deu errado. Ele sabe que não se pode aprender muita coisa estudando bandeirinhas num mapa ou lendo os registros dos oficiais. E resolve fazer algo que nunca havia sido tentado. Algo revolucionário no mundo acadêmico da história. Naquela mesma manhã, ele chama os soldados norte-americanos e os entrevista em grupos. Pede que falem com franqueza, permitindo que os de patentes mais baixas discordem de seus superiores.

Em termos estratégicos, é genial. "Quase de imediato, Marshall percebe que topou com o segredo de um combate relatado com precisão", escreveria mais tarde um colega. "Cada homem se lembrava de alguma coisa – um fragmento a encaixar no quebra-cabeça."[13] E foi assim que o coronel descobriu algo desconcertante.

A maioria dos soldados não tinha disparado sua arma.

Durante séculos, até milênios, generais e governantes, artistas e poetas acreditaram tacitamente que soldados lutavam. Que, se há alguma coisa que desperta o caçador dentro de nós, é a guerra. Guerra é quando nós, humanos, fazemos o que fazemos melhor. Guerra é quando atiramos para matar.

No entanto, enquanto continuava suas entrevistas com grupos de soldados, no Pacífico e, depois, no teatro europeu, o coronel Marshall descobriu que apenas de 15% a 20% dos homens haviam de fato disparado suas armas. No momento crítico, a grande maioria se recusava a agir. Um frustrado oficial relatou como ficava passando de baixo para cima pelas linhas, gritando: "Maldição! Comecem a atirar!". Mas "eles só atiravam enquanto eu estava olhando ou quando havia outros oficiais por perto".[14]

A situação em Makin naquela noite era do tipo matar ou morrer, e seria de esperar que todos lutassem pela própria vida. No entanto, em seu batalhão de mais de trezentos soldados, Marshall só conseguiu identificar 36 que puxaram o gatilho.

Seria falta de experiência? Não. Parecia não haver qualquer diferença entre os novos recrutas e os profissionais experientes quanto à vontade de atirar. E muitos dos homens que não dispararam tinham se mostrado exímios atiradores nos treinamentos.

Talvez tenham simplesmente se acovardado? Difícil. Os soldados que não atiravam continuavam em suas posições, o que significava que corriam muito perigo. Todos eram corajosos, patriotas, prontos para sacrificar a vida por seus companheiros. No entanto, quando chegava a hora, faltavam ao dever.

Não conseguiam atirar.

Nos anos que se seguiram à Segunda Guerra Mundial, Samuel Marshall se tornaria um dos mais respeitados historiadores de sua geração. Quando ele falava, o Exército dos Estados Unidos ouvia. Em seu livro *Homens ou fogo?*, de 1946 – ainda lido nas academias militares –, ele enfatizou que "a média dos indivíduos normais e saudáveis [...] tem muita resistência interna, em geral não percebida, a matar um semelhante do qual não tiraria a vida pela própria vontade".[15] A maioria das pessoas sofre de um "medo de agressão" que é um aspecto normal da nossa "constituição emocional".[16]

O que estava acontecendo? Teria o coronel descoberto algum instinto poderoso? Publicadas quando a teoria do verniz estava no auge e o modelo do macaco assassino de Raymond Dart predominava, as descobertas de Marshall foram difíceis de ser assimiladas. O coronel tinha a impressão de que suas análises não se limitavam aos soldados das Forças Aliadas na Segunda Guerra Mundial, mas que se aplicavam a *todos os soldados ao longo da história*. Dos gregos em Troia aos alemães em Verdun.

Apesar de Marshall ter tido uma reputação em vida, nos anos 1980 começaram a surgir algumas dúvidas. "Livro fundamental de S. L. A. Marshall sobre a guerra é avaliado como incorreto", afirmou o jornal *The New York Times* na primeira página em 19 de fevereiro de 1989. A revista *American Heritage* chegou a definir o livro como um embuste, afirmando que Marshall tinha "inventado aquela história toda" e jamais conduzira quaisquer entrevistas de grupo. "Esse sujeito perverteu a história", ironizou um ex-oficial. "Ele não entendeu a natureza humana."[17]

Marshall não pôde se defender, pois morrera doze anos antes. Outros historiadores mergulharam na contenda – e nos arquivos – e descobriram indícios de que Marshall havia realmente distorcido os fatos algumas vezes. As entrevistas em grupos, porém, eram verdadei-

4

Até hoje, nossa cultura é permeada pelo mito de que é fácil infligir dor aos outros. Pense nos heróis de ação rápidos no gatilho, como Rambo, ou no sempre combativo Indiana Jones. Note as constantes trocas de socos nos filmes e em programas de TV, em que a violência se alastra como uma infecção: um personagem tropeça, cai em cima de alguém, que acidentalmente desfecha um soco e, antes de perceber, você está no meio de uma guerra de todos contra todos.

No entanto, as imagens produzidas por Hollywood têm tanto a ver com a verdadeira violência quanto a pornografia tem a ver com sexo real. Na realidade, segundo a ciência, a violência não é contagiosa, não dura muito tempo e não é nada fácil.

Quanto mais eu lia sobre as análises e as subsequentes pesquisas do coronel Marshall, mais duvidava da noção de nossa natureza belicista. Afinal de contas, se Hobbes estivesse certo, todos deveríamos ter prazer em matar outra pessoa. É verdade que não seria tão valorizado quanto o sexo, mas com certeza não inspiraria profunda *aversão*.

Se, por outro lado, Rousseau estava certo, os nômades forrageadores deveriam ter sido extremamente pacíficos. Nesse caso, devemos ter desenvolvido nossa antipatia em relação a derramamento de sangue ao longo das dezenas de milhares de anos desde que o *Homo cachorrinho* passou a habitar o planeta.

Será que Steven Pinker, o psicólogo do livro pesado, estava enganado? Será que sua sedutora estatística sobre o preço pago pelos humanos em guerras pré-históricas – que cheguei a mencionar com entusiasmo em livros e artigos anteriores – poderia estar errada?

Resolvi voltar à estaca zero. Desta vez, evitei publicações dirigidas ao público em geral e mergulhei na literatura acadêmica. Não demorei para identificar um padrão. Quando um cientista retratava os humanos como primatas homicidas, a mídia era rápida em citar seu trabalho. Se um colega dizia o contrário, quase ninguém dava ouvidos.

Isso me fez pensar: *será que estamos sendo enganados por nosso fascínio pelo horror e pelo espetáculo? E se a verdade científica fosse diametralmente oposta àquilo em que os livros mais vendidos e as publicações mais citadas nos fazem acreditar?*

Vamos voltar a Raymond Dart, o homem que nos anos 1920 estudou os primeiros ossos desenterrados do *Australopithecus africanus*. Depois de examinar os ossos fraturados de dois milhões de anos, ele decidiu que aqueles hominídeos deviam ser canibais sanguinários.

A conclusão foi um sucesso. Basta pensar em filmes como *O planeta dos macacos* original e *2001: uma odisseia no espaço* (ambos de 1968), que faturaram em cima da teoria do macaco assassino. "Estou interessado na natureza brutal e violenta do homem, por este ser um retrato verdadeiro", confirmou o diretor Stanley Kubrick numa entrevista.[30]

Só muitos anos depois os cientistas perceberam que os remanescentes forenses do *Australopithecus africanus* apontavam numa direção bem diferente. Os ossos, concordam agora os especialistas, não foram fraturados por outros hominídeos (empunhando pedras, presas ou chifres), mas por outros predadores. Assim como o crânio do indivíduo que Raymond Dart analisou em 1924. Em 2006, surgiu o novo veredito: o agressor tinha sido uma grande ave de rapina.[31]

E quanto aos chimpanzés, nossos parentes mais próximos, que ficamos sabendo que se desmembravam uns aos outros? Não são prova viva de que a sede de sangue está em nossos genes?

Esse continua sendo um ponto discutível. Entre outras coisas, estudiosos discordam quanto à questão de *por que* os chimpanzés se atacam. Alguns dizem que a culpa é da própria interferência humana, afirmando que, se alimentássemos os chimpanzés com bananas regularmente – como fazia Jane Goodall na Tanzânia –, isso os tornaria mais agressivos. Afinal, ninguém quer ficar sem uma daquelas delícias.[32]

Por mais tentadora que parecesse, essa explicação não me convenceu. Ela surgiu a partir de um grande estudo de 2014, apresentando dados coletados em 18 colônias de chimpanzés durante um período de cinquenta anos.[33] Por mais que os examinassem, os pesquisadores não encontravam nenhuma correlação entre o número de chimpanzés assassinados e a interferência humana. Os chimpanzés, concluíram, eram igualmente capazes de selvagerias sem nenhum estímulo externo.

Felizmente, nossa árvore genealógica tem outros galhos. Os gorilas, por exemplo, são muito mais pacíficos. Ou, melhor ainda, os bonobos. Esses primatas de pescoço atenuado, mãos com ossos finos e dentes pequenos preferem passar o dia brincando, são extremamente amistosos e nunca se tornam totalmente adultos.

Remete a alguma coisa? Sim, os biólogos desconfiam que, assim como o *Homo cachorrinho*, o bonobo se domesticou. Incidentalmente, o rosto do bonobo parece humano.[34] Se quisermos traçar paralelos, devemos começar por aqui.

Mas quanto na verdade é relevante esse caloroso debate sobre nosso parente mais próximo? Os humanos não são chimpanzés, tampouco nós somos bonobos. Ao todo, existem mais de duzentas espécies de primatas, com variações significativas entre elas. Robert Sapolsky, renomado primatologista, acredita que os macacos têm pouco a nos ensinar sobre nossos ancestrais humanos: "Essa é uma discussão vazia".[35]

No entanto, precisamos retomar nossa verdadeira pergunta – aquela que opôs Hobbes a Rousseau. Quão violentos eram os primeiros *seres humanos*?

Já disse que há duas maneiras de descobrir. Uma: estudando os caçadores-coletores do mundo moderno que continuam levando a mesma vida que nossos ancestrais. Outra: escavar em busca de outros ossos remanescentes que nossos ancestrais deixaram para trás.

Vamos começar pela primeira. Já mencionei *The Fierce People*, de Napoleon Chagnon, o livro sobre antropologia mais vendido de todos os tempos. Chagnon mostrou que os yanomami da Venezuela e do Brasil gostam de uma guerra e que os homens yanomami homicidas têm três vezes mais filhos que suas contrapartes pacíficas ("medrosos", nas palavras de Chagnon).[36]

Mas quão confiável é essa pesquisa? O consenso científico atual é de que a maioria das tribos que ainda vive como caçadores-coletores hoje não é representativa da forma como nossos antepassados viviam. Essas tribos estão imersas até as orelhas na sociedade civilizada e têm contatos frequentes com agricultores e urbanoides. O simples fato de terem sido acompanhadas por antropólogos já as torna "contaminadas" como estudo populacional. (Por acaso, poucas são mais "contaminadas" que a dos yanomami. Em troca da ajuda da tribo, Chagnon distribuiu machados e facões e, depois, concluiu que aquele povo era terrivelmente violento.)[37]

E a afirmação de Chagnon de que os assassinos tinham mais filhos que os defensores da paz? Não confere. Isso porque ele cometeu dois erros graves. O primeiro: deixou de levar em conta a idade – os assassinos de seu banco de dados eram em média dez anos mais velhos que os "medrosos". Por isso, os que tinham 35 anos tinham mais filhos que os que tinham 25 anos. Nada surpreendente.

Outro erro fundamental de Chagnon foi só ter incluído a progênie dos assassinos que continuavam vivos. Desconsiderou o fato de que pessoas que matam outras pessoas em geral recebem o troco. Vingança, em outras palavras. Ao ignorar esses casos, pode-se argumentar que, quando só se olha para os ganhadores, vale a pena jogar na loteria.[38]

Depois da visita do antropólogo, os yanomami acrescentaram uma nova palavra ao vocabulário: *antro*. Definição? "Um poderoso não humano com tendências profundamente perturbadas e excentricidades malucas."[39] Em 1995, esse *antro* específico foi proibido para sempre de voltar ao território yanomami.

Fica claro que é melhor ignorarmos o *best-seller* de Chagnon. No entanto, ainda nos resta o testemunho de mais de oitocentas páginas do psicólogo Steve Pinker, com todos os gráficos e todas as tabelas, como prova autorizada de nossa natureza violenta.

Em *Os anjos bons da nossa natureza*, Pinker calcula a média da taxa de homicídios em oito sociedades primitivas, chegando a alarmantes 14%. Este número apareceu em publicações respeitadas, como a *Science*, e foi interminavelmente regurgitado por jornais e pela TV. Quando outros cientistas analisaram o material de referência, contudo, descobriram que Pinker misturou algumas coisas.

Este trecho do livro pode ficar um pouco técnico, mas precisamos entender onde ele errou. A pergunta a que desejamos responder é: quais povos que continuam sendo caçadores e coletores até hoje são representativos de como os humanos viviam cinquenta mil anos atrás? Afinal, fomos nômades durante 95% da história humana, vagando pelo mundo em grupos pequenos e relativamente igualitários.

Pinker optou por se concentrar quase exclusivamente em culturas híbridas. Há povos que caçam e coletam, mas que também montam cavalos, ou vivem juntos em assentamentos ou se dedicam em parte à agricultura. Todas essas atividades são relativamente recentes. Os humanos só começaram a plantar dez mil anos atrás, e os cavalos só foram domesticados cinco mil anos atrás. Se quisermos entender como nossos ancestrais distantes viviam há cinquenta mil anos, não faz sentido extrapolar a imagem de povos que têm cavalos e plantam hortas de legumes.

Contudo, mesmo se aceitarmos os métodos de Pinker, os dados são problemáticos. Segundo o psicólogo, 30% das mortes entre os aché no Paraguai (tribo número 1 de sua lista) e 21% das mortes entre os hiwi na Venezuela e na Colômbia (tribo número 3) são atribuíveis a guerras. Poderia parecer que esses povos estão a fim de sangue.

O antropólogo Douglas Fry se mostrou cético. Revisando as fontes originais, ele descobriu que todos os 46 casos que Pinker classificou como "mortalidade de guerra" entre aché na verdade se referiam a membros da tribo listados como "mortos a tiros por paraguaios".

Na verdade, os aché não se matavam entre si, mas eram "implacavelmente perseguidos por mercadores de escravos e atacados por fronteiriços paraguaios", diz a fonte, enquanto eles mesmos "desejam uma relação pacífica com seus vizinhos mais poderosos". O mesmo acontecia com os hiwi. Todos os homens, as mulheres e as crianças enumerados por Pinker como mortos em guerra foram assassinados em 1968 por criadores de gado locais.[40]

E lá se vão as férreas taxas de homicídio. Longe de matarem uns aos outros habitualmente, esses nômades forrageadores eram vítimas de fazendeiros "civilizados" empunhando armas avançadas. "Gráficos e tabelas que mostram porcentagens [...] transmitem um ar de objetividade científica", escreve Fry. "Mas, nesse caso, é tudo ilusão."[41]

O que podemos aprender, então, da antropologia moderna? O que acontece se estudarmos uma sociedade que não vive em assentamentos, não planta nem tem cavalos – uma sociedade que possa servir de modelo para a maneira como vivíamos antigamente?

Você adivinhou: quando estudamos esses tipos de sociedade, constatamos que a guerra é raridade. Baseado numa lista de tribos representativas compilada pela revista *Science* em 2013, Douglas Fry conclui que os nômades caçadores-coletores evitam a violência.[42] Preferem resolver seus conflitos conversando ou simplesmente se mudando para o vale ao lado. Bem parecido com o que faziam os meninos de 'Ata: quando os ânimos se exaltavam, eles iam para locais diferentes da ilha para esfriar a cabeça.

Além disso, há muito os antropólogos pressupõem que as redes sociais pré-históricas fossem pequenas. Pensavam que vagávamos pela selva em bandos de trinta ou quarentena familiares. Que qualquer encontro com outros grupos logo resultava em guerra.

Em 2011, porém, uma equipe de antropólogos norte-americanos mapeou as redes sociais de 32 sociedades primitivas no mundo inteiro, dos nunamuite do Alasca aos vedda do Sri Lanka. O que acontece é que os nômades são extremamente sociais. Estão sempre se reunindo para comer, festejar, cantar e se casar com integrantes de outros grupos.

É verdade que andam em pequenos clãs de trinta a quarenta indivíduos, mas esses grupos consistem principalmente de amigos, não de famílias, e também estão sempre trocando de membros. Em consequência, os forrageadores têm uma grande rede social. No caso dos aché do Paraguai e dos hadza da Tanzânia, um estudo de 2014 estimou que em média um membro da tribo chega a conhecer até *mil* pessoas durante a vida.[43]

Em suma, temos todos os motivos para considerar que em média os humanos pré-históricos tinham um grande círculo de amigos. Seguidos encontros com novas pessoas significava continuamente aprender coisas novas, e só assim conseguimos ficar mais inteligentes que os neandertais.[44]

Existe outra maneira de resolver a questão sobre a natureza agressiva dos primeiros homens: escavando. Evidências arqueológicas podem ser a melhor esperança de resolver o debate entre Hobbes e Rousseau, pois os registros fósseis não se "contaminam" por pesquisadores, como acontece com as tribos. Só há um problema: os caçadores-coletores viajavam com pouca bagagem. Não tinham muita coisa e não deixavam muito pelo caminho.

Felizmente para nós, existe uma importante exceção. Pinturas nas cavernas. Se o nosso estado da natureza era uma "guerra de todos contra todos" à la Hobbes, seria de esperar que alguém, em determinado momento desse período, tivesse pintado um retrato dessas ocorrências. Isso, porém, nunca foi encontrado. Enquanto existem milhares de pinturas em cavernas desse período sobre caça a bisontes, cavalos e gazelas, não há uma única representação de guerra.[45]

E quanto aos esqueletos antigos? Steven Pinker cita 21 escavações mostrando uma taxa média de assassinatos de 15%. No entanto, como antes, nesse caso também a lista de Pinker é um pouco confusa: vinte das 21 escavações datam de um período *posterior* à invenção da agricultura, à domesticação de cavalos e ao surgimento de assentamentos, o que as torna bem recentes.

Então, quantas provas arqueológicas existem sobre as primeiras guerras, antes dos tempos da agricultura, da domesticação de cavalos e da vida em sociedades estabelecidas? Quantas provas há de que a guerra faz parte da natureza humana? A resposta é: quase nenhuma.

Até hoje, existem cerca de 3 mil esqueletos do *Homo sapiens* desenterrados de quatrocentos sítios suficientemente antigos para nos dizer alguma coisa sobre nosso "estado natural".[46] Os cientistas que vêm estudando esses sítios não veem evidências convincentes de guerras pré-históricas.[47] Em períodos mais recentes, a história é diferente. "A guerra não retrocede para sempre no tempo", diz o renomado antropólogo Brian Ferguson. "Ela teve um começo."[48]

5

A MALDIÇÃO DA CIVILIZAÇÃO

1

Será que Jean-Jacques Rousseau estava certo? Nós, humanos, somos nobres por natureza e estávamos indo muito bem até o advento da civilização?

Eu começava a ter essa impressão. Considere o seguinte relato, registrado em 1492 por um viajante chegando às praias das Bahamas. Ele ficou perplexo com quão pacíficos eram os nativos. "Eles não portam armas nem as conhecem, pois mostrei a eles uma espada [...] e [eles] se cortaram por ignorância." Isso o fez ter uma ideia. "Eles seriam ótimos servos [...]. Com cinquenta homens, poderíamos subjugar todos e fazer que cumprissem o que quiséssemos."[1]

Cristóvão Colombo – o viajante em questão – não perdeu tempo para pôr seu plano em ação. No ano seguinte, voltou com dezessete navios e 1.500 homens, dando início ao comércio de escravos transatlântico. Meio século mais tarde, só restava menos de 1% de toda a população original do Caribe; os demais haviam sucumbido aos horrores de doenças e da escravidão.

Deve ter sido um tremendo choque para os chamados "selvagens" encontrar aqueles colonizadores "civilizados". Para alguns, a própria ideia de um ser humano se mostrar capaz de raptar ou matar outro pode ter parecido uma atitude alienígena. Se isso parece exagero, considere que até hoje ainda existem lugares onde o assassinato é inconcebível.

Na imensidão das águas do oceano Pacífico, por exemplo, há um minúsculo atol chamado Ifalik. Depois da Segunda Guerra Mundial, a Marinha dos Estados Unidos exibiu alguns filmes de Hollywood em Ifalik para ganhar a boa vontade do povo da ilha. Acabou por ser a coisa mais chocante que os ilhéus já tinham visto. A violência na tela estressou tanto os ingênuos nativos que alguns ficaram vários dias doentes.

Anos depois, quando uma antropóloga chegou a Ifalik para um trabalho de campo, os nativos perguntaram várias vezes a ela: era verdade? Havia nos Estados Unidos quem matasse outra pessoa?[2]

Assim, existe um mistério no âmago do coração humano. Se temos uma profunda e instintiva aversão à violência, onde as coisas deram errado? Se a guerra teve um começo, o que a iniciou?

Primeiro, uma nota preventiva sobre a vida na pré-história: é preciso se resguardar para não pintar um retrato romântico demais de nossos ancestrais. Os seres humanos nunca foram anjos. Inveja, raiva e ódio são emoções tão antigas quanto o tempo – e sempre cobraram seu preço. Ressentimentos também podiam transbordar em nossos tempos primevos. E, para ser justo, o *Homo cachorrinho* jamais teria conquistado o mundo não tivesse, em raras ocasiões, tomado a ofensiva.

Para entender este último ponto, é preciso saber sobre política pré-histórica. Basicamente, nossos ancestrais eram alérgicos à desigualdade. As decisões eram uma questão grupal que exigia longas deliberações, em que todos tinham algo a dizer. "Nômades forrageadores", estabeleceu um antropólogo norte-americano, baseado em formidáveis 339 estudos de campo, "são universalmente – e quase obsessivamente – adeptos a uma vida livre da autoridade de outros."[3]

Diferenças de poder entre as pessoas eram – se os nômades chegassem a tolerá-las – temporárias e só serviam a certo propósito. Os líderes tinham mais conhecimentos ou habilidades ou eram carismáticos. Ou seja, tinham capacidade de cumprir uma tarefa. Os cientistas se referem a isso como *desigualdade baseada em realizações*.

Ao mesmo tempo, essas sociedades tinham uma arma simples para manter a humildade de seus membros: a vergonha. O relato do antropólogo canadense Richard Lee sobre sua vida entre os !Kung no deserto do Kalahari ilustra como isso pode ter funcionado entre nossos ancestrais. O que vem a seguir é a descrição de um membro da tribo de como um grande caçador deveria se conduzir:

> Ele deve primeiro ficar sentado em silêncio até alguém vir até sua fogueira e perguntar: "O que você viu hoje?". Ele responde em voz baixa: "Ah, eu não sou bom em caçadas. Não vi nada mesmo [...]. Talvez só uma coisinha pequena". Então sorrio comigo mesmo, pois agora sei que ele matou alguma coisa grande.[4]

Não me entenda mal – o orgulho existe há eras, assim como a cobiça. No entanto, durante milhares de anos, o *Homo cachorrinho* fazia o possível para refrear essas tendências. Como explicou um membro da tribo !Kung: "Rejeitamos alguém que se gabe, pois algum dia seu orgulho vai fazê-lo matar alguém. Então, sempre falamos que a carne dele não tem valor. Dessa forma, esfriamos seu coração e o tornamos mais gentil".[5]

O armazenamento e a acumulação também eram tabu entre caçadores-coletores. Pela maior parte da história, nós não acumulamos coisas, somente amizades. Isso nunca deixou de surpreender os exploradores europeus, que se mostravam incrédulos com a generosidade dos povos que encontravam. "Quando você pede alguma coisa que eles têm, eles nunca dizem não", escreveu Colombo em seu diário. "Ao contrário, eles se oferecem para dividir com qualquer um."[6]

Claro que sempre houve indivíduos que se recusavam a seguir o éthos da divisão justa, mas os que se tornavam muito arrogantes ou gananciosos corriam o risco de ser exilados. E, se isso não funcionasse, havia uma solução derradeira.

Vamos considerar o seguinte incidente ocorrido na tribo !Kung. A figura principal aqui é / Twi, um membro que estava se tornando cada vez mais incontrolável e já tinha matado duas pessoas. O grupo não aguentou:

> "Todos dispararam flechas envenenadas, até ele ficar parecendo um porco-espinho. Então, quando ele morreu, todas as mulheres e os homens se aproximaram de seu corpo e o perfuraram com lanças, dividindo simbolicamente a responsabilidade por sua morte".[7]

Antropólogos acreditam que intervenções como essa devem ter acontecido ocasionalmente na pré-história, quando tribos eliminavam membros que desenvolviam um complexo de superioridade. Foi uma das formas como os humanos nos domesticamos: personalidades agressivas tinham menos oportunidades de se reproduzir, enquanto tipos mais amigáveis procriavam mais.[8]

Assim, durante a maior parte da história humana, homens e mulheres foram mais ou menos iguais. Ao contrário do estereótipo do homem das cavernas batendo no peito como um gorila, de pavio curto e brandindo um porrete, nossos ancestrais machos provavelmente estavam mais para protofeministas.

Cientistas suspeitam que a igualdade entre os sexos conferiu ao *Homo sapiens* uma vantagem importante em relação a outros hominídeos, como os neandertais. Estudos de campo mostram que, em sociedades dominadas pelos machos, os homens basicamente passavam mais tempo com irmãos e primos. Em sociedades em que a autoridade era dividida com as mulheres, em comparação, as redes sociais tendiam a ser mais diversificadas.[9] E, como vimos no capítulo 3, ter mais amigos torna as pessoas mais inteligentes.

A igualdade entre os sexos também se manifesta na criação dos filhos. Nas sociedades primitivas, os homens passavam mais tempo com os filhos que muitos pais atualmente.[10] A criação era uma responsabilidade compartilhada por toda a tribo: todos cuidavam das crianças, que às vezes eram amamentadas por diversas mulheres. "Essas experiências primitivas", observa um antropólogo, "ajudam a explicar por que as crianças de sociedades forrageadoras adquirem modelos funcionais de seu mundo como um 'lugar doador'."[11] Enquanto pais modernos alertam seus filhos para não falarem com estranhos, na pré-história éramos criados num regime de confiança.

E não é só isso. Existem fortes indícios de que caçadores-coletores eram também bem liberais em relação à vida amorosa. "Monogâmicos seriais", é como alguns biólogos os descrevem. Considere os hadza da Tanzânia, onde em média os homens têm dois ou três parceiros na vida, e são as mulheres que escolhem.[12] Ou os aché montanheses do Paraguai, em que em média as mulheres têm até doze maridos na vida.[13] Essa grande rede de relacionamento de pais em potencial pode ser útil, pois todos podem participar da criação das crianças.[14]

Quando um missionário do século XVII alertou um membro da tribo Innu (onde hoje é o Canadá) sobre os perigos da infidelidade, ele respondeu: "Tu não tens senso. Vocês, franceses, só amam os próprios filhos; nós todos amamos todos os filhos da tribo".[15]

2

Quanto mais aprendia sobre como nossos ancestrais viviam, mais perguntas eu passava a ter.

Se é verdade que já vivemos num mundo de liberdade e igualdade, por que o abandonamos? E se nômades forrageadores não tinham problema para remover líderes dominantes, por que não conseguimos nos livrar deles agora?

A explicação em geral é que a sociedade moderna não consegue mais sobreviver sem eles. Estados e multinacionais precisam de reis, diretores e CEOs porque, como afirma o geógrafo Jared Diamond, "grandes populações não podem funcionar sem líderes a tomar decisões".[16] Sem dúvida essa teoria soa como música aos ouvidos de muitos administradores e monarcas. E parece perfeitamente plausível, pois seria possível construir um templo, uma pirâmide ou uma cidade sem um titereiro manipulando os cordões?

No entanto, a história oferece vários exemplos de sociedades que construíram templos, e até cidades inteiras, a partir do zero e sem uma hierarquia rígida. Em 1995, arqueólogos começaram a escavar um grande complexo de templos no sul da Turquia, com lindos pilares esculpidos, os quais pesam mais de 20 toneladas cada. Semelhante a Stonehenge, mas muito mais impressionante. Quando a idade dos pilares foi estimada, os pesquisadores ficaram atônitos ao saber que o complexo tinha mais de 11 mil anos. Provavelmente era cedo demais para ter sido construído por qualquer sociedade agrícola (com reis ou burocratas no comando). E, por mais que tenham procurado, os arqueólogos não conseguiram encontrar nenhum vestígio de agricultura. Aquela gigantesca estrutura só podia ser trabalho de nômades forrageadores.[17]

Göbekli Tepe (traduzido como "monte com barriga" ou "monte com umbigo") é considerado o templo mais antigo do mundo e um exemplo do que os estudiosos chamam de *evento de trabalho coletivo*. Milhares de pessoas contribuíram, peregrinos vinham de longe para ajudar. Quando foi concluído, houve uma grande celebração, com um banquete de gazelas assadas (os arqueólogos encontraram milhares de ossos de gazela). Monumentos como esse não foram construídos para afagar o ego de algum chefete. O propósito era reunir pessoas.[18]

Para ser justo, há indícios de indivíduos que ocasionalmente ascenderam ao poder na pré-história. Um bom exemplo é o opulento túmulo descoberto em 1955 em Sungir, 200 quilômetros ao norte de Moscou. O túmulo ostentava braceletes esculpidos de presas de mamutes lanudos envernizadas, um cocar feito com dentes de raposas e milhares de contas de marfim, tudo datado de 30 mil anos atrás. Túmulos como esse devem ter sido o lugar de descanso final para príncipes ou princesas da época, muito antes de começarmos a construir pirâmides e catedrais.[19]

Mesmo assim, escavações como essa são poucas e muito distantes umas das outras, constituindo não mais que um punhado de sítios funerários separados por centenas de quilômetros. Os cientistas especulam que nessas raras ocasiões em que ascendiam ao poder, os governantes logo eram depostos.[20] Durante dezenas de milhares de anos, contamos com meios eficientes para depor qualquer um que tentasse se arrogar. Humor. Zombaria. Fofocas. Se não funcionasse, uma flechada nas costas.

Então, abruptamente, esse sistema deixou de funcionar. De repente os governantes se firmaram e conseguiram manter o poder. Mais uma vez, a pergunta é: por quê?

3

Para entender como as coisas deram errado, precisamos retroceder 15 mil anos, até o fim da última era glacial. Até então, o planeta era escassamente povoado e as pessoas se juntavam para se proteger do frio. Não era uma luta pela sobrevivência, era um *aconchego* pela sobrevivência, com o qual nos mantínhamos aquecidos.[21]

Depois o clima mudou, transformando a região entre o Nilo no oeste e o Tigre no leste em uma terra de leite e mel. Ali, a sobrevivência não mais dependia de se aliar contra os elementos. Com tanta abundância de alimento, fazia sentido fincar raízes. Foram construídos templos e cabanas; cidades e aldeias se formaram; e a população se multiplicou.[22] Mais importante, as possessões individuais aumentaram.

O que Rousseau disse sobre isso? "Quando o primeiro homem, depois de cercar um pedaço de terra, pensou em dizer 'Isto é meu'"... foi aí que tudo começou a dar errado.

Não deve ter sido fácil convencer as pessoas de que a terra e os animais – ou até outros seres humanos – pudessem pertencer a alguém. Afinal, os forrageadores dividiam quase tudo.[23] E essa nova prática de propriedade, que implicava desigualdade, começou a aumentar. Quando alguém morria, até suas posses passavam para as gerações seguintes. Assim que esse sistema de herança entrou em jogo, a distância entre ricos e pobres só aumentou.

O fascinante é que foi nessa junção, com o fim da última era glacial, que eclodiram as primeiras guerras. Pesquisas arqueológicas determinaram que, assim que começamos a nos assentar nos lugares, começamos a construir fortificações militares. Foi aí que surgiram também as primeiras pinturas em cavernas retratando arqueiros disparando flechas uns contra os outros, e também por volta desse período foram encontradas legiões de esqueletos evidenciando ferimentos violentos.[24]

E como chegamos a isso? Os estudiosos acreditam que houve pelo menos duas causas. Uma: a de que passamos a ter pertences pelos quais lutar, começando pela terra. E a outra: a vida em assentamentos nos tornou mais desconfiados em relação a estranhos. Nômades forrageadores adotavam uma política de adesão descontraída: seus caminhos se cruzavam com os de outras pessoas o tempo todo, e era fácil mudar de grupo.[25] De sua parte, os aldeões passaram a se concentrar mais nas próprias comunidades e nas próprias posses. O *Homo cachorrinho* deixou de ser cosmopolita para ser xenófobo.

Assim, ironicamente, uma das principais razões de nos juntarmos a estranhos era guerrear. Clãs começaram a formar alianças para se defender de outros clãs. Surgiram os líderes, provavelmente figuras carismáticas, que mostravam coragem no campo de batalha. Cada novo conflito assegurava mais sua posição. Com o tempo, esses generais apegaram-se tanto à própria autoridade que não mais abriram mão dela, nem mesmo em tempos de paz.

Em geral, esses generais acabavam depostos. "Deve ter havido milhares de arrivistas que não conseguiram fazer a transição para um reinado permanente", observa um historiador.[26] No entanto, também houve ocasiões em que a intervenção chegou tarde demais, quando um general já havia reunido um número suficiente de seguidores para se proteger dos plebeus. As sociedades governadas por essa linhagem se tornaram mais obcecadas pela guerra.

Se quisermos entender o fenômeno da "guerra", precisamos olhar para os que tomavam as decisões. Reis e generais, presidentes e assessores: esses eram os Leviatãs que travavam batalhas, sabendo que elas aumentavam seus poderes e seu prestígio.[27] Vamos considerar o Velho Testamento, quando o profeta Samuel alerta os israelenses sobre os perigos de aceitarem um rei. É uma das mais prescientes – e sinistras – passagens da Bíblia.

> Este será o costume do rei que houver de reinar sobre vós; ele tomará os vossos filhos e os empregará em suas carruagens e como seus cavaleiros, para que corram adiante de suas carruagens. E designará comandantes de milhares e comandantes de

cinquentas; e alguns para arar suas terras e fazer sua colheita e fabricar as suas armas de guerra e os petrechos de suas carruagens. Ele tomará vossas filhas como perfumistas, cozinheiras e padeiras. Tomará o melhor das vossas terras e das vossas vinhas e dos vossos olivais e os dará a seus servos. Tomará o dízimo de vossas sementes e de vossas vinhas para dar a seus funcionários e a seus servos. Tomará vossos servos e servas e os melhores de vossos melhores jovens e vossos jumentos tomará e os usará em seu trabalho. Tomará o dízimo de vosso rebanho, e vós sereis seus escravos.

O advento de assentamentos e da propriedade privada introduziu uma nova era na história da humanidade. O 1% começou a oprimir os 99%, e os que tinham mais lábia ascenderam de comandantes a generais e de chefetes a reis. Os tempos de liberdade, igualdade e fraternidade chegaram ao fim.

4

Ao ler sobre essas novas descobertas arqueológicas, meus pensamentos se voltaram a Jean-Jacques Rousseau. Autores autoproclamados "realistas" costumam descartá-lo como romântico ingênuo. No entanto, eu começava a ter a impressão de que afinal Rousseau poderia ser o verdadeiro realista.

O filósofo francês rejeitava a noção do avanço da civilização. Rejeitava a ideia – ensinada até hoje nas escolas – de que começamos como homens das cavernas que grunhiam e batiam a cabeça uns nos outros. Que foram a agricultura e a propriedade privada que nos propiciaram paz, segurança e prosperidade. E que essas dádivas foram avidamente aceitas por nossos ancestrais, que estavam cansados de sentir fome e de lutar o tempo todo.

Rousseau acreditava que nada poderia estar mais longe da verdade. Acreditava que só quando nos assentamos num lugar fixo as coisas começaram a desmoronar, o que a arqueologia agora nos mostra. Rousseau via a invenção da agricultura como um grande fiasco, e sobre isso também há evidências científicas em abundância.

Uma das coisas que os antropólogos descobriram foi que caçadores-coletores tinham uma vida mais confortável, com o trabalho variando em média de vinte a trinta horas por semana. E por que não? A natureza providenciava tudo de que eles precisavam, deixando muito tempo para relaxar, passear e se relacionar.

Em comparação, os fazendeiros tinham de labutar nas plantações e trabalhar na terra, contando com pouco tempo para o lazer. Sem trabalho, não há recompensa. Alguns teólogos chegam a insinuar que a história da expulsão do Paraíso alude à mudança para a agricultura organizada, como ostensivamente caracterizada em Gênesis 3: "Ganharás o pão com o suor de teu rosto".[28]

A vida assentada cobrou um preço particularmente alto das mulheres. O advento da agricultura e da propriedade privada pôs fim ao protofeminismo. Os filhos ficavam no lote paterno para cuidar da terra e dos animais, o que significava que as mulheres passaram a precisar trabalhar na plantação da família. Durante séculos, filhas em idade de casamento foram reduzidas a mercadorias, sendo trocadas como vacas ou carneiros.[29]

Em suas novas famílias, essas noivas eram vistas com desconfiança, e só depois de presenteá-las com um filho as mulheres adquiriam certa aceitação. Isto é, se fosse um filho legítimo. Não por acaso a virgindade feminina tornou-se obsessão. Enquanto na pré-história as mulheres eram livres para ir e vir quando quisessem, agora passaram a ser cobertas e acorrentadas. Eis o nascimento do patriarcado.

E as coisas só pioraram. Rousseau estava certo mais uma vez quando disse que os agricultores assentados não eram tão saudáveis quanto os nômades forrageadores. Como nômades, nos exercitávamos bastante e tínhamos uma dieta variada de fibras e vitaminas, mas como fazendeiros começamos a consumir um monótono cardápio de grãos no desjejum, no almoço e no jantar.[30]

Também começamos a viver mais confinados e mais próximos a nossos detritos. Domesticamos animais como vacas e cabras e começamos a tomar leite dessas espécies. Isso transformou as cidades em gigantescas placas de Petri para bactérias e vírus mutantes.[31] "Ao acompanhar a história da sociedade civil, falamos também das doenças humanas", observou Rousseau.[32]

Doenças infecciosas como sarampo, varíola, tuberculose, sífilis, malária, cólera e pestes eram desconhecidas até trocarmos nosso estilo de vida nômade pela agricultura. E de onde elas vieram? De nossos animais domésticos – ou, mais especificamente, de seus micróbios. Nós contraímos o sarampo das vacas, enquanto a gripe se origina num *ménage à trois* microscópico entre humanos, porcos e patos, com novas cepas surgindo o tempo todo.

O mesmo se pode dizer das doenças sexualmente transmissíveis (DSTs). Praticamente desconhecidas no tempo dos nômades, no pastoreio elas começaram a correr soltas. Por quê? Por uma razão bem vergonhosa. Quando começaram a criar animais, os humanos também inventaram a bestialidade. Leia-se: sexo com animais. Enquanto o mundo ficava cada vez mais moralista, os fazendeiros abusavam sexualmente de seus rebanhos.[33]

E essa foi a segunda faísca para a obsessão masculina pela virgindade feminina. À parte a questão dos filhos legítimos, era também o medo das DSTs. Reis e imperadores, que tinham haréns inteiros à disposição, empenhavam-se de muitas maneiras para garantir que suas parceiras fossem "puras". Daí vem a ideia, mantida até hoje por milhões de pessoas, de que sexo antes do casamento é pecado.

Fome, inundações, epidemias – assim que os humanos se assentaram num só local, começou nossa batalha contra um interminável ciclo de desastres. Uma colheita malfadada ou um vírus mortal eram o suficiente para eliminar populações inteiras. Para o *Homo cachorrinho*, deve ter sido uma reviravolta desconcertante. Por que aquilo estava acontecendo? Quem estava por trás de tudo isso?

Os estudiosos concordam que provavelmente as pessoas sempre acreditaram em deuses e espíritos.[34] No entanto, as deidades de nossos ancestrais nômades não tinham o menor interesse pela vida de meros mortais, muito menos por castigar suas infrações. As religiões nômades seriam bem mais parecidas com as descritas por um antropólogo norte-americano que viveu durante anos com os nômades hadza na Tanzânia.

> Acho que pode-se dizer que os hadza têm uma religião, ou pelo menos uma cosmologia, mas com pouca semelhança com o que a maioria de nós em sociedades complexas (com o cristianismo, o islamismo, o hinduísmo etc.) pensa como religião. Não existem igrejas, pregadores, líderes ou guardiões religiosos nem ídolos ou imagens de deuses, nenhuma reunião regular organizada,

nenhuma moralidade religiosa, nenhuma crença num pós-vida – não é em nada parecida com as principais religiões.³⁵

O surgimento dos primeiros grandes assentamentos provocou uma alteração sísmica na vida religiosa. Em busca de explicações para as catástrofes que se abatiam repentinamente sobre nós, começamos a acreditar em deuses vingativos e onipotentes, em deuses que se enraiveciam com coisas que tivéssemos feito.

Toda uma classe de clérigos foi encarregada de compreender por que os deuses estavam tão zangados. Será que tínhamos comido alguma coisa proibida? Dissemos algo errado? Tivemos algum pensamento ilícito?³⁶ Pela primeira vez na história, desenvolvemos a noção de pecado. E começamos a procurar sacerdotes para prescrever as formas como deveríamos nos penitenciar. Às vezes, bastava rezar ou passar por uma série estrita de rituais, mas era comum ser necessário sacrificar posses preciosas – alimentos, animais e até pessoas.

Podemos ver isso nos astecas, que estabeleceram uma grande indústria de sacrifícios humanos em Tenochtitlán, a capital do império. Quando os conquistadores invadiram a cidade em 1519 e entraram em seu maior templo, todos ficaram atônitos ao ver enormes prateleiras e torres com milhares de crânios humanos empilhados. Os estudiosos acreditam agora que o propósito desses sacrifícios humanos não era apenas aplacar os deuses. "A matança de cativos, mesmo num contexto ritual", observou um arqueólogo, "era uma forte afirmação política [...], uma forma de controlar a própria população."³⁷

Ao refletir sobre toda essa infelicidade – as fomes, as pragas, a opressão –, é difícil não perguntar: "Por quê?". Por que um dia pensamos ser uma boa ideia nos assentarmos num local? Por que trocamos nossa vida nômade de lazer e boa saúde por uma vida de trabalho e problemas como fazendeiros?

Estudiosos conseguiram montar um quadro relativamente esclarecedor sobre o que aconteceu. Os primeiros assentamentos devem ter sido muito tentadores: para quem estava em um paraíso terrestre, com árvores carregadas de frutas e inumeráveis gazelas e caribus pastando, deve ter parecido loucura não ficar por ali.

Algo semelhante deve ter se dado com a agricultura. Não houve um momento luminoso em que alguém gritou: "Eureca! Vamos começar a plantar sementes!'". Embora nossos ancestrais já soubessem há dezenas de milhares de anos que era possível plantar e colher, eles também sabiam o suficiente para não seguir esse caminho. "Por que deveríamos plantar se existem tantos cocos de mongongo no mundo?", indagou um membro da tribo !Kung a um antropólogo.[38]

A explicação mais lógica é a de que caímos numa armadilha. Essa armadilha foi a planície aluvial entre o Tigre e o Eufrates, onde os grãos cresciam sem muito esforço. Lá podíamos plantar num solo enriquecido por uma macia camada de sedimentos ricos em nutrientes, deixada a cada ano pelo recuo das águas. Com a natureza fazendo a maior parte do trabalho, até o indolente *Homo cachorrinho* se mostrou disposto a dar uma chance à agricultura.[39]

O que nossos antepassados não previram foi o quanto a humanidade proliferaria. À medida que os assentamentos ficaram mais densos, a população de animais selvagens declinou. Para compensar, a porção de terra para cultivo teve de se estender para áreas não tão beneficiadas por um solo fértil. Plantar deixou de ser tão fácil. Era preciso arar e semear do amanhecer ao crepúsculo. Por não ter sido desenvolvido para esse tipo de trabalho, nosso corpo foi acometido por diversos tipos de dores e aflições. Nós evoluímos colhendo frutinhas silvestres e relaxando, e nossa vida se tornou plena de trabalhos árduos e difíceis.

Mas por que, então, não retornamos ao modo de vida em que vagávamos livres? Porque era tarde. Não só por haver bocas demais para alimentar, mas também porque já havíamos perdido o jeito de forragear. E não podíamos simplesmente fazer as malas e partir para pastos mais verdes, pois vivíamos cercados por assentamentos vizinhos, e eles não gostavam de invasores. Ficamos encurralados.

Não demorou para o número de fazendeiros ultrapassar o número de forrageadores. Os assentamentos agrícolas podiam colher mais alimentos por acre, o que significava que formavam maiores exércitos. As tribos nômades que mantiveram seu modo de vida tradicional tinham de rechaçar colonizadores invasores e suas doenças infecciosas. No fim, tribos que recusavam se curvar a um déspota eram dominadas à força.[40]

A deflagração desses primeiros conflitos marcou o início da grande corrida que moldaria a história do mundo. Vilarejos foram conquistados por pequenas cidades, as pequenas cidades foram anexadas às grandes cidades, e estas foram engolidas por províncias, enquanto todas as sociedades cresciam freneticamente para atender às inexoráveis exigências da guerra. Isso culminou no evento catastrófico que Rousseau tanto lastimava: o nascimento do Estado.

5

Voltemos por um momento ao quadro que Thomas Hobbes pintou dos primeiros humanos. Ele acreditava que uma vida desenfreada havia lançado nossos ancestrais em uma "guerra de todos contra todos". Assim, faz sentido que tenhamos corrido para acolher os primeiros Leviatãs (chefetes e reis) pela segurança que prometiam. É o que diz Hobbes.

Agora sabemos que nossos ancestrais nômades na verdade estavam fugindo desses déspotas. Os primeiros Estados – pense em Uruk na Mesopotâmia ou no Egito dos faraós – eram, sem exceção, Estados escravistas.[41] As pessoas não optaram por viver amontoadas, elas foram encurraladas por regimes ávidos por novos súditos, pois seus escravos estavam sempre morrendo de varicela e por pestes. (Não por acaso, o Velho Testamento retrata as cidades sob uma luz tão negativa. Do fracasso da Torre de Babel à destruição de Sodoma e Gomorra, o julgamento de cidades pecaminosas por Deus é claro e tonitruante.)

Irônico, na melhor das hipóteses. As mesmas coisas que definimos hoje como "marcos da civilização", como a invenção do dinheiro, o desenvolvimento da escrita e o surgimento de instituições legais, começaram como instrumentos de opressão. Considere as moedas: não começamos a cunhar dinheiro por achar que isso tornaria a vida mais fácil, mas porque os governantes desejavam uma maneira eficiente de recolher impostos.[42] Ou pense nos primeiros textos escritos: não eram livros de poesia romântica, mas longas listas de dívidas.[43]

E as instituições legais? O lendário Código de Hamurabi, o primeiro código de leis, era cheio de castigos para quem ajudasse escravos a fugir.[44] Na antiga Atenas, o berço da democracia ocidental, dois terços da população eram de escravos. Grandes pensadores como Platão e Aristóteles acreditavam que, sem escravidão, a civilização não poderia existir.

Talvez a melhor ilustração da verdadeira natureza dos Estados seja a Grande Muralha da China, uma das maravilhas do mundo, construída para manter os perigosos "bárbaros" do lado de fora – e para manter os súditos dentro. Com efeito, fez do Império Chinês a maior prisão ao ar livre que o mundo conheceu.⁴⁵

E ainda há aquele doloroso tabu do passado dos Estados Unidos, sobre o qual a maioria dos livros de história mantém silêncio. Um dos poucos dispostos a reconhecer esse fato foi Benjamin Franklin, um dos patriarcas fundadores. No mesmo ano em que Rousseau escrevia seu livro, Franklin admitiu que "nenhum europeu que sentiu o gosto da vida selvagem pode depois suportar a vida em nossas sociedades".⁴⁶ Ele descreveu como homens e mulheres brancos "civilizados" que eram capturados e depois libertados pelos índios invariavelmente "aproveitavam a primeira boa oportunidade de fugir de novo para os campos".

Colonizadores fugiam às centenas para o campo, enquanto o contrário raramente ocorria.⁴⁷ E quem poderia culpá-los? Vivendo entre os índios, eles gozavam de mais liberdade que como fazendeiros pagando impostos. Para mulheres, o apelo era ainda maior. "Podíamos trabalhar no ritmo que quiséssemos", disse uma colona que se escondeu de conterrâneos mandados para "resgatá-la".⁴⁸ "Aqui não temos patrões", disse outra a um diplomata francês. "Eu me caso se quiser e me descaso quando desejar. Existe alguma mulher tão independente em nossas cidades?"⁴⁹

Nos séculos recentes, bibliotecas inteiras foram escritas sobre a ascensão e a queda de civilizações. Pense nas enormes pirâmides dos maias ou nos templos abandonados dos gregos.⁵⁰ Subjacente a todos esses livros está a premissa de que quando a civilização fracassa tudo fica pior, e o mundo mergulha numa "era das trevas".

Estudiosos modernos sugerem que seria mais exato caracterizar essas eras das trevas como indulto, quando os escravos recuperavam a liberdade, as doenças infecciosas diminuíam, a dieta melhorava e a cultura florescia. Em seu brilhante livro *Against the Grain* (2017) [Contra o grão], o antropólogo James C. Scott mostra que obras-primas como *Ilíada* e *Odisseia* foram criadas durante a "idade das trevas da Grécia" (1110 a 700 a.C.), imediatamente após o colapso da civilização micênica. Só muito tempo depois elas seriam registradas por Homero.⁵¹

Então, por que nossa percepção dos "bárbaros" é tão negativa? Por que automaticamente equacionamos uma ausência de "civilização" com tempos de obscuridade? Como sabemos, a história é escrita pelos vencedores. Os primeiros textos são abundantes em propaganda de Estados e soberanos depostos por opressores querendo ascender a uma posição superior a todos os outros. A própria palavra "bárbaro" foi cunhada para definir qualquer um que não falasse o grego antigo.

É assim que nosso sentido da história é virado de cabeça para baixo. Civilização se tornou sinônimo de paz e progresso, e natureza, de guerra e decadência. Na realidade, para a maior parte da existência humana, foi o contrário.

6

Thomas Hobbes, o velho filósofo, não poderia ter errado mais o alvo. Ele caracterizava a época de nossos antepassados como "desagradável, brutal e curta", mas uma descrição mais verdadeira poderia ser amigável, pacífica e saudável.

A ironia é que a maldição da civilização perseguiu Hobbes por toda a vida. Considere a peste que matou seu patrono em 1628 e a iminente guerra civil que o obrigou a fugir da Inglaterra para Paris em 1640. Sua visão da civilização estava enraizada na própria experiência com doenças e com a guerra, calamidades praticamente desconhecidas durante os primeiros 95% da história humana. De alguma forma, Hobbes tornou-se "pai do realismo", mas sua visão da humanidade não é nada realista.

E será que *tudo* na civilização é ruim? Não há resultados positivos? À parte a guerra e a cobiça, o mundo moderno não nos proporcionou muitas coisas às quais agradecer?

Claro que sim. No entanto, é fácil esquecer que esse progresso genuíno é um fenômeno *muito* recente. Até a Revolução Francesa (1789), quase todos os Estados em toda parte eram propulsionados por trabalhos forçados. Até 1800, pelo menos três quartos da população global viviam como servos de um lorde rico.[52] Mais de 90% trabalhavam na terra, e mais de 80% viviam numa pobreza abjeta.[53] Nas palavras de Rousseau: "O homem nasce livre e onde quer que esteja está acorrentado".[54]

Durante eras, a civilização foi um desastre. O advento de cidades e Estados, da agricultura e da escrita, não resultou em prosperidade para a maioria, mas em sofrimento. Somente nos últimos dois séculos as coisas melhoraram a ponto de nos fazer esquecer o tanto que a vida era péssima. Se reduzirmos proporcionalmente a civilização a um período de 24 horas, 23 horas e 45 minutos foram de pura infelicidade. Só nos últimos quinze minutos a sociedade civil começou a parecer uma boa ideia.

Foi nesses últimos quinze minutos que eliminamos a maioria das doenças infecciosas. Agora as vacinas salvam mais vidas *por ano* que o número de vidas que teriam sido poupadas se tivéssemos gozado de paz mundial durante todo o século XX.[55] O segundo motivo é que agora somos mais ricos que em qualquer outro período. O número de pessoas vivendo em extrema pobreza caiu para menos de 10%.[56] E o terceiro motivo foi a abolição da escravidão.

Em 1842, o cônsul-geral britânico escreveu para o sultão do Marrocos perguntando o que ele estava fazendo para proibir o mercado de escravos. O sultão ficou surpreso: "O tráfico de escravos é uma questão sobre a qual todas as seitas e as nações concordaram desde os tempos dos filhos de Adão".[57] Contudo, a escravidão havia sido oficialmente proibida no mundo inteiro 150 anos antes.[58]

Por último, o melhor: entramos na era mais pacífica de todos os tempos.[59] Na Idade Média, cerca de 12% da população da Europa e da Ásia morriam de morte violenta. Nos últimos cem anos – incluindo duas guerras mundiais –, porém, esse número despencou para 1,3% no mundo todo.[60] (Nos Estados Unidos, atualmente o índice é de 0,7%, e na Holanda, onde moro, é de 0,1%.)[61]

Não há motivo para ser fatalista em relação à sociedade civil. Temos opções para organizar nossas cidades e nossos estados de outras formas, que beneficiam a todos. A maldição da civilização pode ser eliminada. E será que conseguiremos fazer isso? Poderemos sobreviver e prosperar no longo prazo? Ninguém sabe. Não há como negar o progresso das últimas décadas; ao mesmo tempo, estamos diante de uma crise ecológica numa escala existencial. O planeta está aquecendo, espécies estão sendo extintas e a questão vital é: em que medida nosso estilo de vida civilizado é sustentável?

Sou lembrado com frequência daquilo que um político chinês disse nos anos 1970 quando indagado sobre os efeitos da Revolução Francesa de 1789. "É um pouco cedo para dizer", ele teria respondido.[62] Talvez o mesmo se aplique à civilização. É uma boa ideia? É muito cedo para dizer.

6
O MISTÉRIO DA ILHA DE PÁSCOA

A essa altura, todo o meu entendimento da história humana mudou. A ciência moderna já descartou a teoria do verniz da civilização. Reunimos muitas contraprovas nas últimas décadas, as quais continuam a se empilhar.

Temos de admitir que nosso conhecimento sobre a pré-história nunca será preciso. Jamais resolveremos todos os enigmas envolvidos na vida de nossos ancestrais. Juntar as peças desse quebra-cabeça arqueológico exige um bocado de adivinhação, e devemos sempre tomar cuidado ao projetar descobertas antropológicas modernas no passado.

É por isso que gostaria de dar uma última olhada no que as pessoas fazem quando se veem por conta própria. Vamos supor que Mano e os outros garotos do *Senhor das moscas* da vida real não estivessem sozinhos. Vamos supor que houvesse meninas no barco, que eles tivessem filhos e netos e que 'Ata só fosse encontrada centenas de anos depois.

O que teria acontecido? Como seria uma sociedade desenvolvida em isolamento?

Podemos, é claro, usar o que aprendemos até agora sobre a vida na pré-história e tentar traçar um panorama. Ao mesmo tempo, não é necessário especular quando podemos examinar de perto um caso verdadeiro, estudado e documentado. Em uma ilha remota e há muito obscurecida por mito e mistério, as visões dos capítulos anteriores se revelam.

1

Quando jovem, Jacob Roggeveen fez uma promessa ao pai: um dia ele encontraria a Terra do Sul. Tal descoberta lhe garantiria um lugar entre os mais reverenciados exploradores e significaria fama eterna para sua família.

Acreditava-se que essas terras estivessem em algum lugar no oceano Pacífico. Como cartógrafo, o pai de Jacob Roggeveen estava convencido de que esse continente precisava existir para equilibrar as massas de terras do hemisfério norte. E também havia as histórias contadas pelos viajantes. O navegador português Pedro Fernandes de Queirós descreveu a Terra do Sul como paraíso na Terra, habitado por nativos pacíficos ansiosos pelo cristianismo. Dispunha de água potável, solo fértil e – detalhe – montanhas de prata, ouro e pérolas.

Foi em 1º de agosto de 1721, 40 anos depois da morte do pai, que Jacob zarpou. Destino: Terra do Sul. De sua nau capitânia, *Arend*, ele comandava uma esquadra de três fragatas, setenta canhões e uma tripulação de 244 homens. O almirante de 62 anos nutria grandes esperanças de fazer história. E conseguiria, ainda que nem imaginasse como.

Jacob Roggeveen não fundaria uma nova civilização, mas descobriria uma antiga.[1]

O que aconteceu oito meses depois nunca deixou de me surpreender. No Domingo de Páscoa de 1722, um dos navios de Roggeveen hasteou a bandeira. O *Arend* se aproximou para saber o que a tripulação havia visto. A resposta? Terra. Eles haviam avistado uma pequena ilha a estibordo.

A ilha fora formada centenas de milhares de anos antes, no local onde convergiam três vulcões. A *Paasch Eyland*, como a tripulação holandesa a batizou (Ilha de Páscoa), tinha pouco mais de 260 quilômetros quadrados – uma manchinha de terra na imensidão do Pacífico. A probabilidade de Roggeveen topar com tais terras era quase nula.

Expedição de Jacob Roggeveen em busca da Terra do Sul

Partida em 1º de agosto de 1721

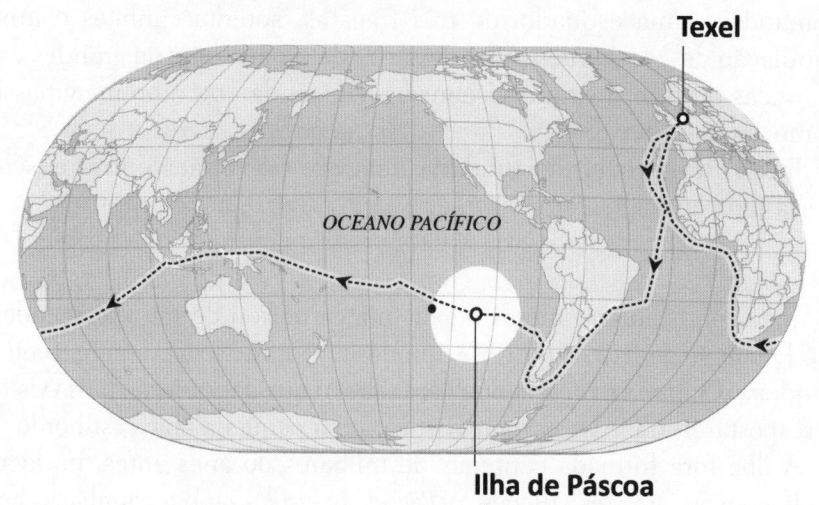

Texel

OCEANO PACÍFICO

Ilha de Páscoa

Chegada em abril de 1722

Nenhuma habitação num raio de aproximadamente 2.100 quilômetros. A ilha habitada mais próxima é Pitcairn (·).

A surpreendente existência da ilha, porém, não foi nada em comparação à descoberta seguinte: havia um povo que lá habitava.

Quando se aproximaram, os holandeses viram uma multidão reunida na praia para recebê-los. Roggeveen ficou confuso. Como eles teriam ido parar lá? Não havia barco à vista. Ainda mais desconcertantes eram as imponentes figuras que salpicavam a ilha – *moai*, como os ilhéus as chamavam –, consistindo de gigantescas cabeças sobre torsos ainda maiores, algumas de 10 metros de altura. "Nós não entendemos", confidenciou Roggeveen em seu diário de bordo, "como foi possível um povo destituído de árvores pesadas ou grossas e também de um cordame robusto, com o qual construir engrenagens, erigi-las."[2]

Quando Roggeveen e sua tripulação levantaram âncoras, uma semana depois, eles tinham mais perguntas que respostas. Até hoje, essa minúscula ilha do Pacífico continua sendo um dos lugares mais enigmáticos do mundo, alimentando séculos de especulações. Que os ilhéus eram descendentes dos incas, por exemplo. Que as estátuas haviam sido erigidas por uma raça de gigantes de 3,6 metros de altura.[3] Ou até de terem sido lançadas do ar por alienígenas (um gerente de hotel suíço conseguiu vender 7 milhões de livros baseado nessa teoria).[4]

A verdade é menos fantástica, mas não muito.

Graças a testes de DNA, agora sabemos que outros exploradores já haviam chegado à ilha bem antes de Roggeveen. Os polinésios, os vikings do Pacífico, encontraram a ilha primeiro.[5] Com uma coragem insana, considera-se que eles tenham partido das Ilhas Gambier, a cerca de 1.000 quilômetros de distância, em canoas abertas, lutando contra fortes ventos. Quantas dessas expedições pereceram é algo que nunca saberemos, mas para essa história só uma precisava ter dado certo.

E aquelas colossais figuras de *moai*? Quando uma jovem antropóloga chamada Katherine Routledge chegou para fazer um trabalho de campo na ilha, em 1914, não havia uma única estátua em pé. Todas estavam tombadas, algumas quebradas em pedaços, recobertas de vegetação.

Como aquela pequena sociedade conseguiu construir e transportar tais monólitos? Eles moravam numa ilha sem árvores e não tinham rodas à disposição, muito menos guindastes. Teria o lugar sido mais populoso antigamente? Routledge fez suas perguntas para os habitantes mais velhos da ilha. Eles contaram histórias sobre o que havia transcorrido ali centenas de anos antes. Histórias impressionantes.[6]

Era uma vez, eles contaram, duas tribos que viviam na ilha: os orelhas longas e os orelhas curtas. Todos conviviam em harmonia, até acontecer alguma coisa que os separou, destruindo a paz que reinava havia séculos e desencadeando uma sangrenta guerra civil. Os orelhas longas fugiram para a parte leste da ilha e se entrincheiraram. Na manhã seguinte, os orelhas curtas atacaram o esconderijo pelos dois lados e o incendiaram, incinerando os orelhas longas na arapuca que eles mesmos haviam construído. O que restou da trincheira é visível até hoje.

E isso foi só o começo. Nos anos seguintes, a situação degenerou numa guerra hobbesiana total, na qual os ilhéus do leste chegaram a apelar para o canibalismo. E o que havia desencadeado toda essa desgraça? Routledge só podia imaginar. Mas nitidamente alguma coisa devia ter acontecido para fazer uma sociedade se destruir.

Anos mais tarde, em 1955, um aventureiro norueguês chamado Thor Heyerdahl organizou uma expedição para a Ilha de Páscoa. Heyerdahl era uma espécie de celebridade. Anos antes, ele e cinco amigos tinham construído uma jangada e navegado 460 quilômetros do Peru à Polinésia, até finalmente chegarem à ilha Raroia. Para Heyerdahl, essa longa viagem era prova de que a Polinésia havia sido povoada por incas em balsas a remo. Apesar de não ter convencido especialistas, sua teoria vendeu 50 milhões de livros.[7]

Com a fortuna de seu *best-seller*, Heyerdahl conseguiu financiar uma expedição à Ilha de Páscoa. Convidou diversos cientistas famosos para ir com ele, entre os quais William Mulloy, um norte-americano que depois dedicaria o resto da vida ao estudo da Ilha de Páscoa. "Eu não acredito em absolutamente nada do que você publicou", disse a Heyerdahl, antes partirem.[8]

No entanto, o cientista e o intrépido aventureiro acabaram se dando surpreendentemente bem, e pouco depois de chegar à Ilha de Páscoa a dupla fez uma descoberta espetacular. Nas profundezas de um pântano, a equipe de Heyerdahl encontrou pólen de uma árvore desconhecida. Mandaram uma amostra a um destacado paleobotânico de Estocolmo para uma análise microscópica, que logo os informou a conclusão. A ilha já havia sido uma imensa floresta.

As peças começaram a se encaixar, lenta e inexoravelmente. Em 1974, poucos anos após sua morte, William Mulloy publicou a verdadeira história da Ilha de Páscoa e o destino do povo que a habitava.[9] Alerta de *spoiler*: a história não termina bem.

2

Tudo começou com os misteriosos *moai*.

Por alguma razão, disse Mulloy, os habitantes da Ilha de Páscoa cismaram com aqueles megálitos. Esculpiam um gigante atrás do outro nas rochas e os dispunham nos lugares. Chefetes invejosos exigiam *moai* cada vez maiores, e era necessária cada vez mais comida para alimentar a força de trabalho. E para transportar as estátuas, cada vez mais árvores da ilha foram abatidas.

Uma ilha finita, porém, não pode sustentar um crescimento infinito. Chegou o dia em que todas as árvores haviam sido cortadas. O solo erodiu, reduzindo as colheitas de alimento. Sem madeira para construir canoas, tornou-se impossível pescar. A produção de estátuas estagnou, e as tensões aumentaram. Uma guerra eclodiu entre duas tribos (os orelhas longas e os orelhas curtas de que Katherine Routledge ficara sabendo), culminando numa grande batalha por volta de 1680, na qual os orelhas longas foram quase dizimados.

Em seguida, os sobreviventes entraram num frenesi de destruição, escreveu Mulloy, derrubando todos os *moai*. Pior ainda, começaram a saciar a fome uns com os outros. Os ilhéus ainda contam histórias de seus ancestrais canibais, e um de seus insultos favoritos é "a carne de sua mãe ainda está presa em meus dentes".[10] Arqueólogos desenterraram incontáveis pontas de flechas obsidianas, ou *mata'a* – prova de matança em larga escala.

Assim, quando aportou na Ilha de Páscoa, em 1722, Jacob Roggeveen encontrou uma população arrasada, de poucos milhares de indivíduos. Até hoje, a pedreira de Rano Raraku, onde os *moai* foram esculpidos, parece uma oficina abandonada às pressas. Talhadeiras foram deixadas no chão, ao lado de centenas de *moai* inacabados.

O artigo de William Mulloy representou grande avanço para a revelação do mistério da Ilha de Páscoa. Logo outros pesquisadores começaram a acrescentar provas para apoiar seu argumento, como dois geólogos britânicos, que em 1984 anunciaram ter descoberto fósseis de grãos de pólen nas três crateras vulcânicas da ilha, confirmando a hipótese de a ilha já ter sido recoberta por floresta.[11]

Finalmente, foi o mundialmente famoso geógrafo Jared Diamond quem imortalizou a trágica história da Ilha de Páscoa.[12] Em seu *best-seller Colapso*, de 2005, Diamond resumiu os fatores de mais destaque:

- A Ilha de Páscoa foi povoada originalmente pelos indonésios, por volta do ano 900.
- Análises do número de habitações desenterradas indicam que a população chegou a 15 mil habitantes.

- Os *moai* aumentaram cada vez mais de tamanho, resultando numa demanda maior de força de trabalho, alimento e madeira.
- As estátuas eram transportadas sobre troncos de árvores na horizontal, exigindo uma grande força de trabalho, muitas árvores e um líder forte para supervisionar as operações.
- No fim, não havia mais árvores, fazendo o solo erodir, estagnando a agricultura e resultando em escassez de alimento entre os habitantes.
- Por volta de 1680 eclodiu uma guerra civil.
- Quando Jacob Roggeveen chegou, em 1722, restavam poucos milhares de habitantes. Muitos *moai* haviam sido derrubados, e os ilhéus estavam comendo uns aos outros.

A moral dessa história? A moral diz respeito a nós mesmos. Se pusermos a Ilha de Páscoa e o planeta Terra lado a lado, veremos alguns paralelos inquietantes. Vamos considerar: a Ilha de Páscoa é uma manchinha no vasto oceano; a Terra é uma manchinha na imensidão do cosmo. Os ilhéus não tinham barcos para fugir; nós não temos foguetes para nos levar daqui. A Ilha de Páscoa foi desmatada e superpovoada; nosso planeta está ficando poluído e superaquecido.

Isso nos leva a uma conclusão diametralmente oposta ao que argumentei nos capítulos anteriores. "A ganância da humanidade não tem limites", escrevem os arqueólogos Paul Bahn e John Flenley em seu livro *Easter Island, Earth Island* [Ilha de Páscoa, Ilha da Terra]. "O egoísmo parece ser geneticamente inato."[13]

Quando pensávamos que havíamos descartado a teoria do verniz de Hobbes, ela volta como um bumerangue.

A história da Ilha de Páscoa parece validar uma visão cínica da humanidade. Enquanto nosso planeta continua aquecendo e nós permanecemos consumindo e poluindo, a Ilha de Páscoa paira como uma metáfora perfeita para nosso futuro. Esqueça o *Homo cachorrinho* e o nobre selvagem. Nossa espécie parece mais um vírus ou uma nuvem de gafanhotos. Uma praga que se alastra até tudo estar deserto e destruído – até ser tarde demais.

Então, essa é a lição da Ilha de Páscoa. Sua história calamitosa foi contada e recontada em romances e documentários, em enciclopédias e reportagens, em artigos acadêmicos e livros de divulgação científica. Eu mesmo já escrevi a respeito. Por muito tempo, acreditei que o mistério da Ilha de Páscoa tinha sido resolvido por William Mulloy,

Jared Diamond e seus muitos colegas. Pois se tantos especialistas de peso chegaram a conclusões idênticas, o que restou para discutir?

Foi então que topei com o trabalho de Jan Boersema.

3

Quando chego a seu escritório na Universidade Leiden, ouço uma cantata de Bach ao fundo. Quando bato na porta, um homem com uma elegante camisa estampada de flores sai do meio dos livros.

Boersema pode ser um biólogo ambiental, mas suas estantes também são apinhadas de livros de história e filosofia, e seu trabalho abrange tanto a arte como a ciência. Em 2002, sua abordagem o levou a uma descoberta simples, porém profunda, que contrariou tudo o que pensávamos sobre a Ilha de Páscoa. Ele percebeu algo que outros pesquisadores e escritores não conseguiram ver – ou talvez simplesmente não quisessem ver.

Na época, Boersema estava preparando sua palestra inaugural como professor e precisava de alguns conhecimentos sobre a decadência da Ilha de Páscoa. Curioso sobre o diário de bordo de Roggeveen ainda existir, ele foi verificar na biblioteca da faculdade. Meia hora depois, estava com *Journal of the Voyage of Discovery of Mr. Jacob Roggeveen* [Diário da viagem de descoberta do sr. Jacob Roggeveen] aberto na mesa.

"De início, não acreditei no que vi." Boersema esperava cenas de carnificinas atrozes e canibalismo, mas à frente só havia um desgastado diário de bordo. "Não havia absolutamente nada sobre uma sociedade em decadência."

Jacob Roggeveen caracterizava os habitantes da Ilha de Páscoa como amistosos e de aparência saudável, com corpo musculoso e dentes brancos reluzentes. Não imploraram por comida; eles *ofereceram* comida à tripulação holandesa. Roggeveen faz observações sobre o solo "excepcionalmente fértil" da ilha, mas em lugar nenhum menciona estátuas tombadas, muito menos armas ou canibalismo. Ao contrário, ele define a ilha como um "paraíso terrestre".

"Daí comecei a pensar: *que história é essa?*", diz Boersema com um sorriso.

Jan Boersema foi um dos primeiros cientistas a expressar dúvidas sobre a narrativa amplamente aceita sobre a destruição da Ilha de

Páscoa. Quando li sua palestra de 2002, cheguei à conclusão de que a história da Ilha de Páscoa é como uma história de mistério: um romance policial científico. Então, assim como Boersema, vamos tentar desvendar esse mistério dando um passo de cada vez. Vamos examinar relatos de testemunhas oculares, verificar os álibis dos ilhéus, estabelecer uma linha do tempo o mais precisa possível e nos concentrar nas armas do crime. Teremos de apelar a toda uma gama de disciplinas durante essa nossa investigação, da história à geologia, da antropologia à arqueologia.[14]

Comecemos voltando à cena do crime: a trincheira onde os orelhas longas se esconderam e morreram em 1680. Qual é a fonte para essa história sinistra?

O primeiro registro que temos são as lembranças dos ilhéus contadas a Katherine Routledge em 1914. Qualquer investigador sabe que a memória humana é falível, e aqui estamos lidando com lembranças passadas oralmente por várias gerações. Imagine se tivéssemos de explicar o que nossos antepassados pretendiam duzentos ou trezentos anos atrás. Agora imagine que não tivéssemos livros de história e só pudéssemos confiar em lembranças de histórias de lembranças.

Conclusão? Talvez as anotações de Routledge não sejam a melhor fonte.

No entanto, essas narrativas não eram a única evidência da matança. Um dos participantes da expedição de Thor Heyerdahl, o arqueólogo Carlyle Smith, começou a escavar ao redor da trincheira que supostamente teria sediado o massacre dos orelhas longas. Ele recolheu duas amostras de carvão e as mandou para serem datadas. Uma das amostras era de 1676. Para Smith, aquilo resolvia a questão. Como a data correspondia ao período em que a tradição oral situava a matança e a incineração dos orelhas longas, ele decidiu a história era verdadeira.[15]

Apesar de mais tarde ter feito ressalvas à própria interpretação, e apesar de subsequentes análises terem estabelecido que a amostra de carvão datava de um período entre 1460 e 1817, e apesar de nenhum resto mortal humano ter sido encontrado no local, e apesar de os geólogos terem estabelecido que a trincheira não fora escavada, mas ser um acidente natural da paisagem, o mito do massacre de

1680 persistiu.[16] E continuou a ser propagado por Heyerdahl, Mulloy e Diamond.

O caso da guerra intertribal fica ainda mais improvável quando considerado à luz das evidências forenses. A teoria era de que os ilhéus teriam se tornado canibais por estarem famintos. Análises arqueológicas mais recentes dos esqueletos de centenas de habitantes, porém, determinaram que, na verdade, as observações de Roggeveen estavam corretas: as pessoas que viviam na Ilha de Páscoa no começo do século XVIII eram saudáveis e se encontravam em boa forma física.[17] Não há nada que indique que passavam fome.

E quanto aos indícios apontando para violência em massa?

Uma equipe de arqueólogos do Instituto Smithsonian examinou recentemente 469 crânios da Ilha de Páscoa e não encontrou nenhuma evidência de guerra em larga escala entre os nativos. Na verdade, apenas dois crânios mostravam marcas de ferimento, as quais, ao menos hipoteticamente, poderiam ter sido infligidas por uma das famigeradas *mata'a* (pontas de flechas obsidianas).[18]

Os cientistas, contudo, não acreditavam mais que as *mata'a* fossem armas. O mais provável é que fossem facas utilitárias – como o pedaço de obsidiana que um dos capitães de Roggeveen viu um nativo usar para descascar uma banana. Depois de examinar quatrocentas *mata'a* em 2016, uma equipe de pesquisadores norte-americanos concluiu que teriam sido inúteis como armas, pois eram cegas, não afiadas.[19]

Isso não significa que os habitantes da Ilha de Páscoa não soubessem fazer armas mortais. Mas, como o chefe da equipe observou, "eles optaram por não fazer armas".[20]

A trama vai se adensando. Afinal, se eles não mataram uns aos outros, o que aconteceu com os milhares que viviam na ilha? Para onde foram? Roggeveen nos diz que havia poucos milhares de pessoas vivendo na ilha quando ele passou por lá, embora em algum momento, segundo Jared Diamond, o número de habitantes houvesse chegado a 15 mil. Qual é o álibi deles?

Vamos analisar o método usado por Diamond para calcular esse número. Primeiro, ele avaliou quantas casas existiram na ilha, baseado em remanescentes arqueológicos. Depois estimou de quantas pessoas moraram em cada casa. Em seguida, para completar os cálculos, arredondou os números. Não parece infalível.

Seria possível fazer uma estimativa muito melhor da população ao estabelecer o intervalo em que o drama transcorreu. Originalmente, acreditava-se que a Ilha de Páscoa tivesse sido povoada por volta do ano 900 – ou até do ano 300. Contudo, mais recentemente, uma tecnologia avançada fixou uma data bem posterior, por volta do ano 1100.[21]

Utilizando essa data mais recente, Jan Boersema fez um cálculo simples. Vamos dizer que cerca de 100 navegadores polinésios tenham aportado na Ilha de Páscoa no ano 1100. E vamos dizer que a população tenha aumentado em 0,5% ao ano (o máximo alcançável por sociedades pré-industriais). Isso significa que poderia haver até 2.200 habitantes na época em que Roggeveen chegou àquelas praias. Esse número corresponde muito bem a estimativas registradas por viajantes europeus que passaram pela ilha no século XVIII.

O que significa que milhares de ilhéus, que teriam torturado e matado uns aos outros, têm um excelente álibi.

Eles nunca existiram.

O próximo enigma não resolvido é o que aconteceu com as florestas da Ilha de Páscoa. Se acreditarmos em Jared Diamond, William Mulloy e em outros cientistas, todas as árvores foram abatidas por habitantes gananciosos que queriam erigir o maior número possível de *moai*. Um historiador canadense chega a diagnosticar como "mania" e "patologia ideológica".[22]

No entanto, ao fazer as contas, logo vai perceber que essa conclusão é um pouco precipitada. Boersema calcula que seriam necessárias cerca de 15 árvores para rolar cada uma das 1.000 estátuas de pedra. Isso resulta em 15 mil árvores, no máximo. Então, quantas árvores havia na ilha? Segundos pesquisas ecológicas, milhões – possivelmente até 16 milhões![23]

A maioria dessas estátuas nem chegou a sair de Rano Raraku, a pedreira onde eram esculpidas. Em vez de terem sido "abandonadas" quando a ilha de repente mergulhou numa guerra civil, os cientistas agora acreditam que foram deixadas lá intencionalmente, para servir como "guardiãs" da pedreira.[24]

Ao todo, 493 estátuas foram roladas para outros locais. Pode parecer bastante, mas não esqueça que os habitantes viveram centenas de anos na Ilha de Páscoa. No máximo, eles transportavam uma ou duas estátuas por ano. Por que não pararam quando chegaram a 12? Boersema acredita haver uma explicação simples para isso também. Tédio. "Vivendo numa ilha como aquela, eles tinham muito tempo livre", observa, com um sorriso. "Todo aquele puxa e empurra ajudava a estruturar a rotina."[25]

Acho que a construção de *moai* deve realmente ser vista como evento de trabalho coletivo, muito semelhante à construção do complexo templário de Göbekli Tepe, mais de 10 mil anos atrás (ver capítulo 5). Ou, mais recentemente, na ilha de Nias, a oeste de Sumatra, onde no início do século XX foram vistos 525 homens arrastando uma grande estátua de pedra sobre um trenó de madeira.[26]

Não há dúvida de que empreendimentos como esses poderiam ter sido realizados de maneira mais eficaz, mas a questão não era essa. Não se tratava de projetos elaborados por algum governante megalomaníaco. Eram rituais comunitários.

Que não haja mal-entendido: os habitantes da Ilha de Páscoa derrubaram boa parte das árvores. Não só para transportar os *moai*, mas também pela seiva, para construir canoas e abrir clareiras para plantar. Mesmo assim, existe um culpado mais provável para explicar o desaparecimento de toda a floresta. Seu nome é *Rattus exulans*, ou rato polinésio.

Esses roedores provavelmente chegaram como clandestinos nos primeiros navios que aportaram e, sem predadores naturais na Ilha de Páscoa, ficaram livres para se alimentar e se reproduzir. Em laboratório, ratos dobram em número a cada 47 dias. Isso significa que em apenas 3 anos um casal de ratos pode produzir 70 *milhões* de filhotes.

Esse foi o verdadeiro desastre ecológico da Ilha de Páscoa. Os biólogos desconfiam de que esses ratos de proliferação rápida se alimentavam das sementes das árvores, atrofiando o crescimento da floresta.[27]

Para os habitantes da ilha, o desmatamento não foi um grande problema, pois cada árvore tombada alimentava um terreno arável. Em um artigo de 2013, a arqueóloga Mara Mulrooney demonstrou que a produção de alimentos na verdade *aumentou* com a redução das árvores, graças à utilização de técnicas agrícolas inteligentes pelos ilhéus, como alocar pequenas pedras para proteger as plantações do vento e reter o calor e a umidade.[28]

Mesmo se a população tivesse alcançado 15 mil habitantes, os arqueólogos afirmam que, ainda assim, haveria bastante comida para todos. Mulrooney chega a sugerir que os ilhéus talvez "devessem ser garotos-propaganda de como a engenhosidade humana pode resultar em sucesso, não em fracasso".[29]

4

Contudo, esse sucesso teria vida breve.

A praga que acabou por destruir a Ilha de Páscoa não veio de dentro, chegou com os navios europeus. Esse trágico capítulo começou em 7 de abril de 1722, quando Jacob Roggeveen e sua tripulação se preparavam para desembarcar. Um homem nu apareceu remando num bote. Na casa dos 50 anos, tinha o corpo forte, a pele escura e tatuada e cavanhaque.

Ao subir a bordo, o sujeito tinha uma expressão animada. Mostrou-se impressionado com "a grande altura dos mastros, a grossura das cordas, com as velas, o canhão, que ele tocou com muito cuidado, e com tudo o que viu".[30] Tomou o maior susto da vida quando se percebeu refletido num espelho, quando o sino do navio tocou e quando derramou nos olhos um copo de conhaque que lhe havia sido oferecido.

O que mais impressionou Roggeveen foi a animação do ilhéu. Ele dançou, cantou, riu e gritou várias vezes "*O dorroga! O dorroga!*". Só bem mais tarde estudiosos determinaram que provavelmente ele estava gritando "bem-vindos".

A recepção teve consequências amargas. Roggeveen desembarcou de duas chalupas com 134 homens. Enquanto os ilhéus mostravam todos os indícios de deleite, os holandeses se enfileiraram em formação de batalha. Em seguida, sem aviso, quatro ou cinco tiros foram disparados. Alguém gritou: "Agora, agora, abrir fogo!". Trinta tiros se seguiram. Os ilhéus fugiram para o interior da ilha, deixando cerca de dez mortos na praia. Entre eles, o amigável nativo que havia saudado a esquadra com "*O dorroga!*".

Roggeveen ficou furioso com os agressores, que afirmaram ter havido um mal-entendido, mas seu diário não faz menção a nenhuma punição. Quando anoiteceu, Roggeveen insistiu que partissem, pois queria retomar sua missão de encontrar a Terra do Sul.

Passaram-se 48 anos até outra esquadra aportar na Ilha de Páscoa. Liderada pelo capitão dom Felipe González, a expedição fincou três cruzes de madeira, içou a bandeira espanhola e requisitou a ilha para a Virgem Maria. Os ilhéus pareceram não se incomodar com isso.

"Não houve o menor sinal de animosidade", anotou o conquistador.[31] Quando os espanhóis presentearam os habitantes com arcos e flechas, os pacíficos nativos não souberam o que fazer com o presente. No fim, optaram por usar os arcos como colares.

Quatro anos depois, em 1774, chegou uma expedição inglesa sob o comando de James Cook. Foi o capitão Cook quem, depois de três viagens épicas pelo oceano Pacífico, finalmente provou que a Terra do Sul era um mito. Juntou-se ao ilustre grupo de grandes exploradores da história, enquanto o nome de Roggeveen foi há muito esquecido.

A reconhecida estatura de Cook pode explicar por que os fatalistas acreditaram tanto em suas observações sobre a Ilha de Páscoa. Cook foi o primeiro a informar sobre os *moai* tombados e – talvez mais importante – a descrever os nativos como "pequenos, magros, tímidos e infelizes".

Ou melhor, essa é a citação sempre atribuída a ele. Estranhamente, quando um pesquisador da Universidade de Toronto releu o diário de bordo de Cook, a desfavorável descrição não foi encontrada em parte alguma.[32] Ao contrário, havia o seguinte relato de sobre os habitantes: "vigorosos e ativos, com boas feições e atitudes não antipáticas; são amistosos e hospitaleiros com estrangeiros".[33]

Então, quando Cook fez esse contundente julgamento? Onde podemos encontrar essa citação, que se encaixa tão bem na narrativa do colapso da Ilha de Páscoa e chegou às sacrossantas páginas da revista científica *Nature*?[34] Jared Diamond cita como fonte Paul Bahn e John Flenley (autores do livro *Easter Island, Earth Island*), mas eles não dizem nada a respeito. Resolvi seguir pessoalmente a misteriosa citação. Depois de um longo dia na biblioteca, eu a encontrei em um livro árido, escrito em 1961 para um público acadêmico.[35]

O tema em questão? A expedição norueguesa à Ilha de Páscoa. O autor? Thor Heyerdahl.

Isso mesmo: a fonte da distorcida citação de Cook era de ninguém menos que o aventureiro norueguês defensor de ideias bastante tacanhas. O mesmo homem que havia recém-publicado um *best-seller* em que fantasiava que a ilha fora originalmente povoada por incas de orelhas longas antes de ser invadida por canibais polinésios de orelhas curtas. O mesmo Thor Heyerdahl que reformulou a definição de Cook de ilhéus "inofensivos e amistosos" para uma população de "canibais primitivos".[36]

É assim que nascem os mitos.

Gravura de um desenho do artista Gaspard Duché de Vancy, que esteve na Ilha de Páscoa em 9 de abril de 1786. Provavelmente a imagem diz mais sobre esse francês e seu ponto de vista colonialista que sobre os nativos de lá. É uma espécie de milagre que tenha sobrevivido, pois De Vancy fez parte de uma fatídica expedição do explorador Jean-François de Galaup, conde de La Pérouse. Em 1787, o francês chegou à península de Kamchatka, no nordeste da Rússia. De lá, La Pérouse decidiu enviar para casa um relato parcial de sua viagem (que incluía esta ilustração). Um ano depois, sua expedição naufragou. O que aconteceu exatamente com La Pérouse, com o artista De Vancy e o restante da tripulação é um mistério que os estudiosos ainda estão tentando desvendar até hoje. Fonte: Hulton Archive.

E resta um mistério a ser resolvido. Por que os habitantes da Ilha de Páscoa destruíram suas monumentais estátuas?

Para essa respostas, precisamos voltar ao diário de Jacob Roggeveen. Até sua chegada, havia centenas de anos os habitantes da ilha se consideravam totalmente sozinhos no mundo. Provavelmente não é por acaso que todos os *moai* olhavam para o interior da ilha, não para fora, na direção do mar.

Então, depois de tanto tempo, três navios gigantescos surgiram no horizonte. O que os ilhéus teriam pensado desses estranhos holandeses, com seus maravilhosos navios e suas horrendas armas de fogo? Seriam profetas? Ou deuses? A chegada e o massacre na praia devem ter sido um tremendo choque. "Até os filhos dos filhos daquele lugar ocasionalmente serão capazes de contar essa história", previu um dos marinheiros holandeses.[37]

Os próximos a chegarem à ilha com pompa e fanfarra foram os espanhóis. Organizaram uma procissão cerimonial com tambores e bandeiras tremulando e completaram o espetáculo com três tonitruantes tiros de canhão.

Seria exagerado presumir que esses eventos causaram impacto nos ilhéus e na maneira como viam o mundo? Onde Roggeveen descreveu ter visto os ilhéus se ajoelharem ante os *moai*, Cook disse que as estátuas não eram mais "vistas como ídolos pelos habitantes atuais, mesmo que tivessem sido na época dos holandeses". Mais ainda, ele observou o seguinte sobre os ilhéus: "não consertam as estruturas das que vão decair".[38]

Em 1804, segundo relato de um marinheiro russo, somente alguns *moai* continuavam em pé. Os outros talvez tivessem caído ou sido derrubados intencionalmente – ou um pouco de cada coisa.[39] Seja qual for o caso, as tradições em torno dos *moai* tornaram-se obscuras, e nunca saberemos exatamente por quê. Duas hipóteses foram apresentadas, e qualquer uma delas pode ser verdadeira – ou ambas podem ser reais. Uma é de que os ilhéus encontraram outro passatempo. Quando as florestas desapareceram, ficou mais difícil transportar megálitos pela ilha, por isso as pessoas preferiram outras maneiras de preencher os dias.[40]

A outra hipótese envolve o que os estudiosos chamam de "culto à carga". Isto é, uma obsessão pelos ocidentais e suas coisas.[41] Por alguma razão, os habitantes da Ilha de Páscoa desenvolveram uma fascinação por chapéus. Uma expedição francesa perdeu todos os chapéus um dia após sua chegada, causando grande hilaridade entre os ilhéus.

Foi também por volta dessa época que os habitantes da ilha construíram uma casa com formato de um navio europeu, amontoaram algumas pedras parecidas com barcos e se envolveram em rituais que imitavam dos marinheiros europeus. Estudiosos acreditam que possa ter sido uma manifestação do desejo de que aqueles estrangeiros retornassem com presentes estranhos e bem-vindos.

E eles retornaram, mas sem mercadorias para negociar. Desta vez, os ilhéus se tornariam as mercadorias.

5

O primeiro navio escravista surgiu no horizonte em um dia sombrio de 1862.

A Ilha de Páscoa era o lugar perfeito para escravagistas peruanos. Era isolada, abrigava uma população robusta e animada e não pertencia a nenhuma potência mundial. "Em suma", resume um historiador, "provavelmente ninguém saberia ou se importaria muito com o que acontecesse com a população, e o custo de removê-la seria pequeno."[42]

No cômputo, 16 navios zarpariam com um total de 1.407 pessoas – um terço da população nativa. Alguns foram enganados por falsas promessas, outros se viram retirados à força. Por acaso, os autores foram os mesmos mercadores de escravos que sequestraram os habitantes de 'Ata (ilha que centenas de anos depois seria palco para o *Senhor das moscas* da vida real). Quando chegaram ao Peru, os ilhéus escravizados começaram a tombar como moscas. Os que não trabalharam nas minas até morrer sucumbiram a doenças infecciosas.

Em 1863, o governo peruano curvou-se a pressões internacionais e concordou em despachar os sobreviventes de volta à ilha. Nos preparativos para o retorno, os ilhéus foram reunidos na cidade portuária de Callao. Tinham pouco para comer, e, ainda por cima, um baleeiro norte-americano aportou no local com um dos membros da tripulação infectado pela varíola. O vírus se espalhou. Durante a longa viagem para a Ilha de Páscoa, cadáveres eram jogados ao mar todos os dias, e no fim somente quinze dos 470 escravos libertados chegaram em casa vivos.

Teria sido melhor para todos se eles também tivessem morrido. Com sua chegada, o vírus se alastrou pelo resto da população, semeando morte e destruição. O destino da Ilha de Páscoa estava selado. A partir de então, os europeus que paravam na ilha realmente viam ilhéus se voltando uns contra os outros. Havia pilhas de crânios e ossos, escreveu um francês capitão do mar, e os doentes se sentiam tão desesperados que dezenas se suicidavam se atirando dos penhascos.

Quando a epidemia finalmente terminou, em 1877, só restavam 110 habitantes – o mesmo número dos que haviam chegado àquelas praias com canoas a remo oitocentos anos antes. Tradições se perderam, rituais foram esquecidos, uma cultura foi dizimada. Os escravagistas e suas doenças haviam conseguido o que a população nativa e os ratos não conseguiram: destruir a Ilha de Páscoa.

Então, o que restou da história original (a de ilhéus autocentrados que arruinaram a própria civilização)? Não muito. Não houve guerra nem fome, ninguém comendo ninguém. O desmatamento não tornou a ilha inabitável, e sim até mais produtiva. Não houve matanças em massa em 1680 nem por volta dessa época; a verdadeira decadência só começou séculos mais tarde, por volta de 1860. E os visitantes forasteiros não encontraram uma civilização moribunda – eles a empurraram no abismo.

Não se pode dizer que os habitantes não causaram prejuízo a si mesmos, como introduzir acidentalmente uma praga de ratos que eliminou a vegetação e as espécies animais endógenas. No entanto, depois desse início pedregoso, o que mais se destaca são sua resistência e sua capacidade de adaptação. Como se viu, eles eram muito mais inteligentes que o mundo por muito tempo acreditou que fossem.

Assim, será que a Ilha de Páscoa é uma metáfora apropriada para nosso futuro? Alguns dias depois de minha conversa com o professor Boersema, vi a seguinte manchete de jornal: "MUDANÇA CLIMÁTICA AMEAÇA ESTÁTUAS DA ILHA DE PÁSCOA". Cientistas analisaram os efeitos da subida do nível do mar e a erosão costeira, e este foi o cenário que previram.[43]

Não sou cético no que diz respeito à mudança climática. Não tenho dúvidas de que é o maior desafio de nosso tempo – e que o prazo está se esgotando. Sou cético, no entanto, quanto à retórica fatalista do colapso. Quanto à ideia de que os humanos somos inerentemente egoístas, ou pior, uma praga que assola o planeta. Sou cético quando essa ideia é vendida como "realista" e sou cético quando nos dizem que não há saída.

São muitos os ativistas ambientais que subestimam a resiliência da humanidade. Meu medo é que o cinismo deles possa se tornar uma profecia autorrealizável – um nocebo que nos paralise pelo desespero, enquanto as temperaturas continuam subindo, inabaláveis. O movimento em favor do clima também poderia usar um novo realismo.

"Há uma dificuldade em reconhecer que não só os problemas, mas também as soluções podem aumentar exponencialmente", disse-me o professor Boersema. "Não há garantias de que isso acontecerá. Mas pode acontecer."

Para termos uma prova, só precisamos olhar para a Ilha de Páscoa. Quando a última árvore tombou, os ilhéus reinventaram a agricultura, com novas técnicas para aumentar as colheitas. A verdadeira história da Ilha de Páscoa é a de um povo resiliente e engenhoso, persistente diante das poucas probabilidades. Não é a história de uma desgraça iminente, mas uma fonte de esperança.

PARTE 2

DEPOIS DE AUSCHWITZ

"É espantoso que eu não tenha abandonado todos os meus ideais, que parecem tão absurdos e impraticáveis. Mas eu me apego a eles porque ainda acredito, apesar de tudo, que as pessoas são realmente boas de coração."
Anne Frank (1929-1945)

Se é verdade que por natureza as pessoas são boas de coração, chegou a hora de abordar uma questão inevitável, que fez várias editoras alemãs não se entusiasmarem muito com meu livro. E é uma questão que me atormentou enquanto eu o escrevia.

Como se explica Auschwitz?

Como explicar as agressões e os *pogroms*, o genocídio e os campos de concentração? Quem eram aqueles executores voluntários que se aliaram a Hitler? Ou a Stálin? A Mao? A Pol Pot?

Depois do assassinato sistemático de mais de 6 milhões de judeus, a ciência e a literatura ficaram obcecadas com como os humanos puderam ser tão cruéis. No começo, foi tentador ver os alemães como uma espécie totalmente diferente, atribuir tudo a suas almas distorcidas, suas mentes doentias ou a uma cultura bárbara. De qualquer forma, eles não eram como nós.

No entanto, há um problema: o crime mais hediondo da história humana não foi cometido em um rincão primitivo. Aconteceu num dos países mais ricos e mais avançados do mundo – na terra de Kant e Goethe, de Beethoven e Bach.

Será que a sociedade civil não passava de um verniz protetor? Que Rousseau estava certo e a civilização era uma podridão insidiosa? Por volta dessa época, uma nova área científica, a psicologia social, ganhou proeminência e começou a apresentar provas inquietantes de que nós temos mesmo uma deficiência fundamental.

Durante os anos 1950 e 1960, os psicólogos sociais começaram a bisbilhotar, a sondar e a cutucar para descobrir o que pode transformar homens e mulheres normais em monstros. Essa nova estirpe de cientistas concebeu um experimento atrás do outro para demonstrar que os humanos são capazes de atos chocantes. Basta uma pequena alteração na situação, e – *voilà!* – o nazista em cada um de nós se manifesta.

Nos anos em que *Senhor das moscas* estava no topo da lista dos livros mais vendidos, um jovem pesquisador chamado Stanley Milgram mostrou a obediência com que as pessoas seguem ordens até mesmo de figuras de autoridade dúbia (capítulo 8), ao mesmo tempo que o assassinato de uma jovem na cidade de Nova York assentou as bases para centenas de estudos sobre a apatia na era moderna (capítulo 9). Depois houve experimentos dos professores de psicologia Muzafer

Sherif e Philip Zimbardo (capítulo 7), que demonstraram que bons garotos podem se transformar em tiranos num piscar de olhos.

O que me fascina é que todos esses estudos aconteceram durante um intervalo relativamente curto. Foram os anos do oeste selvagem da psicologia social, quando jovens pesquisadores conseguiram se alçar ao estrelato científico nas asas de experimentos chocantes.

Cinquenta anos depois, esses jovens estão mortos e enterrados ou viajando pelo mundo como renomados professores. Seus trabalhos ficaram famosos e continuam a ser passados a novas gerações de estudantes. No entanto, agora os arquivos de seus experimentos pós--guerra foram abertos. Pela primeira vez, podemos ver os bastidores.

7
NOS PORÕES DA UNIVERSIDADE STANFORD

1

Dia 15 de agosto de 1971. Pouco antes de dez horas da manhã no horário da costa Oeste, a polícia de Palo Alto chega com força total para tirar nove jovens universitários da cama. Cinco são fichados por roubo; quatro, por assalto à mão armada. Os vizinhos observam com surpresa enquanto os jovens são revistados, algemados e levados nas viaturas policiais.

O que os observadores não sabem é que isso faz parte de um experimento. Um experimento que passará para a história como um dos mais notórios de todos os tempos. Que ganhará as primeiras páginas dos jornais e se tornará matéria de estudo para milhões de calouros nas faculdades.

Naquela mesma tarde, os supostos criminosos – que, na verdade, eram inocentes – descem as escadas de pedra do Edifício 420 para o subsolo do departamento de psicologia da universidade. Um cartaz os recebe com os dizeres "CADEIA DO CONDADO DE STANFORD". Ao pé da escada, outro grupo de nove estudantes o espera, todos uniformizados, olhos ocultos por óculos escuros de lentes espelhadas. Assim como os estudantes algemados, eles estão ali para ganhar um dinheiro extra. No entanto, esses estudantes não vão fazer papel de prisioneiros. Eles foram designados para fazer o papel de guardas.

Os presos recebem ordens de se despir e ficam em fila no corredor. São acorrentados pelos tornozelos, com toucas de náilon, e cada um recebe um número pelo qual será chamado a partir de então. Finalmente, recebem um jaleco para vestir e são trancados atrás das grades, três em cada cela.

O que acontece depois vai provocar ondas de choque pelo mundo inteiro. Em questão de dias, o experimento da prisão de Stanford sai de controle, e o processo revela algumas verdades sinistras sobre a natureza humana.

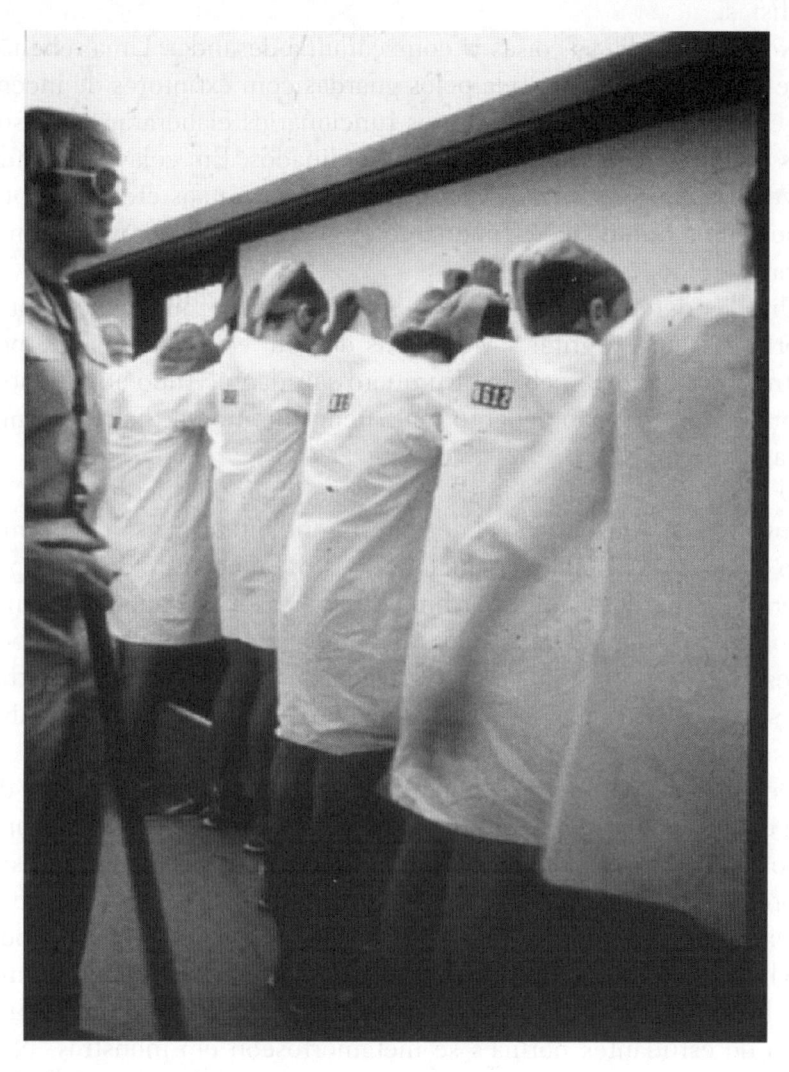

Subsolo da Universidade Stanford, agosto de 1971.
Fonte: Philip G. Zimbardo.

Tudo começou com um grupo de jovens comuns e saudáveis. Vários deles, quando se inscreveram para participar, definiam-se como pacifistas.

No segundo dia as coisas já começaram a desandar. Uma rebelião entre os detentos foi contida pelos guardas com extintores de incêndio, e nos dias que se seguiram os funcionários elaboraram diversos tipos de tática para subjugar seus subordinados. Em celas cheirando a fezes humanas, os presos sucumbiam um a um aos efeitos de privação sono e humilhações, enquanto os guardas se deleitavam com o poder exercido.

Um dos detentos, o prisioneiro 8.612, surtou. Começou a chutar a porta da cela e a gritar: "Meu Deus do céu, estou queimando por dentro! Vocês não percebem? Eu quero sair daqui! Tudo aqui dentro é uma merda! Eu não aguento mais nem uma noite! Simplesmente não aguento mais!".[1]

O chefe dos pesquisadores, o psicólogo Philip Zimbardo, também se envolveu. Ele fazia o papel de superintendente da prisão, determinado a manter a disciplina a qualquer custo. Só no sexto dia do experimento Zimbardo decidiu pôr fim àquele pesadelo, depois que uma horrorizada pós-graduanda – sua namorada – perguntou que diabos ele estava fazendo. Àquela altura, cinco dos prisioneiros já mostravam sinais de "extrema depressão emocional, choravam, tinham raiva e ansiedade aguda".[2]

Depois do experimento, Zimbardo e sua equipe se viram diante de uma dolorosa pergunta: o que aconteceu? Hoje é possível encontrar a resposta em quase qualquer livro de introdução à psicologia. Em superproduções de Hollywood, em documentários da Netflix e em *best--sellers* como *O ponto da virada*, de Malcolm Gladwell. Ou passando pelo bebedouro do escritório, onde alguém talvez comente a respeito.

A história foi mais ou menos assim. Em 15 de agosto de 1971, um grupo de estudantes normais se metamorfoseou em monstros. Não por serem pessoas ruins, mas por terem sido postos numa situação extrema. "É possível pegar gente normal, que estudou em boa escola e cresceu com uma família feliz em bons bairros, e afetar intensamente o comportamento delas apenas alterando o contexto em que se encontram", nos diz Gladwell.[3]

Mais tarde, Philip Zimbardo juraria que ninguém imaginava que seu experimento sairia de controle. Depois, teve de concluir que todos somos capazes dos atos mais hediondos. O que aconteceu nos porões da Universidade Stanford precisava ser entendido "como uma consequência 'natural' de usar um uniforme de 'guarda'".[4]

2

Pouca gente sabe que, dezessete anos antes, havia sido realizado outro experimento que chegara mais ou menos à mesma conclusão. Praticamente esquecido fora do meio acadêmico, o experimento de Robbers Cave inspiraria psicólogos sociais durante décadas. Nele, os participantes não eram estudantes voluntários, mas crianças.

Dia 19 de junho de 1954. Doze garotos, todos com mais ou menos 11 anos de idade, estão esperando um ônibus num ponto da cidade de Oklahoma. Nenhum deles se conhece, e todos pertencem a famílias religiosas. Todos têm QI mediano, assim como notas satisfatórias na escola. Nenhum é conhecido como encrenqueiro ou sofre *bullying*. São todos garotos normais, bem ajustados.

Nesse dia específico os garotos se encontram animados. Isso porque estão a caminho do acampamento de férias do Parque Estadual Robbers Cave, no sudeste de Oklahoma. Famoso por ter servido de esconderijo a foras da lei lendários como Belle Starr e Jesse James, o acampamento se estende por cerca de 81 hectares de bosques, lagos e cavernas. O que os garotos não sabem é que, a partir do dia seguinte, vão dividir esse paraíso com outro grupo. E outra informação de que não dispõem: trata-se de um experimento científico. Os participantes são cobaias.

O estudo está nas mãos do psicólogo turco Muzafer Sherif, que há muito se interessa pela maneira como surgem conflitos entre grupos. Seus preparativos para o acampamento foram meticulosos, e suas instruções para os pesquisadores, claras: os garotos são livres para fazer o que quiserem, sem restrições.

Na primeira fase do estudo, nenhum dos grupos saberá da existência do outro. Vão ficar em prédios separados, pensando que estão sozinhos no parque. Depois, na segunda semana, eles entrarão em contato com os outros aos poucos. O que acontecerá? Eles vão se tornar amigos ou haverá um pandemônio?

O experimento de Robbers Cave é uma história sobre garotos bem-comportados – "a nata", como Sherif os definiria depois – que em poucos dias se tornaram "jovens perturbados, perversos e malvados".[5] O acampamento de Sherif aconteceu no mesmo ano em que William Golding publicou *Senhor das moscas*; no entanto, enquanto Golding achava que garotos são maus por natureza, Sherif acreditava que tudo depende do contexto.

As coisas começaram muito bem. Durante a primeira semana, quando os grupos ainda não sabiam da existência um do outro, os garotos nos dois acampamentos trabalham em perfeita harmonia. Construíram uma ponte de cordas e um trampolim de mergulho. Grelharam hambúrgueres e montaram barracas. Correram e brincaram e logo ficaram amigos.

Na semana seguinte, o experimento muda de curso. Os dois grupos, que se autodenominaram "Rattlers" e "Eagles", são apresentados cuidadosamente um ao outro. Quando os Rattlers ouvem os Eagles jogando no campo de beisebol "deles" e os desafiam para uma partida, tem início uma semana de rivalidades e competição. Dali em diante, as coisas escalam rapidamente. Um dia, dois dos Eagles queimam a bandeira dos Rattlers após terem perdido um cabo de guerra. Os Rattlers retaliam com um ataque no meio da noite, rasgando as barracas e roubando gibis de histórias em quadrinhos. Os Eagles decidem acertar as contas enchendo as meias de pedras pesadas para usar como armas. Em cima da hora, os funcionários do acampamento conseguem intervir.

No fim dos torneios da semana, os Eagles são declarados vitoriosos e ganham o cobiçado prêmio de canivetes. Os Rattlers se vingam organizando outro ataque e tomando os prêmios como espólio de guerra. Quando confrontados pelos furiosos Eagles, os Rattlers zombam: "Podem vir, covardes", desafiam, todos empunhando os canivetes.[6]

Enquanto os garotos se estranham, o dr. Sherif, posando de supervisor do acampamento, só observa e faz anotações. Ele já tinha percebido que aquele experimento seria uma mina de ouro.

A história do experimento de Robbers Cave voltou à baila nos anos recentes, principalmente depois da eleição de Donald Trump como presidente dos Estados Unidos. Muitos comentaristas citaram esse estudo para entender nossos tempos. Os Rattlers e os Eagles não são um símbolo dos onipresentes conflitos entre esquerda e direita, entre conservadores e progressistas?

Produtores de televisão examinaram a premissa do estudo e previram que seria um sucesso. Na Holanda, tentou-se uma reprodução, apropriadamente intitulada "This Means War" [Isso é guerra]. No entanto, as gravações tiveram de ser encerradas prematuramente quando se percebeu que o conceito era de fato de guerra.

São razões suficientes para desvendar o relatório original de Muzafer Sherif sobre a pesquisa de 1961. Depois de ler o relatório, posso assegurar que não é nada contagiante. Em uma das primeiras páginas, Sherif nos diz: "Atitudes negativas em relação a grupos externos serão geradas situacionalmente". Leia-se: estamos em guerra.

Contudo, em meio a todas as abstrações acadêmicas, encontrei alguns fatos interessantes. Para começar, não foram os garotos que organizaram uma semana de competições, mas os pesquisadores. Os Eagles não gostaram da ideia. "Talvez a gente possa fazer amizade com esses caras", sugeriu um deles, "assim ninguém vai ficar bravo e não vai ter nenhuma rixa".[7]

E, sob insistência dos pesquisadores, os grupos só participaram de jogos que diferenciavam claramente vencedores e perdedores, como beisebol e cabo de guerra. Não havia prêmios de consolação, e os pesquisadores manipulavam os placares para assegurar que as equipes estivessem sempre numa disputa acirrada.

Acontece que essas maquinações foram só o começo.

3

Conheci Gina Perry em Melbourne, no verão de 2017, poucos meses antes da publicação de seu livro sobre o experimento de Robbers Cave. Gina é uma psicóloga australiana e foi a primeira pessoa a explorar os arquivos do experimento de Sherif. Enquanto remexia em notas e gravações, ela descobriu uma história que contradiz tudo o que vem se repetindo nos últimos trinta anos.

Para começar, Perry descobriu que Sherif já havia tentado testar sua "teoria de conflito realista" em outro acampamento de férias, em 1953, perto da cidadezinha de Middle Grove, no estado de Nova York. E lá também havia feito o possível para jogar os garotos uns contra os outros. A única coisa que Sherif disse a respeito depois – em nota de rodapé – foi que o experimento teve de ser suspenso "devido a várias dificuldades e a condições desfavoráveis".[8]

Em Melbourne, Gina me relatou o que leu nos arquivos sobre aquele esquecido acampamento anterior. Dois dias depois da chegada, todos os garotos ficaram amigos. Jogavam e corriam pelos bosques, se divertiam com arco e flecha e cantavam a plenos pulmões.

No terceiro dia, os pesquisadores os dividiram em dois grupos – os Panthers e os Pythons – e durante o resto da semana empregaram todos os truques possíveis para jogar uma equipe contra a outra. Quando os Panthers quiseram fazer uma camiseta com um ramo de oliveira da paz estampado, os pesquisadores não permitiram. Poucos dias depois, um dos pesquisadores destruiu uma barraca dos Pythons, imaginando que os Panthers levariam a culpa. Ficou frustrado ao ver os dois grupos trabalhando juntos para reerguer a barraca.

Em seguida, os pesquisadores secretamente atacaram o acampamento dos Panthers, na esperança de que os Pythons levassem a culpa. Mais uma vez, os garotos se ajudaram. Um dos participantes tinha um uquelele, que se quebrou no ataque, e chegou a chamar os pesquisadores para exigir um álibi. "Talvez vocês só quisessem ver qual seria nossa reação", acusou.[9]

O estado de espírito da equipe de pesquisa foi azedando no transcorrer da semana. Seu valioso experimento estava desmoronando. Os garotos não brigavam como previa a "teoria do conflito realista". Sherif culpou todo mundo menos a si mesmo. Ficava acordado até duas da madrugada, andando de um lado para outro, como Gina pôde ouvir nas gravações de áudio do estudo, e bebendo.

Foi numa das últimas noites que as tensões se extravasaram. Enquanto os participantes dormiam, Sherif ameaçou esmurrar um pesquisador assistente por não se empenhar em semear a discórdia. O assistente pegou um pedaço de pau para se defender. "Dr. Sherif!", sua voz ecoou na noite, "se fizer isso, vou reagir."[10]

Os garotos perceberam a manipulação quando um deles encontrou um caderno de anotações detalhadas. Depois disso, não houve opção a não ser cancelar o experimento. Se alguma coisa ficou provada, foi que, quando garotos se tornam amigos, é muito difícil fazer que se voltem uns contra os outros. "Eles entenderam mal a natureza humana", disse um dos participantes sobre os psicólogos, anos depois. "E, com certeza, não entendiam nada de crianças."[11]

4

Se você acha as manipulações do dr. Sherif revoltantes, elas não são nada em comparação ao cenário fermentado dezessete anos depois. Sob diversos aspectos, o experimento de Stanford e o de Robbers Camp tinham muito em comum. Ambos contaram com 24 participantes brancos do sexo masculino, e ambos foram projetados para provar que pessoas simpáticas podem, espontaneamente, se tornar más.[12] No entanto, o que houve em Stanford foi além.

O estudo de Philip Zimbardo não se mostrou apenas duvidoso. Foi um embuste.

Minhas próprias dúvidas afloraram ao ler o livro de Zimbardo, *O efeito Lúcifer*, publicado em 2007. Sempre achei que seus "guardas" prisionais tinham se portado de modo sádico por vontade própria. Zimbardo mesmo afirmou isso em incontáveis entrevistas. Em uma audiência no Congresso dos Estados Unidos, ele chegou a declarar que os guardas "faziam as próprias regras para manter a lei, a ordem e o respeito".[13]

Depois, porém, em livro, Zimbardo de repente menciona uma reunião ocorrida no sábado anterior ao experimento. Naquela tarde, ele orientou os guardas a respeito das regras. E suas instruções foram específicas.

> Nós podemos criar um sentimento de frustração. Podemos provocar medo neles [...]. Vamos tirar a identidade deles de várias maneiras. Eles vão estar de uniforme, e em nenhum momento ninguém vai chamar ninguém pelo nome; eles serão números e só serão chamados pelos números. Em geral, isso vai criar neles uma sensação de impotência.[14]

Quando cheguei a esse trecho, fiquei perplexo. Lá estava o cientista supostamente imparcial confirmando que tinha treinado os guardas. Não foram deles as ideias de chamarem os prisioneiros por números nem de usar óculos escuros ou impor jogos sádicos. Eles foram instruídos a isso.

Além disso, no sábado *anterior* ao início do experimento, Zimbardo já estava falando em "nós" e "eles", como se ele e os guardas estivessem no mesmo time. O que significa que a história que contou depois sobre ter se perdido no papel de superintendente da prisão no decorrer do experimento não era verdade. Zimbardo estava no comando desde o primeiro dia.

Para entender como isso compromete uma pesquisa objetiva, é importante conhecer o que os cientistas sociais chamam de *características de demanda*, que são comportamentos que os participantes exibem quando conseguem prever o objetivo do estudo, transformando, assim, um experimento científico numa produção encenada. E naquela ocasião em Stanford, como explicou um psicólogo pesquisador, "as demandas estavam por toda parte".[15]

Nesse caso, o que os guardas acreditavam que se esperava deles? Que ficassem zanzando, talvez jogando baralho e fofocando? Em uma entrevista posterior, um estudante disse que já tinha planejado o que fazer:

> Entrei com um plano definido, tentar forçar a ação, fazer alguma coisa acontecer, para os pesquisadores terem algo com que trabalhar. Afinal de contas, o que eles concluiriam de sujeitos que se comportassem como se estivessem em um clube de campo?[16]

Já seria suficientemente ruim o experimento da prisão de Stanford não ter sido banido de livros didáticos depois de confissões como essas. Mas fica pior. Em junho de 2013, o sociólogo francês Thibault le Texier topou com uma TED Talk protagonizada por Zimbardo, datada de 2009. Como cineasta de meio período, as imagens apresentadas por Zimbardo logo chamaram sua atenção. Aos olhos de Texier, as imagens sem cortes de estudantes gritando pareciam o material perfeito para um emocionante documentário. E foi então que ele resolveu ir atrás da história.

Le Texier conseguiu financiamento e reservou uma passagem de avião para a Califórnia. Em Stanford, fez duas descobertas chocantes. Uma foi o fato de ser o primeiro a consultar os arquivos de Zimbardo. A outra foi o que havia naqueles arquivos. O entusiasmo de Le Texier logo se transformou em perplexidade e depois em consternação: assim como Gina Perry, ele se viu rodeado por pilhas de documentos e gravações que mostravam um experimento totalmente diferente.

"Demorou para eu aceitar a ideia de que tudo poderia ser falso", disse-me Texier no outono de 2018, um ano antes de uma primeira versão de sua análise ser publicada no principal periódico acadêmico sobre psicologia, o *American Psychologist*. "De início eu não quis acreditar. Pensei que se tratava de um renomado professor da Universidade Stanford, que eu devia estar enganado."

As evidências, porém, falavam por si.

Para começar, não foi Zimbardo quem elaborou o experimento. Foi um de seus alunos de graduação, David Jaffe. Em um dos trabalhos do curso, ele e quatro colegas de classe acharam que seria uma boa ideia transformar em cadeia o subsolo do alojamento onde moravam. Convocaram amigos e, em maio de 1971, fizeram uma experiência com seis guardas, seis detentos e o próprio Jaffe como diretor.

Os guardas elaboraram regras como "os prisioneiros devem ser chamados apenas por números" e "devem sempre se dirigir ao diretor como 'sr. chefe oficial correcional'". Na aula da segunda-feira seguinte, Jaffe contou a todos sobre seu interessante "experimento" e as intensas emoções provocadas nos participantes. Zimbardo ficou vidrado. Ele precisava testar aquilo.

Um único aspecto do estudo levou Zimbardo a fazer uma pausa. Será que ele conseguiria encontrar guardas suficientemente sádicos? Quem poderia ajudá-lo a fazer aflorar o pior das pessoas? O professor de Psicologia resolveu contratar o aluno de graduação como consultor. "Com base na minha experiência prévia como grande sádico, me pediram indicação de táticas", explicou Jaffe depois.[17]

Durante quarenta anos, em centenas de entrevistas e artigos, Philip Zimbardo manteve o discurso de que os guardas do experimento não receberam diretivas, que pensaram em tudo: nas regras, nas punições e nas humilhações que infligiram aos prisioneiros. Zimbardo definiu Jaffe como mais um dos agentes que se deixou arrebatar pelo teste.

Nada poderia estar mais longe da verdade. Afinal, onze das dezessete regras vieram de Jaffe. Foi Jaffe quem esboçou um detalhado protocolo para a chegada dos prisioneiros. Acorrentar os tornozelos? Ideia dele. Despir os detentos? Também. Obrigar todos a ficarem nus durante quinze minutos? Idem.

No sábado anterior ao experimento, Jaffe passou seis horas com os outros guardas, explicando como poderiam usar as correntes e os cassetetes a fim de obter um efeito melhor. "Tenho uma lista de algumas coisas que precisam acontecer", explicou.[18] Quando toda a provação acabou, seus colegas guardas o cumprimentaram pelas "ideias sadocriativas".[19]

Enquanto isso, Zimbardo também contribuía para o plano sádico. Elaborou uma programação estrita que manteria os detentos dormindo pouco, acordando-os para chamadas às 2h30 e às 6h. Sugeriu flexões de braço como bom castigo para os presos ou colocar adesivos espinhosos ou carrapichos nos cobertores. E considerou que confinamento solitário poderia ser um bom acréscimo.

Se você está se perguntando por que Zimbardo se esforçou tanto para controlar o experimento, a resposta é simples: de início, ele não estava interessado nos guardas. Seu experimento se concentrava nos presos. Ele queria saber como prisioneiros reagiriam sob pressão. Eles sentiriam tédio? Frustração? Medo?

Os guardas se viam como assistentes dele na pesquisa, o que faz sentido, considerando que era exatamente como Zimbardo os tratava. A reação de choque de Zimbardo à conduta sádica dos guardas e a ideia de que essa era a verdadeira lição do experimento foram fabricadas depois. Durante o experimento, ele e Jaffe pressionaram os guardas para serem mais duros com os detentos e repreenderam os que não aderiram à ideia.

Em uma gravação que surgiu depois, ouve-se Jaffe aplicando essa tática com o guarda "molenga" John Markus, exigindo já no segundo dia que assumisse uma linha mais dura com os prisioneiros:

> Jaffe: Em geral você tem se omitido [...], e nós o queremos mais ativo e envolvido, pois os guardas têm de ser o que chamamos de "malvados", e até agora, hum...
> Markus: Eu não sou muito malvado...
> Jaffe: Sim. Mas vai precisar ser.
> Markus: Não sei se vou conseguir...
> Jaffe: Olha, o que quero dizer com o termo "malvado" é que você vai ter que ser, hum, *firme*, vai ter que entrar em ação, esse tipo de coisa. Hum, isso é muito importante para o funcionamento do experimento...
> Markus: Sinto muito [...], se dependesse de mim, eu não faria nada. Só deixaria a coisa esfriar.[20]

O fascinante é que a maioria dos guardas do experimento da prisão de Stanford continuou hesitante em aplicar táticas "duras", mesmo sob pressão. Dois terços se recusaram a participar dos jogos sádicos. Um terço tratava os prisioneiros com delicadeza, para frustração de Zimbardo e equipe. Um dos guardas desistiu no domingo anterior ao início do experimento, dizendo que não conseguiria seguir as instruções.

A maioria dos participantes continuou porque a remuneração compensava. Eles ganhavam 15 dólares por dia – o equivalente a 100 dólares hoje –, mas só receberiam o dinheiro depois. Tanto os guardas como os presos tinham medo de não receberem caso não seguissem o roteiro de Zimbardo.

Ainda assim, dinheiro não foi incentivo suficiente para um dos presos, que se sentiu tão mal que logo desistiu. Foi o prisioneiro número 8.612, Douglas Korpi, de 22 anos, que desmoronou no segundo dia ("Meu Deus [...], não aguento mais!").[21] Seu colapso nervoso foi mostrado em todos os documentários e se tornou a cena mais famosa do estudo.

Um jornalista o procurou no verão de 2017.[22] Korpi disse que o colapso foi fingido. Não que ele tenha guardado segredo sobre isso. Na verdade, ele contou a várias pessoas quando o experimento acabou: a Zimbardo, por exemplo, que o ignorou, e a um documentarista, que cortou a cena de seu filme.

Douglas Korpi, doutor em Psicologia, depois explicou que no começo gostou de participar. O primeiro dia "foi muito divertido", relembrou. "Eu tinha de berrar. Precisava me comportar como um prisioneiro. E fui um bom participante. Foi divertido."[23]

No entanto, a alegria durou pouco. Korpi se inscreveu achando que poderia passar o tempo livre estudando para suas provas, mas, assim que se viu atrás das grades, Zimbardo e equipe não o deixavam ler. Por isso, ele desistiu logo no dia seguinte.

Para sua surpresa, Zimbardo se recusou a deixá-lo sair. Os detentos só poderiam ser liberados se demonstrassem problemas físicos ou mentais. Assim Korpi resolveu encenar. Primeiro, fingiu ter dor de estômago. Quando não funcionou, tentou um colapso nervoso.[24] Seus gritos se tornariam famosos no mundo inteiro.

Nas décadas seguintes ao experimento, milhões de pessoas caíram na farsa criada por Philip Zimbardo.

"A pior coisa é que ele ganhou um bocado de atenção durante quarenta anos...", disse um dos presos em 2011.[25] Zimbardo mandou trechos das filmagens do experimento para emissoras de TV antes de ter analisado os dados. Nos anos seguintes ele se tornaria o psicólogo mais notório de uma época, chegando a ser presidente da Associação Americana de Psicologia.[26]

Em um documentário dos anos 1990 sobre o experimento da prisão de Stanford, o estudante Dave Eshelman, um dos guardas, refletiu sobre o que poderia ter acontecido se os pesquisadores não tivessem pressionado os guardas. "Nunca saberemos", lamentou.[27]

Mas nós ficamos sabendo.

Eshelman não tinha conhecimento de que uma dupla de psicólogos britânicos estava montando as bases para um segundo teste, projetado para responder à pergunta: o que acontece com pessoas normais quando vestem um uniforme e entram numa prisão?

5

O telefonema da BBC aconteceu em 2001.

Eram os primeiros tempos da *reality TV*. *Big Brother* havia estreado pouco tempo antes, e redes de televisão em toda parte pensavam numa próxima fórmula de sucesso. Assim, o pedido da BBC não veio do nada: vocês estariam interessados em repetir aquele terrível experimento com guardas e prisioneiros, desta vez para ser transmitido em horário nobre?

Para Alexander Haslam e Stephen Reicher, doutores em Psicologia, era a proposta dos sonhos. O grande problema com o experimento de Stanford sempre foi que, por ser tão antiético, ninguém se atrevia a replicá-lo, e por isso Zimbardo teve a última palavra em décadas. No entanto, agora esses dois psicólogos ingleses encaravam uma oportunidade de refazer os episódios diante das câmeras.

Haslam e Reicher impuseram duas condições. A primeira: teriam controle total sobre o estudo. A segunda: um comitê de ética teria autorização para interromper o experimento a qualquer momento se as coisas ameaçassem sair de controle.

Nos meses anteriores ao programa, a imprensa britânica se refestelou em especulações. Até onde as pessoas chegariam? "A emissora enlouqueceu?", perguntou o jornal *The Guardian*.[28] Até o próprio Philip Zimbardo expressou insatisfação. "É óbvio que eles estão fazendo o estudo na esperança de criar um grande drama, como originalmente eu fiz."[29]

Quando a estreia de *The Experiment* foi ao ar, em 1º de maio de 2002, milhões de pessoas ficaram grudadas à TV. E o que aconteceu a seguir chocou todo... Bem, na verdade, não foi assim. O que aconteceu a seguir foi mais ou menos nada. Tive de me esforçar para assistir a todos os quatro episódios de uma hora de duração cada. Poucas vezes assisti a um programa tão chato e tão bobo.

Qual foi o erro da BBC? Haslam e Reicher deixaram uma coisa de lado: eles não disseram o que os guardas deviam fazer. Eles apenas observaram os comportamentos. Ficaram como espectadores, enquanto alguns sujeitos normais se comportavam como se estivessem num clube.

As coisas estavam só começando quando um dos guardas anunciou que não se sentia adequado para o papel: "Prefiro ser um prisioneiro...".

No segundo dia, outro sugeriu dividir a comida dos guardas com os prisioneiros para elevar o moral. No quarto dia, quando parecia que algumas faíscas surgiriam, um guarda aconselhou um preso: "Se chegarmos ao fim disso, podemos ir a um *pub* e brindar". Outro guarda entrou na conversa: "Vamos discutir isso como seres humanos".

No quinto dia, um dos presos propôs estabelecer uma democracia. No sexto dia, alguns presos fugiram das celas. Foram até a lanchonete dos guardas fumar um cigarro, ao que os guardas logo se juntaram a eles. No sétimo dia, o grupo votou a favor de criar uma comunidade.

Uns poucos guardas ainda tentaram convencer o grupo a voltar ao regime original, mas não foram levados a sério. Com certo impasse, a única coisa a fazer foi cancelar o programa. O episódio final consiste principalmente de cenas de homens andando ao redor de um sofá. Na conclusão, somos agraciados com tomadas sentimentais dos participantes se abraçando e com um dos guardas dando sua jaqueta de presente a um dos presos.

Por sua vez, os telespectadores se sentiram enganados. Onde estão os pés acorrentados? Por que não enfiaram a cabeça deles em sacos? Quando vai começar o sadismo? A BBC transmitiu quatro horas de gente fumando e batendo papo. Ou, como resumiu o *Sunday Herald*, "o que acontece quando você põe homens bons num cenário maligno e filma? Ah, nada de mais."[30]

Para os produtores de TV, o experimento expôs uma dura verdade: ao deixar pessoas normais à vontade, nada acontece. Ou, ainda, elas vão tentar fundar uma comunidade pacifista.

Do ponto de vista científico, o experimento foi um tremendo sucesso. Haslam e Reicher publicaram mais de dez artigos sobre os resultados em prestigiosos periódicos acadêmicos. Para os demais, no entanto, podemos dizer que foi um fracasso. Depois disso, o experimento da prisão da BBC caiu na obscuridade, mas as pessoas continuam falando sobre o que houve em Stanford.

E o que Philip Zimbardo tem a dizer sobre tudo isso? Quando um jornalista perguntou a ele, em 2018, se as novas revelações sobre quanto houve de manipulação mudaria a maneira como as pessoas viam seu experimento, o psicólogo respondeu que não se importava.

> Podem dizer o que quiserem a respeito. Até agora, é o estudo mais famoso da história da psicologia. Não há outro caso sobre o qual as pessoas continuam comentando cinquenta anos depois. O público em geral sabe do experimento. [...] A essa altura, já ganhou vida própria. [...] Não vou mais defendê-lo. A defesa é sua longevidade.[31]

8

STANLEY MILGRAM E A MÁQUINA DE CHOQUE

1

Há um experimento psicológico ainda mais famoso que o da prisão de Stanford – e um psicólogo que se tornou mais célebre que Philip Zimbardo. Quando comecei a trabalhar neste livro, eu sabia que não poderia ignorá-lo: Stanley Milgram.

Milgram era um jovem professor assistente quando lançou seu estudo, em 18 de junho de 1961. Nesse dia, saiu um anúncio de página inteira no *New Haven Register*: "Pagamos 4 dólares por uma hora de seu tempo".[1] O anúncio chamou a atenção de quinhentos homens comuns – barbeiros e *bartenders*, pedreiros e homens de negócio – para participar de uma pesquisa sobre a memória humana.

Centenas de homens compareceram ao laboratório de Milgram na Universidade Yale durante os meses seguintes. Ao chegarem, eram separados em duplas, com um deles no papel de "professor" e outro como "aprendiz". Os professores sentavam-se diante de um grande aparelho e eram informados de que aquilo era uma máquina de choque. Em seguida eram instruídos a fazer um teste de memória com o aprendiz, que ficava amarrado a uma cadeira na sala ao lado. Para cada resposta errada, o professor tinha de apertar um botão e aplicar um choque elétrico.

Na realidade, o aprendiz era sempre um membro da equipe de Milgram, e a máquina não dava choque nenhum. No entanto, os professores não sabiam disso. Achavam que era um estudo sobre o efeito da punição na memória, sem perceber que, na verdade, o estudo era sobre eles.

Os choques começavam pequenos, de apenas 15 volts. No entanto, a cada vez que o aprendiz dava uma resposta errada, um homem trajando avental cinza de laboratório dizia para o professor aumentar a voltagem. De 15 volts para 30, de 30 volts para 45, e assim por diante, por mais que o aprendiz gritasse bem alto na sala ao lado, mesmo depois de o marcador chegar a uma zona classificada com os seguintes dizeres: "PERIGO: CHOQUE GRAVE". Aos 300 volts, o aprendiz esmurrava a parede. Depois disso, ficava em silêncio.

Milgram tinha pedido a alguns colegas psicólogos que fizessem uma previsão sobre até que ponto os participantes estariam dispostos a seguir. Unanimemente, eles disseram que no máximo 1% ou 2% – somente os francamente psicopatas persistiriam até 450 volts.[2]

O verdadeiro choque veio depois do experimento: 65% dos participantes do estudo continuaram até o fim e aplicaram os 450 volts. Aparentemente, dois terços daqueles pais, amigos e maridos normais estavam dispostos a eletrocutar um estranho.[3]

Por quê? Porque alguém os instruiu a fazer isso.

O psicólogo Stanley Milgram, que à época tinha 28 anos, tornou-se celebridade de uma hora para outra. Quase todos os jornais, as emissoras de rádio e os canais de televisão cobriram seu experimento. "SESSENTA POR CENTO OBEDECEM ORDEM PARA INFLIGIR DOR", foi a manchete no jornal *The New York Times*.[4] "Que espécie de pessoa era capaz de mandar milhões para as câmaras de gás?", perguntava o jornal. A julgar pelas descobertas de Milgram, a resposta era nítida: todos nós.

Stanley Milgram, judeu, desde o início apresentou sua pesquisa como a explicação para o Holocausto. Enquanto Muzafer Sherif aventou a hipótese de que a guerra acontece assim que as pessoas se enfrentam e Zimbardo (que estudou na mesma escola que Milgram) afirmou que nos transformamos em monstros logo que vestimos um uniforme, a explicação de Milgram foi mais refinada. Mais inteligente. E, acima de tudo, mais inquietante.

Stanley Milgram e sua máquina de choque. Fonte: The Chronicle of Higher Education.

Para Milgram, tudo girava em torno da autoridade. Ele explicou que os humanos são criaturas que seguem ordens sem questionar. Em seu laboratório no subsolo de Yale, homens adultos regrediram a crianças irracionais e se transformaram em cães que obedeciam às instruções de "sentar-se", "abanar o rabo" ou "pular de uma ponte". Sinistro como aqueles nazistas que depois da guerra continuaram a repetir a mesma velha frase: *Befehl ist Befehl*, ou "uma ordem é uma ordem".

Milgram só podia chegar a uma conclusão: a natureza humana vem com uma deficiência de programação, um defeito que faz todos nós agirmos como cachorrinhos obedientes e perpetrarmos as coisas mais horríveis.[5] "Se um sistema de campos de extermínio fosse montado nos Estados Unidos", afirmou o psicólogo, "seria possível encontrar pessoal suficiente para esses campos em qualquer cidade de porte médio."[6]

O contexto do experimento de Milgram não poderia ser melhor. No dia em que o primeiro voluntário entrou em seu laboratório, um controverso julgamento se encontrava em sua semana final. O criminoso de guerra nazista Adolf Eichmann era julgado em Jerusalém, diante dos olhos de setecentos jornalistas. Entre eles, a filósofa judia Hannah Arendt, que cobria o caso para a revista *New Yorker*.

Já detido, antes do julgamento Eichmann tinha passado por uma avaliação psicológica com seis especialistas. Nenhum deles encontrou sintomas de disfunção comportamental. A única coisa estranha sobre ele, segundo um dos médicos, era parecer "mais normal que o normal".[7] Eichmann, escreveu Arendt, não era psicopata nem monstro. Era tão normal quanto barbeiros e *bartenders*, pedreiros e homens de negócio que estiveram no laboratório de Milgram. Na última frase de seu livro, Hannah Arendt diagnosticou o fenômeno como "a banalidade do mal."[8]

Desde então, o estudo de Milgram e a filosofia de Hannah Arendt sempre estiveram relacionados. Hannah seria reconhecida como um dos maiores nomes da filosofia do século XX; e Stanley Milgram foi quem apresentou a evidência que confirmaria a teoria dela. Documentários, romances, peças de teatro e séries de televisão foram dedicados à notória máquina de choque de Milgram – de um filme com um jovem John Travolta a um episódio de *Os Simpsons*, passando por um programa de variedades da TV francesa.

Muzafer Sherif inclusive chegou a dizer que "o experimento de obediência de Milgram é a maior contribuição individual ao conhecimento humano já realizada no campo da psicologia social, talvez até da psicologia em geral".[9]

Vou ser sincero. Desde o início, eu queria desmentir os experimentos de Milgram. Ao escrever um livro que defende a bondade das pessoas, você encontra diversos desafios. William Golding e sua imaginação sombria. Richard Dawkins e seus genes egoístas. Jared Diamond e sua desmoralizante história da Ilha de Páscoa. E, claro, Philip Zimbardo, o psicólogo vivo mais famoso do mundo.

Stanley Milgram, porém, estava no topo de minha lista. Não conheço outro estudo tão cínico, tão deprimente e ao mesmo tempo tão famoso quanto ele e seu experimento com a máquina de choque. Depois de alguns meses de pesquisas, considerei que tinha reunido munição suficiente para falar sobre seu legado. Para começar, havia seus arquivos pessoais, recentemente abertos ao público e que contêm um monte de roupa suja.

"Quando soube que o material estava disponível, fiquei ansiosa para olhar nos bastidores", disse-me Gina Perry durante minha visita a Melbourne – a mesma Gina Perry que expôs o experimento de Robbers Cave como fraude (ver capítulo 7). E assim começou o que ela chamou de "processo de desilusão", que culminou num caderno com suas descobertas. O que ela desvendou fez com deixasse de ser admiradora de Milgram para se tornar uma crítica feroz.

Vamos conferir o que Gina descobriu. Mais uma vez, é a história de um psicólogo motivado em busca de prestígio. Um homem que distorceu o processo para alcançar os resultados almejados. Um homem que intencionalmente prejudicou pessoas que só queriam ajudar.

2

Dia 25 de maio de 1962. Faltavam três dias para a conclusão do experimento. Quase mil voluntários já haviam passado pela máquina de choque quando Milgram sentiu falta de alguma coisa. Imagens.

Uma câmera oculta é instalada às pressas para registrar as reações dos participantes. É durante essas sessões que Milgram encontra seu participante estelar, um homem cujo nome se tornaria sinônimo de banalidade do mal. Ou melhor, seu pseudônimo: Fred Prozi. Se você assistiu a algum trecho dos experimentos de Milgram, numa das centenas de documentários ou no YouTube, provavelmente já viu Prozi em ação. E, assim como Zimbardo e o prisioneiro 8.612, foram as imagens de Fred Prozi que fizeram a mensagem de Milgram alcançar o alvo.

Vemos um homem encorpado e de aparência simpática, de cerca de 50 anos de idade e que, com evidente relutância, faz o que lhe é pedido. "Mas ele pode morrer!", grita, com aflição, e aperta o botão novamente.[10] Assistindo ao desenrolar do drama, o espectador se deixa envolver – ao mesmo tempo horrorizado e fascinado – para ver até onde Prozi vai.

São cenas sensacionalistas, e Milgram sabia disso. "Brilhante", comentou sobre o desempenho de Prozi. Ficou emocionado com a "completa abdicação e a excelente tensão" e resolveu elencar aquele personagem como ator principal.[11] Se você estiver pensando que Milgram parece mais um diretor de cinema que um cientista, não está muito enganado, pois foi como diretor que ele de fato brilhou.

Qualquer um que saísse de seu roteiro sofria intensa pressão. O homem com o avental cinza – um professor de Biologia chamado John Williams, que havia sido contratado por Milgram – chegava a fazer oito ou nove tentativas para forçar os participantes a continuar apertando o botão dos choques mais fortes. Uma mulher de 46 anos chegou a desligar a máquina de choque. Williams religou o equipamento e exigiu que ela continuasse.[12]

"A obediência servil à autoridade", escreve Gina Perry, "parece mais resultado de *bullying* e coerção quando se ouvem essas gravações".[13]

A questão-chave é se os participantes acreditavam mesmo que estavam aplicando choques. Pouco depois do experimento, Milgram escreveu que, "com poucas exceções, os participantes estavam convencidos da realidade da situação experimental".[14] No entanto, seus arquivos estão cheios de comentários de participantes expressando dúvidas. Talvez isso não surpreenda quando se considera quão bizarra a situação pode ter parecido. Será que alguém imagina que as pessoas acreditavam na tortura e na morte sob o olhar atento de cientistas de uma instituição de prestígio como Yale?

Quando o estudo acabou, Milgram enviou um questionário aos participantes. Uma das perguntas era: quão crível você achou a situação? Só dez anos depois ele publicou as respostas, no último capítulo de seu livro sobre os experimentos. Revelou-se que apenas 56% dos participantes acreditaram infligir dor aos aprendizes. Além disso, uma análise inédita de um dos assistentes de Milgram mostra que a maioria das pessoas desistia quando deixava de acreditar que os choques eram verdadeiros.[15]

Assim, se metade dos participantes achava que a situação era falsa, como fica a pesquisa? Publicamente, Milgram definiu suas descobertas como reveladoras de "verdades profundas e perturbadoras da natureza humana". Em particular, ele tinha dúvidas. "Se todo esse sensacionalismo indica uma ciência ou meramente um teatro eficaz é uma questão em aberto", escreveu em seu diário, em junho de 1962. "Sinto-me inclinado à segunda intepretação."[16]

Quando publicou seus resultados, em 1963, o experimento dos choques foram abominados. "Tortura explícita", "vileza" e "alinhado aos experimentos dos nazistas com humanos" foram algumas das maneiras como a imprensa caracterizou o que ele havia feito.[17] O barulho resultou em novas diretrizes éticas para pesquisas experimentais.

Além disso, nesse meio-tempo Milgram guardou outro segredo. Ele optou por não informar aos cerca de 600 participantes que os choques da experiência não eram reais. Teve medo de que a verdade vazasse e ele não conseguisse mais encontrar voluntários. E, assim, centenas de pessoas continuaram achando que tinham eletrocutado outro ser humano.

"Li os anúncios fúnebres no *New Haven Register* durante pelo menos duas semanas depois do experimento para ver se tinha contribuído para a morte de um dos chamados aprendizes", disse um deles.[18]

3

Na primeira versão deste capítulo, parei aqui. Havia concluído que, assim como a encenação sádica de Philip Zimbardo, a pesquisa de Milgram fora uma farsa.

No entanto, meses seguintes depois de encontrar Gina Perry, uma dúvida persistente me atormentava. Será que eu estava ansioso demais por jogar a máquina de choque de Milgram no lixo? Relembrei a pesquisa de Milgram com os quarenta colegas, sobre quantos participantes seguiriam até os 450 volts. Todos previram que somente pessoas genuinamente loucas ou perturbadas apertariam aquele último botão.

Uma coisa é certa: aqueles especialistas estavam enganados. Mesmo levando em conta o ponto de vista parcial de Milgram, seu assistente intimidador e o ceticismo dos voluntários, ainda assim muita gente cedeu. Muitas pessoas comuns acreditavam que os choques eram reais e, *mesmo assim*, continuaram a apertar o botão. Independentemente da avaliação, os resultados de Milgram eram inquietantes.

E não só os resultados de Milgram. Psicólogos do mundo todo replicaram seu experimento de choques em diversas oportunidades, com pequenas alterações (como uma duração mais curta) para satisfazer as exigências éticas da diretoria das universidades. Por mais que haja críticas a esses estudos, o fator inquietante é que, em todas as vezes, o resultado foi o mesmo.

A pesquisa de Milgram parece irrefutável. Como um zumbi que se recusa a morrer, "as pessoas tentaram derrubar o resultado da pesquisa, mas ele se mantém", disse um psicólogo norte-americano.[19] Isso evidencia que seres humanos normais são capazes de crueldades terríveis com seus semelhantes.

Por quê? Por que o *Homo cachorrinho* aperta o botão dos 450 volts, se nós somos programados para ser bons? Essa é a pergunta a que eu precisava responder.

A primeira coisa que considerei foi se os experimentos sobre obediência de Milgram realmente avaliavam a obediência. Examinemos o roteiro fornecido a Williams, auxiliar de avental cinza que dava aos participantes relutantes quatro "empurrões":

Primeiro: "Por favor, continue".
Segundo: "Os experimentos exigem que você continue".
Terceiro: "É essencial que você continue".
Quarto e último: "Você não tem escolha, deve continuar".

Os psicólogos já ressaltaram que somente esta última frase é uma ordem. Quando se ouvem as fitas, fica claro que, assim que Williams fala essas palavras, todos param. O efeito é o de *desobediência* instantânea. Essa foi a verdade em 1961 – e continuou sendo assim sempre que o experimento foi replicado.[20]

Meticulosas análises de centenas de sessões com a máquina de choque de Milgram revelaram que, quanto mais prepotente se mostrava o homem de avental cinza, *mais desobedientes* os participantes se tornavam. Em outras palavras: o *Homo cachorrinho* não segue irracionalmente ordens de autoridades. Temos aversão a comportamentos mandões.

Então, como Milgram conseguiu que os participantes continuassem apertando o botão? Alex Haslam e Steve Reicher, psicólogos por trás do estudo da prisão da BBC (ver capítulo 7), levantaram uma teoria intrigante. Em vez de se submeter ao pesquisador de avental cinza, os participantes se aliavam a ele. Por quê? Porque confiavam nele.

Haslam e Reicher notaram que a maioria dos voluntários queria se sentir útil. Queria ajudar o sr. Williams em seu estudo. Isso explicaria por que o percentual de boa vontade caiu quando Milgram conduziu o experimento num escritório comum, não nas suntuosas instalações de Yale. Isso também poderia explicar por que os "empurrões" evocando um objetivo científico eram mais eficazes[21] e por que os participantes não se comportaram como robôs irracionais, por que foram assolados por dúvidas.

Por um lado, os professores se identificaram com o homem de avental, que continuava repetindo que a coisa toda se dava pelo bem da ciência. Por outro, eles não conseguiam ignorar o sofrimento da pessoa na sala ao lado. Os participantes gritaram várias vezes "eu não aguento mais" e "quero desistir", mas continuaram apertando o botão.

Um homem chegou a dizer que tinha persistido por causa da filha, uma menina de 6 anos com paralisia cerebral. Ele tinha esperança de que a medicina um dia descobrisse uma cura para o caso dela: "Só posso dizer que eu estava... Olha, estou disposto a fazer qualquer coisa que... que ajude a humanidade, vamos dizer assim".[22]

Quando Milgram depois explicou aos participantes que a contribuição deles beneficiaria a ciência, muitos expressaram alívio. "Fico contente por ter ajudado", era uma resposta típica. "Continue seus experimentos, desde que se possa extrair algum bem deles. Nesse nosso mundo maluco e confuso, qualquer pequena contribuição vale a pena."[23]

Quando o psicólogo Don Mixon repetiu o experimento nos anos 1970, ele chegou à mesma conclusão. Mais tarde observou: "De fato, as pessoas passam por muitas dificuldades, sofrem grandes aflições para serem boas. Podem até se tornar vítimas de suas tentativas de fazer o bem...".[24]

Em outras palavras, se pessoas boas forem forçadas, empurradas e cutucadas, seduzidas e manipuladas, muitas serão de fato capazes de fazer o mal. O caminho do inferno é pavimentado de boas intenções. O mal, porém, não vive logo abaixo da superfície, é preciso um esforço imenso para aflorá-lo. E, mais importante, o mal precisa ser disfarçado de bem.

Ironicamente, as boas intenções também tiveram papel essencial no experimento da prisão de Stanford (ver capítulo 7). O estudante Dave Eshelman, que atuou como guarda e questionou se teria ido tão longe se não tivesse sido explicitamente instruído, se definia como "cientista de coração".[25] Mais tarde, disse que achava ter feito algo positivo, "pois de alguma forma tinha contribuído para entender a natureza humana".[26]

Isso também era verdade para David Jaffe, assistente de Zimbardo que concebeu a ideia original do estudo da prisão. Jaffe estimulou os bem-intencionados guardas a assumir uma atitude mais dura quando destacou as nobres intenções do estudo. "O objetivo aqui", disse a um guarda hesitante, "é [...] apresentar os resultados ao mundo e dizer: 'Vejam só, é isso que acontece quando guardas se comportam dessa maneira'. Mas para dizer isso precisamos ter guardas que se comportem dessa maneira".[27]

Em última análise, David Jaffe e Philip Zimbardo queriam que seu trabalho provocasse uma reestruturação do sistema prisional. "A esperança é que o resultado desse estudo sirva de estímulo para uma reforma", expôs Jaffe ao guarda. "Esse é o objetivo. Não estamos fazendo isso por sermos sádicos."[28]

4

Isso nos leva de volta a Adolf Eichmann. No dia 11 de abril de 1961, teve início o julgamento do oficial nazista por crimes de guerra. Durante as catorze semanas seguintes, centenas de testemunhas prestaram depoimentos, e a promotoria fez o melhor que pôde para mostrar o monstro que era Eichmann.

No entanto, aquilo era mais que um caso de tribunal. Era sobre uma grande lição de história, um espetáculo de mídia com o qual milhões se sintonizaram. Entre eles Stanley Milgram, definido por sua esposa como "viciado em notícias" e que acompanhou de perto o progresso do julgamento.[29]

Enquanto isso, Hannah Arendt ocupava um lugar no tribunal. "O problema com Eichmann", ela escreveu depois, "era exatamente que havia muitos como ele e que esses muitos não eram nem perversos nem sádicos, eles eram, e ainda são, terrível e assustadoramente normais."[30] Nos anos que se seguiram, Eichmann assumiria o papel de "assassino de gabinete" pusilânime, pois a banalidade do mal está em cada um de nós.

Só recentemente os historiadores têm chegado a conclusões diversas. Quando o serviço secreto israelense capturou Eichmann, em 1960, ele estava escondido na Argentina, onde foi entrevistado, durante meses, pelo ex-oficial holandês da SS Willem Sassen. Este, por sua vez, esperava fazer Eichmann admitir que o Holocausto era uma mentira arquitetada para desacreditar o regime nazista. Mas ficou desapontado.

"Eu não tenho remorso!", assegurou Eichmann.[31] Ou, como havia declarado em 1945: "Vou para a cova dando risada, pois meu sentimento por ter 5 milhões de seres humanos na consciência é para mim uma extraordinária fonte de satisfação".[32]

Ao ler as 1.300 páginas de entrevistas, repletas de ideias e fantasias distorcidas, fica óbvio que Eichmann não era um burocrata pusilânime. Era um fanático. Não agia por indiferença, mas por convicção. Assim como os sujeitos da experiência de Milgram, ele fazia o mal por acreditar que estava fazendo o bem.

Embora as transcrições das entrevistas de Sassen estivessem disponíveis na ocasião do julgamento, Eichmann conseguiu lançar dúvidas sobre sua autenticidade. E foi assim que ele passou uma falsa impressão para o mundo inteiro. Durante aquele período, as fitas das entrevistas estavam mofando no Bundesarchiv [Arquivo Federal] em Koblenz, onde a filósofa Bettina Stangneth localizou-as cinquenta anos depois. O que ela ouviu confirmou a veracidade de tudo que havia nas transcrições de Sassen.

"Nunca fiz qualquer coisa, grande ou pequena, sem receber instruções expressas de Adolf Hitler ou de um de meus superiores", declarou Eichmann no julgamento. Era uma mentira descarada. E essa mentira seria repetida por incontáveis nazistas que declararam "apenas ter cumprido ordens".

As ordens transmitidas dentro da máquina burocrática do Terceiro Reich tendiam a ser vagas, como os historiadores desde então perceberam. Raramente eram emitidos comandos oficiais, por isso os adeptos de Hitler tinham de contar com a própria criatividade. Mais que simplesmente obedecer, o historiador Ian Kershaw explica que eles "trabalhavam para um líder", tentando agir de acordo com o espírito do Führer.[33] Isso inspirou uma cultura competitiva, na qual nazistas cada vez mais radicais divisavam medidas cada vez mais radicais para cair nas boas graças de Hitler.

Em outras palavras, o Holocausto não foi trabalho de humanos que subitamente se transformaram em robôs, assim como os voluntários de Milgram não apertavam o botão sem parar para pensar. Os autores acreditavam que estavam do lado certo da história. Auschwitz foi o ápice de um processo histórico longo e complexo em que a voltagem foi aumentando passo a passo e em que o mal se passou por bem. A máquina de propaganda nazista – com poetas e escritores, filósofos e políticos – teve anos para fazer seu trabalho, entorpecendo e envenenando a mente do povo alemão. O *Homo cachorrinho* foi enganado e doutrinado, manipulado num processo de lavagem cerebral.

Só assim o inconcebível pôde acontecer.

Será que Hannah Arendt estava enganada quando escreveu que Eichmann não era um monstro? Teria se deixado convencer por sua atuação no banco dos réus?

Essa é a opinião de muitos historiadores, que citam seu livro como um caso de "grande ideia, mau exemplo".[34] Alguns filósofos, porém, discordam, argumentando que tais historiadores não entenderam o pensamento de Hannah. Pois na verdade ela estudou trechos das entrevistas de Sassen durante o julgamento; em momento nenhum escreveu que Eichmann simplesmente obedecia a ordens.

Mais ainda, Hannah era uma crítica declarada dos experimentos de obediência de Milgram. Por mais que o jovem psicólogo admirasse a filósofa, o sentimento não era recíproco. Hannah acusou Milgram de "uma ingênua convicção de que a tentação e a coerção são a mesma coisa".[35] E, ao contrário de Milgram, ela não acreditava que havia um nazista escondido em cada um de nós.

Mas *por que* Milgram e Hannah entraram juntos para a história? Alguns especialistas em Hannah Arendt acreditam que foi por ela ter sido mal interpretada. Era um dos poucos nomes da filosofia que falavam em aforismos, usando uma fraseologia enigmática que poderia ser facilmente mal-entendida. Ela não disse que Eichmann era um assassino de gabinete robótico, mas sim, como destaca Roger Berkowitz, especialista em Arendt, que Eichmann era incapaz de pensar a partir da perspectiva de outra pessoa.[36]

Fato é que Hannah Arendt era uma das raras mentes filósofas que acreditavam que, no fundo, a maioria das pessoas é decente.[37] Argumentava que nossa necessidade de amor e amizade é mais humana que qualquer propensão ao ódio e à violência. E que, quando escolhemos o caminho do mal, nós nos sentimos compelidos a nos esconder atrás de mentiras e clichês que nos confiram uma aparência de virtude.

Eichmann foi um grande exemplo. Ele se convenceu de que havia realizado um grande feito, algo histórico pelo qual seria admirado por futuras gerações. Isso não fazia dele um monstro nem um robô. Fazia dele um adesista. Muitos anos depois, psicólogos chegariam às mesmas conclusões sobre a pesquisa de Milgram: os experimentos de choques não eram sobre obediência. Eram sobre conformismo.

É impressionante quanto Hannah Arendt estava à frente de seu tempo ao fazer a mesma observação.

Infelizmente, as deduções simplistas de Stanley Milgram (de que os humanos se submetem ao mal sem pensar) deixaram uma impressão mais duradoura que a filosofia mais nuançada de Hannah Arendt (que os humanos são tentados pelo mal mascarado de bem). Isso indica o talento cinematográfico de Milgram, sua queda pelo dramático e sua perspicácia sobre o que funciona na televisão.

Acima de tudo, acho que o que proporcionou fama a Milgram foi o fato de ter fornecido evidências que apoiam uma crença das mais antigas. "Os experimentos forneceram uma base sólida para a profecia autorrealizável mais antiga e momentosa da história – a de que nascemos pecadores", escreve o psicólogo Don Mixon. "A maioria das pessoas, até mesmo ateístas, acredita que é bom sermos lembrados de nossa natureza pecadora."[38]

O que nos faz tão dispostos a acreditar em nossa corrupção? Por que a teoria do verniz continua retornando? Meu palpite é de que tem muito a ver com conveniência. De um jeito estranho, acreditar na natureza pecadora é reconfortante. Propicia uma espécie de absolvição. Afinal, se a maioria das pessoas é má, o engajamento e a resistência não valem o esforço.

Acreditar na natureza pecadora da humanidade também oferece uma explicação conveniente para a existência do mal. Quando confrontado pelo ódio ou pelo egoísmo, você pode dizer a si mesmo: "Ah, bem, faz parte da natureza humana". No entanto, ao acreditar que as pessoas são essencialmente boas, terá de questionar por que o mal existe. Implica que o engajamento e a resistência valem a pena e impõem a obrigação de agir.

Em 2015, o psicólogo Matthew Hollander revisou as entrevistas gravadas de 117 sessões de Milgram com a máquina de choque.[39] Depois de extensa análise, ele descobriu um padrão. Os participantes que conseguiram parar o experimento usaram três táticas:

1. Falar com a vítima.
2. Lembrar o homem de avental cinza de sua responsabilidade.
3. Recusar-se repetidamente a continuar.

Comunicação e confronto, compaixão e resistência. Hollander descobriu que praticamente todos os participantes usaram essas táticas – afinal, quase todos queriam parar. A boa notícia é que essas qualidades podem ser adquiridas. Resistência só requer prática. "O que diferencia os heróis de Milgram", observa Hollander, "é principalmente uma competência que se pode conseguir ao resistir a uma autoridade questionável."[40]

Se você acha que a resistência está fadada ao fracasso, vou contar uma última história sobre esse tema. Dinamarca, durante a Segunda Guerra Mundial. É uma narrativa sobre gente comum que demonstrou uma coragem extraordinária. E mostra que resistir sempre vale a pena, mesmo quando tudo parece perdido.

5

A data é 28 de setembro de 1943.

No edifício da Assembleia dos Trabalhadores, na Romersgade, número 24, em Copenhague, os líderes do Partido Democrático Social estão reunidos. Um visitante de uniforme nazista está à frente. Todos o encaram, chocados.

"O desastre está próximo", o homem diz. "Está tudo planejado. Navios vão ancorar no porto de Copenhague. Os infelizes judeus conterrâneos que forem presos pela Gestapo serão levados à força e transportados para um destino desconhecido."[41]

O porta-voz está trêmulo e pálido. Seu nome é Georg Ferdinand Duckwitz. Ele passará para a história como "nazista convertido", e seu anúncio vai operar um milagre.

A incursão foi marcada para sexta-feira, 1º de outubro de 1943, seguindo um detalhado planejamento elaborado pela SS. Exatamente às 20h, centenas de soldados alemães começariam a bater nas portas das casas de todo o país para prender judeus dinamarqueses. Todos embarcariam num navio equipado para transportar 6 mil prisioneiros.

A fim de estabelecer uma comparação com os experimentos de choque: a Dinamarca não passou de 15 volts para 30 nem de 30 para 45. Os dinamarqueses receberam ordens de aplicar de imediato o choque mais alto, de 450 volts. Até aquele momento, não havia leis discriminatórias, nenhuma obrigatoriedade de usar símbolo amarelo, nenhum confisco de propriedades de judeus. Os judeus dinamarqueses seriam deportados para campos de concentração na Polônia antes de saberem o que os atingira.

Pelo menos, esse era o plano.

Na fatídica noite, dezenas de milhares de dinamarqueses comuns – barbeiros e *bartenders*, pedreiros e homens de negócio – se recusaram a apertar aquele último botão da máquina de choque. Naquela noite, os alemães descobriram que os judeus haviam sido alertados sobre a incursão e que a maioria já tinha fugido. Aliás, graças a esse alerta, quase 99% dos judeus dinamarqueses sobreviveram à guerra.

Como podemos explicar o milagre da Dinamarca? O que fez esse país se tornar um raio de luz em um mar de escuridão?

Depois da guerra, historiadores sugeriram inúmeras respostas. Um fator importante foi que os nazistas não tinham tomado totalmente o poder na Dinamarca, preferindo preservar a impressão de que os dois governos trabalhavam em parceria e em harmonia. Como consequência, a resistência contra os alemães não era tão arriscada quanto em outros países, como na Holanda ocupada.

Em última análise, uma explicação se destaca. "A resposta é inegável", escreve o historiador Bo Lidegaard. "Os judeus dinamarqueses foram protegidos pelo sólido engajamento de seus compatriotas."[42]

Quando a notícia da incursão se espalhou, a resistência surgiu em todas as partes. De igrejas, universidades e comunidade de negócios, da família real, da ordem dos advogados e do Conselho Nacional das Mulheres Dinamarquesas – todos expressaram objeções. Quase de imediato, organizou-se uma rede de rotas de fuga, sem planejamento central nem qualquer tentativa do coordenar o esforço de centenas de indivíduos. Simplesmente não havia tempo para isso. Milhares de dinamarqueses, ricos e pobres, jovens e idosos, entenderam que era momento de agir, que olhar para o outro lado seria uma traição ao país.

"Mesmo sendo dos próprios judeus, o pedido não foi recusado", observou Leni Yahil.[43] Escolas e hospitais abriram as portas. Pequenas aldeias pesqueiras acolheram centenas de refugiados. A polícia dinamarquesa também ajudou no que pôde, recusando-se a colaborar com os nazistas. "Nós, dinamarqueses, não transigimos com a Constituição", trovejou o *Dansk Maanedspost*, jornal da resistência, "e menos ainda na questão da igualdade de nossos cidadãos".[44]

Enquanto a poderosa Alemanha era dopada por anos de propaganda racista, a modesta Dinamarca se escorava no espírito humanista. Os líderes dinamarqueses sempre insistiram na inviolabilidade do Estado de direito democrático. Ninguém que insuflasse a discórdia entre o povo merecia ser chamado de dinamarquês. Não poderia haver a "questão judaica". Todos eram conterrâneos.

Em poucos dias, mais de 7 mil judeus dinamarqueses entraram em pequenos barcos pesqueiros e fugiram pelo fiorde que separa a Dinamarca da Suécia. Esse resgate foi um pequeno e radiante ponto de luz em tempos de profunda escuridão. Foi um triunfo da humanidade e da coragem. "A exceção da Dinamarca mostra que a mobilização do humanismo da sociedade civil [...] não é apenas uma possibilidade teórica", escreve Lidegaard. "É algo que pode ser feito. Sabemos disso porque aconteceu."[45]

A resistência nacional acabou sendo tão contagiante que até mesmo os mais leais seguidores de Hitler na Dinamarca começaram a ter dúvidas. Tornou-se cada vez mais difícil agirem como se apoiassem uma causa justa. "Até mesmo a injustiça precisa ter alguma semelhança com a lei", observa Lidegaard. "É difícil isso acontecer quando toda a sociedade nega o direito do mais forte."[46]

Só na Bulgária e na Itália os nazistas encontraram resistência comparável, e lá o custo em vidas de judeus também foi baixo. Os historiadores enfatizam que a escala das deportações em regiões ocupadas dependeu da extensão do colaboracionismo de cada país.[47] Como Adolf Eichmann diria anos depois a Willem Sassen, na Dinamarca os alemães tiveram mais dificuldades que em qualquer outro lugar. "O resultado foi pífio [...]. Eu tive de chamar meus transportes de volta [...]. Para mim foi uma grande desgraça."[48]

É preciso deixar claro que os alemães acantonados na Dinamarca não eram moles, como o nazista de mais alta patente no país, Werner Best, mais conhecido como "açougueiro de Paris", atestou. Duckwitz, o nazista convertido de Copenhague, foi um antissemita raivoso durante os anos 1930. Com o passar dos anos, porém, até ele foi contagiado pelo espírito humanista nacional.

Em seu livro *Eichmann em Jerusalém*, Hannah Arendt faz uma observação fascinante sobre o resgate dos judeus na Dinamarca. "É o único caso que conhecemos de nazistas encontrarem resistência nativa ostensiva, e o resultado parece mostrar que os que vivenciaram aquilo mudaram de ideia", escreveu. "A impressão é de que eles mesmos deixaram de ver o extermínio de todo um povo como questão corriqueira. Encontraram uma resistência baseada em princípios, e sua 'tenacidade' derreteu como manteiga exposta ao sol..."[49]

9
A MORTE DE CATHERINE SUSAN GENOVESE

1

Existe mais uma história dos anos 1960 que precisa ser contada. Mais uma história que expõe uma dolorosa verdade sobre a natureza humana. Desta vez, não é sobre o que fazemos, mas sobre o que deixamos de fazer. É também uma narrativa que reflete o que tantos alemães, holandeses, franceses, austríacos e outros povos europeus alegariam depois de milhões de judeus terem sido presos, deportados e assassinados na Segunda Guerra Mundial.

Wir haben es nicht gewußt. "Nós não sabíamos de nada."

Dia 13 de março de 1964, 3h15 da madrugada. Catherine Susan Genovese passa com seu Fiat vermelho por um sinal pouco visível de "PROIBIDO ESTACIONAR" e encosta na porta da estação de metrô da Austin Street.

Kitty, como todos a conhecem, é um turbilhão de energia. Com 28 anos de idade, adora dançar e tem mais amigos que tempo livre. Kitty gosta muito da cidade de Nova York, e a cidade a adora. É um lugar onde pode ser ela mesma, onde pode ser livre.

Naquela noite faz frio, e Kitty está com pressa de chegar em casa, onde mora com a namorada. É a comemoração de um ano da união das duas, e tudo o que Kitty deseja é se aninhar com Mary Ann. Desliga rapidamente as luzes, tranca as portas do carro e se dirige ao pequeno apartamento onde moram, a uns 30 metros de distância.

O que Kitty não sabe é que aqueles seriam os momentos finais de sua vida.

"Ah, meu Deus, ele me esfaqueou! Socorro!"

São 3h19 da manhã. Os gritos dilaceram a noite, tão altos acordam a vizinhança. Luzes se acendem em vários apartamentos. Janelas se abrem, e vozes murmuram. Uma delas fala: "Deixa a garota em paz".

No entanto, o agressor retorna. E esfaqueia Kitty pela segunda vez. Cambaleando na esquina, ela grita: "Eu estou morrendo! Eu estou morrendo!".

Ninguém sai à rua. Ninguém move um dedo para ajudar. Dezenas de vizinhos ficam olhando pelas janelas, como se assistissem a um *reality show*. Um casal puxa duas cadeiras e diminui a luz para enxergar melhor.

Quando o agressor volta pela terceira vez, ela está caída ao pé de uma escada, já dentro do prédio onde mora. Lá em cima, Mary Ann dorme, sem saber de nada.

O agressor de Kitty a esfaqueia mais vezes.

São 3h50 quando a delegacia de polícia recebe o primeiro telefonema. Quem ligou foi um vizinho, que passou um longo tempo deliberando sobre o que fazer. Policiais chegam à cena em dois minutos, mas é tarde demais. "Eu não queria me envolver", quem ligou admite à polícia.[1]

Estas cinco palavras – "eu não queria me envolver" – reverberaram por todo canto.

De início, a morte de Kitty foi um dos 636 assassinatos cometidos em Nova York naquele ano.[2] Uma vida ceifada precocemente, um amor perdido, e a cidade segue. Duas semanas depois, a história chegou aos jornais, e com o tempo o assassinato de Kitty entrou em livros de história. Não por causa do assassino ou da vítima, mas em razão dos espectadores.

A tempestade da mídia começou em 27 de março de 1964, Sexta-feira Santa. "Trinta e sete pessoas viram o assassinato e não chamaram a polícia", dizia a primeira página do jornal *The New York Times*. O artigo abria com as seguintes palavras: "Por mais de meia hora, 38 respeitáveis cidadãos de Queens viram um assassino perseguir e esfaquear uma mulher em três sucessivos ataques em Kew Gardens". Kitty poderia estar viva, dizia a reportagem. E um detetive resumiu: "Um telefonema teria resolvido o assunto".[3]

Da Grã-Bretanha à Rússia, do Japão ao Irã, Kitty se tornou notícia. Lá estava a prova, publicou o jornal soviético *Izvestia*, da "selva moral" do capitalismo.[4] A sociedade americana tinha se tornado "tão doente quanto a que crucificou Jesus", pregou um ministro do Brooklyn, enquanto um colunista definiu seus conterrâneos como "povo insensível, covarde e imoral".[5]

Jornalistas, fotógrafos e equipes de TV invadiram Kew Gardens, onde Kitty morava. Ninguém acreditava quanto o bairro era acolhedor, agradável e respeitável. Como moradores de um lugar como aquele puderam demonstrar total e horrenda apatia?

Era o efeito entorpecente da televisão, afirmou um. Não, disse outro, era o feminismo que havia transformado os homens em fracotes.

Outros consideraram que caracterizava o anonimato da vida da cidade grande. Não seria reminiscência pós-Holocausto? Eles também tinham alegado ignorância: *Nós não sabíamos de nada*.

No entanto, a análise mais amplamente aceita foi produzida por Abe Rosenthal, editor metropolitano do jornal *The New York Times* e um dos expoentes do jornalismo de sua geração. "O que aconteceu nos apartamentos e nas casas da Austin Street foi sintoma de uma terrível realidade da condição humana", escreveu.[6]

Em última análise, todos estamos sozinhos.

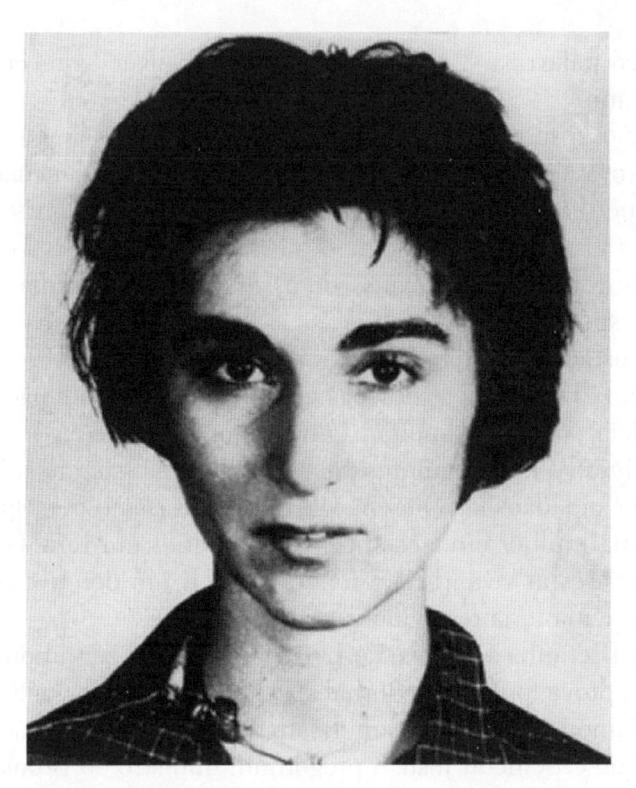

Esta é a foto mais famosa de Kitty Genovese. É um retrato tirado pela polícia em 1961, pouco depois de ela ter sido presa por contravenção (Kitty trabalhava num bar e recolhia apostas dos frequentadores em corridas de cavalo). Foi multada em 50 dólares. O retrato foi obtido pelo jornal The New York Times *e transmitido para o mundo inteiro. Fonte: Wikimedia.*

2

Eu ainda era estudante quando li pela primeira vez sobre Kitty Genovese. Como milhões de outros, devorei o livro de estreia do jornalista Malcolm Gladwell, *O ponto da virada*, e foi na página 27 que fiquei sabendo das 38 testemunhas oculares.[7]

A história me pegou, da mesma forma que as histórias sobre a máquina de choque de Milgram e da prisão de Zimbardo. "Ainda recebo cartas sobre isso", disse Rosenthal, anos mais tarde. "[As pessoas] são obcecadas por essa história. É como uma obra-prima – você continua olhando para ela, e coisas diferentes surgem."[8]

Aquela fatídica sexta-feira 13 tornou-se tema de músicas e peças teatrais. Episódios inteiros de *Seinfeld*, *Girls* e *Law and Order* foram dedicados ao tema. Em discurso proferido em 1994, em Kew Gardens, o presidente Bill Clinton relembrou a "assustadora mensagem" do assassinato de Kitty, e o secretário de Defesa dos Estados Unidos, Paul Wolfowitz, chegou a usar a história como justificativa indireta para a invasão do Iraque em 2003, ao sugerir que os norte-americanos que se opunham à guerra eram tão apáticos quanto aquelas 38 testemunhas.[9]

A moral dessa história me parece clara. Por que ninguém ajudou Kitty Genovese? Ora, porque as pessoas são insensíveis e indiferentes. Essa mensagem já ganhava força no período em que Kitty Genovese tornou-se um nome conhecido – na mesma época em que *Senhor das moscas* entrou para a lista dos livros mais vendidos, Adolf Eichmann foi julgado, Stanley Milgram provocou ondas de choque por todo o planeta e Philip Zimbardo fez carreira.

No entanto, quando comecei a ler e pesquisar sobre as circunstâncias que envolveram a morte de Kitty, acabei enveredando pela trilha de uma história totalmente diferente. De novo.

Bibb Latané e John Darley eram dois jovens psicólogos na época. Os dois estudavam como espectadores se comportam em situações de emergência e perceberam algo estranho. Não muito depois do assassinato de Kitty, fizeram um experimento. Seus sujeitos eram inocentes universitários, que foram instruídos a se reunir numa sala fechada e conversar sobre a vida na faculdade com alguns colegas por meio de um intercomunicador.

Só que não havia outros estudantes: os pesquisadores tocavam uma fita de áudio pré-gravada. "Eu realmente estou... hã... precisando de ajuda", gemia uma voz. "Então... se alguém... hã... me der uma a... a... ajuda alguém pode... hã... me ajudar... hum-hum-hum [sons arquejantes]... eu vou morrer..."[10]

O que aconteceu a seguir? Quando um participante achava que só ele tinha ouvido os pedidos de socorro, logo saía pelo corredor. Todos, sem exceção, correram para intervir. Por sua vez, dos que foram levados a acreditar que outros cinco estudantes estavam nas salas ao lado, somente 62% fizeram alguma coisa.[11] *Voilà*: o efeito espectador (ou difusão de responsabilidade).

As descobertas de Latané e Darley estariam entre as mais importantes contribuições da psicologia social. Durante os vinte anos seguintes, mais de mil artigos e livros foram publicados sobre como os espectador se comportam numa emergência.[12] Os resultados também explicaram a inação daquelas 38 testemunhas de Kew Gardens: Kitty Genovese foi morta não *apesar* de ter acordado toda a vizinhança com seus gritos, mas *justamente* por isso.

Isso foi exemplificado pelo que uma moradora de um dos prédios disse depois a um repórter. Quando o marido ia chamar a polícia, ela o impediu: "Eu disse que umas trinta pessoas já deviam ter telefonado".[13] Se tivesse acontecido em uma viela deserta, com apenas uma testemunha, Kitty talvez tivesse sobrevivido.

Tudo isso só aumentou a fama do episódio. A história passou a fazer parte dos dez melhores livros didáticos de Psicologia e continua a ser citada por jornalistas e comentaristas até hoje.[14] Tornou-se uma parábola moderna sobre o perigoso mito do anonimato na vida de uma cidade grande.

3

Durante anos, aceitei que o efeito espectador era um aspecto inevitável da vida numa metrópole. Mas então aconteceu, na cidade em que trabalho, uma coisa que me levou a reavaliar minhas suposições.

Dia 9 de fevereiro de 2016. Às 15h45, Sanne estaciona seu Alfa Romeo branco na Sloterkade, rua ao lado de um dos canais de Amsterdã.[15] Sai do carro e anda até o banco de passageiros para pegar seu filho pequeno quando, de repente, percebe que o carro continua em movimento. Sanne mal consegue retomar o volante, e já é tarde demais para frear. O carro cai no canal e começa a afundar.

A má notícia: dezenas de espectadores presenciaram a cena.

Sem dúvida um número maior de pessoas ouviu os gritos de Sanne. Assim como em Kew Gardens, outro agradável bairro de classe média alta, há apartamentos com vista para o local do acidente.

Então, acontece algo inesperado. "Foi como um reflexo", declarou depois Ruben Abrahams, proprietário de uma agência imobiliária na esquina, a um repórter da TV local. "Carro na água? Isso não pode ser bom."[16] Ele corre para pegar um martelo na caixa de ferramentas do escritório e, sem hesitar, pula nas águas gélidas do canal.

Tipo alto, atlético, com barba rala e grisalha, Ruben encontrou-se comigo num dia frio de janeiro para me mostrar onde tudo havia acontecido. "Foi uma dessas coincidências bizarras, quando tudo conflui numa fração de segundo."

Quando Ruben pula no canal, Rienk Kentie – outro espectador – já está nadando na direção do automóvel afundando, e Reinier Bosch – mais outro espectador – também está na água. No último instante, uma mulher deu um tijolo a Reinier – algo que momentos depois provaria ser crucial. Wietse Mol – o espectador número quatro – pega um martelo de emergência do próprio carro e é o último a mergulhar.

"Começamos a bater nas janelas", relembra Ruben.[17] Reinier tenta quebrar uma das janelas laterais, mas não consegue. Enquanto isso, o carro afunda de bico. Reinier bate mais forte com o tijolo na janela traseira. Finalmente o vidro quebra.

Depois disso, tudo acontece muito depressa. "A mãe passou o filho para mim pelo vidro de trás", continua Ruben. Por um instante a criança fica entalada, mas alguns segundos depois Ruben e Reinier conseguem libertá-la. Reinier nada com a criança até a margem. Com a mãe ainda dentro, o carro está a poucos centímetros de afundar. No último momento, Ruben, Rienk e Wietse ajudam-na a sair. Menos de dois segundos depois, o carro desaparece nas águas escuras do canal.

A essa altura, uma multidão de espectadores se reuniu nas margens. As pessoas ajudam a tirar a mãe, a criança e os quatro homens da água e os enrolam em toalhas.

Toda a operação de resgate durou menos de dois minutos. Nesse tempo, os quatro homens – que não se conheciam – não trocaram palavra. Se qualquer um deles tivesse hesitado, mesmo que por uma fração de segundo, teria sido tarde demais. Se os quatro não tivessem pulado na água, o resgate poderia ter fracassado. Se aquela desconhecida não tivesse dado o tijolo a Reinier na última hora, ele não teria conseguido quebrar o vidro traseiro para resgatar a mãe e a criança.

Em outras palavras, Sanne e o filho sobreviveram não apesar do grande número de espectadores, mas *por causa* deles.

4

Bem, você poderia pensar, *uma história comovente, mas provavelmente é uma exceção à regra*. Ou talvez haja uma especificidade na cultura holandesa, nesse bairro de Amsterdã ou mesmo nesses quatro homens.

No entanto, apesar de o efeito espectador ainda ser ensinado em muitos livros didáticos, uma meta-análise publicada em 2011 lançou uma nova luz sobre o que fazem os espectadores em situações de emergência. Meta-análise é uma pesquisa sobre pesquisas, o que implica uma análise de um grande grupo de outros estudos. Essa meta-análise revisou os 105 estudos mais importantes sobre o efeito espectador dos últimos cinquenta anos, inclusive aquele primeiro experimento de Latané e Darley, com os universitários numa sala.[18]

Duas conclusões surgiram. Primeira: o efeito espectador existe. Às vezes pensamos que não precisamos intervir numa emergência porque faz mais sentido deixar outra pessoa cuidar disso. Às vezes temos medo de fazer a coisa errada e não intervimos por receio de sermos censurados. E às vezes simplesmente não sabemos que há alguma coisa errada, pois não vemos ninguém mais fazendo nada a respeito.

E a segunda conclusão? Se a emergência for uma vida em perigo (alguém se afogando ou sendo atacado) e se os espectador puderem se comunicar uns com os outros (se não estiverem em recintos separados), nesses casos haverá um efeito *inverso*. "Espectadores adicionais resultam em mais ajuda, não em menos", escrevem os autores do artigo.[19]

E não só isso. Alguns meses depois de ter entrevistado Ruben sobre seu desempenho no resgate, marquei com Marie Lindegaard, psicóloga dinamarquesa, numa cafeteria em Amsterdã. Ainda molhada de chuva, ela se senta, abre o *laptop*, põe uma pilha de papéis na minha frente e começa a falar.

Lindegaard foi pioneira em questionar por que nós elaboramos todos esses experimentos enrolados, questionários e entrevistas. Por que simplesmente não assistimos a gravações de situações reais? Afinal de contas, as cidades modernas são repletas de câmeras.

Grande ideia, responderam os colegas de Marie, mas você nunca vai conseguir ver essas imagens. Ao que ela replicou: veremos. Atualmente, Marie tem um banco de dados com mais de mil vídeos de Copenhague, da Cidade do Cabo, de Londres e de Amsterdã. São brigas, estupros e tentativas de homicídio, e suas descobertas deram início a uma pequena revolução nas ciências sociais.

Ela empurra o *laptop* em minha direção. "Veja, amanhã vamos submeter esse artigo a um prestigiado periódico de psicologia."[20]

Li o título: "Quase tudo que você acha que sabe sobre o efeito espectador está errado".

Lindegaard rola a tela e aponta para uma tabela. "Olha, em 90% dos casos as pessoas ajudam umas às outras."

Noventa por cento.

5

Não é nenhum mistério que Ruben, Reinier, Rienk e Wierse tenham mergulhado nas águas geladas de um canal de Amsterdã naquela tarde de fevereiro. Foi uma resposta natural. A pergunta é: o que aconteceu no dia 13 de março de 1964, na noite em que Kitty Genovese foi assassinada? Quanto dessa conhecida história é verdade?

Uma das primeiras pessoas a questionar a apatia das testemunhas foi um morador recém-chegado a Kew Gardens, Joseph de May. O historiador amador mudou-se para lá dez anos depois da morte de Kitty e ficou intrigado pelo assassinato que conferiu a má fama ao bairro. De May resolveu pesquisar por conta própria. Começou consultando os arquivos, onde encontrou fotografias esmaecidas, jornais antigos e relatórios da polícia. Ao juntar tudo, delineou uma imagem do que realmente havia acontecido.

Vamos começar de novo. Vamos rever os acontecimentos de 13 de março de 1964, desta vez a partir da minuciosa investigação feita por De May e outros que, depois, seguiram seus passos.[21]

São 3h19 da manhã quando um grito horripilante rompe o silêncio na Austin Street. Faz frio, e a maioria dos moradores está com as janelas fechadas. A rua é mal iluminada. A maioria dos que olham para fora não vê nada anormal. Alguns divisam a silhueta de uma mulher cambaleando na rua e supõem que esteja bêbada. Não seria incomum, uma vez que há um bar na mesma rua.

Ainda assim, pelo menos dois moradores pegam o telefone e chamam a polícia. Um deles é o pai de Michael Hoffmann, que depois entraria para a corporação, e o outro é Hattie Grund, que mora num apartamento próximo. "Eles disseram que já haviam sido avisados'", ela repete, anos depois.[22]

Mas a polícia não chega.

A polícia não chega? Por que eles não saíram correndo da delegacia, com as sirenes ligadas?

Baseada naquelas primeiras ligações, a atendente deve ter imaginado se tratar de uma briga de marido e mulher. Agora já aposentado da polícia, Hofmann acredita que foi essa a razão de a polícia ter aparecido tão tarde à cena. Tenha em mente que era uma época em que as pessoas não davam muita atenção a um marido que batia na mulher; o estupro marital, aliás, nem sequer era considerado crime.

E quanto às 38 testemunhas?

Esse número notável, que acabou inspirando músicas e peças teatrais, superproduções cinematográficas e *best-sellers*, vem de uma lista de todas as pessoas interrogadas sobre caso por detetives da polícia. E a grande maioria *não era de testemunhas oculares*. No máximo tinham ouvido um barulho, algumas pessoas nem chegaram a acordar.

Houve duas claras exceções. Uma foi Joseph Fink, que morava num dos prédios próximos, homem esquisito e solitário, conhecido por odiar judeus (os garotos do bairro o chamavam de Adolf). Estava totalmente acordado quando tudo aconteceu, foi o primeiro a ver o ataque a Kitty e não fez nada.

A outra pessoa que abandonou Kitty à própria sorte foi Karl Ross, que era amigo dela e de Mary Ann. Ross testemunhou pessoalmente o segundo ataque na escada (na verdade, foram só dois ataques, não três), mas entrou em pânico e se afastou. Ross foi também quem disse à polícia que "não quis se envolver"; no entanto, o que ele quis dizer era que não queria publicidade. Naquela noite, ele estava bêbado e teve medo de que descobrissem que era gay.

Homossexualidade era ilegal na época, e Ross ficou apavorado com a polícia e com jornais como *The New York Times*, que estigmatizavam sua orientação sexual como uma doença perigosa.[23] Em 1964, homens gays ainda eram rotineiramente brutalizados pela polícia, e o jornal costumava retratar a homossexualidade como praga. (Abe Rosenthal, editor que tornou Kitty famosa, era notório homofóbico. Não muito antes do assassinato de Kitty, ele tinha publicado outro artigo: "AUMENTO DA HOMOSSEXUALIDADE OSTENSIVA PROVOCA GRANDE PREOCUPAÇÃO NA CIDADE".)[24]

Claro que nada disso serve como desculpa para a negligência de Karl Ross. Mesmo bêbado e assustado, ele deveria ter feito mais para ajudar suas amigas. No entanto, preferiu ligar para outro amigo, que imediatamente exigiu que ele chamasse a polícia. Ross, porém, não se atreveu a ligar do próprio apartamento – foi até a casa da vizinha, que acordou a mulher que morava ao lado.

Esta era Sophia Farrar. Quando soube que Kitty estava sangrando na escada, Sophia não hesitou um segundo. Saiu correndo, deixando o marido ainda vestindo a calça e pedindo que ela esperasse. Sophia talvez estivesse correndo direto para os braços do assassino, e nem isso a deteve. "Corri para ajudar. Pareceu o natural a fazer."[25]

Quando ela abriu a porta para a escadaria onde Kitty estava caída, o assassino já tinha fugido. Sophia abraçou a amiga, e Kitty relaxou por um momento, recostando-se nela. Foi aí, então, que Catherine Susan Genovese realmente morreu, envolvida pelo abraço da vizinha. "Teria feito grande diferença para minha família saber que Kitty morreu nos braços de uma amiga", disse Bill, irmão de Kitty, quando soube disso, anos depois.[26]

Por que Sophia foi esquecida? Por que ela não foi mencionada nos registros da ocorrência?

A verdade é bem desalentadora. Segundo o filho dela: "Minha mãe falou com uma mulher de um jornal na ocasião", mas, quando o artigo foi publicado, no dia seguinte, dizia que Sophia não queria se envolver. Sophia ficou furiosa quando leu a matéria e jurou nunca mais falar com jornalistas.

E ela não foi a única. Dezenas de moradores de Kew Gardens se queixaram de suas palavras terem sido distorcidas pela imprensa, e muitos acabaram se mudando do bairro. Enquanto isso, os jornalistas continuavam chegando. Em 11 de março de 1965, dois dias antes de a morte de Kitty completar um ano, um repórter achou uma boa ideia ir a Kew Gardens e gritar socorro no meio da noite. Fotógrafos ficaram a postos com suas câmeras, prontos para captar as reações.

A situação toda parece insana. No mesmo ano em que o ativismo começava a fervilhar em Nova York, que Martin Luther King ganhou o Prêmio Nobel da Paz, que milhões de norte-americanos se manifestavam pelas ruas e que o bairro de Queens contava com mais de duzentas organizações comunitárias, a impressa desenvolveu uma obsessão com o que foi alardeado como "epidemia de indiferença".

Danny Meenan, radialista, se mostrou cético com a história do desinteresse dos espectadores. Quando verificou os fatos, descobriu que a maioria das testemunhas oculares pensou ter visto uma mulher bêbada. Quando Meenan perguntou ao repórter do jornal *The New York Times* por que ele não tinha inserido aquela informação no artigo, sua resposta foi: "Teria prejudicado a matéria".[27]

E por que Meenan não divulgou essa informação? Autopreservação. Naquela época, nenhum jornalista pensaria em, sozinho, contradizer o jornal mais poderoso do mundo – a não ser que quisesse perder o emprego.

Alguns anos depois, quando outro repórter fez uma observação crítica, recebeu um telefonema furioso de Abe Rosenthal. "Você não percebe que essa história se tornou emblemática da situação dos Estados Unidos?", gritou o editor, do outro lado da linha. "É tema de cursos de Sociologia, de livros e artigos."[28]

É chocante como o episódio não se sustenta. Naquela noite fatídica, não foram os nova-iorquinos normais que erraram, e sim as autoridades. Kitty não morreu sozinha, mas nos braços de uma amiga. E, considerando tudo, a presença de espectadores tem o efeito oposto ao do que a ciência vem há muito insistindo. Nós não estamos sozinhos numa cidade grande, no metrô ou nas ruas movimentadas. Nós temos uns os outros.

E a história de Kitty não termina aqui. Houve uma reviravolta final.

Cinco dias depois da morte de Kitty, Raoul Cleary, morador de Queens, notou um estranho em sua rua. O homem estava saindo da casa de um vizinho carregando um aparelho de televisão, em plena luz do dia. Quando Raoul foi falar com ele, ouviu que trabalhava para um empresa de mudanças.

Raoul, porém, desconfiou e telefonou para um vizinho, Jack Brown.

"Os Bannister estão de mudança?", perguntou.

"De jeito nenhum", respondeu Brown.

Nenhum dos dois hesitou. Enquanto Jack sabotava o veículo do homem, Raoul chamou a polícia, que chegou e prendeu o assaltante no momento em que ele reapareceu. Poucas horas depois, o homem confessou não só o arrombamento, mas também o assassinato de uma jovem em Kew Gardens.[29]

Isso mesmo, o assassino de Kitty foi preso graças à intervenção de dois espectadores. E nenhum jornal publicou a notícia.

Essa é a verdadeira história de Kitty Genovese. Uma história que deveria ser leitura obrigatória não apenas de estudantes de Psicologia, mas também de aspirantes a jornalistas. Pois conta três coisas. A primeira é quão infundada é nossa visão da natureza humana. A segunda, a habilidade com que jornalistas mexem os pauzinhos para vender reportagens sensacionalistas. E, por último, mas não menos importante, como é justamente em casos de emergência que podemos contar com os outros.

Enquanto olhamos para o canal em Amsterdã, pergunto a Ruben Abrahams se ele se sente um herói. "Não", responde, dando de ombros, "na vida a gente tem que se ajudar".

PARTE 3

POR QUE PESSOAS BOAS SE TORNAM MÁS

"Tenho me esforçado para não rir das atitudes humanas, para não chorar por elas e para não as odiar, e sim as entender."
Baruch Spinoza (1632-1677)

Não muito tempo atrás, peguei um livro que escrevi em 2013, em holandês, minha língua nativa, *A história do progresso*. A releitura foi uma experiência desconfortante. Naquelas páginas, apresento a "pesquisa" da Prisão de Stanford de Philip Zimbardo sem nenhuma crítica, como prova de que pessoas boas podem se transformar espontaneamente em monstros. Com certeza, algo nessa observação tinha me parecido irresistível.

E não fui o único. Desde o fim da Segunda Guerra Mundial, surgiram incontáveis variações sobre a teoria do verniz, apoiadas por evidências que pareciam cada vez mais irrefutáveis. Stanley Milgram a demonstrou com sua máquina de choque. A mídia alardeou-a intensamente depois da morte de Kitty Genovese. E William Golding e Philip Zimbardo tornaram a teoria mundialmente famosa. A ideia era de que a maldade fervilhava logo abaixo da superfície de todos os seres humanos, como Thomas Hobbes havia argumentado trezentos anos antes.

Uma vez que os arquivos do caso do assassinato e dos experimentos tinham sido abertos, o que se constatou foi que estávamos entendendo tudo ao contrário. Os guardas da prisão de Zimbardo eram atores representando papéis. Os voluntários da máquina de choque de Milgram só queriam fazer a coisa certa. E Kitty morreu nos braços de uma vizinha.

Aparentemente, a maioria dessas pessoas queria ajudar. E, se houve falhas, foram daqueles no comando – dos cientistas e dos principais editores, dos governantes e dos chefes de polícia. Foram eles os Leviatãs que mentiram e manipularam. Em vez de blindarem os protagonistas e suas inclinações ostensivamente maldosas, essas autoridades fizeram o possível para jogar pessoas umas contra as outras.

Isso nos traz de volta à questão fundamental: por que os indivíduos cometem maldades? Por que o *Homo cachorrinho*, esse bípede amistoso, é a única espécie que constrói cadeias e câmaras de gás?

Nos capítulos anteriores, vimos que humanos podem ser tentados pelo mal disfarçado de bem. No entanto, essa descoberta imediatamente levanta outras perguntas: como o mal ganhou tal capacidade de nos enganar? Como conseguiu nos levar ao ponto de declararmos guerra uns aos outros?

Continuo pensando em uma observação feita por Brian Hare, nosso especialista em cachorrinhos do capítulo 3, que disse: "O mecanismo que faz de nós a espécie mais generosa também faz de nós a espécie mais cruel do planeta".

Durante a maior parte da história humana, como vimos, essa afirmação não se aplica. Nem sempre fomos tão cruéis. Durante dezenas de milhares de anos, vagamos pelo mundo como nômades e evitamos conflitos. Não nos envolvemos em guerras e não construímos campos de concentração.

Mas e se Hare estiver certo? E se sua observação se aplicar aos últimos 5% da história humana, desde a época em que começamos a viver em assentamentos permanentes? Não pode ser por acaso que a primeira evidência arqueológica de guerras aparece de repente, por volta de dez mil anos atrás, coincidindo com o desenvolvimento da agricultura e da propriedade privada. Será que nessa junção escolhemos um modo de vida para o qual nosso corpo e nossa mente não estavam equipados?

Psicólogos evolucionistas referem-se a isso como *incompatibilidade*, ou seja, uma falta de preparação física ou mental para os tempos modernos. O exemplo mais conhecido é a obesidade: enquanto caçadores-coletores, éramos magros e saudáveis; hoje, porém, há mais gente acima do peso no mundo que pessoas que passam fome. Alimentamo-nos regularmente de açúcares, gorduras e sais, ingerindo muito mais calorias que aquelas de que nosso corpo precisa.

Então, por que continuamos comendo tanto? Simples: nosso DNA acha que seguimos perambulando pela selva. Na pré-história, fazia sentido nos empanturrarmos todas as vezes que encontrávamos uma árvore carregada de frutas. Como isso não acontecia com tanta frequência, acumular uma camada extra de gordura corporal era basicamente uma estratégia de autopreservação.[1] Agora, num mundo repleto de comida barata e instantânea, acumular gordura parece mais um caso de autossabotagem.

Será que deveríamos considerar da mesma forma os capítulos mais sombrios da história humana? Seriam eles resultado de uma dramática incompatibilidade? E explicariam como o *Homo cachorrinho* se tornou capaz das mais hediondas crueldades nos tempos modernos? Nesse caso, deve haver algum aspecto da natureza humana que emperra em confronto com a vida no mundo "civilizado" moderno – uma tendência que não nos incomodou por milênios e que subitamente revelou consequências negativas.

Alguma coisa... mas o quê?

Essa será minha questão nos próximos capítulos. Vou apresentar um jovem americano determinado a entender por que os alemães lutaram tão incansavelmente até o fim da Segunda Guerra (capítulo 10). Vamos mergulhar em pesquisas psicológicas sobre o cinismo implicado pelo poder (capítulo 11). E depois abordaremos a questão final: que espécie de sociedade existe quando as pessoas reconhecem essa incompatibilidade e adotam um ponto de vista novo e realista sobre a humanidade?

10
COMO A EMPATIA CEGA

1

Morris Janowitz tinha 22 anos quando a Segunda Guerra Mundial começou. Um ano depois, uma convocação de recrutamento do Exército dos Estados Unidos foi entregue em sua casa. Finalmente. Era tudo o que Morris queria. Filho de refugiados judeus da Polônia, não via a hora de vestir uniforme e vencer os nazistas.[1]

Já havia algum tempo o jovem era fascinado por ciências sociais. E então, recém-formado na faculdade como primeiro da classe, ele poderia usar sua especialidade a serviço da causa. Morris não foi mandado para combater com fuzil e capacete, mas com papel e caneta. Foi designado para a Divisão de Guerra Psicológica em Londres.

No quartel-general da agência, perto de Covent Gardens, Morris juntou-se a dezenas de cientistas de destaque, muitos dos quais depois seguiriam ilustres carreiras em sociologia e em psicologia. No entanto, não era o momento de teorias abstratas. A ciência fora chamada à ação. Havia trabalho a ser feito, sem tempo a perder.

Enquanto os cientistas mais brilhantes construíam a primeira bomba atômica na cidade de Los Alamos, no sudoeste dos Estados Unidos, e os matemáticos mais inteligentes desvendavam o código Enigma dos alemães em Bletchley Park, no interior da Inglaterra, Morris e seus colegas se engalfinhavam com a tarefa mais difícil de todas: esclarecer o mistério da mente nazista.

No começo de 1944, havia um enigma que deixava os cientistas atônitos. Por que os alemães continuavam a lutar tanto? Por que não havia mais soldados depondo suas armas e reconhecendo a derrota?

Qualquer um que observasse os campos de batalha vislumbrava o resultado. Em número cada vez menor, os alemães estavam entre o avanço dos russos pelo leste e uma iminente invasão dos Aliados pelo oeste. *Será que os soldados não percebem quanto as probabilidades estavam contra eles?*, perguntavam-se os Aliados. Será que todos haviam passado por uma lavagem cerebral tão profunda? O que mais explicaria por que os alemães continuavam lutando até o último suspiro?

Desde o início da guerra, a maioria dos psicólogos acreditava que havia um fator preponderante na determinação do poder de luta de um exército: ideologia. Amor ao próprio país, por exemplo, ou fé na escolha feita. Os soldados mais inarredavelmente convencidos de estar do lado *certo* da história e de que sua visão de mundo era a *legítima* lutavam melhor – ou ao menos era o que se pensava.

A maioria dos especialistas concordava que os alemães estavam possuídos. Isso explicava a taxa de deserção entre os soldados, próxima a zero, e por que eles lutavam cada vez mais intensamente contra os americanos e os britânicos. Tão intensamente – os historiadores calcularam depois –, que, na média, um soldado da Wehrmacht infligia 50% mais baixas que suas contrapartes das Forças Aliadas.[2]

Os soldados alemães eram melhores em quase tudo. Tanto atacando como defendendo, com ou sem apoio aéreo, não fazia diferença. "A inescapável verdade", observou um historiador britânico, "é que a Wehrmacht de Hitler foi uma formidável força de combate na Segunda Guerra Mundial, uma das maiores da história."[3]

E os Aliados precisavam descobrir como abater o moral desse exército. Morris e sua equipe sabiam que tinham de pensar grande, muito grande. Sob recomendação da Divisão de Guerra Psicológica, dezenas de milhões de panfletos de propaganda foram lançados sobre o território inimigo, chegando a 90% das forças alemãs acantonadas na Normandia depois do Dia D. A mensagem que despejaram vezes e mais vezes sobre as tropas era de que a posição dos alemães se mostrava insustentável, a filosofia nazista era desprezível e a causa dos Aliados se justificava.

Estava funcionando? Morris Janowitz não fazia a mínima ideia. Do escritório, havia pouca chance de saber, por isso ele e seu colega pesquisador Edward Shils resolveram elaborar uma detalhada análise para avaliar o efeito da campanha dos panfletos. Poucos meses depois, Morris partiu para a Paris libertada a fim de entrevistar centenas de prisioneiros de guerra alemães. Foi durante essas conversas que ele começou a perceber.

Eles tinham entendido tudo errado.

Por várias semanas, Morris entrevistou diversos prisioneiros alemães. E ouvia sempre as mesmas respostas. Não, não era o apelo da ideologia nazista. Não, eles não tinham qualquer ilusão de que poderiam vencer. Não, eles não haviam sofrido lavagem cerebral. A verdadeira razão de o Exército alemão continuar em uma luta praticamente super-humana era muito mais simples: *Kameradschaft*. Amizade.

Todas aquelas centenas de padeiros e açougueiros, professores e alfaiates, todos aqueles alemães que resistiram ferrenhamente ao avanço das Forças Aliadas tinham pegado em armas. Quando se considerava o conjunto de fatores, eles não estavam lutando por um Reich de Mil Anos nem pelo *Blut und Boden* – "sangue e solo" –, mas por não querer abandonar seus companheiros.

"O nazismo começa 15 quilômetros atrás da linha de frente", ironizou um dos prisioneiros alemães, enquanto a amizade estava bem ali, em cada trincheira ou casamata.[4] Os comandantes militares estavam cientes disso e, como historiadores descobriram depois, tiravam vantagem desse fator.[5] Os generais nazistas esforçavam-se muito para manter os companheiros juntos, até mesmo recuando divisões inteiras pelo tempo necessário para novos recrutas fazerem amizades, e só depois mandavam todos de volta à batalha.

Não é fácil conceber a força dessa camaradagem na Wehrmacht. Afinal, por décadas fomos bombardeados por épicos de Hollywood sobre a coragem dos Aliados e a insanidade dos alemães. Que nossos rapazes sacrificavam a própria vida uns pelos outros? Lógico. Que se tornavam inseparáveis? Faz sentido. No entanto, imaginar a mesma coisa com as hordas alemãs? Ou, pior, que os alemães teriam forjado laços de amizade ainda mais fortes? E que o exército deles era melhor *por causa* dessas amizades?

Algumas verdades são quase dolorosas demais para se aceitar. Como podia ser que aqueles monstros fossem motivados pelo que é bom na humanidade – que também agissem inspirados pela coragem e pela lealdade, pela dedicação e a solidariedade?

Foi exatamente o que Morris Janowitz concluiu.

Quando os pesquisadores da Divisão de Guerra Psicológica somaram dois mais dois, entenderam por que sua campanha de propaganda não causou praticamente nenhum impacto. Ao escreverem sobre o efeito de milhões de panfletos lançados atrás das linhas inimigas, Janowitz e Shils perceberam que "muitos esforços foram dedicados a ataques ideológicos direcionados aos líderes alemães, mas apenas 5% dos prisioneiros mencionaram esse tópico [quando questionados]".[6]

Na realidade, a maioria dos alemães nem sequer lembrava que os panfletos criticavam o nacional-socialismo. Quando os pesquisadores perguntaram a um sargento alemão sobre suas opiniões políticas, o homem respondeu, dando risada: "Quando vocês fazem esse tipo de perguntas, vejo bem que não têm ideia do que motiva um soldado a lutar".[7]

Táticas, treinamento, ideologia – tudo isso é crucial para um exército, confirmaram Morris e colegas. No entanto, em última análise, um exército só é tão forte quanto os laços de companheirismo entre seus soldados. A arma que vence as guerras é a camaradagem.

Essas descobertas foram publicadas pouco depois da guerra – e seriam reiteradas por muitos estudos subsequentes. Contudo, o fator decisivo surgiu em 2001, quando historiadores descobriram 150 mil páginas de conversas ouvidas pelo Serviço Secreto dos Estados Unidos. Eram transcrições de falas de cerca de 4 mil alemães em escutas instaladas no campo de prisioneiros de guerra de Fort Hunt, na cidade de Washington. As conversas entre eles forneceram uma visão inédita da vida e dos pensamentos dos soldados comuns da Wehrmacht.

As transcrições mostraram que os alemães tinham um tremendo "*éthos* marcial" e davam grande valor a lealdade, camaradagem e sacrifício. Por sua vez, o sentimento antijudaico e a pureza ideológica tinham um papel pequeno. "Como mostraram as transcrições das fitas de Fort Hunt", escreve um historiador alemão, "ideologia tinha no máximo um papel subordinado na consciência da maioria dos homens da Wehrmacht."[8]

O mesmo se pode dizer dos americanos que lutaram na Segunda Guerra Mundial. Em 1949, uma equipe de sociólogos publicou os resultados de uma ampla pesquisa feita com cerca de 500 mil veteranos de guerra dos Estados Unidos, que revelaram que sua principal motivação não eram o idealismo ou a ideologia. O soldado americano não era motivado pelo espírito patriótico, assim como o soldado britânico não era motivado pelo Estado democrático de direito. Não foi tanto pela pátria que aqueles homens lutaram, mas por seus companheiros.[9]

Esses laços eram tão profundos que chegavam a criar situações peculiares. Os soldados recusavam promoções, caso isso implicasse uma transferência para outra divisão. Muitos feridos e doentes recusavam a se ausentar por não querer que um novo recruta tomasse seus lugares. E houve até homens que fugiram de leitos de enfermarias para voltar ao *front*.

"Por diversas vezes", observou um psicólogo, surpreso, "encontramos exemplos de homens que deixavam de agir de acordo com os próprios interesses por medo de decepcionar seus companheiros."[10]

2

Demorei muito tempo para me acostumar a essa ideia.

Quando ainda era adolescente, na Holanda, eu imaginava a Segunda Guerra Mundial como uma espécie de *Senhor dos anéis* do século XX – uma empolgante batalha entre heróis valentes e vilões malignos. Morris Janowitz, porém, demonstrou que o que aconteceu foi totalmente diferente. As origens do mal, descobriu, não estavam nas tendências sádicas de vilões degenerados, mas na solidariedade de bravos guerreiros. A Segunda Guerra Mundial foi uma batalha heroica, em que amizade, lealdade e solidariedade – as melhores características da humanidade – inspiraram milhões de homens comuns a perpetrar o pior massacre da história.

O psicólogo Roy Baumeister chama a suposição falaciosa de que nossos inimigos eram sádicos malvados de "mito do mal em estado puro". Na verdade, nossos inimigos são exatamente iguais a nós.

Isso se aplica inclusive a terroristas.

Eles são como nós, ressaltam os especialistas. Claro que é tentador pensar que homens-bomba devem ser monstros. Psicológica, fisiológica, neurologicamente, todos devem ser loucos. Devem ser psicopatas, ou talvez nunca tenham frequentado escola, ou foram criados na mais abjeta pobreza – algum fator deve explicar por que divergiram tanto das pessoas normais.

Não é bem assim, dizem os sociólogos. Esses estoicos pesquisadores encheram páginas e mais páginas de Excel com traços de personalidade de pessoas que se explodiram, só para concluir que, empiricamente, não existe um "terrorista típico". Os terroristas abrangem um grande espectro, de cultos a semianalfabetos, de ricos a pobres, de tolos a sérios, de religiosos a ateus. Poucos têm distúrbio mental, e traumas de infância também parecem ser bastante raros. Depois de um ato terrorista, a mídia em geral mostra a reação chocada de vizinhos, amigos e conhecidos que, indagados sobre o homem-bomba suicida, lembram-se deles como "amigáveis" ou "pessoas legais".[11]

Se há uma característica comum aos terroristas, dizem os especialistas, é o fato de serem facilmente influenciáveis. Por opiniões alheias. Por autoridades. Eles anseiam por reconhecimento e querem fazer o certo pela família e pelos amigos.[12] "Terroristas não matam e morrem apenas por uma causa", observa um antropólogo americano. "Eles matam e morrem uns pelos outros."[13]

Por extensão, os terroristas também não radicalizam por conta própria, mas junto com amigos e companheiras. Boa parte das células terroristas são "bandos de irmãos": não menos que quatro pares de irmãos estavam envolvidos nos ataques às Torres Gêmeas de 2001, os homens-bomba da Maratona de Boston de 2013 eram irmãos, assim como Salah Abdeslam e Brahim Abdeslam, responsáveis pelo massacre do Bataclan, em Paris, em 2015.[14]

Não é mistério que terroristas ajam juntos, e sua violência é assustadora. Por mais que políticos falem de "ataques covardes", na verdade é preciso um bocado de coragem e determinação para lutar até a morte. "É mais fácil dar o salto acompanhado por alguém amado em quem se confia", observa um espanhol especialista em terrorismo.[15]

Quando acontece um ataque terrorista, a mídia se concentra basicamente na ideologia doentia que teria motivado o ataque. Sim, a ideologia tem sua importância. Foi importante na Alemanha nazista e certamente é importante para líderes de organizações terroristas como Al-Qaeda e Estado Islâmico (EI), muitos deles moldados por uma juventude devorando livros sobre o islã radical (como Osama bin Laden, conhecido rato de biblioteca).[16]

No entanto, pesquisas mostram que, para os soldados de infantaria dessas organizações, a ideologia tem um papel consideravelmente pequeno. Por exemplo, os milhares de jihadistas que partiram para a Síria em 2013 e 2014. Três quartos foram recrutados por amigos e conhecidos. A maioria, segundo respostas vazadas por uma pesquisa do EI, mal conhecia o básico sobre a fé islâmica.[17] Alguns sabiamente compraram *The Koran for Dummies* [O Alcorão para leigos] antes da partida. Para eles, diz um funcionário da CIA, "a religião vem em segundo plano".[18]

Precisamos entender que a maioria desses agentes terroristas não é composta de fanáticos religiosos. Eles são amigos. Juntos, sentem-se parte de algo maior; assim, a vida deles passa a ter sentido. Sentem que finalmente são autores da própria epopeia.

E de forma alguma isso justifica seus crimes. É apenas uma explicação.

3

No outono de 1990, foi aberto um novo centro de pesquisas na mesma universidade em que trinta anos antes Stanley Milgram conduziu seus experimentos de choque. O Centro de Cognição Infantil – ou Baby Lab, como é conhecido – realiza algumas das mais empolgantes pesquisas do campo. As questões estudadas ali remetem a Hobbes e Rousseau. O que é a natureza humana? Qual é o papel da formação cultural? As pessoas são, em essência, boas ou más?

Em 2007, Kiley Hamlin, uma das pesquisadoras do Baby Lab, publicou os resultados de um estudo seminal. Ela e a equipe demonstraram que bebês têm um senso de moralidade inato. Bebês de 6 meses não só conseguem diferenciar o certo do errado, como preferem o bem ao mal.[19]

Talvez você esteja se perguntando como Kiley pôde ter tanta certeza disso. Afinal, bebês não conseguem fazer muita coisa sozinhos. Camundongos podem percorrer labirintos, mas... bebês? Bem, há algo que eles conseguem fazer: observar. Então, os pesquisadores criaram um espetáculo de marionetes para os pequenos participantes (de 6 a 10 meses de idade), apresentando um boneco que atuava de forma prestativa e outro que se comportava como canalha. Qual dos bonecos os bebês quiseram pegar depois?

Você acertou: eles preferiram o boneco prestativo. "Não foi uma tendência sutil", escreveu um dos pesquisadores. "Praticamente todos os bebês tentaram pegar os bons sujeitos."[20] Depois de séculos de especulações sobre como os bebês veem o mundo, lá estava uma incipiente evidência a sugerir: a de que temos uma bússola moral inata e de que o *Homo cachorrinho* não é uma tábula rasa. Nascemos com uma preferência pelo bem; está em nossa natureza.

No entanto, quando comecei a me aprofundar nas pesquisas sobre bebês, logo passei a me sentir menos otimista.

A questão é que a natureza humana tem outra dimensão. Alguns anos depois de seu primeiro experimento, Kiley e equipe surgiram com uma variação.[21] Desta vez ofereceram aos bebês uma escolha entre salgadinhos e vagens para determinar o que preferiam. Em seguida, apresentaram dois bonecos: um gostava de salgadinho; o outro, de vagem. Mais uma vez, observaram qual boneco os bebês preferiam.

Não foi surpresa que a grande maioria preferiu o boneco que gostava do mesmo que eles. Mais surpreendente foi que essa preferência persistiu quando o boneco que tinha o mesmo gosto se mostrou mau-caráter e o outro se revelou um cara legal. "O que observamos vezes e mais vezes", disse um dos colegas de Kiley, "foi que os bebês preferem o indivíduo pernicioso [e semelhante a eles] ao [cara legal] que tem uma opinião diferente da deles."[22]

Quão deprimente isso pode ser?

Antes mesmo de aprendermos a falar, parece que temos aversão ao que não nos é familiar. Os pesquisadores do Baby Lab realizaram dezenas de outros experimentos que reforçam que bebês não gostam de rostos que não reconhecem, de cheiros incomuns, de línguas estrangeiras ou de sotaques a eles estranhos. É como se todos nascêssemos xenófobos.[23]

Depois comecei a ponderar: poderia isso ser sintoma de nossa incompatibilidade? Será que a preferência instintiva pelo que conhecemos deixou de ser uma grande questão na maior parte da existência humana, mas se tornou um problema com o advento da civilização? Afinal, durante 95% da história, fomos nômades forrageadores. No momento em que nosso caminho se cruzasse com um estranho, podíamos parar para bater um papo, ao que aquela pessoa deixava de ser desconhecida.

Hoje as coisas são bem diferentes. Vivemos em cidades impessoais, alguns de nós entre *milhões* de estranhos. A maior parte do que sabemos dos outros vem da mídia e dos jornalistas, que tendem a focar nas maçãs podres. Será tão surpreendente que tenhamos ficado desconfiados? Será que nossa aversão inata ao desconhecido era uma bomba-relógio?

Desde aquele primeiro estudo de Kiley Hamlin, muitos outros foram conduzidos para testar o senso de moralidade de bebês. É um fascinante campo de pesquisa, mesmo que ainda esteja... bem, nos primórdios da existência. O grande empecilho nesse tipo de pesquisa é que bebês distraem-se facilmente, o que torna complexo elaborar experimentos confiáveis.[24]

Felizmente, a partir dos 18 meses, os humanos se tornam bem mais espertos e, portanto, mais fáceis de se estudar. Considere o trabalho do psicólogo alemão Felix Warneken. Ainda como doutorando, ele se interessou em estudar quanto os bebês em fase de começar a andar podiam ser prestativos. Seus supervisores rejeitaram a ideia, acreditando – como era comum no início dos anos 2000 – que crianças dessa idade eram basicamente ego ambulante. No entanto, Warneken não se intimidou e elaborou uma série de experimentos que acabariam replicados no mundo todo.[25]

Os resultados foram os mesmos, em todos os sentidos. Os experimentos mostraram que, inclusive na tenra idade de 18 meses, as crianças sentem muita satisfação em ajudar os outros, sentindo-se bem ao fazer uma pausa na brincadeira para assistir um estranho.[26] E sem querer nada em troca.[27]

Agora, prepare-se para algumas más notícias. Depois de me inteirar da edificante pesquisa de Warneken, li sobre estudos cujas descobertas são menos cor-de-rosa, mostrando que crianças podem ser jogadas umas contra as outras. Vimos isso no experimento de Robbers Cave de Muzafer Sherif (capítulo 7), e foi demonstrado também por um notório experimento dos anos 1960, iniciado no dia seguinte ao assassinato de Martin Luther King Jr.

Em 5 de abril de 1968, Jane Elliott improvisou uma aula sobre racismo para sua classe da terceira série numa pequena escola em Riceville, Iowa.

"Os que têm olhos castanhos são os melhores da classe", começou Jane. "Eles são mais limpos e inteligentes." Ela escreveu MELANINA em letras maiúsculas na lousa e explicou que era uma substância química que tornava as pessoas mais inteligentes. Como as crianças de olhos castanhos tinham mais dessa substância, elas eram mais inteligentes, enquanto as de olhos claros "ficam à toa e não fazem nada".[28]

Não demorou para os castanhos começarem a depreciar os claros e para os claros perderem a autoconfiança. Uma garota de olhos azuis e inteligência normal passou a cometer erros nas lições de matemática. No intervalo seguinte, ela foi abordada por três amigos de olhos castanhos. "É melhor você pedir desculpas por nos atrasar nos estudos, porque somos melhores que você", disse um deles.[29]

Semanas depois, quando Jane Elliott foi uma das convidadas do popular programa *Tonight Show Starring Johnny Carson*, a América branca estava indignada. "Como você se atreve a fazer esse experimento cruel com crianças brancas?", escreveu um espectador furioso. "Crianças negras já crescem acostumadas a atitudes como essa, mas crianças brancas não têm como entender isso. É cruel para crianças brancas e vai causar grandes prejuízos psicológicos."[30]

Jane Elliott continuou combatendo esse tipo de racismo a vida toda. No entanto, é crucial levar em conta que seu experimento não foi balizado pela ciência. Ela teve de se esforçar muito para jogar seus alunos uns contra os outros, inclusive fazer as crianças de olhos azuis se sentarem no fundo da sala, dando a elas pausas menores e não as deixando brincar com os colegas de olhos castanhos. O experimento não respondeu à pergunta do que acontece ao dividir crianças em grupos, sem intervir de qualquer outra forma.

No outono de 2003, uma equipe de psicólogos elaborou um estudo para fazer exatamente isso. Eles pediram que uma creche no Texas vestisse todas as crianças, de 3 a 5 anos de idade, com camisas de cores diferentes, vermelhas ou azuis. Depois de apenas três semanas, os pesquisadores chegaram a algumas conclusões.[31] Para começar, enquanto os adultos ignoraram a diferença de cores, as crianças desenvolveram uma identidade de grupo. Em conversas com os pesquisadores, elas definiram as cores que usavam como "mais inteligentes" e "melhores". Em variações no experimento, se adultos ressaltassem as diferenças (bom dia, vermelhos; oi, azuis!), o efeito era ainda mais forte.

Em estudo subsequente, crianças de 5 anos também se vestiram com camisas vermelhas e verdes e, depois, observaram fotografias de colegas usando a mesma cor que elas (ou a outra cor). Mesmo sem saber nada mais sobre as crianças fotografadas, a visão foi consideravelmente mais negativa a respeito das que usavam uma cor diferente da delas. A percepção das crianças, observaram os pesquisadores, foi "perversamente distorcida pela mera afiliação a um grupo social. Uma descoberta com implicações inquietantes".[32]

A dura lição é que crianças não são daltônicas. Bem ao contrário: elas são mais sensíveis a diferenças que a maioria dos adultos percebe. Mesmo quando as pessoas tentam tratar todo mundo igual e agir como se variações na cor da pele, na aparência ou na condição econômica não existissem, ainda assim as crianças percebem a diferença. É como se nós nascêssemos com um botão para o tribalismo no cérebro. Só é preciso que alguém o acione.

4

Quando li sobre a natureza partidária de crianças e bebês em idade de aprender a andar – basicamente amistosa, porém com tendências xenófobas –, lembrei-me da oxitocina, "hormônio do amor", substância encontrada em altas concentrações nas raposas de Lyudmila Trut na Sibéria (ver capítulo 3). Os cientistas agora sabem que esse hormônio, que tem um papel crucial no amor e na afeição, também pode nos tornar desconfiados em relação a estranhos.

Será que a oxitocina explicaria por que pessoas boas fazem coisas ruins? Será que fortes laços com um grupo podem nos predispor a sentir animosidade em relação aos outros? E será que a sociabilidade que capacitou o *Homo cachorrinho* a conquistar o mundo pode dar origem às piores transgressões da humanidade?[33]

De início, essa linha de pensamento me pareceu bastante improvável. Afinal, nós temos outro instinto marcante enraizado no fundo da nossa natureza de cachorrinho: a capacidade de sentir empatia. Nós conseguimos sair da bolha e nos colocarmos no lugar do outro. Estamos programados para sentir, em nível emocional, como é ser o estranho.

Não só *conseguimos* fazer isso, como *somos bons* nisso. As pessoas são aspiradores de pó emocionais, sempre aspirando sentimentos alheios. Basta pensar em como livros e filmes nos fazem rir ou chorar. Para mim, filmes tristes que vejo durante viagens de avião são os piores (preciso constantemente apertar o botão de pausa para os outros passageiros não se sentirem obrigados a me consolar).[34]

Por muito tempo, questionei se esse fabuloso instinto de sentir a dor do outro ajudaria a aproximar as pessoas. O mundo precisava, com certeza, de muito mais empatia. No entanto, depois li outro livro de um desses pesquisadores da infância.

Quando alguém pergunta ao professor Bloom do que trata o livro dele, recebe a seguinte resposta:

"É sobre empatia."

Os interlocutores sorriem, até ele acrescentar:

"E eu sou contra isso."[35]

Paul Bloom não está brincando. Para ele, a empatia não é um sol benevolente a iluminar o mundo. É um refletor. Um holofote. Destaca uma pessoa ou um grupo específicos, e, enquanto você está ocupado aspirando todas as emoções banhadas por aquele único raio de luz, o restante do mundo esmaece.

Vamos considerar o seguinte estudo, conduzido por outro psicólogo, no qual uma série de voluntários primeiro ouve a história triste de Sheri Summers, de 10 anos, acometida por uma doença fatal. Sheri está na fila de espera de um tratamento que pode salvar sua vida, mas o tempo está se esgotando. Os voluntários são informados de que podem adiantar Sheri na lista, mas precisam ser objetivos na decisão.

A maioria não pensa em conceder nenhuma vantagem a Sheri, pois entende que todas as crianças daquela lista estão doentes e precisam de tratamento.

Aí surge uma reviravolta. O mesmo cenário é apresentado a um segundo grupo, ao qual pede-se imaginar como Sheri deve se sentir: *Não é de cortar o coração que essa garotinha esteja tão doente?* Essa dose única de empatia muda tudo. A maioria agora quer deixar Sheri passar na frente de outros. Se pensar bem, trata-se de uma escolha moral inquietante. O holofote em Sheri poderia efetivamente significar a morte de crianças que estão na lista há mais tempo.[36]

Você poderia pensar: *Exatamente! É por que isso que nós precisamos de mais empatia.* Não deveríamos nos colocar apenas no lugar de Sheri, mas no de outras crianças, em listas de espera no mundo todo. Mais emoções, mais sentimentos, mais empatia!

No entanto, não é assim que o holofote funciona. Continue tentando: imagine-se no lugar de cem outras pessoas. De 1 milhão... Que tal de 7 bilhões?

Nós simplesmente não conseguimos fazer isso.

Em termos práticos, diz o professor Bloom, a empatia é um sentimento desalentador e limitado.

É algo que sentimos por aqueles que estão perto, por gente que podemos cheirar, ver, ouvir e tocar. Pela família e pelos amigos, pelos que gostam da nossa banda favorita e talvez pelo indivíduo que vemos sempre e que vive em situação de rua. Por cachorrinhos fofos que podemos acariciar enquanto comemos animais maltratados em fazendas industriais longe de nosso campo de visão. E por pessoas que vemos na TV – principalmente as focadas pela câmera, ao som de uma música triste ao fundo.

Enquanto lia o livro de Bloom, percebi que a empatia se assemelha muito a um fenômeno da vida moderna: as notícias. No capítulo 1, entendemos que notícias também funcionam como holofote. Assim como a empatia nos confunde ao focar o específico, as notícias nos enganam ao focar o excepcional.

Uma coisa é certa: um mundo melhor não começa com mais empatia. A empatia pode até nos tornar menos tolerantes, pois quanto mais nos identificamos com as vítimas, mais generalizamos em relação aos inimigos.[37] O poderoso holofote nos nossos poucos escolhidos nos cega para a perspectiva de adversários, pois todos os demais saem de nosso campo de visão.[38]

Esse é o mecanismo sobre o qual o perito em cachorrinhos falava – o mecanismo que nos faz ser, ao mesmo tempo, a espécie mais generosa e a mais cruel do planeta. A triste verdade é que a empatia e a xenofobia andam de mãos dadas. São dois lados da mesma moeda.

5

Mas, afinal, por que pessoas boas se tornam más?

Acho que agora podemos começar a estruturar uma resposta. Na Segunda Guerra Mundial, os soldados da Wehrmacht lutavam antes e principalmente uns pelos outros. A maioria não era motivada por sadismo nem por sede de sangue, mas por companheirismo.

Quando em combate, já vimos que soldados acham difícil matar. No capítulo 4, estivemos no Pacífico com o coronel Marshall, que percebeu que a maioria dos soldados nunca disparava sua arma. Na Guerra Civil Espanhola, George Orwell presenciou a mesma coisa, quando um dia se viu dominado pela empatia:

> Nesse momento um homem [...] surgiu da trincheira e correu pelo parapeito em plena vista. Estava semidespido, segurando a calça com as duas mãos enquanto corria. Eu não consegui atirar nele [...]. Não atirei, em parte pelo detalhe das calças. Eu tinha vindo para atirar em "fascistas"; mas um homem segurando as calças não é um "fascista", é nitidamente uma criatura semelhante, parecida com você, e você não sente vontade de atirar nele.[39]

As observações de Marshall e de Orwell ilustram a dificuldade que temos para fazer mal a pessoas mais próximas. Algo nos impede, tornando-nos incapazes de puxar o gatilho.

Historiadores militares descobriram que há uma coisa ainda mais difícil que atirar: esfaquear um semelhante. Menos de 1% dos ferimentos nas batalhas de Waterloo (1815) e do Somme (1916), por exemplo, foram causados por soldados empunhando baionetas.[40] E todos os milhares de baionetas expostas em centenas de museus? A maioria nunca foi usada. Como observa um historiador, "um lado ou outro sempre se lembra de um compromisso urgente antes de usar as baionetas".[41]

Também aqui fomos enganados pelas indústrias do cinema e da TV. Séries como *Game of Thrones* e filmes como *Guerra nas estrelas* nos fazem acreditar que é moleza estripar uma pessoa. Na verdade, porém, psicologicamente, é muito difícil.

Então, como explicamos as centenas de milhões de baixas em guerras nos últimos dez mil anos? Como toda essa gente morreu? As respostas a essas perguntas requerem um exame forense das vítimas, por isso vamos considerar as causas das mortes de soldados britânicos na Segunda Guerra Mundial como exemplo.[42]

Outras: 1%
Produtos químicos: 2%
Explosão, esmagamento: 2%
Minas terrestres, armadilhas: 10%
Balas, minas antitanque: 10%
Morteiros, granadas, bombardeios aéreos, obuses: 75%

Percebeu alguma coisa? Se há algo em comum com essas vítimas, é que a maior parte foi eliminada remotamente. A maciça maioria dos soldados foi morta por alguém que apertou um botão, jogou uma bomba ou enterrou uma mina. Por alguém que nunca viu seus inimigos, certamente não enquanto estavam seminus e tentando segurar as calças.

Em geral, matar em guerras é algo que se faz de longe. É possível até descrever toda a evolução da tecnologia militar como um processo em que as linhas inimigas foram ficando cada vez mais distantes. De porretes e espadas a arcos e flechas, de mosquetes e canhões a bombas e granadas. No decorrer da história, os armamentos se aperfeiçoaram para superar o problema central de todas as guerras: nossa fundamental aversão à violência. É praticamente impossível matar alguém olhando nos olhos da pessoa. Assim como a maioria de nós se tornaria vegetariana se fosse obrigada a matar uma vaca, grande parte dos soldados repele a ideia de matar quando o inimigo se aproxima demais.

Em qualquer época, a maneira de ganhar guerras foi matando o maior número de pessoas possível a distância.[43] Foi como os ingleses derrotaram os franceses em Crécy e em Agincourt na Guerra dos Cem Anos (1337-1453), como os conquistadores dominaram as Américas nos séculos XV e XVI, e é o que o Exército dos Estados Unidos faz hoje, com suas legiões de *drones* armados.

Além de armas de longo alcance, os exércitos buscam maneiras de aumentar a distância *psicológica* do inimigo. Ao desumanizar o outro – digamos, retratando-o como um verme –, fica mais fácil tratá-lo como se fosse realmente inumano.

Também é possível drogar os soldados para entorpecer sua natural empatia e aversão em relação à violência. De Troia a Waterloo, da Coreia ao Vietnã, poucos exércitos lutaram sem a ajuda de entorpecentes, e agora estudiosos chegam a considerar que Paris poderia não ter caído em 1940 se o Exército alemão não tivesse o estímulo de 5 milhões de comprimidos de anfetamina (também conhecida como metanfetamina, droga que causa extrema agressividade).[44]

Exércitos também podem "condicionar" suas tropas. O Exército dos Estados Unidos começou a fazer isso depois da Segunda Guerra Mundial, sob recomendação de ninguém menos que o coronel Marshall. Os recrutados para o Vietnã eram imersos em campos de treinamento que exaltavam não só um senso de fraternidade, mas também a mais brutal violência, obrigando os homens a gritar "MATAR! MATAR! MATAR!", até ficarem roucos. Veteranos da Segunda Guerra Mundial (cuja maioria não tinha aprendido a matar) ficavam chocados quando viam imagens desse tipo de treinamento.[45]

Hoje, os soldados não praticam mais em alvos de papel; eles são treinados para atirar em figuras humanas realistas. Disparar uma arma de fogo torna-se uma reação pavloviana automatizada a ser realizada sem pensar. Para franco-atiradores, o treinamento é ainda mais radical. Um dos métodos experimentados é apresentar uma série de vídeos cada vez mais horrendos com o aprendiz amarrado a uma cadeira e com um dispositivo especial que o obriga a ficar de olhos abertos.[46]

E assim encontramos maneiras de eliminar nossa aversão inata e arraigada à violência. Nos exércitos modernos, a camaradagem perdeu importância. Agora temos, citando um veterano americano, um "desprezo manufaturado".[47]

Esse condicionamento funciona. Quando soldados treinados com essas técnicas enfrentam exércitos da velha escola, os últimos são sempre derrotados. Considere o caso da Guerra das Malvinas (1982). Apesar de muito superior em número de integrantes, o Exército argentino não teve nenhuma chance contra as máquinas de atirar condicionadas dos britânicos.[48]

Os militares americanos também conseguiram aumentar sua "taxa de disparos", elevando o número de soldados que atiraram para 55% na Guerra da Coreia e em 95% no Vietnã. No entanto, isso teve um preço. Quando você faz uma lavagem cerebral em milhões de jovens soldados no treinamento, não deveria surpreender o fato de eles retornarem com transtorno de estresse pós-traumático (TEPT), como aconteceu com tantos depois do Vietnã.[49] Muitos soldados não tinham somente matado outras pessoas – alguma coisa dentro deles havia morrido.

Por fim, há um grupo que pode facilmente manter o inimigo a distância: os líderes.

Comandantes de Exército e de organizações terroristas que dão ordens do alto não precisam reprimir sentimentos de empatia por seus oponentes. E o fascinante é que, enquanto soldados comuns tendem a ser pessoas normais, seus líderes são o oposto. Especialistas em terrorismo e historiadores afirmam, com veemência, que aqueles em posição de poder têm um perfil psicológico diferenciado. Criminosos de guerra, como Adolf Hitler e Joseph Goebbels, são exemplos clássicos de narcisistas paranoicos com sede de poder.[50] Os líderes da Al-Qaeda e do EI são igualmente manipuladores e egocêntricos, raramente perturbados por sentimentos de dúvida ou compaixão.[51]

Isso nos leva ao mistério seguinte. Se o *Homo cachorrinho* é uma criatura tão inerentemente amistosa, por que osególatras e os oportunistas, os narcisistas e os sociopatas continuam alcançando altos postos? Por que os humanos – a única espécie que cora –, de alguma forma, nos deixamos governar por espécimes de todo desavergonhados?

11
COMO O PODER CORROMPE

1

Quando se deseja escrever sobre poder, há um nome que não pode faltar. Ele fez uma breve aparição no capítulo 3, quando discuti a teoria de que qualquer um que almeja alguma coisa se dará melhor tecendo uma teia de mentiras e ilusões.

O nome dele é Maquiavel.

No inverno de 1513, depois de mais uma longa noite no bar, um escriturário municipal meio pobretão começou a redigir um panfleto que chamou de *O príncipe*. Esse "pequeno capricho", como Maquiavel definiu, se tornaria uma das obras mais influentes da história ocidental.[1] *O príncipe* acabaria sendo o livro de cabeceira do imperador Carlos V, do rei Luís XV e do secretário-geral Stálin. O chanceler alemão Otto von Bismarck tinha um exemplar, bem como Churchill, Mussolini e Hitler. E o livro foi encontrado até na carruagem de Napoleão após sua derrota em Waterloo.

A grande vantagem da filosofia de Nicolau Maquiavel é ser aplicável. Para ter poder, escreveu, é preciso tomá-lo. Precisa ser desavergonhado, imune a princípios ou restrições morais. Os fins justificam os meios. Além disso, se não cuidar de si mesmo, as pessoas vão passar por cima de você. Segundo Maquiavel, "o que pode ser dito sobre os homens em geral é que são ingratos, volúveis, dissimulados, hipócritas, covardes e gananciosos".[2] Se alguém lhe fizer uma boa ação, não se deixe enganar: trata-se de uma farsa, pois "os homens nunca fazem nada de bom a não ser por necessidade".[3]

O livro de Maquiavel costuma ser considerado "realista". Se quiser ler, basta ir à livraria mais próxima e procurar entre os eternamente mais vendidos. Ou pode optar por um dos inúmeros volumes de autoajuda dedicados a sua filosofia, de *Machiavelli for Managers* [Maquiavel para gerentes] a *Machiavelli for Moms* [Maquiavel para mães], ou assistir a uma das muitas peças de teatro, filmes e séries de TV inspirados em suas ideias. *O poderoso chefão*, *House of Cards*, *Game of Thrones* – todos são basicamente notas de rodapé da obra desse italiano do século XVI.

Dada a popularidade da teoria, faz sentido perguntar se Maquiavel estava certo. As pessoas devem mentir desavergonhadamente e enganar para ganhar e manter o poder? O que a ciência atual tem a dizer sobre isso?

O professor Dacher Keltner é o maior especialista em maquiavelismo aplicado. Quando começou a se interessar pela psicologia do poder, nos anos 1990, ele percebeu duas coisas. Primeira: quase todo mundo acreditava que Maquiavel estava certo. Segunda: quase ninguém havia elaborado uma base científica para apoiar esse fato.

Keltner resolveu ser o primeiro. Naqueles que denominou como experimentos sobre o "estado natural", o psicólogo americano se infiltrou numa sucessão de ambientes nos quais os humanos realmente disputam o domínio, de alojamentos estudantis a acampamentos de férias. Era exatamente nesses lugares, onde as pessoas se encontram pela primeira vez, que ele esperava ver a sabedoria atemporal de Maquiavel se manifestar de forma ostensiva.

No entanto, ele ficou desapontado. Keltner descobriu que, se você se comportar como prescreve *O príncipe*, será imediatamente escorraçado do acampamento. Da mesma forma, nos tempos pré-históricos, as minissociedades não toleravam a arrogância. As pessoas percebem que você é um imbecil e o excluem. Keltner descobriu que os indivíduos que ascendem ao poder são os mais empáticos e amigáveis.[4] É a sobrevivência do mais carismático.

Agora você pode questionar: *Esse tal professor devia passar em meu escritório e conhecer meu chefe. Isso vai curá-lo dessa sua teoria sobre líderes simpáticos.*

Mas, espere, há mais fatores nessa história. Keltner também estudou os efeitos do poder *quando as pessoas o exercem*. Desta vez, chegou a uma conclusão bem diferente. Talvez o mais divertido seja seu estudo Come Come, em referência à marionete felpuda do programa *Vila Sésamo*.[5] Em 1998, Keltner e sua equipe reuniram pequenos grupos de três voluntários em seu laboratório. Um deles era designado aleatoriamente como o líder do grupo, e todos precisavam cumprir uma tarefa maçante. Em determinado momento, um assistente levava uma travessa com cinco biscoitos para o grupo dividir entre si. Todos os grupos testados deixaram um dos biscoitos na travessa (uma das regras de ouro de etiqueta), mas em quase todos os casos o quarto biscoito era traçado pelo líder. Ademais, um dos estudantes de doutorado de Keltner notou que os líderes também pareciam os mais mal-educados para comer. Revendo os vídeos, ficou claro que aqueles "come-comes" mastigavam de boca aberta, fazendo mais barulho durante esse ato, e derrubavam migalhas na roupa.

Talvez isso o faça se lembrar de seu chefe?

De início, minha tendência foi descartar esse tipo de experimento como uma piada, mas dezenas de estudos semelhantes foram publicados nos anos recentes no mundo todo.[6] Keltner e equipe realizaram outro experimento para observar o efeito psicológico de um automóvel de luxo. Nesse caso, a primeira série de sujeitos era posta ao volante de um Mitsubishi escangalhado ou de um Ford Pinto e mandados na direção de um cruzamento, onde um pedestre estava prestes a atravessar a rua. Todos os motoristas pararam, como exigido por lei.

Na segunda parte do estudo, os sujeitos dirigiam um modelo de Mercedes. Desta vez, 45% não pararam para o pedestre. Aliás, quanto mais luxuoso o automóvel, mais faltava educação aos motoristas.[7] "Os que dirigiam BMW eram os piores", declarou um dos pesquisadores ao jornal *The New York Times*.[8] (Este estudo já foi replicado duas vezes, com resultados semelhantes.)[9]

Ao observar como os motoristas se comportavam, Keltner acabou percebendo o que aquilo lhe fazia lembrar. A expressão no mundo da medicina é "sociopatia adquirida", um transtorno de personalidade antissocial não hereditário, diagnosticado pela primeira vez por psicólogos no século XIX. Surge depois de uma pancada na cabeça que danifica regiões-chave do cérebro e pode transformar pessoas mais agradáveis em maquiavélicos da pior espécie.

Ao que parece, aqueles que detêm o poder demonstram essas mesmas tendências.[10] Eles agem como quem tem transtorno cerebral. Não só são mais impulsivos, autocentrados, negligentes, rudes e arrogantes que a média, como são mais propensos a enganar seus cônjuges, menos atentos a outras pessoas e menos interessados na perspectiva alheia. São também mais desavergonhados, não manifestando aquele fenômeno de expressão facial que torna os humanos únicos entre os primatas. Eles não coram.

O poder parece agir como anestésico, tornando o indivíduo insensível aos outros. Em um estudo de 2014, três neurologistas americanos utilizaram um "aparelho de estímulo magnético transcranial" para testar o funcionamento cognitivo de pessoas poderosas e menos poderosas. Descobriram que a sensação de poder altera o que é conhecido como *espelhamento*, um processo mental que tem papel-chave na empatia.[11] Normalmente, espelhamos o tempo todo. Se alguém ri, você também ri; se alguém boceja, você também boceja. No entanto, indivíduos poderosos espelham muito menos. É quase como se não se sentissem tão conectados com seus semelhantes. Como se tivessem se desplugado.[12]

Se pessoas poderosas se sentem menos "conectadas" com outros, surpreende que tendam a ser mais cínicas? Segundo estudos, um dos efeitos do poder é fazer a pessoa ver os outros sob uma luz negativa.[13] Quem é mais poderoso está mais sujeito a considerar que a maioria é preguiçosa e inconfiável. Que os outros precisam ser supervisionados e monitorados, gerenciados e regulamentados, censurados e orientados a fazer as coisas. Como o poder provoca um sentimento de superioridade, a pessoa vai achar que esse monitoramento deve ser confiado a ela.

Tragicamente, não ter poder surte o efeito oposto. Pesquisas no campo da psicologia mostram que aqueles que se sentem impotentes também se sentem muito menos autoconfiantes. Hesitam em expressar opinião. Em grupo, se fazem parecer inferiores, subestimando a própria inteligência.[14]

Tais sentimentos são convenientes para os que *estão* no poder, pois a insegurança reduz a possibilidade de reação. A censura se torna desnecessária, porque pessoas sem autoconfiança se calam. Aqui há um nocebo em ação: quem é tratado como idiota começa a se sentir idiota, levando os governantes a deduzir que as massas são obtusas demais para pensar por si, e por isso caberia a eles assumir o comando – por sua visão e sua sabedoria.

Mas não é exatamente o contrário? Não é o poder que nos impede de ver melhor as coisas? Quando alguém chega ao topo, há menos estímulo para ver a partir de outras perspectivas. Não existe imperativo para a empatia, pois qualquer um que seja considerado irracional ou irritante pode ser simplesmente ignorado, obliterado, encarcerado ou coisa pior. Gente poderosa não precisa justificar as próprias ações e, portanto, pode se permitir ter uma visão menos clara.

Isso também pode ajudar a explicar por que as mulheres tendem a se sair melhor que os homens em testes de empatia. Um grande estudo da Universidade Cambridge de 2018 não identificou no gênero uma base para essa divergência, preferindo atribuí-la ao que os cientistas chamam de *socialização*.[15] Devido à maneira como o poder tem sido tradicionalmente distribuído, o papel de entender os homens ficou mais para as mulheres. As persistentes ideias sobre a intuição feminina ser superior provavelmente têm raízes nesse mesmo desequilíbrio – espera-se que as mulheres vejam as coisas a partir da perspectiva masculina, raramente o contrário.

2

Quanto mais eu estudava a psicologia do poder, mais entendia que o poder é como uma droga – com um amplo catálogo de efeitos colaterais. "O poder tende a corromper, e o poder absoluto corrompe absolutamente", segundo o historiador britânico lorde Acton, no século XIX. É uma das poucas afirmações com que psicólogos, sociólogos e historiadores concordam de forma unânime.[16]

Dacher Keltner chama isso de "paradoxo do poder". Incontáveis estudos mostram que escolhemos os indivíduos mais modestos e generosos para nos liderar. No entanto, assim que eles chegam ao topo, em geral o poder lhes sobe à cabeça – e boa sorte para depô-los depois disso.

Para perceber como pode ser difícil depor um líder, só precisamos olhar para nossos primos gorilas e chimpanzés. Nos grupos de gorilas, um único ditador de dorso prateado toma todas as decisões e tem acesso exclusivo a um harém de fêmeas. Os chimpanzés líderes também se esforçam muito para se manter no poder, posição reservada ao macho mais forte e mais hábil a formar coalizões.

"Grandes trechos de Maquiavel parecem ser diretamente aplicáveis ao comportamento dos chimpanzés", observou o biólogo Frans de Waal em seu livro *Chimpanzee Politics* [Política dos chimpanzés], publicado no início dos anos 1980.[17] O macho alfa – o príncipe – pavoneia-se como um chefão e manipula os outros para cumprir suas ordens. Os auxiliares o ajudam a manter o controle, mas também podem conspirar para apunhalá-lo pelas costas.

Há décadas os cientistas sabem que compartilhamos 99% do DNA com os chimpanzés. Em 1995, isso inspirou Newt Gingrich, então presidente da Câmara dos Deputados dos Estados Unidos a distribuir dezenas de exemplares do livro de De Waal a seus colegas. Para ele, o Congresso norte-americano não era muito diferente de uma colônia de chimpanzés. Na melhor das hipóteses, seus membros se esforçavam um pouco mais para esconder seus instintos.

O que não se sabia na época era que os humanos têm outro parente primata próximo que compartilha 99% do DNA. O bonobo. A primeira vez que Frans de Waal viu um bonobo foi no começo dos anos 1970, quando ainda eram conhecidos como "chimpanzés pigmeus". Por muito tempo, os bonobos e os chimpanzés chegaram a ser considerados da mesma espécie.[18]

Na verdade, os bonobos são uma criatura totalmente diferente. No capítulo 4 vimos que esses macacos domesticaram a si mesmos, como o *Homo cachorrinho*. As fêmeas da espécie parecem ser cruciais para esse processo, porque, embora não sejam tão fortes quanto os machos, cerram fileiras no momento em que uma delas é assediada pelo sexo oposto. Se necessário, arrancam metade do pênis de um macho a dentadas.[19] Graças a esse equilíbrio de poder, bonobos fêmeas podem escolher os próprios parceiros, e os mais legais em geral são escolhidos antes.

(Se estiver pensando que essa emancipação resulta numa vida sexual monótona, reveja suas ideias: "Os bonobos se comportam como se tivessem lido o *Kama Sutra*", escreve De Waal, "se acasalando em todas as posições imagináveis".[20] Quando dois grupos de bonobos se encontram pela primeira vez, em geral o resultado é uma orgia.)

Os humanos, certamente, não são bonobos. Ainda assim, um corpo de pesquisas cada vez maior sugere que temos muito mais em comum com esses macacos sociáveis que com os maquiavélicos chimpanzés. Para começar, durante a maior parte da história humana nossos sistemas políticos foram muito mais semelhantes aos dos bonobos. Lembre-se das táticas dos membros da tribo !Kung (capítulo 5): "Rejeitamos alguém que se gabe, pois algum dia seu orgulho vai fazê--lo matar alguém. Então, sempre falamos que a carne dele não tem valor. Dessa forma, esfriamos seu coração e o tornamos mais gentil".

Em uma análise de 48 estudos sobre sociedades de caçadores-coletores, um antropólogo americano determinou que o maquiavelismo quase sempre foi uma receita para o desastre. Para ilustrar, eis certos traços que, segundo esse cientista, eram necessários para alguém ser eleito como líder na pré-história:

Generosidade
Coragem
Sabedoria
Carisma
Justiça
Imparcialidade
Confiabilidade
Diplomacia
Força
Humildade.[21]

Liderança era algo temporário entre caçadores-coletores, e as decisões eram sempre tomadas em grupo. Qualquer um suficientemente tolo para agir como prescreveu depois Maquiavel estaria arriscando a vida. Egoístas e gananciosos eram chutados da tribo e poderiam morrer de fome. Afinal, ninguém queria dividir a comida com quem fosse cheio de si.

Outro indício de que o comportamento humano se assemelha mais ao dos bonobos que ao dos chimpanzés é nossa aversão inata à desigualdade. Busque "aversão à desigualdade" no Google, e vai encontrar mais de 10 mil artigos científicos sobre esse instinto primordial. Crianças com apenas 3 anos já dividem um bolo igualitariamente e, aos 6, preferem jogar uma fatia fora a deixar alguém mais ficar com uma porção maior.[22] Assim como os bonobos, humanos compartilham com muita frequência e convicção.

Dito isso, não devemos exagerar com essas descobertas. O *Homo cachorrinho* não é um comunista de nascimento. Psicólogos ressaltam que não nos incomodamos com um pouco de desigualdade, caso a consideremos justificável, ou as coisas *pareçam* justas. Se convencer as massas de que é o mais inteligente, o melhor ou o mais bondoso, seu poder será legitimado e não haverá motivo para temer oposição.

Com o advento dos primeiros assentamentos e o aumento da desigualdade, chefes e reis tiveram de justificar o motivo de desfrutarem mais privilégios que seus súditos. Em outras palavras, começaram a fazer propaganda. Depois dos chefes de tribos nômades, que eram pura modéstia, os líderes começaram a manter certa pose. Reis proclamavam reinar por direito divino ou por serem os próprios deuses.

Claro que hoje a propaganda do poder é diferente, mas não quer dizer que deixamos de urdir ideologias criativas para justificar por que alguns indivíduos "merecem" mais autoridade, *status* ou riqueza que outros. Nós fazemos isso. Nas sociedades capitalistas, tendemos a usar parâmetros como *mérito*. Mas como a sociedade decide quem tem mais mérito? Como determinar quem contribui mais com a sociedade? Banqueiros ou lixeiros? Enfermeiros ou os propalados inovadores que estão sempre desenvolvendo alternativas? Quanto melhor a história sobre si mesmo, maior o pedaço de bolo. Na verdade, é possível ver toda a evolução da civilização como uma história de governantes com novas justificativas para seus privilégios.[23]

Mas há algo estranho. Por que acreditamos no que os líderes dizem?

Certos historiadores dizem que é por sermos ingênuos – e que esse poderia justamente ser nosso superpoder enquanto espécie.[24] Simplificando, a teoria diz o seguinte: se quiser que milhares de estranhos trabalhem em equipe, é preciso agir para manter todos juntos. Essa cola tem de ser mais forte que a amizade, pois, apesar de a rede social do *Homo cachorrinho* ser a maior entre todos os primatas, não é grande o suficiente para forjar cidades ou Estados.

Normalmente, nossos círculos sociais giram em torno de não mais de 150 pessoas. Os cientistas chegaram a esse limite nos anos 1990, quando dois pesquisadores americanos pediram a um grupo de voluntários para relacionar todos os amigos e os familiares a quem mandavam cartões de Natal. A média ficou em 68 residências, consistindo em cerca de 150 indivíduos.[25]

Quando se começa a examinar, esse número aparece em todo lugar. Das legiões romanas a dedicados colonizadores, em divisões corporativas ou com nossos verdadeiros amigos no Facebook, esse limite mágico surge em toda parte e sugere que o cérebro humano não é equipado para lidar com mais de 150 relacionamentos significativos.

O problema é que, enquanto 150 convidados fazem uma grande festa, esse número está muito aquém do necessário para construir uma pirâmide ou lançar um foguete à Lua. Projetos dessa escala exigem a cooperação de grupos muito maiores, e por isso precisamos de líderes para nos incentivar.

Como? Com mitos. Aprendemos a *imaginar* afinidades com gente que nunca conhecemos. Religiões, Estados, empresas, países – tudo isso só existe em nossa cabeça, nas narrativas que nossos líderes e nós mesmos transmitimos. Ninguém nunca foi amigo da "França" ou apertou a mão da "Igreja Católica Romana". Mas isso não tem importância, se nos submetermos à ficção.

O exemplo mais óbvio desse mito, claro, é Deus. Ou podemos chamar de o Grande Irmão original. Quando adolescente, eu costumava me perguntar por que o Criador cristão em quem fui ensinado a acreditar se importava tanto com os humanos e com nossos afazeres mundanos. Na época, eu não sabia que nossos ancestrais nômades tinham uma concepção muito diferente de divino, que seus deuses pouco se interessavam pelas vidas humanas (ver capítulo 5).

A pergunta é: onde arranjamos essa crença em um Deus onipotente? Em um Deus enfurecido pelos pecados humanos? Recentemente, os cientistas surgiram com uma teoria fascinante. Para entendê-la, precisamos voltar ao capítulo 3, em que aprendemos que há algo único nos olhos do *Homo cachorrinho*. Por causa do branco em volta da nossa íris, podemos seguir o olhar dos outros. O vislumbre que isso nos propicia da mente de outra pessoa é vital para forjarmos laços de confiança.

Quando começamos a viver em grandes grupos, ao lado de milhares de estranhos, tudo mudou. Nós nos perdemos de vista. Não há como estabelecer contato visual com milhares, com dezenas de milhares ou com 1 milhão de pessoas, e por isso nossa desconfiança começou a aumentar. Cada vez mais as pessoas começaram a desconfiar de que outras estavam se aproveitando da comunidade; que, enquanto ralávamos, todos os outros levavam uma vida melhor.

Por essa razão, os governantes precisaram de alguém que ficasse de olho nas massas. Alguém que ouvisse tudo e que visse tudo. Um olho que tudo visse. Deus.

Não por acaso, as novas deidades são tipos vingativos.[26] Deus tornou-se um superleviatã, espionando todos 24 horas por dia, sete dias por semana. Nem mesmo nossos pensamentos estariam a salvo. "E até mesmo os cabelos da vossa cabeça estão todos contados", nos diz a Bíblia em Mateus 10,30. Foi esse ser onisciente que desde então passou a nos vigiar dos céus, supervisionando e – quando necessário – atacando.

Os mitos foram essenciais para ajudar a raça humana e os líderes a fazer uma coisa que nenhuma outra espécie havia feito ainda. Eles nos capacitaram a trabalhar coletivamente e em grande escala com milhões de estranhos. Ademais, a teoria diz ainda que foi a partir desses poderes da imaginação que surgiram as grandes civilizações. O judaísmo e o islã, o nacionalismo e o capitalismo – todos são produto da imaginação. "Tudo revolveu em torno de contar histórias e convencer as pessoas a acreditar nelas", escreve o historiador israelense Yuval Noah Harari, em *Sapiens*, livro de 2011.[27]

É uma teoria cativante, mas tem um inconveniente: ignorar 95% da história humana.

Na verdade, nossos ancestrais nômades já haviam excedido esse limite mágico de 150 amigos.[28] Sim, caçávamos e coletávamos em pequenos grupos, que trocavam de membros regularmente, tornando-nos parte de uma imensa rede de polinização cruzada do *Homo cachorrinho*. Vimos isso no capítulo 3, com tribos como a aché no Paraguai e com os hadzas na Tanzânia, cujos membros se encontravam mais de mil vezes no decorrer da vida.[29]

Ademais, os povos pré-históricos também tinham uma imaginação rica. Sempre elaboramos mitos criativos que passaram de geração em geração e que lubrificavam as engrenagens da cooperação entre muitos. Gobëkli Tepe – o templo mais antigo do mundo, situado no que é hoje a Turquia (ver capítulo 5) – é um exemplo, construído com o esforço orquestrado de milhares.

A única diferença é que na pré-história esses mitos eram menos estáveis. Os chefes podiam ser sumariamente depostos, e monumentos, destruídos. Nas palavras de dois antropólogos:

> Em vez de perambular numa espécie de inocência primordial até que o gênio da desigualdade tivesse saído da garrafa, nossos ancestrais pré-históricos parecem ter conseguido abrir e fechar a garrafa com certa frequência, erigindo deuses e reinos enquanto construíam monumentos, para depois os desmanchar de novo sem grandes preocupações.[30]

Durante milênios, podíamos ser céticos em relação às histórias que nos contavam. Se algum boquirroto se levantasse anunciando que havia sido escolhido pela mão de Deus, era possível ignorá-lo. Se essa pessoa se tornasse incômoda, mais cedo ou mais tarde tomaria uma flechada nas costas. O *Homo cachorrinho* era amistoso, não ingênuo.

Só com o surgimento de exércitos e seus comandantes isso mudou. Imagine enfrentar um homem forte, capaz de esfolar, queimar vivo ou esquartejar qualquer opositor. De repente as críticas deixaram de parecer tão urgentes. "Essa é a razão de todos os profetas armados terem triunfado e de todos os desarmados terem tombado", escreveu Maquiavel.

A partir desse ponto, deuses e reis passaram a não ser tão facilmente depostos. Não apoiar um mito passou a se mostrar fatal. Se você acreditasse no deus errado, era melhor não dizer a ninguém. Se acreditasse que a nação-Estado era ilusão, poderia perder a cabeça. Como aconselhava Maquiavel: "É útil organizar as coisas de forma que, quando eles não mais acreditarem, possam ser obrigados a acreditar à força".[31]

Você poderia pensar que a violência deixou de ser parte importante da equação – pelo menos nas democracias bem organizadas, com tediosas burocracias. Mas não se engane: a ameaça de violência ainda está muito presente e é generalizada.[32] É a razão de famílias com filhos serem expulsas de suas casas se não pagarem as prestações da hipoteca. É a razão de imigrantes não poderem simplesmente atravessar as fronteiras das ficções que chamamos de "Europa" e "Estados Unidos". E é também a razão de continuarmos acreditando no dinheiro.

Considere o seguinte: por que pessoas se enfurnariam em gaiolas que chamamos de "escritórios" durante quarenta horas por semana em troca de alguns pedaços de metal e papel ou alguns dígitos acrescentados à conta bancária? Será que é por termos cedido à propaganda dos poderes vigentes? E, se assim for, por que praticamente não há dissidentes? Por que ninguém procura as autoridades fiscais e diz: "Senhor, acabei de ler um livro interessante sobre o poder dos mitos e percebi que o dinheiro é uma ficção, por isso não vou pagar os impostos neste ano"?

A razão é evidente. Se ignorar uma conta ou não pagar seus impostos, será multado ou preso. Se não obedecer de boa vontade, as autoridades irão atrás de você. Dinheiro pode ser ficção, mas é mantido por um sistemas de ameaças ou por uma violência muito real.[33]

3

Enquanto lia o trabalho de Dacher Keltner e sobre psicologia do poder, comecei a ver como o desenvolvimento da propriedade privada e da agricultura pode ter desviado o *Homo cachorrinho* de seu caminho.

Durante milênios, escolhíamos os sujeitos mais legais para comandar. Mesmo na pré-história, estávamos bem cientes de que o poder corrompe e reforçamos um sistema para envergonhar e pressionar nossos pares e, assim, manter uma vigilância sobre os membros do grupo.

No entanto, dez mil anos atrás, era muito mais difícil desbancar os poderosos. Quando nos assentamos em cidades e Estados e nossos governantes adquiriram poder sobre exércitos inteiros, uma pequena fofoca ou uma lança bem apontada deixaram de ser suficientes. Os reis simplesmente não se permitiam ser destronados. Presidentes não eram mais depostos por sarcasmos e zombarias.

Alguns historiadores suspeitam de que nos tornamos dependentes da desigualdade. Yuval Noah Harari, por exemplo, escreve que "as sociedades humanas complexas parecem exigir hierarquias imaginárias e discriminações injustas".[34] (E pode acreditar que tais afirmações têm toda a aprovação dos que estão por cima.)

O que me fascina, porém, é que pessoas no mundo todo tenham continuado a procurar maneiras de domar seus líderes, mesmo depois do advento de chefetes e reis. Um método óbvio é a revolução. Todas as revoluções – a Francesa (1789), a Russa (1917) ou a Primavera Árabe (2011) – são propelidas pela mesma dinâmica. As massas almejam derrubar um tirano.

No entanto, a maioria das revoluções acaba fracassando. Assim que um déspota é derrubado, um novo líder toma seu lugar e desenvolve uma insaciável fome de poder. Depois da Revolução Francesa, foi Napoleão. Depois da Revolução Russa, Lênin e Stálin. O Egito também acabou tendo outro ditador. Os sociólogos chamam isso de "lei de ferro da hierarquia" – mesmo socialistas e comunistas, apesar de todos os propalados ideais de liberdade e igualdade, estão longe de ser imunes à influência corruptora da concentração de poder.

Algumas sociedades lidaram com isso arquitetando um sistema de distribuição de poder – também conhecido como "democracia". Apesar de a palavra sugerir que é o povo que governa (em grego antigo, *demos* significa "povo", e *kratos* quer dizer "poder"), em geral, não funciona bem assim.

Rousseau já disse que essa forma de governo é mais precisamente uma "aristocracia eletiva", pois na prática o povo não está absolutamente no poder. Só nos deixaram decidir quem terá poder sobre nós. Também é importante lembrar que esse modelo foi projetado para eliminar as hierarquias da sociedade. Considere a Constituição dos Estados Unidos: historiadores concordam que "foi intrinsicamente um documento aristocrático elaborado para controlar as tendências democráticas da época".[35] Nunca foi intenção dos patriarcas fundadores que a população em geral exercesse um papel ativo na política. Mesmo hoje, embora qualquer cidadão possa se candidatar a um cargo público, é difícil ganhar uma eleição sem ter acesso a uma rede de doadores e lobistas. Não surpreende que a "democracia" americana mostre tendências dinásticas – pense nos Kennedy, nos Clinton, nos Bush.

É constante termos esperanças de contar com líderes melhores, mas raramente essas esperanças se realizam. O motivo, segundo o professor Keltner, é que o poder faz as pessoas perderem a generosidade e a modéstia que as elegeram – ou, na realidade, essas características nunca existiram. Em uma sociedade hierarquicamente organizada, os maquiavéis estão sempre um passo à frente. Estão sempre em posse da arma secreta e definitiva para derrotar seus concorrentes.

Eles não têm vergonha na cara.

Já vimos que o *Homo cachorrinho* desenvolveu a vergonha. Existe uma razão pela qual, de todas as espécies do reino animal, somos uma das poucas capazes de corar. Por milênios, a vergonha era o jeito mais seguro de refrear nossos líderes – e ainda pode funcionar nos dias atuais. A vergonha é mais eficaz que regras e regulamentações, ou que censuras e coerção, pois pessoas que sentem vergonha se autocensuram. Isso é notado na forma como seus discursos falseiam quando desiludem expectativas ou no rubor revelador quando percebem que são assuntos de fofocas.[36]

É óbvio que a vergonha também tem seu lado sombrio (por exemplo, a vergonha induzida pela pobreza), mas tente imaginar como seria a sociedade se a vergonha não existisse. Seria um inferno.

Infelizmente, sempre há aqueles incapazes de sentir vergonha, seja por estarem drogados pelo poder, seja por pertencerem a uma minoria que nasce com características sociopatológicas. Esses indivíduos não durariam muito nas tribos nômades. Seriam expulsos do grupo e deixados sozinhos para morrer. Nas grandes organizações modernas, porém, parece que os sociopatas estão sempre alguns passos adiante na ascensão da carreira. Estudos mostram que entre 4% e 8% dos presidentes corporativos apresentam sociopatia diagnosticável, comparados a 1% da população em geral.[37]

Na democracia moderna, a falta de vergonha pode ser vantajosa. Políticos que não se deixam tolher pela vergonha se sentem livres para fazer o que outros não se atreveriam. Você se definiria como o pensador mais brilhante de seu país ou se gabaria de suas proezas sexuais? Seria capaz de ser pego numa mentira e dizer outra sem pestanejar? A maioria seria consumida pela vergonha, assim como a maioria deixa aquele último biscoito na bandeja. No entanto, os sem--vergonha não estão nem aí. E esse comportamento audacioso rende dividendos nas democracias modernas, pois a mídia prefere dirigir seus holofotes ao anormal e ao absurdo.

Num mundo desse tipo, não são apenas os líderes mais amistosos ou os mais empáticos que chegam ao topo, seus opostos também alcançam essas posições. Nesse mundo, o que reina é a sobrevivência do mais desavergonhado.

12
O QUE DEU ERRADO
NO ILUMINISMO

1

Depois da incursão pela psicologia do poder, meus pensamentos retornaram à história do prólogo deste livro. Percebi que, em essência, todas as lições dos capítulos anteriores podiam ser encontradas na história da *Blitz*, do que aconteceu em Londres quando as bombas começaram a cair.

As autoridades britânicas previram pânico generalizado. Saques. Rebeliões. O tipo de calamidade que certamente faria aflorar os brutos dentro de nós, resultando numa guerra de todos contra todos. No entanto, aconteceu o contrário. Desastres despertam o melhor de nós. Como em um processo de reinicialização que nos reverte ao que somos de melhor.

A segunda lição da *Blitz* é a de que somos animais gregários. Os londrinos acharam que a coragem sob fogo fosse uma característica essencialmente inglesa. Acreditaram que sua resiliência estava relacionada com o lábio superior esnobe ou com o senso de humor mordaz, que seriam elementos de uma cultura superior. No capítulo 10, vimos que esse viés grupal é típico dos humanos. Todos temos a propensão de pensar em termos de "nós" e "eles". A tragédia da guerra é que são as melhores facetas da natureza humana – lealdade, camaradagem, solidariedade – que inspiram o *Homo cachorrinho* a pegar em armas.

Contudo, assim que chegamos às linhas de frente, em geral perdemos a fanfarronice. Nos capítulos 4 e 10 vimos que os humanos têm uma arraigada aversão à violência. Durante séculos, muitos soldados sequer se convenceram a puxar o gatilho. As baionetas não foram utilizadas. A maioria das baixas foi infligida a distância, por pilotos ou artilheiros que nunca precisaram olhar os inimigos nos olhos. Foi também uma das lições da *Blitz*, quando os piores ataques vieram do alto.

Quando, algum tempo depois, os britânicos planejaram sua própria campanha de bombardeios, a influência corruptora do poder mostrou seu lado horrível. Frederick Lindemann, um dos homens do círculo próximo a Churchill, ignorou todas as evidências de que bombas não abatem o moral. Ele já tinha decidido que os alemães iriam ceder, e qualquer um que tentasse contradizê-lo era estigmatizado como traidor.

"O fato de os bombardeios terem sido aplicados com tão pouca oposição", observou um historiador, tempos depois, "é um exemplo típico da hipnose do poder."[1]

Isso, por fim, nos proporciona uma resposta àquela pergunta formulada por Hobbes e Rousseau, de a natureza humana ser essencialmente boa ou má.

Existem duas facetas da resposta, pois o *Homo cachorrinho* é uma criatura intrinsecamente paradoxal. Para começar, somos uma das espécies mais amistosas do reino animal. Durante o passado, habitamos um mundo igualitário, sem reis nem aristocratas, sem presidentes nem CEOs. Em algumas ocasiões, indivíduos ascendiam ao poder, mas, como vimos no capítulo 11, logo eram desbancados.

Por um longo período, nossa desconfiança instintiva de estranhos não resultou em problemas. Conhecíamos o rosto e o nome dos amigos, e se nosso caminho se cruzasse com um estranho era fácil encontrar algo em comum com ele. Não havia anúncios ou propaganda nem notícias ou guerras que criassem confrontos entre as pessoas. Tínhamos liberdade para sair de um grupo e entrar em outro, aumentando nossas redes de relacionamento no processo.

Então, dez mil anos atrás, começou o problema.

A partir do momento em que começamos a nos assentar em um só lugar e amealhar propriedade privada, nosso instinto de grupo deixou de ser tão inócuo. Combinado com a escassez e as hierarquias, tornou-se tóxico. E quando líderes começaram a formar exércitos para impor vontades, não houve mais como impedir os efeitos corruptores do poder.

Nesse novo mundo de guerreiros e agricultores, de cidades e de Estados, ultrapassamos a linha tênue que dividia a amizade da xenofobia. Em busca de pertencimento, logo nos tornamos propensos a repelir forasteiros. Começamos a ter dificuldade para dizer "não" a nossos líderes – mesmo quando nos faziam marchar para o lado errado da história.

Com o início da civilização, o lado mais feio do *Homo cachorrinho* aflorou. Livros de história relatam incontáveis massacres perpetrados por israelenses e romanos, por hunos e vândalos, por católicos e protestantes e muitos outros. Os nomes mudam, mas o mecanismo continua o mesmo: inspiradas pelo companheirismo e incitadas por homens fortes e cínicos, as pessoas são capazes de fazer as coisas mais horrendas umas com as outras.

Essa tem sido nossa condição há milênios. É possível, inclusive, ver a história da civilização como uma batalha épica contra o maior erro de todos os tempos. O *Homo cachorrinho* é um animal que foi arrancado de seu habitat natural. Um animal que, desde então, vem se virando para compensar uma cavernosa "incompatibilidade". Por milhares de anos, lutamos para exorcizar a ameaça de doenças, guerra e opressão – como escrevi no capítulo 5 –, para compensar a maldição da civilização.

Só recentemente pareceu que poderíamos conseguir isso.

2

No começo do século XVII, teve início um movimento que agora chamamos de "Iluminismo". Foi uma revolução filosófica. Os pensadores do Iluminismo fincaram os alicerces do mundo moderno, do Estado de direito à democracia, da educação à ciência.

À primeira vista, pensadores do Iluminismo, como Thomas Hobbes, não pareciam tão diferentes de antigos padres ou ministros. Todos operavam sob a suposição de que a natureza humana era corrupta. O filósofo escocês David Hume resumiu a visão iluminista da seguinte maneira: "Todos os homens devem ser vistos como patifes, sem ter nenhum outro objetivo, em todas as ações, além do próprio interesse".[2]

Ainda assim, segundo esses pensadores, havia uma maneira de refrear produtivamente nosso interesse próprio. Os humanos têm um talento fenomenal, diziam, uma graça salvadora que nos diferencia das outras criaturas vivas. É a esse talento que deveríamos nos apegar. Era o milagre em que poderíamos basear as nossas esperanças. A razão.

Não empatia nem emoção, tampouco fé. Razão. Se os filósofos do Iluminismo tinham fé em alguma coisa, era no poder do pensamento racional. Eles se convenceram de que os humanos poderiam criar instituições inteligentes que compensassem nosso egoísmo inato. Acreditavam que poderíamos revestir nossos instintos mais soturnos com uma camada de civilização. Ou, mais precisamente, que poderíamos evocar nossas más características para servir a um bem comum.

Se havia um pecado que os pensadores iluministas endossavam, era o da ganância, a qual trombeteavam sob o mote "vícios privados, benefícios públicos".³ O que implicava que comportamentos antissociais em nível individual poderiam resultar em vantagens para a sociedade em geral. Adam Smith, economista do Iluminismo, estabeleceu essa ideia em seu clássico *A riqueza das nações*, de 1776, que foi o primeiro livro a defender os princípios do livre mercado. Nele, enunciou as famosas palavras:

> Não é da benevolência do açougueiro, do cervejeiro e do padeiro que esperamos nosso jantar, mas da consideração que eles têm pelos próprios interesses. Dirigimo-nos não a sua humanidade, mas a sua autoestima, e nunca lhes falamos de nossas próprias necessidades, mas das vantagens que advirão para eles.

O egoísmo não deve ser refreado, argumentaram os economistas modernos, mas libertado. Desta forma, o desejo de riquezas conseguiria o que nenhum exército de pastores jamais pôde fazer: unir as pessoas do mundo inteiro. Hoje, quando pagamos por compras no mercado, estamos trabalhando juntos com milhares de indivíduos que contribuem para a produção e a distribuição de artigos. Não pela bondade de nossos corações, mas porque estamos cuidando de nós mesmos.

Os pensadores do Iluminismo usaram o mesmo princípio para embasar seu modelo de democracia moderna. Vamos considerar a Constituição dos Estados Unidos, a mais antiga do mundo ainda em vigor. Escrita pelos patriarcas fundadores, tem como premissa a visão de que nossa natureza essencialmente egoísta precisa ser restringida. Para esse fim, estabeleceu um sistema de "freios e contrapesos", em que todos se mantinham de olho uns nos outros.

A ideia é de que, se os que estiverem no poder (de direita ou de esquerda, republicanos ou democratas) nas instituições governamentais superiores (o Senado e a Câmara dos Deputados, a Casa Branca e a Suprema Corte) se mantiverem em cheque, o povo americano poderá viver junto e em harmonia, apesar de sua natureza corrupta.⁴ E a única maneira de refrear políticos corruptíveis, segundo esses racionalistas, era equilibrando-os com outros políticos. Nas palavras do estadista americano James Madison: "A ambição deve ser usada para se contrapor à ambição".

Ao mesmo tempo, esse período foi palco do nascimento do moderno Estado de direito. Eis aqui outro antídoto para nossos instintos mais sombrios, pois, por definição, a Justiça é cega. Isenta de empatia, de amor ou de vieses, a justiça é regida somente pela razão. Da mesma forma, foi a razão que forneceu o embasamento de nossos novos sistemas burocráticos, que submetiam um e todos aos mesmos procedimentos, regras e leis.

Doravante, você poderia fazer negócios com quem quisesse, independentemente de credo ou religião. Um efeito colateral foi que nesses países com forte Estado de direito, que garantiam que regulamentações e contratos fossem honrados, a fé em um Deus vingativo diminuiu. O papel de Deus como pai seria suplantado pela fé no Estado. Depois do Iluminismo, por consequência, a Igreja adotou atitude muito mais amistosa. Hoje, poucos Estados ainda se curvam ao julgamento do olho de Deus, e, em vez de convocar cruzadas sangrentas, os papas fazem discursos edificantes sobre "uma revolução da ternura".[5]

Seria coincidência que as maiores concentrações de ateístas encontram-se em países como a Dinamarca e a Suécia? São países que também contam com os mais sólidos Estados de direito e as mais confiáveis burocracias.[6] Em países como esses, a religião foi desalojada. Assim como a produção em massa marginalizou os tradicionais artesãos, Deus perdeu seu emprego para os burocratas.

E aqui estamos, há alguns séculos na era da razão. Em termos gerais, precisamos concluir que o Iluminismo foi um triunfo para a humanidade, que nos deu o capitalismo, a democracia e o Estado de direito. As estatísticas são claras. Nossa vida está exponencialmente melhor, e o mundo ficou mais rico, mais seguro e mais saudável que antes.[7]

Apenas duzentos anos atrás, as condições de vida da população ainda eram de extrema pobreza, independentemente de onde se vivesse. Hoje isso se aplica a menos de 10% da população global. Já vencemos quase todas as doenças infecciosas mais graves, e mesmo que as notícias nos levem a pensar o contrário, nas últimas décadas as taxas de mortalidade infantil, de fome endêmica, de assassinatos e vítimas de acidentes de automóvel desabaram de forma espetacular.[8]

Mas como podemos viver em harmonia, se desconfiamos de estranhos? Como exorcizar essa maldição da civilização, as doenças, a escravidão e a opressão que nos atormentaram por dez mil anos? A razão nua e crua do Iluminismo nos forneceu uma resposta para esse velho dilema. E foi a melhor resposta, até agora.

Porque, vamos ser honestos, o Iluminismo também teve seu lado sombrio. Nos séculos recentes, vimos que o capitalismo pode degringolar, sociopatas podem tomar o poder e uma sociedade dominada por regras e protocolos pode ter pouca consideração pelos indivíduos.

Historiadores ressalvam que se o Iluminismo nos deu igualdade, ele também inventou o racismo. Os filósofos do século XVIII foram os primeiros a classificar os humanos em "raças". David Hume, por exemplo, escreveu que "tendia a considerar que os negros [...] eram mentalmente inferiores aos brancos". Na França, Voltaire concordou: "Se o entendimento deles não for de todo diferente do nosso, é pelo menos muito inferior". Essas ideias racistas foram decodificadas pela legislação e em normas de conduta. Thomas Jefferson, que escreveu as imortais palavras "todos os homens são criados iguais" na Declaração de Independência dos Estados Unidos, era dono de escravos. Ele também disse: "Ainda não encontrei um negro capaz de enunciar pensamento acima do nível de uma simples narrativa".

E depois surgiu o conflito mais sangrento da história. O Holocausto foi planejado em um dos berços do Iluminismo. Foi efetuado por uma burocracia supermoderna, em que a organização dos campos de concentração ficou a cargo do principal departamento da SS, Economia e Administração. Por essa razão, muitos historiadores consideraram o extermínio de 6 milhões de judeus não só como o auge da brutalidade, mas também da modernidade.[9]

As contradições do Iluminismo se destacam quando observamos como a natureza humana era retratada. A esse respeito, filósofos como David Hume e Adam Smith adotaram uma visão cínica. O capitalismo moderno, a democracia e o Estado de direito foram fundados sobre o princípio de que as pessoas são egoístas. No entanto, quando se leem os livros que escreveram, fica claro que os pensadores do Iluminismo não eram cínicos ferrenhos. Dezessete anos antes de publicar *A riqueza das nações* (destinado a se tornar a bíblia do capitalismo), Adam Smith escreveu um livro intitulado *Teoria dos sentimentos morais*, no qual encontramos trechos como este:

> Por mais egoísta que se suponha ser o homem, evidentemente há alguns princípios em sua natureza que o interessam pela prosperidade de outros e tornam essa felicidade necessária para ele, apesar de não ganhar nada com isso exceto o prazer de vê-la.

Racionalistas influentes como Smith e Hume fazem questão de enfatizar a grande capacidade de empatia e altruísmo demonstradas pelos humanos. Se esses filósofos estavam tão sintonizados com nossas admiráveis qualidades, por que suas instituições (democracia, comércio e indústria) eram tão baseadas no pessimismo? Por que eles continuaram cultivando a visão negativa da natureza humana?

Podemos encontrar uma resposta em um dos livros de David Hume, no qual o filósofo escocês articula precisamente a contradição do pensamento do Iluminismo: "É, portanto, uma justa máxima política que todo homem deve ser considerado um patife, apesar de, ao mesmo tempo, parecer um tanto estranho que uma máxima possa ser verdadeira na política e falsa em fatos".

Em outras palavras, Hume acreditava que deveríamos agir *como se* as pessoas tivessem uma natureza egoísta. Mesmo sabendo que elas não têm. Quando entendi isso, uma palavra pululou em minha mente: *nocebo*. Poderia ser essa a coisa que o Iluminismo – e, por extensão, a sociedade moderna – entendeu errado? Que operamos continuamente baseados num modelo equivocado da natureza humana?

No capítulo 1, vimos que algumas coisas podem se tornar verdade porque acreditamos nelas – o pessimismo se torna uma profecia. Ao partirem do pressuposto de que as pessoas são inatamente egoístas, os economistas modernos apregoaram políticas que fomentavam comportamentos interesseiros. Quando os políticos se convenceram de que a política é um jogo cínico, foi exatamente isso que ela virou.

Então, agora devemos perguntar: as coisas poderiam ser diferentes? Será que podemos usar a cabeça e a racionalidade para elaborar novas instituições, as quais operem a partir de uma visão totalmente diferente da natureza humana? E se as escolas e os negócios, as cidades e as nações esperassem o melhor das pessoas em vez de presumir o pior?

Essas perguntas serão o foco do restante deste livro.

PARTE 4

UM NOVO REALISMO

"Então, de certa forma, temos de ser idealistas, pois assim acabaremos agindo como verdadeiros e autênticos realistas."
Viktor Frankl (1905-1997)

1

Eu tinha 19 anos quando assisti pela primeira vez a uma palestra sobre filosofia. Naquela manhã, sob a luz das lâmpadas fluorescentes de um auditório na Universidade de Utrecht, conheci o matemático e filósofo britânico Bertrand Russell (1872-1970). Naquele lugar e naquele momento, ele se tornou meu herói.

Além de ser um lógico brilhante e fundador de uma escola revolucionária, Russell foi um dos primeiros defensores dos homossexuais, um livre-pensador que previu a Revolução Russa descambar em miséria, um ativista antiguerra que seria encarcerado por desobediência civil com 86 anos de idade, autor de mais de sessenta livros e 2 mil artigos, além de sobrevivente da queda de um avião. Também ganhou o Prêmio Nobel de Literatura.

O que eu mais admirava pessoalmente em Russell era sua integridade intelectual, sua fidelidade à verdade. Ele entendia a tão humana tendência de acreditar no que nos convém – e resistiu a isso durante a vida. Por diversas vezes ele nadou contra a correnteza, sabendo que isso lhe custaria caro. Uma de suas declarações se destaca para mim. Em 1959, a BBC perguntou que conselho Russell daria às futuras gerações.

> Ao estudar qualquer questão ou considerar qualquer filosofia, pergunte a si mesmo quais são os fatos e qual é a verdade que os fatos confirmam. Nunca se deixe distrair pelo que você quer acreditar nem pelo que acha que teria efeitos sociais benévolos se acreditassem neles; atente apenas e unicamente ao que são os fatos.

Essas palavras tiveram grande impacto em mim. Surgiram num momento em que eu tinha começado a questionar minha fé em Deus. Sendo filho de um pastor e membro de uma sociedade estudantil cristã, meu instinto foi lançar dúvidas ao vento. Eu sabia o que queria: que houvesse vida após a morte, para que todos os erros do mundo pudessem ser reparados depois e para não estarmos sozinhos nesta rocha no Universo.

No entanto, desde então, eu seria atormentado pelo alerta de Russell: "Nunca se deixe distrair pelo que você quer acreditar".

Fiz o melhor possível enquanto escrevia este livro.

Consegui seguir o conselho de Russell? Espero que sim, mas tenho minhas dúvidas. Sei que precisava de um bocado de ajuda dos leitores mais críticos para me manter na linha. Citando o próprio Russell: "Nenhuma de nossas convicções é totalmente verdadeira; todas têm pelo menos uma penumbra de erro e imprecisão". Assim, se buscamos chegar o mais próximo possível da verdade, precisamos evitar as certezas e nos questionarmos a cada passo. Russell chamava essa abordagem de "disposição para duvidar".

Só muitos anos depois de conhecer esse pensador britânico descobri que sua máxima continha uma referência. Russell cunhou a expressão "disposição para duvidar" para se colocar em oposição a outro filósofo, um americano chamado William James (1842-1910).

E é sobre ele que gostaria de falar agora. William James foi mentor de Theodore Roosevelt, Gertrude Stein, W. E. B. Du Bois e de muitas outras estrelas da história dos Estados Unidos. Foi uma figura querida. Segundo Russell, que o conheceu, James era "repleto de bondade humana".

Russell, porém, não era tão admirador das ideias de James. Em 1896, ele deu uma palestra não sobre a disposição para duvidar, mas sobre "disposição para acreditar". James professava que algumas coisas simplesmente tinham de ser aceitas pela fé, mesmo que não pudéssemos provar que fossem verdadeiras.

Considere a amizade. Ao sair por aí sempre duvidando dos outros, vai se comportar de formas que certamente o levarão a não ser querido. Coisas como amizade, amor, confiança e lealdade tornam-se verdadeiras justamente porque *acreditamos* nelas. Embora concedesse que a convicção de alguém pudesse se provar errônea, James argumentava que a "tapeação pela esperança" era preferível à "tapeação pelo medo".

Bertrand Russell não aceitava esse tipo de ginástica mental. Por mais que gostasse do homem, ele não gostava da filosofia de James. A verdade, dizia, não se dá com o pensamento positivo. Por muitos anos esse também foi meu mote – até eu começar a duvidar da própria dúvida.

2

O ano é 1963, quatro anos depois da entrevista de Russell à BBC.

Em Cambridge, Massachusetts, o jovem psicólogo Bob Rosenthal resolve tentar um pequeno experimento em seu laboratório da Universidade Harvard. Ao lado de duas gaiolas de ratos, ele expõe diferentes rótulos: um deles identificando os roedores como treinados e inteligentes, e os outros como lesos e pouco inteligentes.

Mais tarde, naquele mesmo dia, Rosenthal pede para seus alunos colocarem os ratos num labirinto e registrarem quanto tempo cada um leva para encontrar a saída. O que ele não diz é que na verdade nenhum dos animais era especial em nada – eram todos ratos normais de laboratório.

Mas aí acontece alguma coisa especial. Os ratos que os alunos *acreditam* ser mais rápidos e inteligentes realmente têm um desempenho melhor. É como uma mágica. Os ratos mais "inteligentes", apesar de não serem diferentes de suas contrapartes "menos inteligentes", têm a performance duas vezes melhor.

De início, ninguém acreditou em Rosenthal. "Encontrei obstáculos para publicar qualquer coisa sobre aquilo", ele se lembrou, décadas mais tarde.[1] O próprio Rosenthal de início teve problemas para aceitar que não havia forças misteriosas em jogo e que houvesse uma explicação racional. O que Rosenthal descobriu foi que seus alunos lidaram com os ratos "inteligentes" – dos quais tinham expectativas mais altas – de maneira mais carinhosa e delicada. Esse tratamento alterou o "comportamento" dos ratos e melhorou o desempenho de alguns.

Depois desse experimento, Rosenthal passou a desenvolver uma ideia radical: a convicção de que havia descoberto uma força invisível, porém fundamental. "Se ratos se tornam mais inteligentes quando se espera isso deles", especulou Rosenthal, na revista *American Scientist*, "não deve ser improvável acreditar que crianças se tornem mais inteligentes se os professores esperarem isso delas."

Poucas semanas depois, o psicólogo recebeu uma carta. Era da diretora da Spruce Elementary School de São Francisco, que havia lido o artigo de Rosenthal, com uma proposta irrecusável. "Por favor, avise se eu puder ajudar em alguma coisa", escreveu.[2] Rosenthal não pensou duas vezes. Imediatamente começou a elaborar um novo experimento. Desta vez, porém, os sujeitos não seriam ratos de laboratório, e sim crianças.

Quando começou o novo ano letivo, os professores da Spruce Elementary ficaram sabendo que um aclamado cientista chamado dr. Rosenthal aplicaria um teste aos alunos. Aquele "teste de aquisição modulada" indicaria quem faria os maiores avanços na escola naquele ano.

Na verdade, era um teste de QI normal, e Rosenthal e equipe deixaram os resultados de lado. Eles decidiram na sorte quais alunos indicariam aos professores como tendo "grande potencial". Os alunos, por sua vez, não souberam de nada.

Realmente, o poder da expectativa logo começou a operar sua magia. Os professores deram ao grupo de alunos "inteligentes" mais atenção, mais estímulos e mais elogios, mudando, assim, a forma como as crianças se viam. O efeito foi mais nítido nos alunos mais novos, cujo QI aumentou vinte pontos em média num só ano. Os ganhos mais altos couberam aos alunos que pareciam latinos, um grupo normalmente sujeito a expectativas mais baixas na Califórnia.[3]

Rosenthal chamou sua descoberta de "efeito pigmaleão", em referência ao mitológico escultor que gostou tanto de uma de suas criações que os deuses decidiram dar vida à estátua. Convicções a que nos dedicamos – sejam verdadeiras, sejam imaginárias – também podem ganhar vida, gerando verdadeiras mudanças no mundo. O efeito pigmaleão se assemelha ao efeito placebo (discutido no capítulo 1), só que as expectativas, em vez de beneficiar a si próprio, beneficiam aos outros.

De início pensei que um estudo tão antigo já teria sido desbancado, assim como todos os experimentos que tiveram espaço na mídia nos anos 1960.

De jeito nenhum. Cinquenta anos depois, o efeito pigmaleão continua sendo uma importante descoberta das pesquisas psicológicas. Já foi testado em centenas de estudos no Exército, em universidades, nos tribunais, em famílias, em casas de repouso e em empresas.[4] Bem, o efeito não é sempre tão forte quanto Rosenthal acreditou de início, em especial em relação ao desempenho de crianças em testes de QI. Mesmo assim, uma revisão crítica do estudo de 2005 concluiu que "as abundantes evidências naturalísticas e experimentais mostram que expectativas do professor claramente influenciam os alunos – pelo menos algumas vezes".[5] Altas expectativas podem ser uma ferramenta poderosa, que, quando utilizada por administradores, por exemplo, leva os funcionários a terem melhor desempenho. Quando empregada por oficiais, os soldados lutam com mais afinco. Quando usada por enfermeiros, os pacientes se recuperam mais depressa.

Apesar disso, a descoberta de Rosenthal não provocou a revolução que ele e a equipe esperavam. "O efeito pigmaleão é uma grande descoberta científica que foi pouco aplicada", lamentou um psicólogo israelense. "Não fez a diferença que deveria ter feito no mundo, e isso é decepcionante."[6]

E as más notícias não param por aí: assim como as expectativas positivas têm efeitos reais, os pesadelos também podem se tornar realidade. O outro lado do efeito pigmaleão é o que se conhece como efeito golem, em referência à lenda judaica na qual uma criatura que deveria proteger os cidadãos de Praga se transforma num monstro. Assim como o efeito pigmaleão, o golem é onipresente. Quando temos expectativas negativas em relação a alguém, não prestamos muita atenção na pessoa. Preferimos nos distanciar. Não sorrimos muito. Basicamente, fazemos o que os alunos de Rosenthal fizeram ao soltarem os ratos "bobos" no labirinto.

Há poucas pesquisas sobre o efeito golem, o que não surpreende, tendo em vista as objeções éticas de sujeitar pessoas a expectativas negativas. No entanto, o que sabemos já é chocante. Vamos considerar o estudo feito pelo psicólogo Wendell Johnson em Davenport, Iowa, em 1939. Ele dividiu vinte órfãos em dois grupos, dizendo a um dos grupos que seus integrantes eram bons e bem articulados para falar, e ao outro que o destino deles era a gagueira. Agora infamemente conhecido como "estudo monstro", o experimento deixou inúmeros indivíduos com problemas de fala pelo resto da vida.[7]

O efeito golem é uma espécie de nocebo que faz maus alunos ficam ainda mais atrasados, pessoas em situação de rua perderem as esperanças e adolescentes marginalizados se radicalizarem. É também um dos insidiosos mecanismos por trás do racismo, pois uma pessoa sujeita a baixas expectativas não tem o melhor desempenho possível, o que reduz ainda mais a expectativa dos outros em relação a ela e, consequentemente, prejudica ainda mais o seu desempenho. Também há evidências que sugerem que o efeito e seu círculo vicioso de acúmulo de expectativas negativas podem arruinar organizações inteiras.[8]

3

O efeito pigmaleão e o efeito golem estão urdidos na tessitura do mundo. Todos os dias, instigamos outras pessoas a se tornarem mais inteligentes ou mais bobas, mais fortes ou mais fracas, mais rápidas ou mais lentas. Não conseguimos conter nossas expectativas, seja com olhares, pela voz ou pela linguagem corporal. Minhas expectativas em relação a você definem minha atitude, e por sua vez a maneira como me comporto influencia suas expectativas e, portanto, seu comportamento em relação a mim.

Se pensarmos bem, isso está no âmago da condição humana. O *Homo cachorrinho* é como uma antena, sempre sintonizada nos outros. Se alguém prende o dedo na porta, temos um sobressalto. Quando um malabarista se equilibra numa corda bamba, sentimos frio na barriga. Alguém boceja, e é quase impossível não bocejarmos também. Somos programados para espelharmos os outros.

Na maior parte do tempo, esse espelho funciona bem. Propicia conexões e boas vibrações, como quando todo mundo se diverte numa pista de dança. Nosso instinto de espelhar os outros tende a ser uma luz positiva exatamente por essa razão, mas esse instinto trabalha em mão dupla. Também espelhamos emoções negativas, como ódio, inveja e cobiça.[9] E, quando concordamos com a má ideia de alguém – achando que são ideias comuns a todos ao redor –, os resultados podem ser desastrosos.

Considere as bolhas econômicas. Em 1936, o economista inglês John Maynard Keynes concluiu que havia um impressionante paralelo entre mercados financeiros e concursos de beleza. Imagine estar diante de centenas de concorrentes e, em vez de escolher sua favorita, ter de indicar aquela que os *outros* vão preferir.[10] Nesse tipo de situação, nossa propensão é tentar adivinhar o que os outros vão pensar. Da mesma forma, se todos acreditarem que o valor de uma ação vai subir, o valor da ação sobe. Isso pode acontecer por um longo tempo, e então no fim a bolha vai estourar. Foi o que aconteceu, por exemplo, quando a mania das tulipas polarizou a Holanda em janeiro de 1637, e por um breve período uma única tulipa era vendida por um valor mais de dez vezes maior que o salário anual de um talentoso artesão, só para murchar no dia seguinte.

Bolhas desse tipo não se limitam ao mundo financeiro. Estão em toda parte. Dan Ariely, psicólogo da Universidade Duke, certa vez fez uma brilhante demonstração durante numa aula. Para explicar seu campo de economia comportamental, apresentou aos alunos uma definição que parecia extremamente técnica. O que os estudantes não sabiam, porém, era que todos os termos usados haviam sido gerados por um computador e amontoados numa série aleatória de palavras e sentenças para produzir uma algaravia sobre a "teoria dialética enigmática" e o "racionalismo neoconstrutivo".

Os alunos de Ariely – estudantes de uma das mais renomadas universidades do mundo – ouviram, arrebatados, sua miscelânea linguística. Passaram-se minutos. Ninguém riu. Ninguém levantou a mão. Ninguém deu qualquer sinal de não ter entendido.

"E isso nos remete à grande questão...", concluiu Ariely. "Por que ninguém me perguntou de que m#®d@ eu estou falando?"[11]

Entre os psicólogos, o que aconteceu naquela sala de aula é conhecido como *ignorância pluralística* – e, não, este não é um termo gerado por uma máquina. Individualmente, os alunos de Ariely acharam sua narrativa impossível de ser acompanhada, mas, ao verem os colegas ouvirem com atenção, consideraram que o problema era deles. (Sem dúvida, o fenômeno é conhecido por leitores que assistiram a conferências sobre tópicos como "cocriação disruptiva na sociedade das redes sociais".)

Embora inofensivos nesse caso, pesquisas mostram que os efeitos da ignorância pluralística podem ser desastrosos – e até fatais. Como beber demais, por exemplo. Se perguntarmos a estudantes universitários individualmente, a maioria dirá que beber até desfalecer não está entre seus passatempos favoritos. No entanto, como supõem que *outros* estudantes gostam muito de beber, eles tentam acompanhar a tendência e todos acabam vomitando na sarjeta.

Pesquisadores compilaram resmas de dados demonstrando que essa espécie de espiral negativa pode contribuir para males sociais mais profundos, como racismo, estupros coletivos, assassinatos por questões de honra, apoio a terroristas, regimes ditatoriais e até genocídios.[12] Ainda que condenem tais ações internamente, os coautores têm medo de ficar sozinhos e, por isso, preferem seguir o fluxo. Afinal, se há uma coisa que o *Homo cachorrinho* faz questão, é de corresponder às expectativas do grupo. Preferimos um quilo da mais intensa infelicidade a poucos gramas de vergonha ou desconforto social.

Isso me leva a refletir: e se nossas ideias negativas sobre a natureza humana na verdade forem uma forma de ignorância pluralística? Será que nosso temor de que a maioria está a fim de maximizar os próprios ganhos nasceu do pressuposto de que é isso o que todos os outros pensam? E que adotamos uma visão cínica quando, no fundo, a maioria de nós anseia por uma vida com mais bondade e solidariedade?

Às vezes me lembro da forma como formigas andam em círculos sem conseguir mudar de direção. Formigas são programadas para seguir as trilhas de feromônio das outras. Em geral, o resultado são fileiras de formigas bem organizadas, mas de vez em quando um grupo se desvia e acaba "perdido" num círculo contínuo. Dezenas de milhares de formigas podem ficar presas girando em círculos de centenas de metros de largura. E continuam andando cegamente, até sucumbirem por exaustão ou morrerem por falta de alimento.

De tempos em tempos, famílias, organizações e até países inteiros se veem nesses tipos de espiral. Andamos em círculos, imaginando o pior dos outros. Poucos se mexem para resistir, e, assim, continuamos marchando para a derrocada.

A carreira de Bob Rosenthal já tem cinquenta anos, e até hoje ele continua buscando um jeito de usarmos o poder da expectativa de forma vantajosa. Pois sabemos que, assim como o ódio, a confiança pode ser contagiante.

A confiança quase sempre começa quando alguém ousa ir contra o fluxo – alguém que de início é visto como irrealista, até ingênuo. Na próxima parte deste livro, vou apresentar vários desses indivíduos. Administradores que acreditam em seus funcionários. Professores que liberam os alunos para brincar. E autoridades eleitas que tratam seus cidadãos como criativos e engajados.

São pessoas motivadas pelo que William James chamou de "disposição para acreditar". Pessoas que recriam o mundo à própria imagem.

13
O PODER DA MOTIVAÇÃO INTRÍNSECA

1

Já havia algum tempo que eu estava ansioso para conhecer Jos de Blok. Depois de ler sobre o sucesso de sua organização de assistência médica domiciliar, a Buurtzorg, meu palpite era que ele seria um desses expoentes de um novo realismo. Com uma nova visão da natureza humana.

No entanto, para ser sincero, na primeira vez em que conversamos ele não me impressionou como grande pensador. Com uma declaração abrangente, ele minimizou toda a profissão de administrador: "Administrar é balela. Basta deixar as pessoas fazerem o trabalho delas".

Claro, Jos, você pensa. *Conta outra.* Depois, porém, comecei a perceber que aquilo não era papo-furado. Jos construiu uma empresa extremamente bem-sucedida, com mais de 14 mil pessoas. Ele foi cinco vezes eleito como "empregador do ano" na Holanda. Professores de Nova York a Tóquio viajam para Almelo a fim de conferir sua sabedoria.

Reli as entrevistas dadas por Jos de Blok. E logo comecei a rir.

Entrevistador: Há algo que você faça para motivar a si próprio? Dizem que Steve Jobs se perguntava no espelho todas as manhãs: o que eu faria se este fosse meu último dia?
Jos: Eu também li esse livro e não acredito em nenhuma palavra.[1]
Entrevistador: Você está nas redes sociais?
Jos: Na maior parte delas não acontece nada a não ser todo mundo reafirmando a opinião de todos. Isso não é para mim.[2]
Entrevistador: Como você motiva seus funcionários?
Jos: Eu não faço isso. Pareceria paternalismo.[3]
Entrevistador: Onde você mira, Jos... aquela meta de longo prazo que inspira você e sua equipe?
Jos: Eu não tenho metas de longo prazo. Nada disso inspirou minha visão.[4]

Por mais improvável que pareça, é o mesmo homem que recebeu a medalha Albert da Sociedade Real das Artes de Londres, à altura de Tim Berners-Lee, o cérebro por trás da World Wide Web; de Francis Crick, que desvendou a estrutura do DNA; e do brilhante físico Stephen Hawking. Em novembro de 2014, foi Jos de Blok, nascido em uma cidadezinha da Holanda, que recebeu a honra e a glória de a nata da academia britânica ouvir seu discurso. Com inglês hesitante, De Blok confessou que de imediato pensou que fosse piada.

Mas não era piada.

Estava mais que na hora.

2

Para entender o que torna as ideias de Blok tão revolucionárias – e comparáveis ao desvendamento do DNA –, precisamos voltar ao início do século XX. Foi quando a administração de empresas entrou em cena. Esse campo da ciência tinha suas raízes firmemente plantadas na visão hobbesiana de que os seres humanos são gananciosos por natureza. Precisávamos de administradores para nos manter no caminho certo. Administradores precisavam nos proporcionar os "incentivos" certos – era o que se pensava. Banqueiros ganham bônus porque isso os faz trabalhar mais arduamente. Benefícios a desempregados servem para possibilitar que eles vão à luta. Alunos têm notas baixas para se esforçarem mais no ano letivo seguinte.

O fascinante é que as duas principais ideologias do século XX – o capitalismo e o comunismo – tinham essa mesma visão da humanidade. Tanto o capitalismo como o comunismo diziam que só havia duas maneiras de fazer as pessoas agirem: a cenoura ou o chicote. Os capitalistas confiavam na cenoura (leia-se, dinheiro), enquanto os comunistas preferiam basicamente o chicote (leia-se, punição). Apesar de todas as diferenças, havia uma premissa com a qual os dois lados concordavam: as pessoas não se motivam por conta própria.

Agora você pode pensar: *Ah, não é tão ruim assim. Eu, por exemplo, sou muito motivado.*

Não vou discutir. Na verdade, tenho certeza de que você está certo. Meu ponto é que tendemos a pensar que *os outros* não têm motivação. O professor Chip Heath, da Universidade Stanford, refere-se a isso como nosso *viés de incentivos extrínsecos*. Isso é, sempre pensamos que as outras pessoas só se motivam por dinheiro. Em uma pesquisa entre estudantes de Direito, por exemplo, Heath descobriu que 64% disseram cursar aquela faculdade por ser um sonho de muito tempo ou por ser de seu interesse. Só 12% acreditavam que o mesmo se aplicava a seus pares. E todos os outros alunos? Estavam ali pelo futuro financeiro.[5]

Foi essa visão cínica da humanidade que fincou os alicerces do capitalismo. "O que os trabalhadores mais querem de seus empregadores, acima de qualquer outra coisa, é um salário alto", avaliou um dos primeiros consultores de negócio do mundo, Frederick Taylor, há pouco mais de 100 anos.[6] Taylor ficou famoso como inventor da *administração científica*, método baseado na ideia de que o desempenho deve ser medido com a maior precisão possível a fim de tornar as fábricas mais eficientes. Os gerentes tinham de estar a postos em toda linha de produção, cronômetro em punho, para registrar quanto levava para apertar um parafuso ou embalar uma caixa. O próprio Taylor relacionava o empregado ideal a um robô irracional: "Tão obtuso e tão apático que mais se pareça com gado".[7]

Com essa mensagem jocosa, Frederick Taylor tornou-se um dos mais renomados cientistas da administração de todos os tempos. No começo do século XX, o mundo inteiro orientava-se por suas ideias – comunistas, fascistas e capitalistas. De Lênin a Mussolini, de Renault a Siemens, a filosofia de administração de Taylor se disseminou. Nas palavras de seu biógrafo, o taylorismo "adapta o que faz um vírus, encaixando-se em quase qualquer lugar".[8]

Claro que muita coisa mudou desde então. Agora temos um monte de *startups* em que se pode trabalhar calçando chinelo. E atualmente muitos funcionários dispõem da flexibilidade de estabelecer o próprio horário de trabalho. No entanto, a visão de Taylor da humanidade, e a convicção de que somente a cenoura e o chicote fazem as pessoas se mexerem, continua generalizada como sempre foi. O taylorismo permanece vivo nos cronogramas e em pagamento por horas de trabalho, em índices de produtividade e em remunerações de médicos por procedimento, em funcionários de almoxarifado tendo cada movimento monitorado por câmeras.

3

Os primeiros sinais de oposição surgiram no verão de 1969.

Edward Deci era um jovem psicólogo fazendo doutorado numa época em que a área ainda estava nas garras do *behaviorismo*, teoria que afirmava – como Frederick Taylor – que as pessoas são criaturas indolentes. A única coisa com poder suficiente para colocá-las em ação é a promessa de recompensa ou o medo de punição.

Deci, porém, tinha uma incômoda sensação de que essa teoria não procedia. Afinal, os indivíduos saem por aí fazendo um bocado de coisas malucas que não se encaixam na visão behaviorista, como escalar montanhas (difícil!), trabalhar como voluntários (sem ganhar nada!) e ter filhos (intenso!). Na realidade, nós continuamente nos envolvemos em atividades que não nos rendem um tostão, além de serem tremendamente cansativas. Por quê?

Naquele verão, Deci topou com uma estranha anomalia: em alguns casos, a cenoura e o chicote podem *afrouxar* o desempenho. Quando ele só pagava um dólar para estudantes voluntários resolverem um enigma, eles perdiam o interesse pela tarefa. "Dinheiro pode funcionar para comprar a motivação de alguém que exerce uma atividade", explicou, mais tarde.[9]

Essa hipótese foi tão revolucionária que os economistas a rejeitaram de cara. Incentivos financeiros só serviam para aumentar a motivação, afirmaram, veementes. Assim, se um estudante gostasse de resolver um enigma, a recompensa só aumentaria seu entusiasmo. Colegas psicólogos também desdenharam Edward Deci e suas ideias. "Nós estávamos fora do consenso comum", relembrou um companheiro de pesquisa e amigo íntimo Richard Ryan. "A ideia de que recompensas às vezes podiam sabotar a motivação era um anátema para os behavioristas."[10]

Contudo, depois de diversos estudos, as suspeitas de Deci começaram a se confirmar. Como o que houve em Haifa, em Israel, no fim dos anos 1990, quando uma rede de creches se viu numa situação específica: 25% dos pais iam buscar os filhos mais tarde, depois do horário do fechamento. O resultado eram crianças agitadas e a equipe fazendo hora extra. Então, a empresa resolveu impor uma taxa por atraso: 3 dólares a cada vez que o pai ou a mãe chegassem mais tarde.

Parece um bom plano, certo? Os pais passaram a ter não um, mas dois incentivos para chegar na hora certa, um moral e um financeiro.

A nova política foi anunciada, e o número de pais que chegavam atrasados... aumentou. Em pouco tempo, 33% chegavam depois do horário de fechamento, e depois, em questão de semanas, 40%. Por um simples motivo: os pais não interpretaram a taxa de atraso como multa, mas como sobretaxa, que a partir de então os libertava da obrigação de pegar os filhos na hora certa.[11]

Além desse, muitos outros estudos vêm validando essa descoberta. O que acontece é que, sob certas condições, os motivos de as pessoas fazerem as coisas não podem ser somados na mesma conta. Às vezes eles se cancelam.

Alguns anos atrás, pesquisadores da Universidade de Massachusetts analisaram 51 estudos de incentivos econômicos em locais de trabalho. E descobriram "evidências incontestáveis" de que os bônus podem enfraquecer a motivação intrínseca e a bússola moral dos trabalhadores.[12] Além disso, se já não fosse suficientemente ruim, descobriram que bônus e metas podem erodir a criatividade. Incentivos extrínsecos em geral pagam em espécie. Ao pagar por hora, vai conseguir mais horas. Ao pagar por publicações, vai conseguir mais publicações. Ao pagar por procedimentos cirúrgicos, vai ter mais procedimentos cirúrgicos.

Ou seja, mais uma vez, os paralelos entre a economia do capitalismo ocidental e a da antiga União Soviética são chocantes. Os administradores da era soviética trabalhavam com metas. Quando as metas aumentavam – digamos, numa fábrica de móveis –, a qualidade do mobiliário despencava. Em seguida, quando era decidido que mesas e cadeiras seriam pagas por peso, a fábrica produzia móveis pesados demais para ser transportados.

Pode parecer engraçado, mas a triste verdade é que isso continua acontecendo em muitas empresas. Cirurgiões pagos com base nos procedimentos ficam mais propensos a pegar em seus bisturis. Uma grande firma de advocacia que exige de seu pessoal a cobrança de um mínimo de horas (digamos, mil e quinhentas horas por ano) não estimula seus funcionários a trabalhar melhor, só durante mais tempo. Tanto no sistema comunista como no capitalismo, a tirania dos números sufoca a motivação intrínseca.

Seriam os bônus, então, desperdício de dinheiro? Não totalmente. Uma pesquisa realizada pelo economista comportamental Dan Ariely demonstrou que eles podem ser eficazes quando as tarefas são simples e rotineiras, como as que Frederick Taylor registrava com seu cronômetro nas linhas de produção.[13] Em outras palavras, justamente as tarefas que no mundo moderno os economistas cada vez mais atribuem a robôs, e robôs não precisam de motivação intrínseca.

Mas nós, humanos, não prescindimos dela.

Infelizmente, as lições de Edward Deci foram pouco aplicadas. Na maioria dos casos, as pessoas continuam sendo tratadas como robôs. Nos escritórios. Nas escolas. Nos hospitais. No serviço social.

Seguimos com o pressuposto de que os outros só se importam consigo mesmos, de que, se não houver recompensa no fim, os indivíduos preferem enrolar. Um estudo britânico descobriu recentemente que a grande maioria da população (74%) se identifica mais com valores como prestatividade, honestidade e justiça que com riqueza, *status* e poder. E uma porcentagem até um pouco maior (78%) acredita que os outros estão mais interessados em si mesmos do que na verdade eles estão.[14]

Alguns economistas acham que essa visão distorcida da natureza humana não é um problema. Milton Friedman, por exemplo, ganhador do Prêmio Nobel, afirmou que suposições incorretas sobre as pessoas não fazem diferença, desde que suas previsões se mostrem corretas.[15] Friedman, porém, se esqueceu de levar em conta o efeito nocebo: acreditar em alguma coisa pode torná-la verdade.

A forma como nos pagam para fazermos alguma coisa pode nos transformar em pessoas totalmente diferentes. Alguns anos atrás, dois psicólogos americanos demonstraram que advogados e consultores pagos por hora precificam todo seu tempo, mesmo fora do escritório. A consequência disso? Advogados que registram meticulosamente suas horas são também menos propensos a trabalhar *pro bono*.[16]

É estonteante ver como somos tolhidos por metas, bônus e perspectiva de penalidades.

- Presidentes de empresas que só enxergam resultados trimestrais e acabam levando suas companhias à bancarrota.
- Acadêmicos que são avaliados pelo número de publicações produzidas e apresentam falsas pesquisas.
- Escolas que são avaliadas pelos resultados de seus testes padronizados e, por isso, deixam de transmitir conhecimentos não quantificáveis.
- Psicólogos que são pagos para continuar a tratar pacientes e, assim, os mantêm em tratamento além do necessário.
- Banqueiros que ganham bônus por vender hipotecas subprime e acabam levando a economia mundial à beira da ruína.

A lista continua. Cem anos depois de Frederick Taylor, seguimos sabotando, em escala maciça, a motivação intrínseca uns dos outros. Um grande estudo com 230 mil pessoas em 142 países revelou que meros 13% se sentem realmente "engajados" no trabalho.[17] Treze por cento. Ao pensar bem nesses números, é possível perceber quanto de vontade e energia é desperdiçado. E quanto há de margem para fazer as coisas de forma diferente.

4

O que nos traz de volta a Jos de Blok. Até o início de 2006, ele ocupava um cargo na junta diretora de uma grande empresa holandesa do ramo da saúde. Apresentava uma ideia atrás da outra sobre "equipes autogeridas" e "gerenciamento sem intervenção", até seus colegas gestores passarem a sentir raiva. O próprio De Blok não tinha diploma ou formação em Administração. Havia começado a estudar Economia anos antes, mas desistiu e foi ser enfermeiro.

"A lacuna entre o pessoal em altos cargos e quem realmente faz o trabalho – em saúde, educação, o que seja – é enorme", explica De Blok em seu escritório em Almelo. "Os administradores tendem a se enturmar. Organizam todos os tipos de curso e conferência em que dizem uns aos outros que estão fazendo as coisas certas."

Isso os isola do mundo real. "Existe essa ideia de que quem faz acontecer não consegue pensar estrategicamente", continua.

> De que eles não têm visão. Mas as pessoas que fazem o trabalho de campo estão transbordando ideias. Elas sugerem mil coisas, mas não são ouvidas porque os administradores acham que precisam ir a algum retiro corporativo para elaborar planos a ser apresentados às abelhas-operárias.

De Blok tem uma visão bem diferente das coisas. Vê seus funcionários como profissionais e especialistas intrinsecamente motivados pela maneira como o trabalho deve ser feito

> Em minha experiência, os administradores tendem a ter poucas ideias. Conseguem empregos porque se encaixam no sistema, porque obedecem às ordens, não por serem grandes visionários.

Fazem alguns cursos de "liderança de alto desempenho" e de repente acham que podem mudar o jogo, que são inovadores.

Quando lembro a Blok que "administração de cuidados médicos" foi o grupo ocupacional a crescer mais rapidamente na Holanda entre 1996 e 2014, ele suspira.[18]

> O que a gente consegue com todos esses programas de MBA são pessoas convencidas de que aprenderam uma forma conveniente de ordenar o mundo. Há RH, finanças, TI. No fim, a gente acaba acreditando que muito do que a empresa alcança depende de você. A gente vê isso num monte de gerente. Mas, ao subtrair o gerenciamento, o trabalho continua como antes... ou até melhora.

Como afirmações semelhantes a essas confirmam, De Blok tende a nadar contra a maré. Ele é um administrador que prefere não administrar. Um presidente de empresa com a mão na massa. Um anarquista no topo da carreira. Assim, quando cuidados médicos se tornaram produto e os pacientes viraram consumidores, De Blok resolveu largar seu emprego de gerente e começar algo novo. Sonhava com um oásis nesse imenso deserto burocrático, um lugar alimentado não pelas forças do mercado, mas por confiança e pequenas equipes.

A Buurtzorg começou com quatro enfermeiros, em Enschede, cidade de 150 mil habitantes no extremo leste da Holanda. Atualmente, conta com mais de oitocentas equipes ativas em todo o país. Contudo, não se diferencia pelo que a organização é, mas pelo que *não é*. Não tem gerentes, centro de atendimento nem planejadores. Não há metas nem bônus. As despesas gerais são insignificantes, assim como o tempo gasto em reuniões. A Buurtzorg não tem uma sede elegante na capital, mas num prédio modesto em um feioso parque comercial na remota Almelo.

Cada equipe formada por doze profissionais tem total autonomia. As equipes planejam os próprios cronogramas e contratam seus colaboradores. E, ao contrário do resto da indústria médica do país e seus infinitos esquemas, as equipes não fornecem os códigos H126 ("atendimento pessoal"), H127 ("atendimento pessoal adicional"), H120 ("atendimento pessoal especial") nem H136 ("atendimento pessoal remoto suplementar"). Não, a Buurtzorg só fornece um produto: cuidados médicos. No exaustivo "registro de produtos" definido pelas seguradoras, a Buurtzorg tem seu próprio código: R002 – "Buurtzorg".

Para o restante, a organização tem uma intranet que os colegas podem alimentar com conhecimentos e experiências. Cada equipe possui seu próprio orçamento de treinamento, e cada grupo de cinquenta equipes tem um *coach* disponível no caso de haver algum problema. Por fim, há um escritório central que cuida do financeiro. E só.

Com essa fórmula simples, a Buurtzorg foi eleita cinco vezes a "melhor empregadora" do país, apesar de não ter uma equipe de RH, e ganhou o prêmio "melhor marketing no setor de atendimento médico", mesmo sem departamento de marketing. "A satisfação dos empregados e dos clientes é fenomenalmente alta", concluiu um consultor da KPMG. "Mesmo custando menos que a média, a qualidade do atendimento da empresa está bem acima da média."[19]

Isso mesmo, a Buurtzorg é melhor para os pacientes, mais agradável para os funcionários e mais barata para os contribuintes. Uma situação ganha-ganha. E a organização continua a crescer. A cada mês, dezenas de enfermeiros largam outros empregos para trabalhar na Buurtzorg. E não à toa: na empresa eles têm mais liberdade e ganham melhor. Quando adquiriu parte de uma empresa similar falida, recentemente, De Blok anunciou: "A primeira coisa a fazer é aumentar o salário dos funcionários".[20]

Ainda assim, a Buurtzorg não é perfeita. Há desentendimentos, coisas dão errado – acredite, eles quase são humanos. E a estrutura organizacional, se podemos falar nisso, é antiquada, e o objetivo de Blok sempre foi uma volta ao descomplicado atendimento médico domiciliar da Holanda dos anos 1980.

O importante, porém, é que aquilo que Jos de Blok criou em 2006 é extraordinário. Pode-se dizer que sua organização combina o melhor da esquerda e da direita, passando o dinheiro do contribuinte a um atendimento médico de pequena escala exercido por profissionais independentes.

De Blok resume sua filosofia da seguinte maneira: "É fácil tornar as coisas difíceis, o difícil é facilitá-las". Os registros explicitam que os administradores preferem o complicado, "porque isso torna o trabalho deles mais importante", explica De Blok. "Aí eles podem dizer: 'Está vendo, vocês precisam de mim para gerir essa complexidade'."

Será que isso se aplica a grande parte da chamada "economia de conhecimento"? Estariam esses administradores e consultores de *pedigree* complicando as coisas simples para que precisemos deles para nos guiar? Às vezes penso que esse é o modelo de receita não só dos banqueiros de Wall Street, como também dos filósofos pós-modernos, com seus jargões incompreensíveis. Ambos os grupos tornam coisas simples impossivelmente complexas.

Jos de Blok faz o contrário: opta pela simplicidade. Enquanto conferências sobre atendimento médico apresentam estudiosos de tendências muito bem pagos profetizando rompimentos e inovações, ele acredita na continuidade do que funciona. "O mundo se beneficia mais da continuidade que da mudança contínua", afirma.

> Agora eles querem mudar os gerentes, mudar os agentes, e assim por diante, mas, quando olho para o verdadeiro atendimento médico nas comunidades, o trabalho pouco mudou nos últimos trinta anos. Você precisa construir um relacionamento com alguém numa situação difícil, isso é uma constante. Claro que é preciso introduzir conhecimentos e novas técnicas, mas o básico não mudou.

O que tem de mudar, explica De Blok, é o *sistema* de atendimento. Nas décadas recentes, o atendimento médico foi colonizado por advogados.

> Agora estamos em campos opostos. Um lado vende, o outro compra. Na semana passada, eu estava num hospital quando ouvi: *Agora nós temos uma equipe de vendas própria.* É uma loucura! Há hospitais com departamentos comerciais e equipes de vendas, com profissionais sem nenhuma formação em saúde. Um compra, o outro vende, e ninguém entende do assunto.

Enquanto isso, a burocracia se prolifera, pois, quando se transforma o atendimento médico num mercado, surge uma pilha de papelada burocrática. "Ninguém confia em ninguém, então eles começam a montar todas essas salvaguardas, todos os tipos de checagem que resultam numa tonelada de burocracia. É um absurdo", diz De Blok. "O número de consultores e gerentes nas companhias de seguro está aumentando, enquanto a quantidade de verdadeiros profissionais de saúde continua a minguar."

De Blok apregoa uma abordagem radicalmente diferente ao financiamento da saúde. Eliminar a mentalidade de produto, afirma. Tornar o atendimento o aspecto mais importante de novo. Simplificar drasticamente os custos. "Quanto mais simples a cobrança, maior a ênfase no verdadeiro atendimento", explica. "Quanto mais complicada a cobrança, mais jogadores para buscar brechas no sistema, pendendo cada vez mais a balança para os departamentos contábeis, até eles passarem a ser os que definem o atendimento."

Conversando com Jos de Blok, logo se nota que suas lições vão além do setor de assistência médica. Elas se aplicam a outras áreas: à educação e à lei, a governos e indústrias.

Um grande exemplo é a Favi, empresa francesa fornecedora de peças automotivas. Quando Jean-François Zobrist foi nomeado presidente, em 1983, a Favi tinha uma rígida estrutura hierárquica e fazia coisas à moda antiga. Se trabalhar bastante, ganhará um bônus. Se chegar atrasado, será descontado do salário.

Desde o primeiro dia, Zobrist imaginou uma organização em que a equipe tomasse as decisões, não ele; em que os funcionários considerassem que deveriam chegar na hora (e que ficasse claro que, se não cumprissem o horário, era por uma boa razão). "Eu sonhava com um lugar que todos cuidassem como se fosse a própria casa", explicou.[21]

Sua primeira medida como presidente foi fechar a enorme janela pela qual a gerência ficava de olho no chão da fábrica. Em seguida, eliminou o relógio de ponto, tirou as fechaduras das salas de armazenagem e cortou o sistema de bônus. Zobrist dividiu a empresa em "minifábricas", com algo entre 25 e trinta empregados e onde cada uma escolhia o próprio líder de equipe. Deu a esses funcionários selecionados liberdade de tomar as próprias decisões sobre salários, horas de trabalho, quem contratar etc. Cada equipe respondia diretamente aos clientes.

Zobrist também optou por não substituir os antigos gerentes que se aposentavam, fez cortes nos departamentos de RH, de planejamento e de marketing. A Favi passou a um método de "delegação reversa" de trabalho, em que as equipes faziam tudo sozinhas, a não ser que elas próprias convocassem a gerência.

Pode parecer uma comunidade *hippie* desperdiçando dinheiro, mas na verdade a produtividade da Favi *aumentou*. O número de empregados passou de cem a quinhentos, e a empresa conquistou 50% do mercado de garfos de transmissão. O tempo médio de produção de peças-chave caiu de onze dias para um único dia. E, enquanto os concorrentes foram forçados a relocar operações para países com salários mais baixos, a planta da Favi continuou na Europa.[22]

Durante todo esse tempo, a filosofia de Zobrist foi tremendamente simples: ao tratar os empregados como profissionais responsáveis e confiáveis, eles assim serão. Ele até escreveu um livro a respeito, *L'entreprise qui croit que l'homme est bon* [A empresa que acredita que o homem é bom].

5

Empresas como a Buurtzorg e a Favi são a prova de que tudo muda quando se substitui a desconfiança por uma visão mais positiva da natureza humana.

Profissionalismo e competência se tornam os principais valores, não renda e produtividade. Imagine o que isso significaria em outros empregos e profissões. Presidentes conduziriam baseados na fé no empreendimento, acadêmicos estudariam com afinco motivados pela sede de conhecimento, professores lecionariam por se sentirem responsáveis por alunos, psicólogos só tratariam os pacientes enquanto fosse necessário, e banqueiros se sentiriam recompensados pelos serviços que prestam.

Claro que já existem muitos professores e banqueiros, acadêmicos e gerentes motivados em ajudar os outros. No entanto, não *por causa* de metas, regras e procedimentos, mas *apesar* deles.

Edward Deci, o psicólogo que reverteu o roteiro sobre o que pensamos como motivação, considerava que a questão não era mais como instigar os outros, mas como moldar a sociedade para as pessoas motivarem a si mesmas. Essa questão não é conservadora nem progressista, não é capitalista nem comunista. Trata-se de um novo movimento, um novo realismo. Pois nada é mais poderoso que pessoas que fazem algo *porque desejam*.

14
HOMO LUDENS

1

Durante vários dias depois da minha conversa com Jos de Blok, meus pensamentos se voltaram para a mesma pergunta: e se toda dinâmica social fosse baseada na confiança?

Achei que, para uma conversão dessa magnitude, precisaríamos começar pelo começo. Pelas crianças. No entanto, quando mergulhei na literatura educacional, logo esbarrei com alguns fatos graves. Durante as últimas décadas, a motivação intrínseca das crianças têm sido sistematicamente sufocada. Os adultos preenchem o tempo dos filhos com deveres de casa, exercícios físicos, aulas de música, de teatro, professores particulares, estudos para as provas – a lista parece infinita. O que significa menos tempo para outra atividade: brincar. E estou me referindo a brincar no sentido mais amplo, à liberdade de ir aonde a curiosidade levar. Para pesquisar e descobrir, experimentar e criar. Não seguindo as diretrizes estabelecidas por pais ou professores, mas pelo processo em si. Pela diversão.

Para onde quer que olhemos, a liberdade das crianças está sendo limitada.[1] Em 1971, 80% dos ingleses com 7 e 8 anos ainda iam para a escola sozinhos. Recente pesquisa com 12 mil pais em dez países revelou que detentos nas cadeias passam mais tempo ao ar livre que a maioria das crianças.[2] Pesquisadores da Universidade de Michigan constataram que o tempo que as crianças passam na escola aumentou em 18% entre 1981 e 1997; já o tempo dispendido em lições de casa aumentou em 145%.[3]

Tanto sociólogos como psicólogos se mostraram alarmados com esse processo. Um estudo americano de longo prazo detectou uma redução no "lócus de controle interno" entre as crianças, o que significa que elas sentem cada vez mais que têm a vida determinada pelos outros. Nos Estados Unidos, essa mudança foi tão sísmica que, em 2002, na média, as crianças que se sentiam menos "no controle" que 80% das crianças nos anos 1960.[4]

Embora esses números sejam menos dramáticos no meu país, a tendência é a mesma. Em 2018, pesquisadores holandeses descobriram que três em cada dez crianças só brincam ao ar livre uma vez por semana – ou nunca brincam.[5] Um grande estudo conduzido pela Organização de Cooperação para o Desenvolvimento Econômico (OCDE) entre crianças na escola, por sua vez, revelou que as crianças holandesas são as menos motivadas de todos os países pesquisados. Testes e boletins erodiram tanto a motivação intrínseca que a atenção delas evapora diante de uma tarefa fora do programa escolar.[6]

Isso sem falar da maior mudança de todas: de pais passando muito mais tempo com os filhos. Tempo para ler. Tempo para ajudar nas tarefas domésticas. Tempo para levar os filhos a práticas esportivas. Na Holanda, hoje, o tempo que os pais ficam com os filhos é 150% maior que nos anos 1980.[7] Nos Estados Unidos, mães que trabalham fora passam mais tempo com os filhos hoje que as donas de casa passavam nos anos 1970.[8]

Por quê? O que há por trás dessa mudança? Não é que os pais subitamente tenham ganhado tanto tempo. Pelo contrário, desde os anos 1980 pais e mães vêm trabalhando mais em todo o mundo. Talvez esta seja a explicação: nossa fixação no trabalho em detrimento de tudo mais. À medida que formuladores de políticas educacionais começaram a elevar os padrões e acelerar o desenvolvimento, pais e escolas foram se atolando em testes e resultados.

As crianças agora são classificadas cada vez mais jovens entre as mais talentosas e promissoras e as menos capazes. A preocupação do pais: será que estão exigindo demais da minha filha? Meu filho está no mesmo nível dos colegas? Será que entrarão em uma universidade? Recente estudo com 10 mil estudantes americanos mostrou que 80% acham que os pais estão mais preocupados com boas notas que em características como compaixão e generosidade.[9]

Ao mesmo tempo, há uma sensação generalizada de que alguma coisa valiosa está se perdendo. Como a espontaneidade. E a diversão. Os pais são bombardeados por dicas de como se defender e defender os filhos das pressões para o sucesso. Há toda uma literatura sobre como trabalhar menos e estar mais atento. Mas e se só um pouco de autoajuda não for o suficiente?

Para entender melhor o que está acontecendo, precisamos definir o que significa brincar. Brincar não está sujeito a regras e regulamentações fixas, implica uma mente aberta e sem restrições. Não é um campo de grama artificial com os pais gritando nas laterais; são crianças farreando longe da supervisão dos pais, criando seus próprios jogos.

Quando se envolvem nesse tipo de brincadeira, as crianças pensam por si mesmas. Elas assumem riscos, passam dos limites e, no processo, exercitam a mente e a motivação. Brincadeiras não organizadas também são um remédio natural contra ao tédio. Nos dias atuais damos às crianças todos os tipos de entretenimento manufaturado, de LEGO® a trenós a jato de Guerra nas Estrelas™ com detalhadas instruções para montagem e minicozinhas com sons eletrônicos.

A pergunta é: se tudo vem pré-fabricado, será que ainda conseguimos cultivar nossa curiosidade e nossos poderes de imaginação?[10] O tédio pode ser uma fonte da criatividade. "Não se pode ensinar criatividade, só se pode deixá-la brotar", escreve o psicólogo Peter Gray.[11]

Existe entre os biólogos um consenso de que o instinto de brincar está profundamente enraizado em nossa natureza. Quase todos os mamíferos brincam, e muitos outros animais não conseguem resistir. Corvos do Alasca adoram escorregar em tetos cobertos de neve.[12] Em uma praia da Austrália, crocodilos apreciam o movimento das ondas por puro prazer, e cientistas canadenses observaram polvos disparando jatos de água em frascos de remédios vazios.[13]

Superficialmente, brincar pode parecer perda de tempo. No entanto, o fascinante é que somente os animais mais inteligentes exibem comportamentos mais brincalhões. No capítulo 3, vimos que animais domesticados brincam durante a vida toda. Ademais, nenhum outro desfruta de uma infância tão longa quanto o *Homo cachorrinho*. Brincar dá sentido à vida, escreveu o historiador holandês Johan Huizinga, em 1938. Ele nos batizou como *Homo ludens*, ou "homem que brinca". Tudo o que chamamos de "cultura", disse Huizinga, se origina da brincadeira.[14]

Os antropólogos especulam que durante a maior parte da história humana as crianças tinham permissão de brincar quanto quisessem. Por mais consideráveis que possam ser as diferenças entre culturas específicas de caçadores-coletores, a cultura da brincadeira parece bastante semelhante de forma geral.[15] O mais importante de tudo, dizem os pesquisadores, é a imensa liberdade proporcionada aos mais jovens. Como nômades raramente acreditam poder ditar o comportamento infantil, as crianças têm permissão para brincar o dia inteiro.

Mas será que crianças estarão prontas para a vida adulta se nunca frequentarem escola? A resposta é que, nessas sociedades, brincar e aprender são a mesma coisa. Crianças pequenas não precisam de provas nem de notas para aprender a andar ou a falar. São desenvolvimentos naturais, e elas estão ávidas para explorar o mundo. Da mesma forma, filhos de caçadores-coletores aprendem brincando. Catando insetos, construindo arcos e flechas, imitando os sons dos animais – há tanta coisa a fazer na floresta. E a sobrevivência exige um tremendo conhecimento sobre plantas e animais.

Analogamente, ao brincar juntas as crianças aprendem a cooperar. Filhos de caçadores-coletores sempre brincam em grupos diversificados, com garotos e garotas de todas as idades. As crianças menores aprendem com as maiores, que têm ciência da responsabilidade de transmitir o que sabem. Não surpreende que jogos competitivos sejam praticamente desconhecidos nessas sociedades.[16] Ao contrário de torneios adultos, brincadeiras não estruturadas sempre exigem que os participantes façam acordos. E, se alguém não gostar, pode parar (mas, nesse caso, a diversão acaba para todo mundo).

2

A cultura da brincadeira passou por uma mudança radical quando os humanos começaram a se assentar num lugar fixo.

Para as crianças, a aurora da civilização criou o jugo do tedioso trabalho agrícola, bem como a ideia de que os mais novos precisavam ser cuidados, mais ou menos como se cuida de pés de tomates. Pois, se as crianças já nasciam malvadas, não podiam ficar por conta própria. Primeiro precisavam adquirir o verniz da civilização, o que em geral exigia pulso firme. A ideia de que pais poderiam bater nos filhos tem origem bem recente, em nossos ancestrais agrários e moradores de cidades.[17]

O surgimento das primeiras cidades e Estados deu origem aos sistemas de educação. A Igreja precisava de seguidores fiéis; o Exército, de soldados leais; e o governo, de trabalhadores dedicados. E todos concordavam que a brincadeira era uma inimiga. "Tampouco permitiremos tempo para brincar", ditou o clérigo inglês John Wesley (1703-1791) nas regras que estabeleceu para as escolas. "Quem brinca quando garoto brincará quando for homem."[18]

Somente no século XIX a educação religiosa foi suplantada pelos sistemas estaduais em que, nas palavras de um historiador, "um ministro da Educação francês poderia se gabar de, às 10h20 da manhã, saber exatamente que trecho de Cícero todos os estudantes estariam estudando".[19] A boa cidadania precisava ser incutida desde a tenra idade, e aqueles cidadãos tinham de aprender a amar seu país. França, Itália e Alemanha já tinham traçado seus mapas, e agora era hora de forjar franceses, italianos e alemães.[20]

Durante a Revolução Industrial, boa parte do trabalho pesado foi relegado a máquinas. (Não em todo lugar – em Bangladesh, por exemplo, crianças ainda trabalhavam em máquinas de costura para confeccionar produtos baratos.) Isso mudou o objetivo da educação. Agora as crianças precisavam aprender a ler e a escrever, a planejar e a organizar, para poderem ganhar a vida quando adultas.

Só no fim do século XIX os mais novos voltaram a ter tempo para brincar. Historiadores chamam esse período de "era de ouro" das brincadeiras não estruturadas, quando o trabalho infantil foi proibido e os pais começaram cada vez mais a deixar os filhos sozinhos.[21] Em muitos lugares da Europa e da América do Norte, ninguém se preocupava em ficar de olho nos pequenos, e as crianças simplesmente passavam livres a maior parte do dia.

Essa era de ouro durou pouco, contudo, pois, a partir dos anos 1980, a vida foi ficando cada vez mais agitada nos locais de trabalhos e nas salas de aula. O individualismo e a cultura da realização pessoal ganharam relevância. As famílias ficaram mais enxutas, e os pais começaram a se preocupar que suas progênies tivessem diploma.

Crianças brincalhonas demais poderiam até ser levadas a um médico. Nas décadas recentes, aumentaram exponencialmente os diagnósticos de transtornos comportamentais, entre os quais talvez o mais famoso seja o TDAH (transtorno do *deficit* de atenção com hiperatividade). Certa vez ouvi de um psiquiatra que esse é o único transtorno sazonal: o que parece desimportante nas férias exige que não poucas crianças precisem tomar Ritalina na volta do período escolar.[22]

É verdade que somos muito menos rigorosos com as crianças hoje que cem anos atrás, e as escolas não são mais as prisões que pareciam ser no século XIX. Crianças malcomportadas não tomam mais tapas, e sim comprimidos. As escolas deixaram de doutrinar e passaram a cumprir um currículo mais diversificado, ministrando o máximo de conhecimentos para que os alunos arrumem empregos bem remunerados na "economia do conhecimento".

A educação se tornou algo a ser tolerado. As novas gerações estão internalizando as regras da nossa sociedade, baseadas na realização pessoal. É uma geração que aprende a participar de uma competição desenfreada, em que as principais métricas do sucesso são o currículo e o salário. Uma geração menos propensa à criatividade, menos propensa a sonhar e a ousar, a fantasiar e a explorar. Em resumo, uma geração que está esquecendo como se brinca.

3

Existe alternativa? Será que podemos retornar a uma sociedade com mais espaço para liberdade e criatividade? Será que poderíamos construir parquinhos e projetar escolas que não restrinjam, mas libertem nossa vontade de brincar? As respostas são: sim, sim e sim.

O paisagista dinamarquês Carl Theodor Sørensen projetou um bom número de parquinhos antes de perceber que eles eram chatíssimos para as crianças. Caixas de areia, escorregadores... Em geral os parquinhos são o sonho de um burocrata, mas o pesadelo de uma criança. *Não surpreende que a garotada prefira brincar em ferros-velhos e locais de construções*, pensou Sørensen.

Isso o inspirou a projetar algo totalmente novo na época: um parquinho sem regulamentos nem regras de segurança. Um lugar onde as próprias crianças estariam no comando.

Em 1943, em plena ocupação alemã, Sørensen experimentou sua ideia em Emdrup, subúrbio de Copenhague. Ele encheu um terreno de 7 mil metros quadrados de automóveis desmontados, madeira e pneus velhos. As crianças podiam amassar, bater e remexer com martelos, talhadeiras e chaves de fenda. Podiam subir nas árvores e fazer fogueiras, cavar fossos e construir cabanas. Ou, como Sørensen explicou depois, podiam "sonhar, imaginar e transformar os sonhos e imaginações em realidade".[23]

Seu "parquinho de ferro-velho" foi um tremendo sucesso, atraindo a Emdrup em média duzentas crianças por dia. E, apesar de alguns "encrenqueiros", quase de imediato ficou nítido que não havia "o barulho, os gritos e as brigas que se viam nos parquinhos tediosos, pois as oportunidades eram tantas que as crianças não se desentendiam".[24]

Foi contratado um "monitor" para ficar de olho nas coisas, mas ele não se intrometia. "Eu não posso e não vou ensinar nada às crianças", prometeu o primeiro monitor, John Bertelsen.[25]

Muitos meses depois do fim da guerra, uma arquiteta paisagista britânica fez uma visita a Emdrup: lady Allen de Hurtwood admitiu que se sentiu "totalmente arrebatada" pelo que viu ali.[26] Nos anos que se seguiram, ela usou sua influência para pregar o evangelho do ferro-velho, entoando: "Melhor um osso quebrado que um espírito alquebrado".[27]

Logo locais bombardeados começaram a ser abertos para crianças por toda a Grã-Bretanha, de Londres a Liverpool, de Coventry a Leeds. Agora havia gritos de alegria em locais que pouco tempo antes reverberavam a morte e a destruição dos bombardeios alemães. Os novos parquinhos se tornaram uma metáfora para a reconstrução britânica, um testemunho de sua resiliência.

É verdade que nem todos ficaram entusiasmados. Adultos sempre têm duas objeções a esse tipo de parquinho. Uma: são feios. De fato, eles enfeiam a paisagem. No entanto, onde os pais veem desordem, as crianças veem possibilidades. Se adultos não toleram sujeira, crianças não toleram o tédio.

A segunda objeção: parquinhos de ferro-velho são perigosos. Pais protetores temiam que Emdrup resultasse num desfile de ossos fraturados e cabeças quebradas. Depois de dois anos, porém, os ferimentos mais graves não exigiram nada além de esparadrapo. Uma companhia de seguros inglesa ficou tão impressionada que começou a cobrar menos pela cobertura de parquinhos de ferro-velho que de parquinhos comuns.[28]

Mesmo assim, nos anos 1980, o que se tornou conhecido na Grã-Bretanha como parques de aventuras começou a enfrentar dificuldades. Com a proliferação de regras de segurança, os fabricantes perceberam que poderiam fazer um grande marketing com os chamados equipamentos "seguros". A consequência? Hoje há muito menos parquinhos como o de Emdrup que quarenta anos atrás.

Mais recentemente, no entanto, a antiga ideia de Carl Theodor Sørensen ressurgiu. E com razão. Desta vez, a ciência forneceu diversas evidências de que brincadeiras não estruturadas e mais arriscadas são boas para o bem-estar físico e mental das crianças.[29] "De todas as coisas que ajudei a realizar", concluiu Sørensen, "o parquinho de ferro-velho é a mais esteticamente feia, mas, para mim, é a melhor e a mais bonita."[30]

4

Será que há como levar isso adiante?

Se a garotada pode se dar bem com mais liberdade ao ar livre, o que acontece dentro de casa? Muitas escolas continuam sendo dirigidas como fábricas, organizadas em torno de sinais, cronogramas e provas. No entanto, se crianças aprendem brincando, por que não criar um modelo educativo que leve isso em conta? Essa foi a pergunta que ocorreu alguns anos atrás a Sjef Drummen, artista e diretor de escola.

Drummen é uma dessas pessoas que nunca perderam a vontade de brincar e que sempre tiveram aversão a regras e à autoridade. Tendo em mim audiência cativa, ele entra num monólogo que se prolonga por horas. De vez em quando consigo fazer uma pergunta. Sorrindo, ele reconhece que é conhecido por ser muito enfático em seus argumentos.

No entanto, não foi a convicção de Drummen que me fez pegar um trem até a cidade de Roermond, no extremo sul da Holanda. Eu vim porque algo extraordinário está acontecendo aqui.

Tente imaginar uma escola sem aulas nem salas de aula. Sem notas nem deveres de casa. Sem hierarquia de vice-diretores e líderes de equipes – só com equipes de professores autônomos (ou *"coaches"*). Na verdade, são os estudantes que estão no comando. Nessa escola, expulsar o diretor do escritório é rotina quando os alunos precisam de um lugar para fazer uma reunião.

E, não, não é uma dessas escola particulares para alunos desajustados. Essa escola admite alunos de todas as formações. Seu nome? Ágora.

Tudo começou em 2014, quando a escola resolveu derrubar as paredes que dividiam ambientes. (Drummen diz que, ao "trancar a garotada em gaiolas, eles se comportam como ratos".) Depois, alunos de todas as séries foram postos no mesmo local. ("Porque o mundo real é assim.") Em seguida cada aluno teve de fazer um planejamento individual. ("Se a sua escola tiver mil alunos, você vai ter mil caminhos de aprendizagem.")

O resultado? Ao entrar na escola, a primeira coisa que vem à cabeça é um parquinho de ferro-velho. No lugar de fileiras de carteiras alinhadas em frente à lousa, vejo um caos colorido de carteiras improvisadas, um aquário, uma réplica da tumba de Tutancâmon, colunas gregas, uma beliche, um dragão chinês e a metade dianteira de um Cadillac 1969 azul-celeste.

Um dos alunos da Ágora é Brent. Atualmente com 17 anos, alguns anos atrás ele frequentava uma escola bilíngue preparatória para a faculdade, na qual conseguia boas notas em tudo, exceto em francês e alemão. No sistema holandês de três classificações, Brent foi transferido para a classificação geral do Ensino Médio e, depois, quando continuou atrasado, para uma escola vocacional. "Quando me disseram isso, voltei para casa furioso e disse a minha mãe que arranjaria um emprego no McDonald's."

Graças a amigos de amigos, porém, Brent acabou indo para a Ágora, onde se viu livre para aprender o que *quisesse*. Agora ele sabe tudo sobre bomba atômica, está esboçando seu primeiro plano de negócios e consegue manter uma conversa em alemão. Também foi aceito no programa internacional de uma faculdade da Corporação Mondragon em Xangai.

Segundo o *coach* Rob Houben, Brent se sentiu em conflito ao anunciar sua admissão à faculdade. "Ele me disse: 'Ainda tem tanto que eu queria retribuir a essa escola por tudo que ela fez por mim....'."

Há também o caso de Angelique, de 14 anos. A escola fundamental a mandou para uma escola vocacional, mas a garota que conheci é tremendamente analítica. Por alguma razão, é obcecada pela Coreia e resolveu estudar lá – até aprendeu sozinha a se virar no idioma. Angelique é vegana e compilou um livro inteiro de argumentos para usar contra os carnívoros. (Segundo Rob Houben, ela diz que sempre perde essas discussões.)

Cada aluno tem uma história. Rafael, também de 14 anos, adora programação. Ele me mostra uma falha de segurança que descobriu no site da Universidade Aberta Holandesa. Avisou o desenvolvedor, mas o erro ainda não foi resolvido. Dando risada, Rafael me diz: "Se eu quisesse chamar a atenção dele, mudaria sua senha pessoal".

Quando me mostra o site de uma empresa com que colaborou na página de apresentação, pergunto se ele não deveria cobrar pelo trabalho. Rafael faz uma expressão estranha. "O quê? E perder minha motivação?"

Mais que o senso de propósito, o que impressiona naqueles garotos e naquelas garotas é o senso de comunidade.

Vários alunos com quem conversei provavelmente teriam sido ridicularizados na escola em que estudei. E todos me disseram que na Ágora ninguém sofre *bullying*. "Nós mesmos nos corrigimos", diz Milou, de 14 anos.

O *bullying* costuma ser considerado próprio da natureza humana, parte de ser criança. Não é bem assim, dizem os sociólogos, que durante anos vêm compilando extensas pesquisas sobre os lugares onde o *bullying* é endêmico. Eles os chamam de *instituições totais*.[31] Cerca de cinquenta atrás, o sociólogo Erving Goffman descreveu essas instituições da seguinte forma:

- Todos moram no mesmo lugar e estão sujeitos a uma única autoridade.
- Todas as atividades são feitas em conjunto e todos desempenham as mesmas tarefas.
- As atividades são rigidamente programadas, em geral em períodos de uma hora.
- Existe um sistema de regras explícitas e formais impostas por uma autoridade.

Claro, o exemplo mais definitivo é o de uma prisão, onde o *bullying* predomina. No entanto, essas instituições totais também aparecem em outros locais, como em casas de repouso. Quando reunidos, idosos podem desenvolver sistemas de castas em que os mais valentões exigem as melhores mesas e cadeiras na hora do bingo.[32] Um especialista americano em *bullying* chega a definir o bingo como "o jogo do diabo".[33]

E também acontece nas escolas. O *bullying* é de longe mais generalizado nos internatos ingleses (do tipo que inspirou *Senhor das moscas*, de William Golding).[34] E faz sentido, pois essas escolas são muito parecidas com prisões. Você não pode sair, precisa conquistar sua posição numa hierarquia, e há divisão rígida entre alunos e funcionários. Essas instituições competitivas fazem parte do *establishment* da classe alta britânico – muitos políticos londrinos estudaram em internatos. No entanto, segundo cientistas educacionais, eles deturpam nossa natureza brincalhona.[35]

A boa notícia é que as coisas podem ser diferentes. *Bullying* é uma prática inexistente em escolas sem organização rígida, como a Ágora. Lá você pode sair para tomar um ar sempre que precisar, as portas estão sempre abertas. E, mais importante, todo mundo é diferente. A diferença é normal, pois alunos de todas as idades, capacidades e níveis interagem entre si.

"Na escola em que eu estudava antes, não conversávamos com os garotos dos cursos vocacionais", diz Brent. Depois, ele e Joep (de 15 anos) me falam sobre uma vez em que Noah (também de 15 anos, originalmente alocado em um programa vocacional) deu uma palestra sobre uma prática que fazia muita falta aos demais: planejamento. "Noah tinha planejado um ano e meio de sua vida", explica Joep. "Nós aprendemos muito."

Quanto mais eu ando pela Ágora, mais fico impressionado com a loucura que é separar alunos por idade e capacidade. Há anos especialistas vêm alertando sobre a crescente lacuna entre os segmentos mais bem formados e os de menor nível educacional da população, mas onde de fato começa esse abismo? Jolie (de 14 anos) diz: "Eu não vejo a diferença. Já ouvi alunos do vocacional dizerem coisas que fazem muito mais sentido que as ditas pelos chamados alunos aplicados".

Considere a forma como as escolas segmentam os dias em períodos. "Só nas escolas o mundo é dividido em pedaços de assuntos", observa o coach Rob. "Isso não acontece em nenhum outro lugar." Na maioria das escolas, no exato momento em que um aluno pega o fio da meada, toca o sinal para a aula seguinte. Haveria sistema mais bem projetado para desestimular o aprendizado?

Antes que você tenha uma falsa impressão, é importante não exagerar na filosofia do *laissez-faire* da Ágora. A escola promove a liberdade, mas não se trata de liberdade total. Existe um mínimo vital de estrutura. Todas as manhãs, um aluno abre o dia escolar. Há um período de silêncio de uma hora por dia, e todos se reúnem com seu *coach* uma vez por semana. Ademais, os estudantes sabem que as expectativas são altas e trabalham com os *coaches* para estabelecer metas pessoais.

Esses *coaches* são essenciais. Eles ensinam e desafiam, estimulam e orientam. Com toda a sinceridade, o trabalho deles parece mais difícil que o dos professores normais. Para começar, precisam desaprender boa parte de sua formação como professores. "Muito do que os alunos querem aprender você não pode ensinar", explica Rob. Ele não fala coreano, por exemplo, e não entende nada de programação de computadores, mas mesmo assim ajudou Angelique e Rafael em seus respectivos caminhos.

A grande pergunta, então, é: esse modelo funcionaria para todas as crianças?

Dada a incrível diversidade no corpo docente da Ágora, não vejo razão para não funcionar.[36] Os alunos dizem que leva um tempo para se acostumar, mas que aprenderam a seguir a trilha indicada pela própria curiosidade. Sjef Drummen faz uma comparação com galinhas confinadas em granjas comerciais: "Alguns anos atrás, comprei galinhas de um granjeiro. Quando as soltei no quintal, elas ficaram paradas por horas, no mesmo lugar. Demorou uma semana até criarem coragem para se movimentar".

Agora, a má notícia. Qualquer espécie de renovação radical inevitavelmente colide com o velho sistema.

Na verdade, a Ágora está educando garotos e garotas para uma sociedade bem diferente. A escola quer dar espaço para eles se tornarem cidadãos autônomos, criativos e engajados. No entanto, se a Ágora não corresponder aos critérios padronizados de avaliação, a escola não passa pela inspeção e pode dar adeus aos subsídios governamentais. Este é o mecanismo que tem freado iniciativas como as da Ágora.

Então, talvez haja um questionamento ainda mais importante: qual é o propósito da educação? Será possível que tenhamos nos tornado obcecados por boas notas e bons salários?

Em 2018, dois economistas holandeses analisaram uma pesquisa com 27 mil trabalhadores de 37 países. E descobriram que 25% dos respondentes questionavam a importância do trabalho que faziam.[37] Quem eram essas pessoas? Bem, com certeza não eram faxineiros, enfermeiros ou policiais. Os dados mostram que a maioria dos "empregos sem sentido" concentra-se no setor privado – em locais como bancos, escritórios de advocacia e agências de publicidade. Julgados pelos critérios da "economia de conhecimento", profissionais que têm esses empregos são a definição de sucesso. Só tiraram notas altas, têm elegantes perfis no LinkedIn e levam salários substanciais para casa. Mas o trabalho que desempenham é, segundo as próprias estimativas, inútil para a sociedade.

Será que o mundo ficou maluco? Gastamos bilhões para ajudar nossos melhores talentos a subirem na carreira, mas, assim que chegam ao topo, eles se perguntam para que serve tudo aquilo. Enquanto isso, políticos apregoam a necessidade de assegurar melhores colocações nos *rankings* internacionais, defendendo que precisamos ser mais bem formados, ganhar mais dinheiro e levar a economia a um maior "crescimento".[38]

Mas o que todos esses diplomas realmente representam? São uma prova de criatividade e imaginação ou do conformismo de ficar quieto e concordar? É como o filósofo Ivan Illich disse, décadas atrás: "A escola é a agência de publicidade que faz você acreditar que precisa da sociedade como ela é".[39]

A Ágora, a escola em que se aprende brincando, é prova de que existe outro caminho. Faz parte de um movimento de escolas que estão traçando um rumo alternativo. As pessoas podem debochar de sua abordagem, mas há muitas evidências de que funciona: a Summerhill School em Suffolk, na Inglaterra, vem demonstrando, desde 1921, que os alunos podem ter muita liberdade. Assim como a Sudbury Valley School de Massachusetts, onde, desde os anos 1960, milhares de garotos e garotas passaram sua juventude – e tiveram uma vida plena de realizações.[40]

A questão não é se nossos filhos sabem lidar com a liberdade, e sim: será que temos a coragem de conceder essa liberdade?

É uma questão urgente. "Trabalhar não é o contrário de brincar", afirmou certa vez o psicólogo Brian Sutton-Smith. "O contrário da brincadeira é a depressão."[41] Hoje, a maneira como muitos de nós trabalhamos – sem liberdade, sem motivação intrínseca – está fomentando uma epidemia de depressão. Segundo a Organização Mundial da Saúde, a depressão é hoje a principal doença global.[42] Nosso maior *deficit* não está numa conta bancária ou num balancete orçamentário, mas dentro de nós mesmos. É uma escassez do que dá sentido à vida. Uma escassez de brincadeiras.

Minha visita à Ágora me fez ver que há um raio de esperança. Mais tarde, quando Sjef Drummen me levou até a estação, ele soltou outro sorriso. "Acho que falei demais hoje." É verdade, mas preciso admitir uma coisa: passar um tempo conhecendo a escola dele faz que muitas de nossas velhas certezas comecem a desmoronar.

É então que entendo: trata-se de uma viagem de volta ao começo. A Ágora tem a mesma filosofia de ensino das sociedades de caçadores-coletores. Crianças aprendem melhor quando deixadas por si sós, numa comunidade incluindo todas as idades e os diversos talentos e apoiada por orientadores e líderes em brincadeiras.[43] Drummen chama isso de "Educação 0.0", um retorno ao *Homo ludens*.

15
É ASSIM QUE A DEMOCRACIA PARECE SER

1

Era um cenário improvável para revolução – um município no oeste da Venezuela, com uma população de menos de 200 mil habitantes e uma pequena elite no poder havia centenas de anos.[1] No entanto, foi aqui em Torres que cidadãos comuns encontraram resposta para algumas das questões mais urgentes de nosso tempo.

Como restaurar a confiança nos políticos? Como deter a maré de cinismo na sociedade? E como salvar nossa democracia?

As democracias do mundo todo estão assoladas por ao menos sete pragas. Erosão dos partidos. Cidadãos que não confiam uns nos outros. Minorias excluídas. Eleitores desinteressados. Políticos corrompidos. Ricos se evadindo do pagamento de impostos. E a percepção cada vez maior de que nossa democracia moderna se sustenta na desigualdade.

Torres encontrou um remédio para todos esses problemas. Aplicada e comprovada por 20 anos, a solução da cidade é estonteantemente simples. Vem sendo adotada no mundo inteiro, porém quase nunca é noticiada. Talvez porque, como Buurtzorg e Ágora, é uma iniciativa realista baseada numa visão diferente da natureza humana. Uma visão que não considera as pessoas complacentes nem as reduz a eleitores raivosos, que questiona: "E se houver um cidadão construtivo e consciente dentro de cada um de nós?".

Em outras palavras: e se uma verdadeira democracia for possível?

A história de Torres começou em 31 de outubro de 2004. Dia de eleição. Dois candidatos concorriam à Prefeitura do município venezuelano: Javier Oropeza, rico proprietário de terras apoiado pela mídia comercial, e Walter Cattivelli, indicado pelo poderoso partido do presidente Hugo Chávez.

Não era uma grande escolha: fosse Oropeza, fosse Cattivelli, o *establishment* corrupto continuaria comandando o espetáculo. Nada indicava que Torres estava prestes a reinventar o futuro da democracia.

Na verdade, havia outro candidato, ainda que mal valesse a pena ser mencionado. Julio Chávez (sem parentesco) era um agitador marginal cujos correligionários consistiam em um punhado de estudantes, cooperativas e sindicatos ativistas. Sua plataforma, que poderia ser resumida numa só frase, era risível. Se fosse eleito prefeito, Julio entregaria o poder aos cidadãos de Torres.

Seus oponentes não se deram ao trabalho de levá-lo a sério. Ninguém achava que ele tinha chance. No entanto, às vezes as maiores revoluções começam onde menos se espera. Naquele domingo de outubro, com 35,6% dos votos naquela disputa entre três candidatos, Julio Chávez foi eleito prefeito de Torres por uma pequena margem de votos.[2]

E manteve sua palavra.

A revolução local começou com centenas de reuniões. Todos eram bem-vindos não só para discutir questões, mas para tomar decisões efetivas. Cem por cento do orçamento destinado a investimentos municipais, cerca de 7 milhões de dólares, seriam geridos pelos cidadãos.

Era chegada a hora de uma verdadeira democracia, anunciou o novo prefeito. Hora de reuniões em salões abafados, café requentado, lâmpadas fluorescentes e atas intermináveis. Hora de um governo não de servidores públicos e políticos de carreira, e sim dos cidadãos de Torres.

A velha elite viu com horror seu sistema corrupto ser dissolvido. "[Eles] disseram que isso era anarquia", relembrou Julio (todos se dirigiam ao prefeito pelo primeiro nome) em entrevista a um sociólogo americano. "Eles disseram que eu era louco de entregar meu poder."[3]

O governador do estado de Lara, do qual Torres fazia parte, ficou furioso com o fato de Oropeza, seu fantoche, ter sido vencido por aquele arrivista. Decidiu cortar os investimentos no município e nomear um novo conselho. No entanto, não levou em conta a força do apoio ao prefeito recém-eleito. Centenas de moradores marcharam até a prefeitura, recusando-se a voltar para casa enquanto seu orçamento não fosse aprovado.

No fim, o povo venceu. Dez anos depois da eleição de Julio Chávez, Torres avançou o equivalente a décadas. A corrupção e o clientelismo despencaram, segundo estudo da Universidade da Califórnia, e a população passou a participar da política como nunca antes. Casas e escolas foram construídas, estradas foram abertas, e antigos bairros foram renovados.[4]

Até hoje Torres tem um dos orçamentos mais participativos do mundo. Cerca de 15 mil habitantes coordenam os subsídios, e a cada início de ano são realizadas assembleias em 560 localidades em todo o município. Todos podem apresentar propostas e eleger representantes. Juntos, os habitantes de Torres decidem como alocar os milhões que pagam de imposto.

"Antigamente, funcionários do governo ficavam em seus escritórios com ar-condicionado o dia inteiro e tomavam as decisões lá", declarou um dos moradores. "Eles nunca pisavam nas comunidades. Então quem você acha que pode decidir melhor sobre o aquilo de precisamos, um funcionário em seu gabinete que nem conhece a comunidade ou alguém da própria comunidade?"[5]

2

Você pode questionar: bela história, mas uma andorinha não faz o verão de uma democracia. Um município se aventurou por um caminho alternativo, mas por que isso seria uma *revolução*?

A questão é que o que aconteceu em Torres é somente um exemplo entre muitos. O exemplo maior começou anos antes, quando uma cidade no Brasil tomou a iniciativa de confiar um quarto de seu orçamento à população. A cidade era Porto Alegre, e o ano era 1989. Passada uma década, a ideia já tinha sido copiada por mais de cem cidades em todo o Brasil e, depois, começou a se dissipar pelo mundo. De Nova York a Sevilha, de Hamburgo à Cidade do México, todas implantaram alguma forma de orçamento participativo.[6]

Estamos falando de um dos maiores movimentos do século XXI, ainda que o mais provável seja que você nunca tenha ouvido falar disso. Simplesmente por não ter apelo midiático. Políticos cidadãos não têm o apelo de estrelas de *reality shows* nem dinheiro para pagar por relações públicas e campanhas publicitárias. Não elaboram frases de efeito para mobilizar vistosos debates e não estão nem aí para índices de audiência diários.

O que políticos cidadãos fazem é se engajar em um diálogo tranquilo e deliberativo. Pode parecer tedioso, mas é mágico. Pode ser exatamente o remédio para as sete pragas que afligem nossas velhas democracias.

1. *Do cinismo ao engajamento*

Na maioria dos países existe uma divisão profunda entre o povo e o *establishment* político. Com os engravatados de Washington, de Beijing e de Bruxelas tomando a maior parte das decisões, é de admirar que a média da população não se sinta ouvida nem representada?

Em Torres e em Porto Alegre, quase todos conhecem algum político pessoalmente. Como cerca de 20% da população participa do orçamento da cidade, há menos reclamações sobre o que os políticos estão fazendo de errado.[7] Não está satisfeito com a maneira como estão as coisas? Ajude a consertá-las. "Não são os engravatados que vêm aqui para nos dizer o que fazer. Somos nós", afirmou um dos participantes de Porto Alegre. "Eu sou uma pessoa humilde e estou participando disso desde o começo. [...] [O orçamento] tem a participação das pessoas, mesmo as mais pobres."[8]

Ao mesmo tempo, a confiança no conselho municipal aumentou em Porto Alegre. E um cientista político de Yale descobriu que os prefeitos estão entre os que mais ganham, pois prefeitos que empoderam seus cidadãos têm mais chance de se reeleger.[9]

2. *De polarização à confiança*

Quando Porto Alegre lançou seu experimento de orçamento participativo, a cidade não era exatamente um exemplo de confiabilidade. Na verdade, há poucos países onde as pessoas confiam menos umas nas outras que no Brasil.[10] Por isso, a maioria dos especialistas considerou que a probabilidade de a cidade dar um salto democrático era quase nula. Primeiro as pessoas precisavam se juntar, formar associações, combater a discriminação, e assim por diante. E isso prepararia o terreno para a democracia fincar raízes.[11]

Porto Alegre inverteu essa equação. Só *depois* que a administração lançou o orçamento participativo foi que a confiança começou a aumentar. Grupos comunitários se multiplicaram, de 180 em 1986 para seiscentos em 2000. Logo, cidadãos engajados estavam se dirigindo uns aos outros como companheiros – como irmãos e conterrâneos.

Os moradores de Porto Alegre se comportaram da mesma forma que as galinhas confinadas do fundador da Ágora, Sjef Drummen. Quando libertados de seus galinheiros, ficaram imóveis. No entanto, logo começaram a se mexer. "A coisa mais importante é que cada vez vem mais gente", disse um deles. "Os que vêm pela primeira vez são bem recebidos. Temos a responsabilidade de não os abandonar. Essa é a coisa mais importante."[12]

3. *Da exclusão à inclusão*

Debates políticos podem ser tão complexos que as pessoas têm dificuldade para acompanhá-los. E, numa democracia de diplomas, quem tem pouco dinheiro e pouca educação tende a ser deixado de lado. Nas democracias, muitos cidadãos têm, na melhor das hipóteses, permissão para escolher entre aristocratas.

Nas centenas de experimentos de orçamentos participativos, porém, os grupos tradicionalmente marginalizados são os mais bem representados. Desde a implantação na cidade de Nova York, em 2011, as reuniões têm atraído em especial latinos e afro-americanos.[13] Em Porto Alegre, 30% dos participantes pertencem aos 20% mais pobres da população.[14]

"Na primeira vez, estava inseguro", admitiu um dos participantes de Porto Alegre, "porque tinha gente ali com diplomas universitários, e nós não temos [diploma]. [...] Mas com o tempo começamos a aprender."[15] Diferentemente do velho sistema político, a nova democracia não se restringe a brancos bem de vida. Ao contrário, as minorias e os segmentos mais pobres e menos educados da sociedade são mais bem representados.

4. *Do paternalismo à cidadania*

De maneira geral, os eleitores tendem a ter uma visão bastante ofuscada dos políticos, e vice-versa. No entanto, a democracia como a praticada em Torres e em Porto Alegre é um campo de treinamento para a cidadania. Se tiver voz na forma como as coisas são administradas, o povo passa a ter uma visão mais nuançada da política. Mais favorável. Até mais inteligente.

Um dos jornalistas que cobriram o orçamento participativo em Vallejo, na Califórnia, expressou surpresa com o nível do comprometimento das pessoas: "Aqui há gente de diferentes idades e grupos étnicos, que poderiam estar em casa assistindo ao futebol, mas estavam lá, falando sobre regulamentos e procedimentos eleitorais. E, ainda por cima, de uma forma apaixonada".[16]

Por diversas vezes, pesquisadores já mencionaram que quase todo mundo tem algo valioso com que contribuir quando é levado a sério – mesmo sem ter uma boa formação educacional.

5. Da corrupção à transparência

Antes da implantação do orçamento participativo em Porto Alegre, cidadãos que quisessem falar com um político precisavam esperar horas na porta do gabinete. E ajudava muito ter um maço de notas para passar por baixo da mesa.

Segundo um sociólogo brasileiro que passou anos fazendo pesquisas em Porto Alegre, o processo participativo solapou a velha cultura da propina. As pessoas passaram a ser mais bem informadas sobre finanças cívicas, e isso tornou mais difícil para os políticos aceitarem subornos e oferecer empregos como recompensa.[17]

"Vemos [o orçamento participativo] como uma ferramenta organizacional", disse um morador de Chicago. "Vai ajudar os integrantes a aprenderem mais sobre o orçamento da cidade, e nós poderemos pressionar os vereadores a respeito de outras coisas que eles controlam."[18] Em outras palavras: o orçamento participativo funciona como uma ponte entre os políticos e o povo.

6. Do interesse próprio à solidariedade

Quantas pilhas de livros foram escritos nos últimos anos sobre a fragmentação da sociedade? Queremos um sistema de saúde melhor, mais educação e menos pobreza, mas também devemos estar dispostos a intervir.

Por mais inacreditável que pareça, estudos demonstram que o orçamento participativo de fato torna as pessoas mais dispostas a pagar impostos. Em Porto Alegre, cidadãos chegaram a pedir *aumento* de impostos – algo que cientistas políticos sempre consideraram impensável.[19]

"Nunca entendi que os impostos bancavam tanta coisa", declarou um dos participantes em Leicester East, no Reino Unido. "Foi muito bom saber os serviços abrangidos".[20] Isso redefine os impostos como contribuição que se paga enquanto cidadão. Muitos dos envolvidos no orçamento participativo dizem que a experiência os fez se sentir pela primeira vez verdadeiros cidadãos. Depois de um ano, como explicou um porto-alegrense, você aprende a enxergar além da própria comunidade: "É preciso ver a cidade como um todo".[21]

7. *Da desigualdade à dignidade*

Antes de Porto Alegre embarcar nessa aventura democrática, a cidade estava mergulhada numa grave crise financeira. Um terço da população morava em favelas.

No entanto, as coisas começaram a mudar rapidamente – muito mais que em cidades que não adotaram orçamento participativo.[22] O acesso à água encanada aumentou de 75% em 1989 para 95% em 1996, e o sistema de esgoto da cidade passou a abarcar de meros 48% a 95% da população. O número de crianças matriculadas em escolas triplicou, o número de estradas aumentou em cinco vezes, e a evasão de impostos despencou.[23]

Graças aos orçamentos cidadãos, menos dinheiro público foi aplicado em projetos de prestígio, como grandes construções. O Banco Mundial constatou que investiu-se mais em infraestrutura, em educação e saúde pública, principalmente nas comunidades mais pobres.[24]

Em 2014, uma equipe de pesquisadores americanos publicou o primeiro estudo em grande escala do impacto social e econômico do orçamento participativo (OP) no Brasil. A conclusão foi nítida:

> Descobrimos que programas de OP são fortemente associados a aumentos nos gastos com saúde, no crescimento das organizações civis e na redução das taxas de mortalidade infantil. Essas relações reforçam radicalmente que programas de OP continuem operando no longo prazo.[25]

Em meados dos anos 1990, o Channel 4 da Inglaterra lançou um novo programa de TV chamado *The People's Parliament* [O Parlamento do Povo]. O programa convidava aleatoriamente centenas de ingleses das mais diversas origens para discutir temas controversos, como drogas, vendas de armas e criminalidade juvenil. No fim de cada episódio, devia-se chegar a um acordo.

Segundo publicou a revista *The Economist*: "Muitos espectadores de *The People's Parliament* consideraram os debates de mais alta qualidade que os da Casa dos Comuns. Os participantes do programa, ao contrário dos da Casa, parecem ouvir o que seus interlocutores dizem".[26] E o que o Channel 4 fez? Cancelou o programa. Os produtores acharam que os debates eram tranquilos demais, muito reflexivos, muito razoáveis, dando preferência ao tipo de entretenimento de confronto que chamamos de "política".

No entanto, a democracia participativa não é um experimento televisivo. É um método sólido de enfrentar as pragas da velha democracia.

Assim como qualquer outra, essa forma de democracia tem desvantagens. O foco em investimentos anuais pode prejudicar uma visão de longo prazo da cidade. Mais importante, os processos participativos podem sofrer cortes. O orçamento de Porto Alegre se viu reduzido em 2004, quando uma coalizão conservadora ascendeu ao poder, e agora não está claro se essa tradição vai sobreviver na cidade onde tudo começou.

Às vezes o orçamento participativo é usado como uma cobertura – uma falsa concessão de elites que, nos bastidores, continuam comandando o espetáculo. Nesses casos, as assembleias de cidadãos só servem para chancelar decisões já tomadas. É natural que isso engendre o cinismo, mas não legitima negar uma voz direta aos cidadãos. "Se os cidadãos forem tratados como buchas de urnas, eles se comportarão como buchas de urnas", escreve o historiador David van Reybrouck. "Se forem tratados como adultos, eles se comportarão como adultos."[27]

3

Foi na quarta série que o professor Arnold nos ensinou sobre comunismo. "De cada um de acordo com sua capacidade a cada um de acordo com suas necessidades." Ou, como li (anos depois) no *Oxford English Dictionary*: "Uma teoria ou um sistema de organização social em que todas as propriedades pertencem à comunidade e cada pessoa contribui e recebe de acordo com sua capacidade e sua necessidade".[28]

Quando eu era criança, parecia uma grande ideia. Por que não dividir tudo? Nos anos seguintes, porém, assim como muitos garotos, cheguei a uma conclusão delusória: dividir tudo igualmente pode ser uma boa ideia, mas na prática resulta em caos, pobreza ou, pior, em banho de sangue. Basta pensar na Rússia sob Lênin e Stálin. Na China de Mao. No Camboja de Pol Pot.

Hoje o comunismo está no topo da lista das ideologias controversas. O que dizem é que o comunismo *não pode* funcionar. Por quê? Por se basear numa falsa concepção da natureza humana. Sem a propriedade privada, perdemos toda a motivação e logo nos tornamos parasitas apáticos.

Ou assim dizem as histórias.

Ainda adolescente, me parecia estranho que a causa do "fracasso" do comunismo se baseasse apenas na evidência de regimes sanguinários em países onde os cidadãos comuns não podiam se expressar – regimes apoiados por Estados policiais todo-poderosos e elites corruptas.

O que eu não percebia na época era que o comunismo – ao menos segundo a definição oficial – foi um sistema bem-sucedido por centenas de anos, mas com poucas semelhanças com o da União Soviética. Na verdade, nós o praticamos todos os dias. Mesmo após décadas de privatizações, grandes fatias da economia ainda operam de acordo com o modelo comunista. É algo normal, tão óbvio, que nem notamos.

Um exemplo simples: você está sentado à mesa de jantar e não alcança o sal. Então, diz: "Por favor, me passe o sal"; ao que, sem mais, alguém passa o sal – de graça. Os humanos são loucos por esse tipo de *comunismo cotidiano*, como denominam os antropólogos, ao compartilharmos parques e praças, músicas e histórias, praias e até camas.[29]

Talvez o melhor exemplo dessa liberalidade sejam as casas de família. Bilhões de residências no mundo inteiro se organizam segundo princípios comunistas: os pais dividem seus pertences com os filhos e contribuem quanto podem. É daí que se origina a palavra "economia", que deriva do grego *oikonomía*, que significa "administração de uma casa".

Também no local de trabalho constantemente mostramos sutilezas comunistas. Enquanto escrevo este livro, por exemplo, eu me beneficio do olhar crítico de dezenas de colegas, que não me cobram um tostão por tempo. Os negócios são também grande admiradores do comunismo interno, simplesmente por ser tão eficaz.

E quanto aos estranhos? Afinal, não dividimos tudo com todo mundo. Ao mesmo tempo, quantas vezes você cobrou por dar alguma informação a alguém na rua? Ou manteve a porta aberta para alguém passar, ou abrigou um estranho em seu guarda-chuva? Essas não são relações do tipo toma lá dá cá; agimos assim por ser a coisa decente a fazer e por acreditar que outros fariam o mesmo por nós.

A vida é cheia desse tipo de atitudes comunistas. A palavra "comunismo" vem do latim *communis*, que significa "comunal". É possível ver o comunismo como a base sobre a qual tudo é construído – mercados, Estados, burocracia. Isso pode ajudar a explicar a explosão de cooperação e altruísmo que acontece no rescaldo de grandes desastres naturais, como em Nova Orleans, em 2005. Quando acontece uma catástrofe, voltamos a nossas raízes.

Claro que nem sempre podemos aplicar o ideal comunista "de cada um de acordo com sua capacidade, a cada um de acordo com suas necessidades", assim como não podemos atribuir valor monetário a tudo. No entanto, numa visão mais ampla, podemos perceber que no dia a dia dividimos mais uns com os outros que guardamos para nós mesmos.

Essa base comunal é um dos esteios vitais do capitalismo. Pensem em quantas empresas são totalmente dependentes dos clientes. O Facebook valeria bem menos não fossem as fotos e os vídeos que milhões de usuários compartilham de graça. E a Airbnb não sobreviveria sem as inúmeras resenhas que os viajantes postam sem cobrar nada.

Então, por que somos tão cegos quanto ao comunismo diário? Talvez seja porque as coisas que compartilhamos não parecem tão notáveis. Nós as consideramos tácitas. Ninguém precisa imprimir folhetos explicando que é agradável fazer um passeio pelo Central Park. O ar puro não precisa de anúncios do serviço público ensinando a inalá-lo. Tampouco você pensa nesse ar – ou na praia onde relaxa, ou nos contos de fada que narra – como se pertencesse a alguém.

Só quando alguém resolve alugar o ar, se apropriar da praia ou exigir direitos autorais para contos de fadas, percebemos: *espere um pouco, isso não pertencia a todos nós?*

As coisas que compartilhamos são chamadas *bens comuns*. Podem incluir quase tudo – de um jardim comunitário a um site, de um idioma a um lago –, desde que sejam compartilhadas e administradas democraticamente por uma comunidade. Alguns bens comuns fazem parte da natureza (como a água potável), outros são invenções humanas (como a Wikipédia).

Por milênios, os bens comuns constituíam quase tudo no planeta. Nossos ancestrais nômades mal tinham noção de propriedade privada – e certamente não sabiam o que era Estado. Caçadores-coletores viam a natureza como "lugar dadivoso" que atendia às necessidades de todos, e nunca ocorreu a ninguém patentear uma invenção ou uma melodia. Como vimos no capítulo 3, o *Homo cachorrinho* deve seu sucesso a ser um grande plagiador.

Só nos últimos dez mil anos fatias cada vez maiores de bens comuns foram engolidas pelo mercado e pelo Estado. Começou com os primeiros chefetes e reis, que reivindicaram terras que até então eram de uso coletivo. Hoje, são principalmente as multinacionais que se apropriam de tudo, das fontes de água a medicamentos que salvam vidas, de novos conhecimentos científicos a canções que todos entoamos. (Como o sucesso do século XIX "Happy Birthday", do qual até 2015 o Warner Music Group detinha os direitos autorais, arrecadando milhões em *royalties*.)

Ou considere o surgimento da indústria publicitária, que espalhou *outdoors* de mau gosto por todas as cidades do mundo. Se alguém pichar sua casa, consideramos isso vandalismo, mas a publicidade tem permissão para desfigurar o espaço público, e os economistas chamam isso de "desenvolvimento".

O conceito de bens comuns ganhou notoriedade com um artigo publicado na revista *Science* pelo biólogo americano Garrett Hardin, em 1968, época revolucionária. Milhões de manifestantes no mundo inteiro tomaram as ruas, protestando: "Seja realista. Exija o impossível".

Mas não o conservador Garrett Hardin. No artigo de seis páginas, ele acabou com o idealismo dos *hippies*. O título? "The Tragedy of the Commons" [A tragédia dos bens comuns].

"Imagine um pasto aberto para todos", escreveu Hardin. "É de esperar que todos os vaqueiros tentem manter a maior quantidade de gado possível no lugar comum." No entanto, o que tem sentido em nível individual resulta num desastre coletivo, com excesso de animais pastando e deixando nada além de terra devastada. No título, Hardin usou o termo "tragédia" no sentido grego, como evento lamentável, porém inevitável: "A liberdade dos bens comuns causa a ruína de todos", afirmou.[30]

E ele não tinha medo de chegar a conclusões cruéis. À pergunta se países deveriam mandar alimentos para a Etiópia, sua resposta foi: "Nem pensar". Mais comida quer dizer mais filhos, o que resultaria em mais fome.[31] Assim como os pessimistas da Ilha de Páscoa, ele via a superpopulação como a tragédia final e restrições ao direito de reproduzir como a solução. (Mas não para ele, que tinha cinco filhos.)

É difícil exagerar o impacto causado pelo artigo de Hardin, que se tornou o mais reproduzido em publicações científicas, lido por milhões de pessoas do mundo todo.[32] "Todos os estudantes deveriam ser obrigados a ler [o artigo]", declarou um biólogo americano nos anos 1980; "se eu tivesse como fazer isso, recomendaria a todos os seres humanos."[33]

Em última análise, "The Tragedy of the Commons" foi um dos mais poderosos estímulos para o crescimento do mercado e do Estado. Como a propriedade comum estava tragicamente fadada ao fracasso, precisávamos da mão visível do Estado para fazer seu trabalho salutar ou da mão invisível do mercado para nos salvar. Parecia que esses dois sabores – Kremlin ou Wall Street – eram as únicas opções. Depois da queda do Muro de Berlin, em 1980, só restou uma. O capitalismo venceu, e nós nos tornamos o *Homo economicus*.

4

Para ser justo, houve ao menos uma pessoa que nunca se deixou enganar pelos argumentos de Garrett Hardin.

Elinor Ostrom era uma brilhante economista política e pesquisadora, numa época em que as universidades não recebiam tão bem as mulheres. E, ao contrário de Hardin, Elinor tinha pouco interesse por modelos teóricos. Ela queria saber como indivíduos se comportavam no mundo real.

Não demorou para ela perceber que o artigo de Hardin havia desconsiderado um detalhe crucial: humanos podem falar. Fazendeiros, pescadores e vizinhos são perfeitamente capazes de evitar que seus campos se transformem em desertos, seus lagos fiquem sem peixes e seus poços sequem. Assim como os habitantes da Ilha de Páscoa continuaram trabalhando juntos e os envolvidos nos orçamentos participativos tomam decisões a partir de diálogos construtivos, pessoas comuns conseguem administrar quaisquer bens em comum.

Elinor reuniu um banco de dados para registrar exemplos de bens comuns em todo o mundo, de pastagens compartilhadas na Suíça a plantações no Japão, de irrigações comunitárias nas Filipinas a reservatórios de água no Nepal. Para onde olhava, Elinor via que recursos comuns não eram uma receita para tragédia, como afirmava Hardin.[34]

Claro que um bem comum pode ser foco de interesses conflitivos ou da ganância, mas isso é evitável. Levando tudo em conta, Elinor e equipe compilaram mais de 5 mil exemplos de explorações comuns. Muitas remetiam há séculos, como a dos pescadores em Alanya, na Turquia, que têm uma longa tradição de demarcar áreas para direitos à pesca, ou dos fazendeiros da aldeia suíça de Törbel, que coordenam juntos o uso da escassa madeira para usar como lenha.

Em seu revolucionário livro *Governing the Commons* [Governando os bens comuns] (1990), Elinor Ostrom formulou uma série de "princípios" para projetos de bens comuns serem bem-sucedidos. A comunidade deve ter um nível mínimo de autonomia, por exemplo, e um sistema de monitoramento eficaz. No entanto, ela ressalta que não existe fórmula certeira, pois as características de um bem comum são sempre moldadas pelo contexto.

Com o tempo, até mesmo o departamento de Elinor Ostrom na universidade começou a parecer um bem comum. Em 1973, ela e o marido fundaram o que chamaram de Oficina de Teoria Política e Análise de Políticas na Universidade de Indiana, atraindo acadêmicos do mundo todo para o estudo de bens comuns. Essa oficina – o modelo foi escolhido porque a universidade não tinha regras para ditar a estrutura do projeto – tornou-se um centro de discussões e descobertas. Na verdade, transformou-se numa espécie de comuna acadêmica, com festas cuja cantoria de músicas folclóricas a própria Elinor regia.[35]

Então, um dia, anos mais tarde, em 2009, ela recebeu um telefonema de Estocolmo. Elinor Ostrom havia ganhado o Prêmio Nobel de Economia. A primeira mulher a ser premiada.[36] Essa escolha continha uma forte mensagem. Depois da queda do Muro de Berlim, em 1989, e do *crash* do capitalismo em 2008, finalmente chegara o momento de focar nos bens comuns – essa alternativa entre o Estado e o mercado.

5

Pode não ser uma notícia quente, mas desde então os bens comuns voltaram à cena.

Se parece uma história que se repete, é por não ser a primeira vez que aconteceu. No fim da Idade Média, a Europa foi palco de uma explosão do espírito comunitário, no que a historiadora Tine de Moor chamou de "revolução silenciosa". Durante esse período, entre os séculos XI e XIII, áreas cada vez maiores de pastagens tornaram-se de controle coletivo, e organizações de recursos hídricos, guildas e comunidades de grupos leigos brotaram como cogumelos.[37] Esse sistema funcionou bem por centenas de anos, até começar a sofrer pressões no século XVIII.

Foi quando os economistas do Iluminismo decidiram que fazendas coletivas não estavam maximizando sua produção potencial e aconselharam aos governos a criar *cercanias*. Ou seja, dividir a propriedade comum em partes entre os latifundiários mais ricos, sob cuja conduta a produtividade aumentaria.

Você acha que a ascensão do capitalismo no século XVIII foi um desenvolvimento natural? De jeito nenhum. Não foi a mão invisível do mercado que, com delicadeza, transferiu os camponeses das fazendas para as fábricas, mas a implacável mão do Estado, com seu pulso firme. Em todas as partes do mundo, aquele "mercado livre" foi planejado e imposto de cima para baixo.[38] Só no fim do século XIX começaram a se formar diversos sindicatos e cooperativas de trabalhadores – espontaneamente e de baixo para cima –, os quais construiriam as bases do sistema de Social Safety Net [redes de segurança social] do século XX.

A mesma coisa está acontecendo agora. Após um período de cercanias e forças do mercado (planejadas por Estados, de cima para baixo), uma revolução silenciosa está em ebulição nos últimos anos, particularmente desde a crise financeira de 2008, resultando numa explosão de iniciativas como cooperativas de atendimento médico, licenças para tratamento de saúde e cooperativas de energia.

"A história nos ensina que o homem é um ser essencialmente cooperativo, um *homo cooperans*", afirma Tine de Moor. "Construímos instituições concentradas em cooperação de longo prazo há muito tempo, em especial depois de períodos de aceleração do desenvolvimento de mercados e de privatizações."[39]

Então, queremos mais ou menos comunismo?

Nas aulas de economia que tive no ensino médio, ensinaram que o egoísmo faz parte da natureza humana. Que o capitalismo se baseia em nossos instintos mais arraigados. Comprar, vender, fazer negócios – estamos sempre querendo maximizar nosso lucro pessoal. Claro que também nos disseram que o Estado pode borrifar uma camada de solidariedade sobre nossas inclinações naturais, mas que isso só acontece no alto, nunca sem supervisão e burocracia.

Agora está se vendo que essa visão está totalmente distorcida. Nossa inclinação natural é a solidariedade, enquanto o mercado é imposto de cima. Considere bilhões de dólares injetados nas últimas décadas em esforços frenéticos para transformar os serviços de saúde em mercadoria. Por quê? Por que fomos ensinados a ser egoístas.

Isso não quer dizer que não haja abundantes exemplos de mercados saudáveis e eficientes. E, claro, não devemos esquecer que a ascensão do capitalismo ao longo dos últimos duzentos anos resultou em enormes ganhos em prosperidade. Por essa razão, Tine de Moor defende o que chama de "diversidade institucional", reconhecendo que o mercado funciona bem em alguns casos e o controle do Estado é melhor em outros e que, subjacente a tudo isso, deve haver um sólido alicerce de cidadãos que decidem trabalhar juntos.

Até o momento, o futuro dos bens comuns ainda é incerto. Apesar de ensaiarem um retorno, os interesses comunais estão em estado de sítio. Pelas multinacionais, por exemplo, que compram recursos hídricos e patenteiam genes, por governos que privatizam qualquer coisa para ganhar dinheiro e por universidades que vendem seus conhecimentos para quem pagar mais. Também pelo capitalismo de plataforma, que possibilita a empresas como a Airbnb e o Facebook cortar as asas da prosperidade do *Homo cooperans*. Com muita frequência, a economia de partilha acaba sendo mais uma economia de tosquia – e todos acabamos depenados.

Neste momento, estamos em meio a uma disputa feroz e ainda incerta. De um lado há as pessoas que acreditam que o destino do mundo é se tornar uma grande comuna. Esses são os otimistas, também conhecidos como pós-capitalistas, provavelmente porque o comunismo ainda é palavrão.[40] Do outro lado há os pessimistas, que preveem a continuação de incursões contra os bens comuns pelo vale do Silício e por Wall Street e o aumento cada vez maior da desigualdade.[41]

Qual dos lados terá a razão? Ninguém sabe ao certo. No entanto, eu aposto em Elinor Ostrom, que não é otimista nem pessimista, mas uma possibilista. Ela acreditava haver outra maneira. Não por defender alguma teoria abstrata, mas por ter visto com os próprios olhos.

6

Na verdade, uma das alternativas mais promissoras ao modelo de capitalismo existente já está entre nós há um bom tempo. Você não a encontrará na progressista Escandinávia nem na China vermelha, tampouco nos berços da anarquia da América Latina – não, a alternativa, inesperadamente, vem de um estado dos Estados Unidos onde termos como "progressista" e "socialista" são usados como insultos: Alasca.

A ideia começou com o governador republicano Jay Hammond (1922-2005), um caçador de peles durão, ex-piloto de caça que lutou contra os japoneses na Segunda Guerra Mundial. Quando foram descobertas enormes reservas de petróleo em seu estado natal, no fim dos anos 1960, ele decidiu que esse petróleo pertencia aos alasquianos e propôs depositar todos os lucros num fundo comunitário.

Esse fundo tornou-se o Alaska Permanent Fund, criado em 1976. A questão seguinte, claro, foi o que fazer com aquele dinheiro. Muitos alasquianos conservadores se opuseram a entregá-lo ao Estado, que só o gastaria. Mas havia outra opção. A partir de 1982, todos os cidadãos do Alasca receberiam um dividendo anual em conta. Em um bom ano, o montante poderia chegar a 3 mil dólares.

Até hoje, o Dividendo do Fundo Permanente (PFD na sigla em inglês) é totalmente incondicional. Não é um privilégio, e sim um direito, que faz do Alasca um modelo antípoda ao antiquado Estado de bem-estar social. Em geral, é preciso provar, assinando dezenas de formulários, a condição de doente, incapacitado ou carente o bastante para merecer assistência.

Esse tipo de sistema é estabelecido para deixar as pessoas tristes, apáticas e dependentes, ao passo que um dividendo incondicional resulta em algo totalmente diferente. Fomenta a confiança. Claro que há os cínicos, que pressupõem que seus conterrâneos vão desperdiçar os próprios dividendo em álcool e drogas. No entanto, como observam os realistas, não foi o que aconteceu lá.

A maioria dos alasquianos investiu seus dividendos em educação e nos filhos. Uma análise feita por dois economistas americanos mostrou que o PFD não teve nenhum efeito adverso no emprego e, ainda, reduziu substancialmente a pobreza.[42] Pesquisas comparáveis na Carolina do Norte chegaram a mostrar uma série de efeitos positivos. Os gastos com saúde caíram, e as crianças se saíram melhor na escola, efetivamente recuperando os custos do investimento inicial.[43]

E se aplicarmos a filosofia de propriedade comunitária do Alasca de maneira mais abrangente? E se estabelecermos que os lençóis freáticos, o gás natural, as patentes possibilitadas pelo dinheiro dos contribuintes e tantas coisas mais pertencem à comunidade? Sempre que parte desses bens comuns for apropriada, que o planeta for poluído ou que CO^2 for jogado na atmosfera, não devemos – como membros da comunidade – ser compensados?[44]

Um fundo como esse pode resultar em outro retorno, ainda mais vantajoso para todos. Esse dividendo cidadão, esse pagamento incondicional baseado na confiança e no sentimento grupal, propiciaria a todos a liberdade de fazer as próprias escolhas. Capital de risco para o povo.

Pelo menos no Alasca, o PFD foi indiscutivelmente um grande sucesso. Qualquer político que se atreva a mexer com isso se arrisca a um suicídio profissional.[45] Alguns dirão que é porque todos cuidam de si próprios, mas talvez o PFD seja popular porque – assim como nas democracias de Porto Alegre e de Torres – vai além da velha oposição entre esquerda e direita, mercado e Estado, capitalismo e comunismo. É um caminho diferente, rumo a uma nova sociedade, na qual todos têm uma parcela.

PARTE 5

A OUTRA FACE

"Se quiser castigar um homem de forma retaliativa, será preciso feri-lo. Se quiser reformá-lo, é preciso melhorá-lo. E os homens não melhoram ao serem feridos."
George Bernard Shaw (1856-1950)

Não muito tempo atrás, Julio Diaz, um jovem assistente social, pegou o metrô para voltar do trabalho para sua casa, no Bronx, em Nova York. Como fazia quase todos os dias, desceu uma parada antes para comer alguma coisa em sua lanchonete preferida.

No entanto, essa noite não foi como as outras. Quando ele saiu da estação vazia, uma figura saltou da escuridão. Um adolescente, armado com uma faca. "Eu simplesmente entreguei a carteira", contou Julio a um jornalista. Assalto consumado, o garoto estava prestes a correr quando Julio fez algo inesperado.

"Ei, espera um pouco. Se você vai roubar pessoas pelo resto da noite, é melhor ficar com meu casaco e se proteger do frio."

O garoto virou-se para Julio, incrédulo. "Por que você está fazendo isso?"

"Se você está disposto a arriscar sua liberdade por alguns dólares, imagino que realmente precise do dinheiro", respondeu Julio. "Aliás, eu ia jantar... Se quiser me acompanhar, seria um prazer."

O garoto concordou, e momentos depois Julio e o assaltante estavam na lanchonete. O garçom cumprimentou os dois efusivamente. O gerente parou para bater um papo. Até o lavador de pratos deu um alô.

"Você conhece todo mundo aqui", comentou o garoto, surpreso. "Você é dono dessa lanchonete?"

"Não", respondeu Julio. "Mas venho muito aqui."

"Mas você foi simpático até com quem lava os pratos."

"Ora, nunca te ensinaram que a gente deve ser simpático com todo mundo?"

"Sim", disse o garoto, "mas não sabia que as pessoas se comportavam assim."

Quando Julio e o assaltante acabaram de comer, a conta chegou. Julio, porém, estava sem a carteira. "Olha, acho que você vai ter que pagar, porque está com meu dinheiro. Ou, se você me devolver a carteira, eu pago, com o maior prazer."

O garoto devolveu a carteira. Julio pagou a conta e deu 20 dólares a ele. Com uma condição: o adolescente precisava se desfazer da faca.

Quando um jornalista perguntou depois por que Julio havia convidado o assaltante para jantar, ele não hesitou: "Bem, imaginei que, ao tratar bem as pessoas, você só pode esperar que elas também o tratem bem. É o mais simples que se pode fazer neste mundo complicado."[1]

Quando contei a um amigo sobre a boa ação de Julio, ele nem piscou. "Me desculpe, me deu enjoo de tão doce."

Tudo bem, a história é um pouco adocicada. Lembra-me dos clichês das lições que ouvia na igreja quando era garoto. Como o sermão da montanha, em Mateus 5.

> Ouvistes o que foi dito: "Olho por olho, dente por dente". Eu, porém, vos digo que não resistais a quem for mau. Mas se qualquer um te bater na face direita, oferecei também a outra. E a quem quiser pleitear contigo e tirar-te a túnica, larga-lhe também tua capa. E se qualquer um te obrigar a caminhar uma milha, anda com ele duas.

Claro que você pode pensar: *Belo plano, Jesus. Se todos fôssemos santos...* O problema é que somos todos humanos demais. E, no mundo real, oferecer a outra face é uma das coisas mais ingênuas que alguém pode fazer. Certo?

Só recentemente percebi que Jesus estava apregoando um princípio bem racional. Os psicólogos modernos o chamam de *comportamento não complementar*. Reiterando: na maior parte do tempo, nós, humanos, nos espelhamos. Se alguém o cumprimenta, você retorna a gentileza. Se alguém diz alguma coisa desagradável, sua vontade é dar uma resposta sarcástica. Em capítulos anteriores, vimos quanto esses círculos positivos e negativos podem ser fortes em escolas, em empresas e nas democracias.

Quando somos tratados com delicadeza, é fácil fazer a coisa certa. Fácil, mas não suficiente. Citando Jesus mais uma vez: "E se amais os que vos amam, que recompensa tereis? Também até mesmo os coletores de impostos não fazem o mesmo? E se acolherdes somente a vossos irmãos e irmãs, o que estais fazendo que os outros não?".[2]

A pergunta é: será que não poderíamos levar as coisas adiante? E se pensarmos o melhor não só de nossos filhos, nossos colegas de trabalho e nossos vizinhos, mas também de nossos inimigos? Isso é consideravelmente mais difícil – e pode ir contra nossos instintos. Pense em Mahatma Gandhi e em Martin Luther King Jr., talvez os dois maiores heróis do século XX. Os dois eram profissionais em comportamento não complementar. Mas, até aí, eram indivíduos extraordinários.

E quanto ao restante de nós? Somos eu e você capazes de oferecer a outra face? E podemos fazer isso funcionar em grande escala – digamos, em prisões e delegacias de polícia, depois de um ataque terrorista ou em tempos de guerra?

16
TOMANDO CHÁ COM TERRORISTAS

1

Em uma floresta na Noruega, a cerca de 100 quilômetros de Oslo, há uma das prisões mais estranhas do mundo.

Aqui você não vê celas nem grades. Não vê guardas armados nem algemas. O que há é um bosque de bétulas e pinheiros e uma paisagem ondulante entrecruzada por trilhas. Em volta de tudo, uma grande muralha de aço – um dos poucos sinais de que as pessoas não estão aqui por vontade própria.

Todos os detentos da prisão de Halden tem seu próprio quarto. Com piso aquecido, TV de tela plana, banheiro particular. Há cozinhas onde os detentos podem cozinhar, com pratos de louça e facas de aço inoxidável. Halden também tem uma biblioteca, uma parede de escalada e um estúdio musical totalmente equipado, onde os detentos podem gravar discos. Álbuns são lançados com selo próprio – não é piada –, o Criminal Records. Até hoje, três dos presos participaram como candidatos do programa *Ídolos* norueguês, e o primeiro espetáculo musical da prisão está em produção.[1]

Halden é um exemplo didático do que se poderia chamar de "prisão não complementar". Em vez de espelhar o comportamento dos detentos, os funcionários oferecem a outra face – mesmo para tipos barras-pesadas. Aliás, os guardas não andam armados. "Nós conversamos com eles, essa é nossa arma", diz um deles.[2]

Se pensa que essa é a instituição correcional mais branda da Noruega, está enganado. Halden é uma prisão de segurança máxima. Com cerca de 250 traficantes, agressores sexuais e assassinos, é também a segunda maior prisão do país.

Se está imaginando uma prisão ainda mais branda, ela fica a alguns quilômetros de distância. Bem perto dali está Bastøy, uma ilha pitoresca que abriga 115 presos cumprindo o último ano de suas sentenças. O que acontece parece o programa *Prison Experiment* da BBC, aquele entediante *reality show* que se desintegrou numa comuna pacifista (ver capítulo 7).

Quando vi pela primeira vez fotos dessa ilha, quase não acreditei. Detentos e guardas lado a lado grelhando hambúrgueres? Nadando? Dando risada sob o sol? Para ser honesto, era difícil diferenciar os detentos dos funcionários prisionais. Os guardas de Bastøy não usam uniforme e fazem as refeições com os presos, à mesma mesa.

Há diversas atividades na ilha. Um cinema, uma cama de bronzeamento e duas rampas de esqui. Alguns dos detentos formaram um grupo chamado Bastøy Blues Band, que chegou a tocar na abertura de um show da lendária banda de rock texana ZZ Top. A ilha também tem uma igreja, uma mercearia e uma biblioteca.

Bastøy pode parecer um resort de luxo, mas não é tão relaxante assim. Os detentos têm de trabalhar duro para manter a comunidade funcionando: precisam arar e plantar, colher e cozinhar, cortar lenha e cuidar da carpintaria. Tudo é reciclado, e eles produzem um quarto da comida que consomem. Alguns detentos até saem da ilha para trabalhar no continente, usando um serviço de balsas operado pelos próprios presos.

E, sim, para fazer seu trabalho, os homens também têm acesso a facas, martelos e outras potenciais armas. Se precisarem derrubar uma árvore, podem usar motosserra. Até mesmo um assassino condenado cuja arma do crime foi – você adivinhou – uma motosserra. Será que os noruegueses enlouqueceram? Quanta ingenuidade, sentenciar bateladas de assassinos a cumprir pena em um resort? Se perguntar aos funcionários de Bastøy, nada poderia ser mais normal. Na Noruega, onde 40% dos guardas prisionais são mulheres, todos precisam passar por um programa de treinamento de dois anos. Eles aprendem que é melhor fazer amizade com os detentos que se mostrar superior a eles ou humilhá-los.

Os noruegueses chamam isso de "segurança dinâmica", para se diferenciar da antiquada "segurança estática" – com celas gradeadas, arame farpado e câmeras de segurança. Na Noruega, a prisão não é para evitar maus comportamentos, e sim para evitar más intenções. Os guardas entendem que o dever deles é preparar os detentos, o melhor possível, para uma vida normal. Segundo esse "princípio de normalidade", o tempo dentro da prisão deve ser o mais parecido possível com o mundo exterior.

E, inacreditavelmente, funciona. Halden e Bastøy são comunidades tranquilas. Enquanto as penitenciárias tradicionais são a quintessência das *instituições totais* – lugares onde o *bullying* domina –, nas prisões da Noruega os detentos se dão muito bem. Quando surgem conflitos, os dois lados sentam-se e conversam a respeito, e ninguém pode sair enquanto não se apertarem as mãos.

"Na verdade, é muito simples", explica o diretor da Bastøy, Tom Eberhardt. "Se tratarmos as pessoas como lixo, elas serão lixo. Se as tratarmos como seres humanos, vão se comportar como seres humanos."[3]

Mesmo assim, eu não estava convencido. Racionalmente, entendia por que uma prisão não complementar funcionaria melhor. No entanto, intuitivamente, parecia haver algo errado. Como se sentiriam as vítimas, se soubessem que seus assassinos seguiam para uma colônia de férias?

No entanto, quando li a explicação de Tom Eberhardt, tudo começou a fazer sentido. Para começar, mais cedo ou mais tarde a maioria dos presos vai ser solta. Na Noruega, mais de 90% voltam às ruas em menos de um ano, por isso é óbvio que serão vizinhos de *alguém*.[4] Como Eberhardt explicou a um jornalista americano: "Digo que estamos soltando vizinhos todos os anos. Vocês querem que sejam soltos como bombas-relógio?".[5]

No fim, cheguei à conclusão de que há algo mais importante que o restante: os resultados. Como esse tipo de prisão funciona em relação às outras? No verão de 2018, economistas noruegueses e americanos se dedicaram a essa questão. Eles examinaram a *taxa de reincidência*, ou seja, a probabilidade de alguém cometer o mesmo crime. Segundo cálculos da equipe, a taxa de reincidência entre ex-detentos de penitenciárias como Halden e Bastøy é cerca de 50% menor que a de infratores condenados a prestar serviços comunitários ou a pagar multa.[6]

Fiquei perplexo. *Quase 50%?* É inacreditável. Significa que, para cada condenação, na média são cometidos onze crimes a menos no futuro. Ademais, a probabilidade de um ex-detento arrumar emprego é 40% mais alta. Estar encarcerado numa prisão norueguesa realmente muda o rumo da vida das pessoas.

Não é coincidência que a Noruega se gabe de ter o menor índice de reincidência do mundo. Em comparação, o sistema prisional americano tem os índices mais altos. Nos Estados Unidos, 60% dos detentos volta para a cadeia depois de dois anos, comparados aos 20% na Noruega.[7] Em Bastøy esse índice é menor ainda (meros 16%), o que a torna uma das melhores instituições correcionais da Europa – talvez até do mundo.[8]

Certo, mas o método norueguês não é tremendamente caro?

Na conclusão de um artigo de 2018, os economistas fizeram um cálculo levando em conta custos e benefícios. Segundo o resultado, uma estada numa prisão norueguesa custa em média 60.151 dólares por preso – quase duas vezes mais que nos Estados Unidos. Contudo, como esses ex-detentos cometem menos crimes depois de soltos, cada um economiza 71.226 dólares para o sistema judicial norueguês. Além disso, como mais ex-detentos conseguem arrumar emprego, eles não precisam de ajuda do governo e ainda pagam impostos, economizando para o sistema em média mais 67.086 dólares. Por último, e igualmente importante, o número de vítimas diminui, o que não tem preço.

Conclusão? Mesmo empregando estimativas conservadoras, o sistema prisional norueguês paga a si mesmo mais de duas vezes. A abordagem norueguesa não é uma aberração ingênua e socialista. É um sistema melhor, mais humano e mais barato.

2

Em 23 de julho de 1965, uma comissão de dezenove criminologistas se reuniu na cidade de Washington, a pedido do presidente Lyndon B. Johnson, com a tarefa de, nos dois anos seguintes, desenvolver uma nova e radical visão para o sistema de aplicação da lei nos Estados Unidos, abrangendo desde o policiamento às detenções.

Eram os turbulentos anos 1960. Uma nova geração esmurrava os portões do poder, as taxas de criminalidade subiam, e o velho sistema criminal de justiça andava capenga. Os criminologistas sabiam que era o momento de pensar grande. Quando por fim concluíram o estudo, o relatório continha mais de duzentas recomendações. Os serviços de emergência deveriam ser revisados, o treinamento da polícia precisava ser aperfeiçoado, e se fazia necessária uma linha nacional para chamados de emergência – daí o nascimento do 911, equivalente ao 190 do Brasil.

No entanto, as recomendações mais radicais diziam respeito ao futuro das prisões no país. Sobre essa questão, a comissão não mediu palavras.

> A vida na maior parte das instituições é na melhor das hipóteses estéril e fútil e, na pior, indizivelmente brutal e degradante. [...] As condições em que [os detentos] vivem são as

piores possíveis para um regresso bem-sucedido à sociedade e, com frequência, reforçam neles um padrão de manipulação ou de destrutividade.⁹

Era o momento de uma reforma total, disse a comissão. Sem grades, celas e corredores intermináveis. "Em termos arquitetônicos, a instituição modelo deveria parecer ao máximo um ambiente residencial", recomendaram os especialistas. "Os quartos, por exemplo, deveriam ter portas, não grades. Os detentos deveriam se sentar a mesas pequenas para comer, em meio a uma atmosfera informal. Haveria salas de aulas, locais de recreação, salas de convivência e talvez uma loja e uma biblioteca."¹⁰

É fato pouco conhecido que os Estados Unidos quase tenham instituído um sistema prisional semelhante ao da Noruega de hoje. Planos-piloto com essa "nova geração" de prisões foram lançados no fim dos anos 1960. Nessas instalações, os detentos tinham quartos particulares, com portas para uma área em comum onde poderiam conversar, ler e jogar, sob a vigilância de guarda desarmado. Haveria tapetes, móveis estofados e privadas de louça.¹¹

Eis aí, disseram os especialistas: a prisão do futuro.

Em retrospecto, é chocante ver como a maré virou depressa – e o que causou essa virada. Começou com Philip Zimbardo, que, em fevereiro de 1973, publicou o primeiro artigo acadêmico sobre seu experimento da prisão de Stanford. Sem jamais ter pisado numa prisão de verdade, o psicólogo afirmou que são ambientes brutais, independentemente da decoração.

Esse veredito foi recebido efusivamente e ganhou popularidade com a publicação do infame Relatório Martinson, um ano depois. O homem por trás desse relatório, Robert Martinson, era um sociólogo da Universidade de Nova York, que contava com a reputação de uma personalidade brilhante, ainda que ligeiramente maníaca. Também era um homem com uma missão. Quando mais jovem, Martinson foi ativista pelos direitos civis e acabou preso durante 39 dias (incluindo três dias numa solitária). Essa experiência horrível o convenceu de que todas as prisões são lugares barbáricos.

No fim dos anos 1960, pouco depois de se formar, Martinson foi convidado a participar de um grande projeto para analisar estratégias correcionais, que incluíam cursos, terapia e supervisão, com o objetivo de ajudar criminosos a voltarem ao caminho certo. Trabalhando ao lado de dois outros sociólogos, Martinson reuniu dados de mais de 200 estudos realizados no mundo todo. O relatório final, de 736 páginas, levou o título nada imaginativo de *The Effectiveness of Correctional Treatment: A Survey of Treatment Evaluation Studies* [A efetividade do tratamento correcional: um estudo de estudos de avaliações de tratamentos].

Como estudos complexos como esse raramente eram lidos por jornalistas, Martinson publicou um pequeno resumo de suas descobertas numa revista popular. Título: "O que funciona?". Conclusão: nada funciona. "Com poucas e raras exceções", escreveu Martinson, "os esforços para reabilitação relatados até agora não surtiram efeitos apreciáveis na reincidência."[12] O progressista cientista social tinha a esperança – mais ou menos como Philip Zimbardo – de que todos perceberiam que as prisões eram locais sem sentido e, por isso, deveriam ser interditadas.

Mas não foi o que aconteceu.

De início, a mídia fez a festa com o carismático sociólogo. Jornais e programas de televisão forneceram a Martinson plataforma para repetir seu radical veredito, enquanto os coautores arrancavam os cabelos. Na verdade, os resultados de 48% dos estudos analisados foram positivos, demonstrando que a reabilitação podia funcionar.[13]

O resumo distorcido do relatório abriu caminho para os linhas-duras. Formuladores de políticas conservadores proclamaram que ali estava a prova de que algumas pessoas simplesmente nascem e continuam más. Que todo o conceito de reabilitação vai contra a natureza humana. O melhor seria trancafiar essas maçãs podres e jogar a chave fora. Isso inaugurou uma nova era de quanto mais rigoroso, melhor, e tirou da tomada o experimento dos Estados Unidos com uma nova geração de penitenciárias.

Ironicamente, Martinson se retratou por suas conclusões alguns anos mais tarde, dizendo o seguinte: "contrariamente à minha posição anterior, alguns programas de tratamento têm efeito apreciável sobre a reincidência".[14] Em um seminário em 1978, um atônito professor perguntou o que deveria passar aos alunos. Martinson respondeu: "Diga a eles que eu falei bobagem".[15]

Àquela altura, quase ninguém mais ouvia. Martinson escreveu um último artigo assumindo seus erros, mas que só foi publicado por um periódico sem muito público. Como observaram outros cientistas, foi "provavelmente o artigo menos lido sobre o debate da justiça criminalística a respeito da reabilitação".[16] A retificação de Martinson não foi divulgada nos jornais, na rádio ou na TV. E a mídia também não noticiou quando, algumas semanas depois, o sociólogo de 52 anos se jogou do 15º andar do prédio em que morava, em Manhattan.

3

Àquela altura, alguém mais ganhava as manchetes: o professor James Q. Wilson.

Seu nome pode não ser tão conhecido, mas, se quisermos entender qualquer coisa sobre como o sistema de justiça criminal dos Estados Unidos chegou ao estado atual, não há como ignorar esse homem. Nos anos seguintes ao suicídio de Robert Martinson, James Wilson mudaria o curso da história do país.

Professor de ciência política na Universidade Harvard, era o tipo de sujeito com opiniões sobre tudo – de bioética a guerra às drogas, do futuro do Estado constitucional a mergulho livre.[17] (E adorava ser fotografado ao lado de tubarões de 7 metros de comprimento.)[18]

No entanto, o trabalho de sua vida foi dedicado à criminalidade. Se havia algo que Wilson odiava, era oferecer a outra face. Não tinha tempo para uma nova geração de prisões que tratasse os detentos com bondade. Explorar as "origens" do comportamento criminoso era perda de tempo, para ele, e todos aqueles progressistas que papagueavam sobre os efeitos de uma juventude problemática não enxergavam o essencial. Algumas pessoas são escória, pura e simplesmente, e a melhor coisa a fazer é trancafiá-las. Ou executá-las.

"É uma medida de nossa confusão que tal afirmação deixará chocados muitos leitores esclarecidos por ser cruel, até mesmo barbárica", escreveu o professor de Harvard.[19]

Para Wilson, porém, fazia sentido. Seu livro *Thinking About Crime* [Pensando sobre crime] (1975) tornou-se um grande sucesso entre os mandachuvas de Washington, inclusive o presidente Gerald Ford, que, no ano de publicação, definiu as ideias de Wilson como "muito interessantes e úteis".[20] Importantes funcionários do governo apoiaram sua filosofia. O melhor remédio contra a criminalidade, ensinava pacientemente o professor Wilson, era isolar os criminosos. O que poderia haver de tão difícil nisso?

Depois de ler inúmeros artigos sobre a influência de James Q. Wilson no sistema judiciário, de repente percebi que já tinha ouvido aquele nome.

Em 1982, Wilson havia surgido com outra ideia revolucionária, que entraria para os livros de história como "teoria das janelas quebradas". A primeira vez que topei com essa teoria foi no livro, que também li pela primeira vez, sobre o assassinato de Kitty Genovese (e os 38 espectadores): *O ponto da virada*, do jornalista Malcolm Gladwell.

Lembro-me de ter ficado fascinado pelo capítulo sobre Wilson. "Se uma janela do prédio estiver quebrada e não for consertada", escreveu Wilson, em um artigo para a revista *The Atlantic*, em 1982, "todas as demais logo estarão quebradas."[21] Mais cedo ou mais tarde, se não houver intervenções, os vândalos serão seguidos pelos invasores. Logo, viciados em drogas podem se mudar para lá, e é apenas questão de tempo até alguém ser assassinado.

"Essa é uma teoria epidêmica da criminalidade", observou Gladwell.[22] Lixo nas calçadas, vagabundos nas ruas, pichações nas paredes – todos esses fatores são precursores de assassinatos e destruição. Até mesmo uma janela quebrada transmite a mensagem de que a ordem não se mantém, sinalizando aos criminosos que eles podem ir além. Então, se quiser combater os crimes mais graves, é preciso consertar as janelas quebradas.

De início, não entendi. Por que se preocupar com pequenos delitos quando pessoas são assassinadas todos os dias? Gladwell considerou "tão sem sentido quanto esfregar o convés do *Titanic* enquanto o navio se aproximava do *iceberg*".[23]

Em seguida, porém, li sobre os primeiros experimentos.

Em meados dos anos 1980, os vagões do metrô de Nova York eram todos pichados. O Departamento de Trânsito decidiu que alguma coisa deveria ser feita e convidou como consultor o coautor de Wilson, George Kelling, que recomendou uma limpeza em larga escala. Até mesmo vagões com pequenas pichações foram imediatamente mandados para limpeza. Segundo o diretor do metrô: "Fomos firmes a esse respeito".[24]

Depois veio a fase dois. A teoria das janelas quebradas de Wilson e Kelling foi aplicada não só à desordem, mas às pessoas que a geravam. Uma cidade que permitia que mendigos, vagabundos e biscateiros andassem livremente estava se expondo a coisas muito piores. Afinal, como observou Wilson em 2011, "a ordem pública é frágil".[25] Ao contrário de outros cientistas, Wilson não se dava ao trabalho de investigar as causas estruturais da criminalidade, como a pobreza e a discriminação. Preferia ressaltar que, em última análise, só havia uma causa que importava: a natureza humana.

A maioria das pessoas, segundo Wilson, faz um simples cálculo de custo-benefício: o crime compensa? Se a polícia for frouxa e as cadeias parecerem confortáveis, é seguro apostar que as pessoas optarão por uma vida de crimes.[26] Se a taxa de criminalidade aumentar, a solução é igualmente direta. Corrige-se com incentivos extrínsecos mais fortes, como multas mais altas, mais tempo na prisão e policiamento mais rigoroso. Assim que o "custo" do crime subir, a demanda cairá.

William Bratton não via a hora de colocar na prática a teoria de Wilson. E ele é a última peça-chave na história. Em 1990, ele foi nomeado como chefe da Polícia do Trânsito da cidade Nova York. Bratton acreditava ferreamente na doutrina de James Wilson. Um tipo enérgico, era famoso por distribuir cópias do artigo sobre janelas quebradas publicado na revista *The Atlantic*.

E Bratton queria fazer mais que consertar janelas. Queria restaurar a ordem na cidade de Nova York, com firmeza. O primeiro alvo escolhido foram os que não pagavam o metrô. A partir de então, os passageiros que não apresentassem um bilhete de 1,25 dólar seriam presos pelos guardas de trânsito, algemados e enfileirados na plataforma para que todos os vissem. O número de prisões quintuplicou.[27]

Isso só aumentou a gana de Bratton. Em 1994, ele foi promovido a comissário de polícia da cidade, e logo todos os nova-iorquinos começaram a sentir o gosto de sua filosofia. De início, os policiais foram restritos por regras e protocolos, mas Bratton os eliminou. Então, qualquer um poderia ser preso pela menor infração – beber em público, ser pego com baseado, caçoar de um policial. Nas palavras do próprio Bratton, "se você mijar na rua, vai para a cadeia".[28]

Milagrosamente, a nova estratégia pareceu funcionar. As taxas de criminalidade *despencaram*. A taxa de homicídios? Caiu 63% entre 1990 e 2000. A de assaltos? Caiu 64%. A de furto de automóveis? Caiu 71%.[29] A teoria das janelas quebradas, antes ridicularizada por jornalistas, revelou-se genial.

Wilson e Kelling se tornaram os mais respeitados criminologistas do país. O comissário Bratton foi matéria de capa da revista *Time* e, em 2002, foi nomeado chefe do Departamento de Polícia de Los Angeles; então, em 2014, voltou para o Departamento de Polícia de Nova York. Acabou reverenciado por gerações de policiais, que se autodenominavam "brattonistas".[30] Wilson chegou a atribuir a Bratton créditos pela "maior mudança no policiamento do país".[31]

4

Quase quarenta anos se passaram desde a publicação do artigo sobre as janelas quebradas na revista *The Atlantic*. Durante esse período, a filosofia de Wilson e Kelling se disseminou por locais mais distantes dos Estados Unidos e além, da Europa à Austrália. Em *O ponto da virada*, Malcolm Gladwell definiu a teoria como um grande sucesso, e em meu primeiro livro também me mostrei entusiasmado com ela.[32]

O que não percebi foi que, àquela altura, poucos criminologistas ainda acreditavam nela. Na verdade, o alarme deveria ter soado assim que li na revista *The Atlantic* que a teoria de Wilson e Kelling se baseava em um experimento duvidoso.

No experimento, um pesquisador deixou um carro estacionado por uma semana em um bairro respeitável. E ficou esperando. Nada aconteceu. Depois ele voltou com um martelo. Assim que o próprio pesquisador quebrou um dos vidros do carro, as comportas se abriram. Em questão de horas, transeuntes normais tinham depenado o automóvel.

O nome do pesquisador? Philip Zimbardo!

O experimento de Zimbardo com o automóvel, nunca publicado em nenhum periódico científico, foi a inspiração para a teoria das janelas quebradas. E, assim como seu experimento da prisão de Stanford, desde então essa teoria foi totalmente desbancada. Agora sabemos, por exemplo, que o policiamento "inovador" de William Bratton não foi em nada responsável pela queda das taxas de criminalidade de Nova York. O declínio começou antes, assim como em outras cidades – por exemplo, em San Diego, onde a polícia não se incomodava com pequenos infratores.

Em 2015, uma metanálise de trinta estudos sobre a teoria das janelas quebradas demonstrou faltar evidência de que o policiamento agressivo de Bratton tenha contribuído para reduzir a criminalidade.[33] Nada, zero. Os bairros não ficaram mais seguros por causa das multas por estacionamento proibido, e da mesma forma o *Titanic* não se teria salvado com a limpeza do convés.

Minha reação inicial foi: *Bem, então prender bêbados e vagabundos não reduz a criminalidade mais grave. Mas continua sendo bom para manter a ordem pública, certo?*

Isso levanta uma questão fundamental. De que "ordem" estamos falando? Pois, enquanto as ordens de prisão em Nova York subiam depressa, o mesmo acontecia com relatos de arbitrariedades da *polícia*. Em 2014, milhares de manifestantes saíram às ruas de Nova York e de outras cidades dos Estados Unidos, incluindo Boston, Chicago e Washington, gritando o seguinte: "Janelas quebradas, vidas arruinadas".

Não era exagero. Nas palavras de dois criminologistas, o policiamento agressivo dava motivo para multas em casos como

> mulheres comendo donuts num parque do Brooklyn, jogadores de xadrez em um parque de Inwood, usuários do metrô apoiando os pés nos assentos às 4h da madrugada e um casal de idosos em Queens multado por não usar cinto de segurança numa noite gélida enquanto iam comprar remédios com receita médica. Mandaram o homem ir a pé até sua casa buscar o documento – a alguns quarteirões da farmácia. Quando voltou à farmácia, os guardas já o haviam multado usando as informações no frasco do medicamento. O idoso sofreu um ataque cardíaco e morreu.[34]

O que parecia bom em teoria se resumia cada vez mais a detenções frívolas. O comissário Bratton tornou-se obcecado por estatísticas, assim como seus policiais. Os que apresentassem os maiores números eram promovidos, enquanto os menos atuantes eram repreendidos. O resultado foi um sistema de cotas em que os policiais sofriam pressão para aplicar muitas multas e entregar o maior número possível de intimações. Chegaram, inclusive, a inventar violações. Pessoas conversando na rua? Prisão por bloquear a circulação. Garotos dançando no metrô? Multa por perturbação da paz.

A criminalidade mais grave era outra história, totalmente diferente, como jornalistas investigativos apuraram depois. Os policiais eram pressionados para abrandar relatórios ou descartá-los sumariamente, a fim de preservar os bons índices do departamento. Houve até casos de vítimas de estupro sujeitas a intermináveis interrogatórios para tentar fazê-las tropeçar em incoerências. E nesses casos o incidente não era incluído nos registros.[35]

No papel, tudo parecia fantástico. A criminalidade estava em queda livre, o número de detenções era altíssimo e o comissário Bratton era o herói de Nova York. Na realidade, os criminosos andavam livres, enquanto milhares de inocentes se tornavam suspeitos. Até hoje, departamentos de polícia de todo o país continuam adeptos da filosofia de Bratton – razão pela qual os cientistas seguem considerando suspeitas as estatísticas policiais nacionais.[36]

E não para por aí. A teoria das janelas quebradas também se revelou racista. Dados mostram que apenas 10% das pessoas detidas por pequenos delitos são brancas.[37] Em contrapartida, adolescentes negros são parados e revistados mensalmente – como há anos acontece –, apesar de nunca terem cometido um crime.[38] A teoria das janelas quebradas envenenou as relações entre o sistema legal e as minorias, sobrecarregou incontáveis pobres com multas que eles não podiam pagar e teve consequências fatais, como no caso de Eric Garner, que morreu em 2014 ao ser preso por supostamente vender cigarros avulsos. "Sempre que me vê, você quer me assediar", protestou Garner. "Eu já estou cansado disso... Por favor, me deixe em paz. Eu já disse, por favor, me deixe em paz."

O policial jogou o homem no chão e o apertou pelo pescoço. As últimas palavras de Garner foram: "Eu não consigo respirar".

Só agora, anos depois de ter lido o livro de Malcolm Gladwell, percebi que a teoria das janelas quebradas baseia-se numa visão da natureza humana totalmente irrealista. Trata-se de uma variante da teoria do verniz. Levou a polícia de Nova York a tratar pessoas comuns como potenciais criminosas: qualquer passo em falso seria supostamente o primeiro de um caminho que levaria ao pior. Afinal, nossa camada de civilização é fina e tênue.

Enquanto isso, os policiais eram tratados como se não tivessem nenhum parâmetro próprio. Nenhuma motivação intrínseca. Eram treinados pelos superiores para fazer seus departamentos parecerem o melhor possível – no papel.

Quer dizer, então, que não devemos nos preocupar em consertar as verdadeiras janelas quebradas? Claro que não. Consertar janelas é uma ideia excelente, pois mantém as residências em ordem e atenta às preocupações dos moradores locais. Assim como detenções adequadas irradiam confiança, um bairro em ordem parece ser mais seguro.[39] E, quando as janelas são consertadas, podemos deixá-las escancaradas.

O argumento de Wilson e Kelling, porém, não era exatamente sobre janelas quebradas ou ruas mal iluminadas. As "janelas quebradas" eram uma metáfora. Na prática, pessoas normais estavam sendo fichadas, restringidas e vigiadas.

O professor Wilson se manteve firme até o fim, afirmando até morrer, em 2012, que a abordagem brattonista foi um sucesso. Entrementes, seu coautor era acossado por dúvidas. George Kelling considerou que a teoria das janelas quebradas havia sido muitas vezes mal aplicada. Sua preocupação sempre foi em relação às próprias janelas quebradas, não com a detenção ou com o encarceramento do maior número de negros e latinos.

"Muitas coisas foram feitas em nome das janelas quebradas, e eu lamento", admitiu, em 2016. Quando Kelling começou a ouvir chefes de polícia em todo o país evocarem sua teoria, uma coisa ressoou em sua mente: "Que m***a".[40]

O que aconteceria se invertêssemos a teoria das janelas quebradas? Se é possível redesenhar as prisões, será que haveria como fazer o mesmo com departamentos de polícia?

Acho que sim. Na Noruega – onde mais? – já existe uma longa tradição de polícia comunitária, uma estratégia que pressupõe que a maioria dos cidadãos é honesta e respeita as leis. Os policiais trabalham para ganhar a confiança da comunidade, baseados na ideia de que, se os moradores os conhecerem, maior será a probabilidade de ajudarem. Os vizinhos darão dicas, e os pais estarão mais dispostos a chamar a polícia se acharem que os filhos estão seguindo um mau caminho.

Nos anos 1970, Elinor Ostrom – a economista que pesquisou sobre os bens comuns (ver capítulo 15) – conduziu o maior estudo de todos os tempos sobre os departamentos de polícia dos Estados Unidos. Ela e a equipe descobriram que destacamentos menores invariavelmente são mais eficientes que destacamentos maiores. Chegam mais depressa ao local, resolvem mais crimes e têm laços mais fortes com a vizinhança – e tudo a um custo menor. E, melhor ainda, mais humano, mais barato.[41]

Na Europa, a filosofia do policiamento comunitário já foi implantada há algum tempo. Os policiais estão habituados a se coordenar com os serviços sociais e considerar que realizam uma espécie de assistência social.[42] Também são bem treinados. Nos Estados Unidos, o programa de treinamento de um policial é de, em média, dezenove semanas, algo impensável na maior parte da Europa. Em países como Noruega e Alemanha, o treinamento de um policial leva mais de dois anos.[43]

Contudo, algumas cidades americanas estão mudando suas práticas. Em 2014, os moradores de Newark, em Nova Jersey, elegeram um prefeito negro, com uma visão clara de como deveria ser um policiamento moderno na cidade. Esse processo exige policiais

> que conheçam os avós das pessoas, que conheçam as instituições da comunidade, que sejam vistos como seres humanos [...], é por aí que tudo começa. Se você não vir os policiais como humanos, começa a tratá-los como inumanos.[44]

Será que poderíamos levar o princípio de oferecer a outra face ainda mais adiante? Por mais absurda que a pergunta pareça, não posso deixar de considerá-la: será que uma estratégia não complementar também funcionaria na guerra ao terror?

Na busca por uma resposta, descobri que essa estratégia já foi tentada – aliás, em meu país. Entre especialistas, é até conhecida como "abordagem holandesa". Começou nos anos 1970, quando a Holanda foi assolada por uma violenta onda de terrorismo de esquerda. No entanto, o governo não decretou novas leis de segurança, e a mídia atendeu ao pedido do sistema judiciário e limitou a cobertura dos casos. Enquanto a Alemanha ocidental, a Itália e os Estados Unidos lançaram mão de artilharia pesada – helicópteros, bloqueios nas estradas, tropas –, a Holanda recusou-se a dar aos terroristas a plataforma que desejavam.

Na verdade, a polícia se recusou inclusive a usar a expressão "terrorismo", preferindo "ativismo político violento" ou "criminalidade". Enquanto isso, a inteligência nacional trabalhava nos bastidores, infiltrando-se em grupos extremistas. Concentrou-se especificamente nos terroristas – ou melhor, nos criminosos –, sem tornar suspeitos segmentos inteiros da população.[45]

Isso provocou algumas situações cômicas, como uma minúscula célula da Juventude Vermelha em que três dos quatro membros eram agentes infiltrados. Organizar um ataque se transformou em algo bem difícil, uma vez que havia sempre alguém fazendo uma pausa para ir ao banheiro ou segurando um mapa de cabeça para baixo.

"A política de contraterrorismo infiltrada, precisa e cautelosa, deteve a espiral de violência", concluiu um historiador holandês.[46] Quando alguns membros da Juventude Vermelha visitaram um campo de treinamento no Iêmen, os terroristas holandeses ficaram chocados com a intensidade dos militantes alemães e palestinos. Foi assustador. Como um dos membros declarou depois: "Eles acabaram com a diversão".[47]

Um exemplo mais recente de abordagem do tipo oferecer a outra face vem da cidade de Aarhus, na Dinamarca. No fim de 2013, a polícia optou por não deter e prender jovens muçulmanos que queriam lutar na Síria, mas a lhes oferecer uma xícara de chá. E um mentor. Famílias e amigos foram mobilizados para garantir que aqueles adolescentes soubessem que eles os amavam. Ao mesmo tempo, a polícia reforçou seus laços com a mesquita local.

Não foram poucos os críticos que definiram a tática de Aarhus como fraca ou ingênua. No entanto, a polícia optou por uma estratégia ousada e difícil. "O mais fácil é baixar novas leis", ironizou um superintendente da instituição.

> Mais difícil é passar por um verdadeiro processo com os indivíduos, com um painel de especialistas, aconselhamento, cuidados de saúde, assistência para voltar à escola, empregos, talvez

acomodações [...]. Nós não fazemos isso por convicção política, fazemos por acreditarmos que funciona.⁴⁸

E funcionou. Enquanto na maioria das cidades europeias o êxodo continuou inabalável, o número de jihadistas que seguiam de Aarhus para a Síria caiu de trinta em 2013 para um em 2014 e dois em 2015. "Até onde sei, Aarhus é a primeira cidade a lidar [com o extremismo] com base em sólidos princípios e evidências psicossociais", observa um psicólogo da Universidade de Maryland.⁴⁹

E há também a Noruega. As pessoas lá conseguiram manter a cabeça fria mesmo depois do ataque mais horrendo da história do país. Depois do banho de sangue perpetrado em 2011 pelo extremista de direita Anders Breivik, o primeiro-ministro declarou: "Nossa resposta é mais democracia, mais abertura e mais humanidade".⁵⁰

Esse tipo de resposta em geral provoca acusações como preferir olhar para o outro lado, escolher o caminho mais fácil. Contudo, o que *não é fácil* é justamente optar por mais democracia, mais abertura e mais humanidade. Pelo contrário, é mais fácil falar duro, retaliar, fechar fronteiras, jogar bombas, dividir o mundo entre mocinhos e bandidos. *Isso* é olhar para o outro lado.

5

Há momentos em que se torna impossível olhar para o outro lado. Quando a verdade não pode ser ignorada. Em outubro de 2015, uma delegação de guardas prisionais das mais altas patentes de Dakota do Norte passou por um desses momentos.

Aconteceu durante uma vista de trabalho à Noruega. Para os que não sabem, Dakota do Norte é um estado conservador e com poucos habitantes, onde a taxa de encarceramento é oito vezes maior que a da Noruega.⁵¹ E as prisões? São jaulas à moda antiga, com longos corredores, grades e guardas rígidos. Os policiais americanos não esperavam aprender muita coisa naquela visita. "Eu era arrogante", disse, depois, um deles. "O que eu veria além do que chamo de uma prisão Ikea*?"⁵²

Mas depois eles visitaram as prisões. Halden. Bastøy. A tranquilidade. A confiança. A maneira como guardas e detentos interagem.

Uma noite, sentada no bar do hotel Radisson, em Oslo, a diretora do Departamento Correcional de Dakota do Norte, Leann Bertsch – conhecida entre os colegas como durona e inflexível –, começou a chorar. "Como pensamos que estava certo prender seres humanos em jaulas?"[53]

Entre 1972 e 2007, o número de pessoas encarceradas nos Estados Unidos, corrigido pelo crescimento populacional, aumentou mais de 500%.[54] E esses detentos estão cumprindo sentenças de 63 meses em média – período sete vezes maior que na Noruega. Hoje, quase um quarto da população carcerária do mundo está atrás das grades americanas.

Esse encarceramento em massa é intencional. Quanto mais gente você prender, acreditavam o professor James Wilson e seus seguidores, menor a taxa de criminalidade. No entanto, muitas prisões americanas se transformaram em campos de treinamento de criminosos – dispendiosos internatos que produzem bandidos mais capacitados.[55] Alguns anos atrás, foi divulgada uma megainstalação em Miami onde se apinhavam até 24 presos numa única cela, da qual só podiam sair por uma hora a cada duas semanas. O resultado foi um "código brutal de gladiadores" entre os detentos.[56]

Indivíduos que saem desse tipo de instituição são um verdadeiro perigo para a sociedade. "A grande maioria se torna exatamente o que nos disseram que éramos: violentos, irracionais e incapazes de nos comportar como adultos conscientes", diz um ex-detento de uma prisão na Califórnia.[57]

Quando voltou da Noruega, Leann Bertsch percebeu que as prisões de Dakota do Norte precisavam mudar. Ela e sua equipe formularam uma nova missão: "Melhorar a humanidade".[58]

Primeiro passo? Engavetar a estratégia das janelas quebradas. Onde antes havia regras abrangendo mais de trezentas violações – não usar a camisa dentro da calça, por exemplo, ação que poderia resultar em confinamento solitário –, todas as pequenezas foram eliminadas.

A seguir, um novo protocolo foi elaborado para os guardas. Entre outras normas, eles precisavam conversar pelo menos duas vezes por dia com os detentos. Foi uma mudança radical, que encontrou considerável resistência. "Eu morria de medo", relembrou um dos funcionários. "Tinha medo pelo pessoal. Tinha medo pelo presídio. Tinha medo quando falávamos da soltura de alguns sujeitos específicos. Mas eu estava errado."[59]

Ao longo dos primeiros meses, os guardas começaram a sentir mais prazer no trabalho. Organizaram um coral e aulas de pintura. Funcionários e detentos passaram a jogar basquete juntos. E houve notável redução no número de incidentes. Antes, havia incidentes "pelo menos três ou quatro vezes por semana", segundo um dos guardas, como "alguém tentando se suicidar, alguém tentando inundar a cela ou se sentindo totalmente desorientado. Neste ano, não tivemos quase nada disso."[60]

Desde então, policiais de alta patente de seis outros estados norte-americanos fizeram viagens à Noruega. Leann Bertsch continua enfatizando que a reforma do sistema é questão de senso comum. Trancafiar grandes porções da população é má ideia. O modelo norueguês é melhor. Mais barato. Mais realista.

"Eu não sou progressista", jura Bertsch. "Sou apenas pragmática."[61]

17
O MELHOR REMÉDIO PARA O ÓDIO, A INJUSTIÇA E O PRECONCEITO

1

Não consegui deixar de pensar nas prisões norueguesas. Se podemos oferecer a outra face a criminosos e pretensos terroristas, talvez seja possível aplicar a mesma estratégia em uma escala maior. Talvez seja possível conciliar inimigos e até eliminar o ódio e o racismo.

Lembrei-me de uma história que li em alguma nota de rodapé, mas que não fui atrás. Uma história de dois irmãos que estiveram em lados opostos durante décadas, mas que no fim conseguiram impedir uma guerra civil de grande escala. Parece uma boa narrativa, não? Encontrei o nome dos irmãos numa pilha de antigas anotações e, depois, quis saber tudo sobre eles.

2

A história desses dois irmãos está ligada a uma das figuras mais renomadas do século XX. Em 11 de fevereiro de 1990, milhões de pessoas ficaram grudadas na televisão para vê-lo. Nesse dia, Nelson Mandela, preso havia 27 anos, tornou-se um homem livre. Finalmente, surgiu esperança de paz e reconciliação entre negros e brancos na África do Sul. "Peguem suas armas, suas facas e seus facões e joguem tudo no mar!", bradou Mandela, logo depois de ser libertado.[1]

Quatro anos depois, em 26 de abril de 1994, foram realizadas as primeiras eleições sul-africanas. Mais uma vez, as imagens foram fascinantes: intermináveis filas nos postos de votação, 23 milhões de eleitores ao todo. Homens e mulheres negros com idade suficiente para se lembrar do começo do *apartheid* votavam pela primeira vez na vida. Helicópteros, que antes causavam mortes e destruição, lançavam lápis e cédulas.

Um regime racista havia caído, e uma democracia estava nascendo. Duas semanas mais tarde, em 10 de maio, Mandela tomou posse como primeiro presidente negro do país. Durante a cerimônia, caças cruzaram o céu soltando rastros de vapor com as cores da Nação do Arco-Íris. Combinando verde, vermelho, azul, preto, branco e dourado, a nova bandeira da África do Sul era a mais colorida do mundo.

Fato menos conhecido: quanto isso esteve perto de não acontecer.

A África do Sul que conhecemos hoje esteve por um fio. Nos quatro anos entre a libertação de Mandela e sua eleição para presidente, o país esteve à beira de uma guerra civil. E o papel crucial de dois irmãos – gêmeos idênticos – para evitá-la foi totalmente esquecido.

Constand Viljoen e Abraham Viljoen nasceram em 28 de outubro de 1933. Quando garotos, eram inseparáveis.[2] Estudaram nas mesmas escolas e nas mesmas salas de aula. Ouviam os mesmos professores e a mesma propaganda sobre a superioridade da raça branca.

E, mais importante, os dois foram moldados pela mesma história. Constand e Abraham eram africâneres descendentes dos huguenotes franceses que chegaram às praias em 1671 e se misturaram com os colonos holandeses. Em 1899, essa população africâner se levantaria contra o domínio britânico na África do Sul – e seria cruelmente esmagada.

O pai dos garotos esteve preso em campos de concentração quando criança. Assistiu, impotente, a um irmão e duas irmãs morrerem nos braços da mãe. Assim, a família pertencia a um povo oprimido; no entanto, às vezes os oprimidos se tornam os opressores, e foi essa a verdade que separou os dois irmãos.

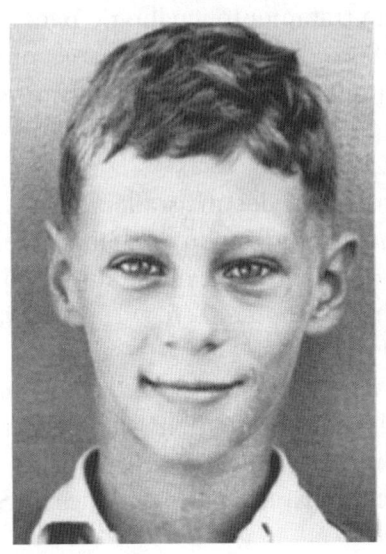

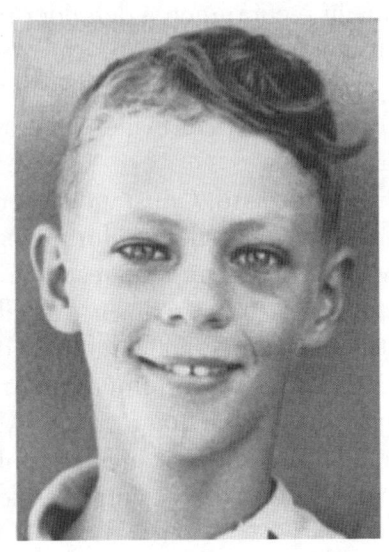

Constand (esquerda) e Abraham (direita). Fonte: Andries Viljoen.

Em 1951, pouco depois do aniversário de 18 anos dos garotos, a mãe anunciou que não tinha dinheiro para mandar os dois para a faculdade em Pretória. "Você vai primeiro", disse Constand a Abraham, ou "Braam", como era conhecido. Afinal, ele seria o irmão mais inteligente.

Enquanto o irmão se matriculou no curso de teologia, Constand se alistou no Exército. Adaptou-se bem à rotina da instituição, que se tornou uma segunda família. Enquanto Braam se dedicava aos livros, Constand saltava de helicópteros. Enquanto Braam estudava na Holanda e nos Estados Unidos, Constand lutava na Zâmbia e em Angola. Enquanto Braam fazia amizade com estudantes do mundo todo, Constand desenvolveu forte laço com companheiros do Exército.

A cada ano, os irmãos se afastavam mais. "Eu estava exposto à questão de um tratamento justo, à convicção de que as pessoas eram iguais", recordou Braam, mais tarde.[3] Braam começou a perceber que o *apartheid* em que fora criado era um sistema criminoso, que ia contra tudo o que a Bíblia ensinava.

Quando voltou para casa, depois de anos estudando no exterior, muitos sul-africanos consideraram Braam desertor. Herege. Traidor. "Eles diziam que eu tinha sido influenciado", contou. "Que nunca deveriam ter me deixado sair do país."[4] Braam, porém, não se deixou dissuadir e continuou a defender um tratamento igualitário para seus conterrâneos negros. Nos anos 1980, concorreu a um cargo público, representando um partido que pretendia acabar com o *apartheid*. Cada vez ficava mais evidente para ele que o *apartheid* era um regime assassino.

Enquanto isso, Constand se tornou um dos mais adorados soldados sul-africanos. Seu uniforme logo estava forrado de medalhas. No auge da carreira, tornou-se chefe da Força de Defesa sul-africana, que abrangia o Exército, a Marinha e a Força Aérea. E, até 1985, continuou sendo grande defensor do *apartheid*.

Com o passar do tempo, os irmãos deixaram de se falar. Quase ninguém lembrava que o general Viljoen – patriota, herói de guerra e xodó de inúmeros africâneres – tinha um irmão gêmeo.

No entanto, a ligação entre eles determinaria o futuro da África do Sul.

3

Como inimigos se reconciliam?

Com essa pergunta em mente, um psicólogo americano partiu para a África do Sul na primavera de 1956. O *apartheid* já havia sido imposto. Casamentos inter-raciais eram proibidos, e no fim daquele ano o governo decretaria uma lei que reservava os melhores empregos para os brancos.

O nome do psicólogo era Gordon Allport, e durante toda a vida ele havia ponderado sobre duas questões básicas: 1) de onde vem o preconceito?; 2) como evitá-lo? Depois de anos de pesquisas, ele encontrou uma cura milagrosa. Ou, pelo menos, pensou ter encontrado.

Qual era essa cura?

Contato. Nada mais, nada menos. O acadêmico americano suspeitou que o preconceito, o ódio e o racismo se originam da falta de contato. Nós generalizamos fatos sobre estranhos porque não os conhecemos. E, assim, a solução parecia óbvia: mais contato.

A maioria dos cientistas não se impressionou, preferindo definir a teoria de Allport como simplista e ingênua. Com a Segunda Guerra Mundial ainda fresca na mente das pessoas, o consenso era de que mais contato gerava mais *atrito*. Nesse meio-tempo, psicólogos na África do Sul ainda investigavam a "ciência" das diferenças na biologia racial que justificariam um "desenvolvimento em separado" (*apartheid*).[5]

Para muitos brancos sul-africanos, a teoria de Allport era chocante. Lá estava um cientista argumentando que o *apartheid* não era a solução para seus problemas, mas a causa. Se negros e brancos pudessem ao menos conviver – na escola, no trabalho, na igreja ou em quaisquer outros lugares –, eles se conheceriam melhor. Afinal, nós só amamos o que conhecemos.[6]

Em resumo, essa é a hipótese do contato. Parece simples demais, mas Allport tinha algumas evidências que a sustentavam. Ele evocou os tumultos raciais ocorridos em Detroit, em 1943, por exemplo, nos quais os sociólogos perceberam algo estranho:

Pessoas que moravam perto não se voltaram umas contra as outras. Alunos da Universidade Wayne – brancos e negros – assistiram às aulas em paz naquela segunda-feira sangrenta. E não houve conflitos entre trabalhadores brancos e negros nas fábricas de armamento...[7]

Pelo contrário, os vizinhos se protegeram. Algumas famílias brancas abrigaram vizinhos negros quando os manifestantes apareciam, e vice-versa.

Ainda mais notáveis foram os dados coletados pelo Exército dos Estados Unidos durante a Segunda Guerra Mundial. Oficialmente, soldados negros e brancos não deveriam lutar lado a lado, mas alguma coisa acontecia no calor da batalha. O departamento de pesquisas descobriu que, em companhias com pelotões de negros e brancos, o número de soldados brancos que não gostavam de negros era muito menor. Para ser exato, *nove vezes* menor.[8]

Gordon Allport escreveu páginas e mais páginas sobre o efeito positivo do contato. Aplicava-se a soldados e policiais, a vizinhos e estudantes. Se crianças negras e brancas estudassem nas mesmas escolas, por exemplo, notavelmente perdiam o preconceito. Isso significa que aquilo que Braam Viljoen vivenciou nos anos em que estudou no exterior não era exceção. Era regra.

Talvez a prova da hipótese do contato de Allport tenha vindo de além-mar. Quando afro-americanos passaram a ser aceitos no maior sindicato de marinheiros dos Estados Unidos, em 1938, houve uma resistência. Contudo, assim que marinheiros negros e brancos começaram a trabalhar juntos, os protestos cessaram.[9]

O melhor remédio para o racismo? Navegar juntos.

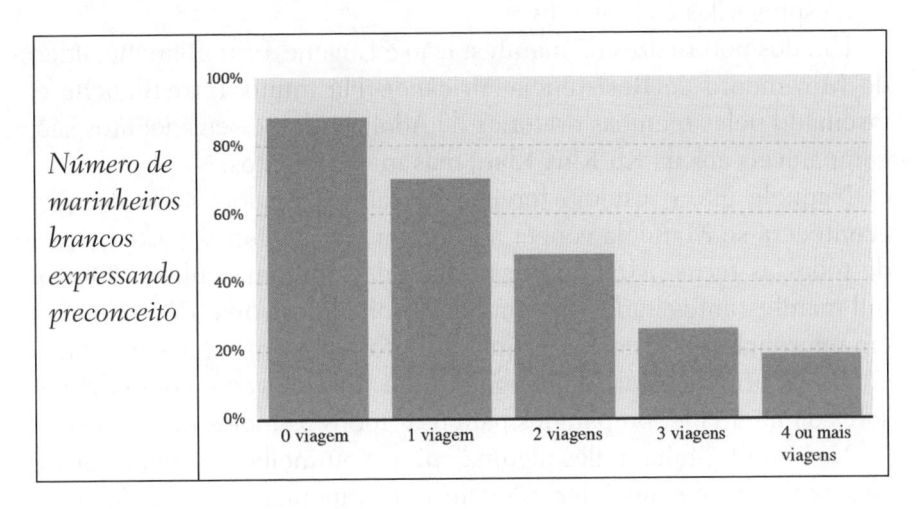

Número de marinheiros brancos expressando preconceito

	100%					
	80%					
	60%					
	40%					
	20%					
	0%	0 viagem	1 viagem	2 viagens	3 viagens	4 ou mais viagens

Número de viagens com tripulação mista

Gordon era criterioso, sabia que sua ideia ainda estava longe de ser comprovada. Era possível que os marinheiros inscritos em tripulações mistas já fossem menos racistas.

Enquanto viajava pela África do Sul, em 1956 – dois anos após ter publicado seu grande trabalho sobre a teoria do contato –, as dúvidas iniciais de Allport ressurgiram.[10] Em seu próprio país, onde negros e brancos já viviam lado a lado havia séculos, o racismo não diminuíra. Parecia até ter aumentado. Entre os muitos africâneres que Allport conheceu, nenhum parecia ter transtornos mentais, e ainda assim todos eram adeptos da exclusão e da discriminação. Então, será que sua teoria estava certa?

Pensando nos anos 1960, depois de sua visita à África do Sul, Allport reconheceu que estivera cego quanto às "forças da história".[11]

4

Dia 7 de maio de 1993. Quinze mil africâneres brancos lotam o estádio de rúgbi de Potchefstroom, cerca de 120 quilômetros ao sul de Johanesburgo. Acima deles, centenas de bandeiras vermelhas e pretas estampam símbolos parecidos com suásticas. Com longas barbas e camisas marrons, os fazendeiros estão armados até os dentes com espingardas e revólveres.¹²

Um dos porta-vozes da manifestação é Eugene Terre'Blanche, líder do Movimento de Resistência Africâner. Há muito Terre'Blanche é fascinado pelas técnicas oratórias de Adolf Hitler, e seus acólitos são comparáveis aos da Ku Klux Klan, mas mais violentos.

Naquele dia, o estádio fervilha de raiva e medo. Medo do que acontecerá se Mandela vencer a primeira eleição com a participação de todas as raças. Medo da destruição de toda uma cultura. Os 15 mil manifestantes irados são também conhecidos como *Bittereinders*, em referência aos africâneres que duzentos anos antes haviam lutado contra os britânicos até a amarga derrota. Eles se veem como defensores da liberdade, preparados para usar todos os meios necessários.

No entanto, falta a eles alguma coisa – ou melhor, alguém. Agora eles precisam de um líder. Alguém que imponha respeito. Alguém com uma biografia exemplar. Alguém que seja para os africâneres o que Mandela é para o "perigo negro" – o *swart gevaar* – e que os lidere até a batalha final pela liberdade.

Em suma, alguém como Constand Viljoen.

Constand está em Potchefstroom naquele dia. Há anos na reserva, leva uma vida tranquila como fazendeiro. Contudo, quando a turba começa a entoar seu nome, ele não hesita. O ex-general sobe ao palco.

"O povo africâner precisa estar preparado para se defender", vocifera Constand ao microfone. "Um conflito sangrento se mostra inevitável, mas nos sacrificaremos sem hesitar, pois nossa causa é justa!"

A multidão vai ao delírio.

"Você é nosso líder, e nós o seguiremos!", gritam os africâneres.¹³

É assim que Constand se torna o líder de uma nova coalizão, que se autodenomina *Afrikaner Volksfront* (AVF). E não se trata apenas de um partido político ou de uma federação qualquer, e sim de um exército. Constand está mobilizando forças para uma guerra. Ele quer evitar as eleições multirraciais a qualquer custo.

"Nós precisávamos de uma capacidade militar maciça", recorda-se mais tarde Constand.¹⁴ No curto período de dois meses, a AVF recruta 150 mil africâneres, incluindo 100 mil soldados já experientes.

A mera menção do nome Constand Viljoen é suficiente para convencer a maioria deles.

Ao mesmo tempo, um plano de ataque se faz necessário, o que leva a uma sucessão de propostas desmioladas. "Talvez emboscar a liderança do ANC, o partido político de Mandela", alguém sugere. "Não", replica outro, "devemos linchar 15 mil negros em Western Transvaal e enterrar todos numa vala comum." A cada dia que passa os ânimos ficam mais exaltados.

Em Johanesburgo, a 120 quilômetros, Abraham, irmão de Constand, tem um mau pressentimento. "Às vezes acho que há aqui uma constelação de elementos clássicos para uma tragédia", escreve em memorando para Mandela e para o ANC.[15] Braam percebe que precisa agir. Ele sabe que é a única pessoa capaz de fazer o irmão mudar de ideia. Depois de mal se falarem por quarenta anos, agora eles precisam conversar.

"Se ele convencesse Constand, seria possível uma transição pacífica do *apartheid* à democracia", escreveu um historiador. "Caso contrário, a guerra seria inevitável."[16]

É início de julho de 1993, e faltam dez meses para as eleições quando Braam chega aos escritórios da AVF, no centro de Pretória.

Assim que os dois irmãos se acomodam, Braam vai direto ao assunto.

"Quais são suas opções?"

"Do jeito que as coisas estão, só temos uma opção, que é lutar", responde Constando.[17]

É aí que Braam faz sua proposta, um plano forjado por ele e Mandela no mais alto sigilo. O que Constand diria de se encontrar com a liderança do ANC para uma conversa direta sobre a posição de seu povo? A essa altura, Constand já tinha rejeitado nove propostas semelhantes. Desta vez, porém, sua resposta é outra.

Desta vez, o pedido vinha de seu irmão.

Assim, em 12 de agosto de 1993, dois gêmeos idênticos chegam juntos à porta de uma vila em Johannesburgo. Os dois esperavam ser recebidos por funcionários subalternos, mas, diante deles, com um grande sorriso, está o homem em pessoa: Nelson Mandela.

É um momento histórico: o herói da nova África do Sul frente a frente com o herói do passado. O pacificador diante do homem que se mobiliza para a guerra. "Ele me perguntou se eu tomava chá", lembrou-se Constand, anos depois do evento.

> Eu disse que sim, e ele me serviu uma xícara. Perguntou se eu queria leite, eu disse que sim, e ele me serviu leite. Depois me perguntou se eu tomava meu chá com açúcar. Eu disse que sim, e ele pôs açúcar na xícara. Eu só precisei mexer![18]

Enquanto conversam, Mandela se esforça para entender a história e a cultura dos africâneres. Constand fica impressionado quando Mandela traça um paralelo entre a luta da família Viljoen contra os ingleses pela liberdade, cem anos antes, e sua própria luta contra o *apartheid*. Mais importante, os historiadores observam depois, é que Mandela fala com o militar em seu idioma: "General, se entrarmos em guerra, não haverá vencedores".

Constand concorda:

"Não haverá vencedores."[19]

Aquele primeiro encontro dá início a quatro meses de conversas secretas entre Viljoen e Mandela. Até mesmo o presidente Frederik Willem de Klerk ficou no escuro, e poucos livros mencionam esse fato. No entanto, foi um momento crucial na história da África do Sul. No fim, o ex-general foi convencido a depor as armas e a concorrer às eleições com seu partido.

A cada vez que Constand apertava a mão de Mandela, aumentava sua admiração pelo homem que ele já havia considerado terrorista. E o sentimento foi mútuo. Mandela começou a respeitar cada vez mais o general e, ao contrário do político de carreira De Klerk, passou a confiar nele.

"Ele segurou meu irmão pelo braço e não o soltou", diria Braam.[20]

5

A essa altura, Gordon Allport, o psicólogo que havia criado a hipótese do contato, morrera havia muito tempo. Mas o aluno com quem ele fez a turnê pela África do Sul em 1956 estava vivo.

Ao contrário do reservado Allport, Thomas Pettigrew era rebelde. Ativista. Teve papel de destaque no movimento pelos direitos civis nos Estados Unidos, e o FBI tinha um volumoso registro de suas ações. Enquanto estava na África do Sul, Pettigrew compareceu a uma série de reuniões ilegais do ANC, e o serviço secreto sul-africano tomou conhecimento de tudo. Quando apresentou seu passaporte na alfândega, seis meses depois, o documento foi carimbado com letras grandes: "PROIBIDO DE ENTRAR NA ÁFRICA DO SUL".[21]

Mal sabia Pettigrew que um dia voltaria à terra de Mandela. Meio século depois, em 2006, ele foi convidado a uma conferência internacional de Psicologia no país.

"Para onde quer que olhássemos, víamos progresso, apesar de ainda haver muito a fazer", disse Pettigrew sobre a viagem.[22] As lindas praias de Durban agora estavam abertas a todos. No lugar antes ocupado por uma infame prisão, erguia-se o Tribunal Constitucional, com uma placa dando as boas-vindas aos visitantes nos seis idiomas oficiais da África do Sul.

Como um dos mais renomados cientistas de sua área e convidado de honra da convenção, Pettigrew apresentou um extenso estudo que fornecia uma base incontestável para a teoria de seu ex-mentor. Pettigrew e equipe reuniram e analisaram 515 estudos realizados em 38 países.[23] A conclusão? O contato *funciona*. Não só isso: poucas descobertas na área das ciências sociais são sustentadas por tantas evidências.

Contato engendra mais confiança, mais solidariedade e mais generosidade recíproca. Ajuda a ver o mundo pelos olhos dos outros. Ademais, muda a pessoa, pois indivíduos com um grupo diversificado de amigos são mais tolerantes em relação a estranhos. E o contato é contagioso: quando alguém vê um vizinho se dar bem com outros, isso leva a uma reavaliação dos próprios juízos.

Outra conclusão foi a descoberta de que uma única experiência negativa (um conflito ou um olhar raivoso) nos gera uma impressão mais profunda que uma piada ou um gesto de bondade. É como o cérebro funciona. De início, isso foi um enigma para Pettigrew e sua equipe. Afinal, se nos lembramos melhor de uma interação negativa, como o contato nos aproxima? No fim, a resposta é simples. Para cada incidente desagradável que vivenciamos, há diversas outras interações agradáveis.[24]

O que há de mau pode ser mais forte, mas perde em ocorrências positivas.

Se havia alguém que entendia o poder do contato, essa pessoa era Nelson Mandela. Anos antes, ele escolhera um caminho bem diferente: o caminho da violência. Em 1960, Mandela foi um dos membros fundadores da ala armada do ANC.

No entanto, passar 27 anos atrás das grades pode mudar muito uma pessoa. Com o tempo, Mandela percebeu o que os cientistas demonstrariam depois: a resistência não violenta é muito mais eficaz que a violência. Vamos considerar o recente trabalho de Erica Chenoweth, socióloga americana que de início considerou o "método Mandela" ingênuo. Para ela, no mundo real, o poder é exercido por armas. Para demonstrar esse fato, ela criou um imenso banco de dados de movimentos de resistência que remetiam a 1900.

"Quando examinei os números, fiquei chocada", escreveu, em 2014.[25] Mais de 50% das campanhas não violentas foram bem-sucedidas, em comparação a 26% das campanhas militantes. A principal razão, segundo Erica, é que mais gente adere a campanhas não violentas. Na média, mais de *onze vezes* mais.[26] E não só homens com muita testosterona, mas também mulheres e crianças, idosos e portadores de deficiências. Os regimes simplesmente não estão equipados para resistir a essas multidões. É assim que o bem supera o mal: pela força dos números.

Em campanhas não violentas, há um ingrediente essencial: autocontrole. Enquanto esteve preso, Mandela se tornou mestre em manter a cabeça fria. Estudou seu inimigo, lendo muitos livros sobre a cultura e a história dos africâneres. Assistia a jogos de rúgbi. Aprendeu a língua deles. "Ao falar com alguém numa língua que a pessoa entende, as palavras entram na cabeça dela", explicou. "Se falar na língua dela, as palavras vão para o coração."[27]

Mandela tentou fazer os companheiros de prisão verem que os guardas também eram humanos, mas envenenados pelo sistema. Anos depois, foi assim que Mandela olhou para Constand Viljoen: como um homem honesto e corajoso que passara a vida lutando pelo regime em que acreditava.

Quando foi libertado, Mandela atraiu 90% dos sul-africanos negros para sua causa. Em seguida, voltou esforços para ganhar o coração dos africâneres brancos. Foi tão bem-sucedido que, ao entrar no estádio de Johanesburgo usando uma camisa de rúgbi branca, em 24 de junho de 1995, milhares de homens e mulheres que já o haviam considerado terrorista o receberam com gritos de "Nelson, Nelson!".

É tentador atribuir o triunfo do método de Mandela a certo talento para a publicidade, mas não foi o que ele fez. Ele não rezava com a paixão de Martin Luther King nem debatia com o ardor de Winston Churchill. Em sua primeira entrevista coletiva, ficou confuso com os objetos à frente, até alguém cochichar em seu ouvido que eram microfones.[28]

O superpoder de Mandela era outro. Segundo o jornalista John Carlin, o que o tornou um dos maiores líderes da história mundial foi "ver o lado bom de pessoas que 99 em cem teriam considerado causa perdida".[29]

Certa vez perguntaram a Walter Sisulu, um dos amigos mais próximos de Mandela, sobre alguns dos defeitos deste. "Quando Mandela confia em alguém, vai até o fim...", começou Sisulu. Logo depois, hesitou. "Mas talvez isso não seja um defeito..."[30]

6

Considerando as mudanças mais esperançosas das últimas décadas em retrospecto, vemos que confiança e contato sempre foram instrumentais. Considere a emancipação de gays e lésbicas a partir dos anos 1960. Quando um número cada vez maior de pessoas corajosas saíam do armário, amigos, colegas de trabalho, mães e pais perceberam que nem todo mundo tem a mesma orientação sexual. E que tudo bem.

E o oposto também é verdade. Quando Donald Trump foi eleito presidente, em 2016, ficou evidente quanto ainda vivemos em bolhas. Dois sociólogos chegaram a demonstrar que o isolamento racial e étnico dos brancos em termos de código postal é um dos mais fortes indicadores do apoio a Trump.[31] E que, quanto *maior* a distância da fronteira que separa os Estados Unidos do México, maior o apoio ao homem que prometeu em campanha construir uma gigantesca muralha entre os dois países.[32] Em outras palavras, o problema não era contato demais entre eleitores de Trump e muçulmanos e refugiados, mas contato de menos.

Foi o mesmo padrão ocorrido no processo do referendo realizado na Grã-Bretanha, em 2016, sobre a saída da União Europeia. Em comunidades com menor diversidade cultural, proporcionalmente mais moradores votaram a favor do Brexit.[33] E na Holanda, meu país, a maior concentração de eleitores do partido populista se encontra em áreas com maiores concentrações de moradores brancos; e uma equipe de sociólogos holandeses constatou que pessoas brancas que tinham mais contato com muçulmanos (principalmente no trabalho) eram menos islamofóbicas.[34]

Além disso, a diversidade pode nos tornar mais amigáveis. Em 2018, uma equipe internacional de pesquisadores da Universidade de Singapura estabeleceu as bases de cinco novos estudos mostrando que pessoas que moram em comunidades mais diversificadas tendem a se identificar mais com a humanidade em geral. Em consequência, mostram um comportamento mais gentil e prestativo com estrangeiros. Isso foi demonstrado depois do atentado na Maratona de Boston, em 2013, quando os moradores de bairros mais diversificados prestaram mais ajuda.[35]

Ainda assim, não é chegada a hora de comemorar. Não basta morar num bairro miscigenado. Se você raramente conversa com vizinhos, a diversidade na verdade pode até aumentar o preconceito.[36] Há também indícios de comunidades que tiveram rápido influxo de imigrantes contarem com mais votantes a favor do Brexit e com mais eleitores de Trump.[37]

Como consequência, os pesquisadores ressaltam que as pessoas precisam de tempo para se acostumar umas com as outras. O contato funciona, mas não de imediato. A Holanda foi palco de intensos protestos em 2013, por exemplo, contra a abertura de centros para receber refugiados da Síria. Opositores chegaram gritando, xingando e até atirando pedras nas janelas. Poucos anos depois, aquela raiva se transformou em tristeza quando os que buscaram asilo foram transferidos para outro local. "Nós não tivemos problemas aqui. Na verdade, foi tudo positivo", declarou um homem que anos antes havia feito violentas ameaças. "Aqui virou um lugar para socializar, como um centro comunitário. Eu gostava de ir lá tomar café."[38]

Interagir com estranhos é algo que precisamos aprender, de preferência desde a infância. O melhor seria que todos os jovens pudessem viajar, como fez Abraham Viljoen enquanto estava na faculdade. Mark Twain percebeu isso em 1867, ao dizer que "viajar é fatal para o preconceito, a intolerância e a tacanhez".[39]

Isso não quer dizer que precisamos mudar nossa maneira de ser. Muito pelo contrário. Uma das mais notáveis descobertas da ciência do contato é que preconceitos só são eliminados se mantivermos nossa identidade.[40] Precisamos entender que está tudo bem em sermos diferentes – não há nada de errado nisso. Continua sendo possível construir refúgios para nossa identidade, com sólidos alicerces. Depois escancaramos as portas.

Após visitar a África do Sul em 1956, Gordon Allport concluiu que havia sido ingênuo, que algumas sociedades não têm mais jeito, que o peso do passado pode ser excessivo. Quando morreu, em 1967, não fazia ideia de que todas as suas previsões um dia se mostrariam verdadeiras.

Pois o que Allport afirmou em uma de suas palestras em Johanesburgo? Sim, os humanos somos animais tribais. Sim, somos rápidos em desenvolver preconceitos. E, sim, pensar em termos de estereótipos parece fazer parte de nossa natureza.

Allport, porém, também ressaltou a importância de uma visão abrangente. "Desesperar é interpretar mal a longa lição da história", disse.[41] A África do Sul será vítima do legado do *apartheid* pelas próximas décadas, mas isso não tira o valor do espantoso progresso do país nos últimos cinquenta anos.

Até hoje, Constand e Abraham Viljoen continuam vivendo em dois mundos diferentes – um como soldado, outro como ministro; um como veterano de guerra, outro como pacificador –, mas o tempo em que permaneciam muitos anos sem se ver acabou. O contato foi restaurado.

18
QUANDO OS SOLDADOS SAÍRAM DAS TRINCHEIRAS

1

Às vésperas da Primeira Guerra Mundial, no verão de 1914, quase todos achavam que a guerra terminaria logo. "Vamos estar em casa para o Natal", os soldados diziam às namoradas. Pessoas se aglomeravam no centro de Paris, Londres e Berlim, em júbilo, já comemorando uma vitória tida como certa. Milhões de recrutas marcharam para o *front* cantando durante o trajeto.

Então começou: a catástrofe seminal do século XX.[1] Pois, não fosse a primeira, não teria havido a Segunda Guerra Mundial. Não fossem as Batalhas de Ypres e Verdun, não teria havido o Tratado de Versailles nem a Revolução Russa, tampouco Lênin, Stálin ou Hitler.

No Natal de 1914, mais de 1 milhão de soldados já tinham morrido. A linha de frente se estendia por cerca de 800 quilômetros, da costa da Bélgica à fronteira franco-suíça. Durante quatro longos anos, essa linha mal se moveu. Dia após dia, uma geração de jovens era dizimada em troca de uns poucos acres, na melhor das hipóteses. O que deveria ser uma batalha heroica, com cavalos, tambores e cornetas, transformou-se numa matança sem sentido.

Contudo, mesmo no desespero daqueles anos, quando toda a Europa estava imersa em trevas, houve um pequeno raio de luz. Em dezembro de 1914, os céus se abriram por pouco tempo, proporcionando a milhares um vislumbre de um mundo diferente. Por um momento, percebeu-se que estavam todos juntos naquela situação. Como irmãos. Como humanos.

É com essa história que quero fechar meu livro. Isso porque, por muitas vezes, nos encontramos de volta às trincheiras. É muito fácil esquecer que o outro sujeito, a cem metros de distância, é igual a nós. Tantas vezes atiramos uns nos outros a distância – pelas mídias sociais ou por fóruns on-line, na segurança de onde estivermos entocados. Deixamos que o medo, a ignorância, a desconfiança e os estereótipos sejam guias, fazendo generalizações sobre gente que nunca conhecemos.

Mas existe alternativa. O ódio pode ser transformado em amizade, e inimigos ferrenhos podem se dar as mãos. Trata-se de algo em que acreditar – não pelo direito que temos de ser ingênuos, mas porque já aconteceu de verdade.

2

É Natal de 1914. A noite está clara, faz frio. A luz da lua ilumina a terra de ninguém coberta de neve que separa as trincheiras perto da cidade de La Chapelle-d'Armentières. Nervoso, o alto-comando britânico envia uma mensagem às linhas de frente: "Considera-se possível que o inimigo esteja planejando um ataque no Natal ou no Ano-Novo. Durante esse período, será mantida vigilância especial".[2]

Os generais não fazem ideia do que na verdade está para acontecer.

Por volta das sete ou oito da noite, Albert Moren, do Segundo Regimento da Rainha, faz uma expressão incrédula. O que é aquilo, no outro lado? Luzes se acendem, uma depois da outra. Lanternas, ele percebe, e tochas, e... árvores de Natal? É quando ele ouve: "*Stille Nacht, heilige Nacht*". Nunca antes uma canção de Natal soou tão linda. "Jamais vou esquecer", disse Moren mais tarde. "Foi um dos pontos altos da vida."[3]

Para não ficarem para trás, os soldados britânicos começam uma rodada de "The First Noel". Os alemães aplaudem e contra-atacam com "Tannenbaum". Os cantos se alternam por algum tempo, até finalmente os dois inimigos cantarem juntos, em latim, "O Come, All Ye Faithful". "Foi realmente uma coisa extraordinária", relembrou o fuzileiro Graham Williams, "os dois países cantando a mesma canção de Natal em meio à guerra."[4]

Um regimento escocês acantonado pouco ao norte da cidade de Ploegsteert, na Bélgica, vai um pouco mais longe. O cabo John Ferguson ouve alguém gritar das trincheiras do inimigo, perguntando se queriam tabaco. "Ande na direção das luzes", grita o alemão. E Ferguson se dirige à terra de ninguém.

"Logo estávamos conversando como se nos conhecêssemos havia anos", ele escreveu, tempos depois.

> Que visão... pequenos grupos de alemães e ingleses ao longo de quase toda a extensão do *front*! Na escuridão, ouvíamos risos e víamos fósforos se acendendo [...]. Lá estávamos nós, rindo e conversando com homens que poucas horas atrás tentávamos matar![5]

Na manhã seguinte, dia de Natal, os soldados mais corajosos saíram outra vez das trincheiras. Passando pelo arame farpado, foram apertar a mão do inimigo. Em seguida chamaram os que ficaram para trás. "Todos comemoramos e, depois, nos agrupamos como uma torcida de futebol", relembrou Leslie Walkington, dos Fuzileiros da Rainha de Westminster.[6]

Houve troca de presentes. Os britânicos oferecem chocolate, chá e pudim; os alemães retribuem com charutos, biscoito salgado e *schnapps*. Contam piadas e tiram fotos como se estivessem em um grande e feliz encontro. Jogam mais de uma partida de futebol, usando capacetes para delimitar o que seria o gol.[7] Uma partida termina em três a dois para os alemães; outra, quatro a um para os ingleses.

No norte da França, a sudoeste da aldeia de Fleurbaix, os lados opostos se juntaram para a cerimônia de um sepultamento. "Os alemães se perfilaram de um lado, os ingleses, do outro, com os oficiais na frente, todos com a cabeça descoberta", escreveu o tenente Arthur Pelham-Burn.[8] Enquanto seus camaradas são enterrados – camaradas mortos pelo fogo inimigo –, eles cantam "The Lord is My Shepherd", "Der Herr ist mein Hirt", em coro.

Naquela noite, há festa de Natal dos dois lados do *front*. De repente um soldado inglês vai até uma adega atrás das linhas inimigas, onde ele e um soldado da Baviera entornam uma garrafa de Veuve Clicquot de 1909. Os homens trocam endereços e prometem se encontrar depois da guerra, em Londres ou em Munique.

Seria difícil acreditar que isso aconteceu, não fossem as evidências. Houve muitas testemunhas oculares entre os soldados, que mal conseguiam acreditar na cena.

"Imaginem só", exclamou Oswald Tilley aos pais numa carta, "enquanto vocês estavam comendo peru etc., eu estava conversando e trocando apertos de mãos com os próprios homens que tinha tentado matar poucas horas antes!!! Foi inacreditável!".[9] O tenente alemão Kurt Zehmisch também se surpreendeu: "Que coisa fantástica, estranha e maravilhosa", admirou-se, "graças ao futebol e ao Natal [...], inimigos mortais se juntaram por um breve momento como amigos".[10]

A maioria dos britânicos ficou atônita com quanto os alemães se mostraram amigáveis. Em casa, tinham sido incitados pela propaganda e pelas falsas notícias de jornais como *Daily Mail*. Mais de 40% da circulação dos jornais era controlada por um homem: lorde Northcliffe, o Rupert Murdoch da época, que exercia tremendo poder sobre a opinião pública. Os alemães eram retratados como hunos ferozes, que matavam crianças a baioneta e enforcavam padres nos sinos das igrejas.[11]

Pouco antes da eclosão da guerra, o poeta alemão Ernst Lissauer escreveu "Hymn of Hate Against England" [Hino de ódio contra a Inglaterra], que se comparou em popularidade com o hino nacional. Milhões de crianças nas escolas alemãs tinham de decorá-lo. Os jornais alemães afirmavam que franceses e ingleses eram tão ímpios que sequer comemoravam o Natal.

Soldados alemães festejando o Natal nas trincheiras.
Daily Sketch, *janeiro de 1915. Fonte: Getty.*

Mais uma vez, houve um padrão. Quanto maior a distância entre as linhas de frente, maior o ódio. No *front* interno – em gabinetes governamentais e redações, nos *pubs* e em salas de jantar –, a hostilidade com o inimigo era imensa. Nas trincheiras, porém, os soldados chegavam a um entendimento. "Depois que conversamos, realmente acho que muito do que os jornais dizem deve ser um terrível exagero", escreveu um soldado inglês numa carta para a família.[12]

Durante muito tempo, a trégua de Natal de 1914 foi tratada como mito. Como nada além de um conto de fadas sentimental – ou pior, uma mentira contada por traidores. Depois das festas, a guerra continuou. Milhões de outros soldados foram mortos, e o que na verdade transcorreu naquele Natal tornou-se cada vez mais inacreditável.

Só depois do documentário da BBC *Peace in No Man's Land* [Paz na terra de ninguém], de 1981, ficou claro que essa história era mais que boato. Dois terços dos homens da linha de frente britânica pararam de lutar naquele Natal. Na maioria dos casos, foram os alemães que esboçaram a primeira demonstração de amizade com os ingleses (embora também tenha acontecido entre as linhas de frente da Bélgica e da França). Somando tudo, mais de 100 mil soldados depuseram as armas.[13]

Na verdade, a paz do Natal de 1914 não foi um caso isolado. A mesma coisa aconteceu durante a guerra civil espanhola e na Guerra dos Bôeres. Aconteceu na guerra civil americana, na Guerra da Crimeia e nas Guerras Napoleônicas, mas em nenhum lugar foi uma manifestação tão repentina e abrangente quanto no Natal em Flanders.

Ao ler as cartas dos soldados, uma pergunta ressoava em minha mente: *Se aqueles homens – envolvidos numa guerra horrenda, que já tinha custado 1 milhão de vidas – conseguiram sair das trincheiras, o que nos impede, aqui e agora, de fazer o mesmo?*

Nós também somos jogados uns contra os outros por demagogos e semeadores de ódio. Jornais como *Daily Mail*, que já divulgaram histórias sobre hunos sanguinários, agora falam de invasões de estrangeiros ladrões, imigrantes assassinos e refugiados estupradores que são preguiçosos demais para trabalhar, ao mesmo tempo que roubam nossos empregos – o que é notável – e, ainda, conseguem detonar antigos valores e tradições em seu tempo livre.

É assim que o ódio se introjeta na sociedade. Desta vez, os culpados não são apenas os jornais, mas também blogs e tuítes, mentiras disseminadas pelas mídias sociais e *trolls*. Os melhores checadores de fatos parecem impotentes contra esse tipo de veneno.

E se o contrário funcionar? E se a propaganda puder não apenas semear a discórdia, mas também reunir as pessoas?

3

Colômbia, 2006. Carlos Rodriguez e Juan Pablo García trabalham na MullenLowe, agência publicitária global. Na maioria dos dias, criam comerciais de ração para gatos ou tentam vender aos consumidores uma nova marca de xampu. No entanto, nessa data específica, houve um pedido incomum.

O cliente é o ministro da Defesa da Colômbia. E o trabalho? Ele quer a ajuda da agência na luta contra as Farc, força paramilitar mais antiga da América Latina. O governo quer bombardear os guerrilheiros com marketing.

A essa altura, a guerra na Colômbia dura mais de cinquenta anos e já custou cerca de 220 mil vidas. O Exército nacional, grupos paramilitares de direita e movimentos guerrilheiros como as Farc são todos culpados pelos mais hediondos crimes. Toda uma geração cresceu sem saber o que é paz. E agora o Exército percebe que a guerra jamais será vencida pela força bruta.

Os publicitários da MullenLowe aceitam o pedido do ministro e procedem como se fosse um trabalho qualquer, entrevistando o público-alvo. No decorrer de um ano, a agência fala com quase cem ex-guerrilheiros das Farc. Os pesquisadores tentam determinar o que os levou à selva e o que os mantém lá. Depois de cada entrevista, a conclusão é a mesma: são homens e mulheres comuns.

Os rebeldes têm as mesmas necessidades, os mesmos sonhos e os mesmos desejos que todos nós. "Quando você entende que eles não são apenas guerrilheiros, mas seres humanos, a comunicação muda por completo", explicou Carlos.[14] Na verdade, os consultores chegam exatamente às mesmas conclusões que Morris Janowitz, o psicólogo que entrevistou centenas de prisioneiros de guerra alemães na Segunda Guerra Mundial (ver capítulo 10). Carlos e Juan percebem que, em vez de atacar a ideologia das Farc, a propaganda deve mirar bem mais perto de casa.

Entre outras coisas, a equipe descobre que o número de desmobilizações tem seu pico por volta da mesma época do ano: no Natal. Parece que, como qualquer um, os guerrilheiros preferem ir para casa durante as festas de fim de ano. Então, a ideia que Carlos e Juan propõem ao chefe é: "Talvez seja loucura, mas o que você diria de colocarmos uma árvore de Natal no meio da selva?".[15]

A Operação Natal tem início em dezembro de 2010.

Sob a cobertura da noite, duas equipes das forças especiais em helicópteros Black Hawk adentram o território inimigo. Lá, lançam 2 mil lâmpadas e setenta árvores de Natal de dois metros em três pontos estratégicos. Essas "árvores de Natal" estão equipadas com detectores de movimento e pequenos cartazes que se iluminam sempre que alguém se aproxima.

"Se o Natal vai à selva, vocês também podem voltar para casa", diz o cartaz. "Desmobilizem-se. No Natal, tudo é possível."

A operação é um sucesso. Em um mês, 331 guerrilheiros insurgentes desistem de lutar. Muitos dizem que foram as árvores de Natal que proporcionaram isso. "O comandante não ficou bravo", disse um dos rebeldes. "Foi diferente de outras propagandas que tínhamos visto... Ele ficou comovido."[16]

Enquanto isso, o pessoal da MullenLowe continua entrevistando ex-rebeldes. E assim tomam conhecimento de que, apesar de a maioria dos insurgentes saber das árvores de Natal, grande parte não as tinha visto. Isso porque as Farc tendiam a viajar pela autoestrada da selva: o rio. Essa informação inspirou a ideia seguinte dos publicitários.

A Operação Rios e Luz é lançada em dezembro de 2011. Colombianos que moram perto das águas e têm sido a principal fonte de recrutas são instruídos a escrever para irmãos, irmãs, filhos, filhas e amigos e amigas que se alistaram no exército rebelde. A mensagem: "Voltem para casa, esperamos vocês".

Essas cartas e umas lembrancinhas são postas dentro de 6.823 bolas flutuantes – ornamentos de Natal transparentes – e jogadas nos rios. À noite, minúsculas luzes dentro das bolas fazem o rio cintilar como se iluminado por estrelas deslizando pelo território inimigo. O resultado?

Outros 180 rebeldes depõem suas armas, inclusive um fabricante de bombas das Farc.

E assim continua. No ano seguinte, acontece a Operação Belém. Durante as entrevistas, Carlos e Juan ficam sabendo que é comum guerrilheiros se desorientarem na selva. Mesmo querendo voltar para casa, nem sempre encontram o caminho. Então a agência publicitária lança milhares de luzinhas a partir de helicópteros do Exército. Também instala gigantescos faróis no solo, cujos fachos de luz se projetam no céu e podem ser vistos a quilômetros. Rebeldes tentando encontrar o caminho para sair da selva só precisam olhar para cima, como os pastores que seguiram a estrela de Belém.

Em seguida os publicitários resolvem usar artilharia pesada. Eles descobrem que, se há uma coisa da qual os guerrilheiros sentem falta na selva, é da mãe. Consultando o serviço secreto colombiano, eles obtêm uma lista de mulheres com filhos nas Farc. Algumas não veem os filhos há mais de vinte anos. Carlos e Juan pedem a elas antigas fotos dos rebeldes quando crianças, e a equipe coloca esses retratos (que só os próprios guerrilheiros reconhecerão) em pontos onde as Farc estão lutando. Todas as fotos têm uma legenda singela: "Antes de ser guerrilheiro, você era meu filho".

Outro sucesso, e 218 filhos e filhas voltaram para a casa dos pais.[17] Assim que chegam, ganham anistia e são mandados a programas de reintegração para aprender um ofício e encontrar emprego. O segredo por trás de toda a campanha? Os rebeldes não serem vistos como monstros, e sim como pessoas comuns. "Nós não estamos buscando criminosos, mas filhos perdidos na selva", explica Juan.[18]

De onde veio essa generosidade? Por que oferecer aos rebeldes anistia, treinamento e empregos? Como o povo da Colômbia conseguiu deixar o passado para trás?

Quando faço essas perguntas a José Miguel Sokoloff, chefe de Juan e Carlos na MullenLowe, ele dá risada. "Acho que nossa campanha exagerou um pouco o número de pessoas dispostas a dar uma segunda chance aos rebeldes."[19]

Não que elas tivessem escolha. A agência enfrentou o mesmo paradoxo que a Europa em 1914: quanto mais longe se está das linhas de frente, mais forte o ódio. "Quem nunca foi afetado pela guerra tendia a ser mais linha-dura", confirma José. No entanto, quem tinha sido sequestrado, ou perdido entes queridos, queria deixar o passado para trás.

A equipe de criação decidiu se concentrar nessas histórias. Resolveu fingir que todos na Colômbia receberiam os rebeldes que voltassem de braços abertos, esperando gerar algo como uma profecia autorrealizável. E funcionou. Milhares de guerrilheiros voltaram para casa a partir de 2010, reduzindo em poucos anos o efetivo das Farc, de 20 mil membros, a menos da metade.

Claro que nem todo o êxodo foi devido às operações montadas por José e equipe, mas no Ministério da Defesa da Colômbia acredita-se que a propaganda da paz teve um papel crucial. Sem dúvida o Ministério da Economia também gostou do resultado, já que enfeites natalinos são bem mais baratos que bombas e granadas.[20]

A campanha da MullenLowe teve sua importância no processo de paz da Colômbia, iniciado em 2011.[21] Alguns anos depois, o presidente Juan Manuel Santos – o ministro da Defesa que contratou a MullenLowe – ganhou o Prêmio Nobel da Paz. Depois de mais de meio século de luta, o conflito chegou ao fim. Nos anos seguintes, as Farc entregaram milhares de armas, e os últimos guerrilheiros restantes saíram da selva.

"Hoje é um dia especial", declarou o presidente Santos. "O dia em que palavras substituíram armas."[22]

4

Isso não quer dizer que a Colômbia de repente se transformou numa espécie de reinado da paz. Outros grupos rebeldes continuam na selva, pois a desmobilização dos esquerdistas das Farc abriu espaço para paramilitares de extrema direita e traficantes de drogas. Tampouco as cicatrizes de meio século de derramamento de sangue desaparecerão por completo.

Ainda assim, trata-se de uma história de esperança. O que os publicitários colombianos testemunharam foi o mesmo poder contagiante da generosidade vista cem anos antes. Quando a paz se disseminou naquele Natal de 1914, poucos soldados ficaram imunes. Uma das exceções foi um cabo de 25 anos, do 16º Regimento de Infantaria da Reserva da Baviera, que declarou: "Essas coisas não deveriam acontecer em tempos de guerra". O nome dele era Adolf Hitler.[23]

A maioria dos outros soldados se lembra da trégua nas trincheiras como ponto alto da vida. Mais uma vez, foram os homens mais próximos da luta que agiram primeiro. De lá, o espírito de amizade subiu pela hierarquia até contagiar inclusive capitães, majores e coronéis. Somente os líderes no topo da pirâmide se mostraram resistentes, e os generais tiveram de se virar para deter a epidemia de paz. Em 29 de dezembro, o Comando do Exército alemão baixou uma ordem proibindo qualquer confraternização com o inimigo. Isso foi ecoado por um marechal britânico, que exigiu que todos os gestos de amizade cessassem.[24] Qualquer um que desobedecesse seria julgado por uma corte marcial.

Nos anos subsequentes, os líderes militares estavam mais bem preparados. No Natal de 1915, o alto-comando britânico bombardeou posições estratégicas dia e noite para esmagar quaisquer sentimentos natalinos. O tenente Wyn Griffi, dos Fuzileiros Reais Galeses, escreveu o seguinte: "[recebemos] ordens estritas [...]. Devíamos continuar com o espírito do ódio, respondendo com chumbo a quaisquer avanços".[25]

No entanto, se dependesse de muitos daqueles soldados, a guerra teria acabado depois do Natal de 1914. "Se dependesse só de nós, nenhum outro tiro teria sido disparado", proclamou um major inglês.[26]

Milhares de soldados fizeram o possível para manter a paz. Cartas eram passadas pelas linhas de frente em segredo. "Fiquem de guarda amanhã", escreveu uma unidade francesa a uma alemã. "Um general vem fazer uma visita a nossas posições [...], vamos ter que atirar." Um batalhão britânico recebeu uma carta semelhante: "Continuamos camaradas. Se formos obrigados a disparar, vamos atirar mais para o alto".[27]

Em alguns pontos ao longo do *front*, soldados conseguiram prolongar o cessar-fogo por semanas. E tréguas continuaram acontecendo, apesar de todas as medidas. Quando metade das divisões francesas se amotinou, em 1917, os alemães nem perceberam que faltava algo. Deduziram que os soldados franceses continuavam apenas mantendo o duradouro acordo tácito de não atirar.[28]

Durante toda a guerra, a paz ameaçou irromper. O historiador militar Tony Ashworth define o Natal de 1914 como "o súbito surgimento de um *iceberg* inteiro".[29] Afinal, mesmo em tempos de guerra, há uma montanha de paz pronta para se fazer ver. Para manter essa montanha abaixo da superfície, políticos e apologistas da guerra precisam usar todos os recursos disponíveis, de falsas notícias à força bruta. Os humanos simplesmente não são programados para a guerra.

Algo que todos precisamos lembrar – eu inclusive – é que os outros são muito parecidos conosco. O eleitor furioso desabafando na TV, os refugiados, os criminosos procurados: cada um deles é um ser humano de carne e osso, alguém que, numa vida diferente, poderia ser nosso amigo ou nosso parente. Assim como nós, um soldado percebeu: "Eles têm gente que os ama".[30]

Quando nos entocamos em nossas próprias trincheiras, perdemos a noção da realidade. Somos levados a pensar que uma pequena minoria de disseminadores do ódio reflete toda a humanidade. Como os *trolls* anônimos na internet, responsáveis por todo o veneno destilado no Twitter e no Facebook.[31] E mesmo o mais cáustico cruzado num teclado pode, em outros momentos, ser um amigo solidário ou um sujeito generoso.

Acreditar que as pessoas são programadas para ser boas não é sentimental ou ingênuo. Pelo contrário, acreditar na paz e no perdão é uma atitude corajosa e realista. José Miguel Sokoloff me fala do oficial de uma unidade do Exército colombiano que ajudou a divulgar a mensagem de Natal da agência de publicidade. Poucos meses depois, o oficial foi morto em ação. José ainda se emociona ao se lembrar do que aprendeu com esse amigo. "Quero fazer isso porque a generosidade me torna mais forte", disse o oficial. "E torna também mais fortes meus homens."[32]

Essa é uma verdade das mais antigas. Como para todas as melhores coisas da vida: quanto mais você dá, mais você recebe. Isso se aplica à confiança e à amizade – e também à paz.

EPÍLOGO

Dez regras para a vida

"Se fizer um filme sobre um homem que sequestra uma mulher e a mantém acorrentada a um aquecedor por cinco anos – algo que provavelmente aconteceu uma vez na história –, seu trabalho será definido como uma análise crua e realista da sociedade. Se fizer um filme como *Simplesmente amor*, a respeito de pessoas apaixonadas – e deve haver algo como 1 milhão de pessoas apaixonadas hoje na Inglaterra –, ele vai ser definido como um retrato sentimental e irrealista do mundo."

Richard Curtis

Diz a lenda que havia duas palavras inscritas no átrio do Templo de Apolo em Delfos. O templo era um grande centro de peregrinação, com visitantes de todas as partes da Grécia Antiga em busca de aconselhamento divino.

O que eles liam, ao entrar, era: *GNOTHI SEAUTON*. Conhece-te a ti mesmo.

Considerando as mais recentes descobertas da psicologia e da biologia, da arqueologia e da antropologia, da sociologia e da história, só podemos concluir que há milênios estamos nos comportando a partir de um autoimagem falha. Há eras supomos que as pessoas são egoístas, que somos animais, ou pior. Há eras acreditamos que a civilização é um tênue verniz que pode rachar à menor provocação. Agora sabemos que essa visão da natureza humana, e sua perspectiva na história, é totalmente irrealista.

Nos últimos capítulos deste livro, tentei apresentar o novo mundo que nos espera se revisarmos nossa visão da natureza humana. Provavelmente, só arranhei a superfície. No entanto, se acreditarmos que a maioria das pessoas é decente e generosa, tudo pode mudar. Podemos repensar de forma radical como organizamos escolas e prisões, nossos negócios e nossas democracias. E como vivemos.

A esta altura, eu deveria dizer que não sou admirador do gênero autoajuda, mas creio que estamos numa era de excessiva introspecção e de muito pouca extrospecção. Um mundo melhor não começa comigo, mas com todos nós, e nossa principal tarefa é construir instituições diferentes. Não é mais uma série de cem dicas para subir na carreira ou descobrir um caminho para enriquecer que vai nos levar a algum lugar.

Uma vez um amigo me perguntou se escrever este livro tinha mudado minha própria visão da vida, e percebi que a resposta é "sim". Uma visão realista da natureza humana não pode deixar de ter grandes implicações em como interagir com os outros. Assim, se valer para alguma coisa, aqui vão minhas dez regras para a vida, baseadas no que aprendi nos últimos anos.

I) Quando estiver em dúvida, suponha o melhor

Meu primeiro mandamento para mim mesmo é também o mais difícil. No capítulo 3, vimos que os humanos evoluíram para se conectar, mas a comunicação pode ser capciosa. Você pode dizer alguma coisa que seja mal-entendida, alguém pode olhar para você de forma esquisita ou comentários desagradáveis podem chegar a seus ouvidos. Em qualquer relacionamento, mesmo que um casamento de anos, é comum não sabermos o que o outro está pensado a respeito de nós.

Então tentamos adivinhar. Digamos que eu desconfie que um colega de trabalho não gosta de mim. Independentemente de isso ser ou não verdade, meu comportamento com certeza vai mudar de maneiras que não ajudam nosso relacionamento. No capítulo 1, vimos que as pessoas têm um *viés de negativismo*. Um único comentário desagradável causa uma impressão mais profunda que 10 elogios somados (o mau pode parecer mais forte, mas perde em números para o bom). E, quando em dúvida, tendemos a pressupor o pior.

Enquanto isso, somos vítimas do que se conhece como *retroalimentação assimétrica*. Basicamente, significa que, se sua fé em alguém for injustificada, cedo ou tarde a verdade vai aflorar. Você pode saber que seu parceiro fugiu do país com toda a sua poupança, que o negócio com aquela casa caindo aos pedaços era bom demais para ser verdade ou que seis semanas usando certo produto ainda não gerou o resultado prometido pela TV. Se estava confiante demais, logo vai descobrir.[1]

No entanto, se decidir *não* confiar em alguém, nunca vai saber se estava ou não certo. Porque jamais receberá retroalimentação. Vamos dizer que tenha sido enganado por algum holandês louro e, então, jura que nunca mais vai confiar em nenhum holandês. Pelo resto da vida, você vai desconfiar de *todos* os holandeses louros, sem jamais ter de encarar a simples verdade de que a maioria dos holandeses é bastante decente.

Assim, quando em dúvida em relação às intenções de alguém, o que fazer?

É mais realista supor o melhor – conceder o benefício da dúvida. Em geral isso se justifica, pois a maioria das pessoas é bem-intencionada. E no caso raro de alguém tentar aprontar com você, sua reação pode muito bem ter um efeito não complementar.² (Lembre-se de Julio Diaz, que convidou o rapaz que o assaltou para jantar.)

E se mesmo assim você for enganado? A psicóloga Maria Konnikova fala sobre isso em seu fascinante livro sobre vigaristas profissionais.³ Você poderia imaginar que a principal dica deste livro é se manter sempre atento. Mas não. Maria Konnikova, renomada especialista em fraudes e golpes, chega a conclusões bem diferentes. Muito melhor, diz ela, é aceitar e levar em conta o fato de que você às vezes vai ser enganado. É um pequeno preço a pagar pelo conforto de levar a vida confiando nos outros.

A maioria de nós se sente envergonhado quando nossa fé se mostra injustificada. Mas talvez, sendo realista, devêssemos sentir um pouco de orgulho. Aliás, se você nunca foi enganado, deveria se perguntar se não faltou confiança em suas atitudes.

II) Pense em cenários ganha-ganha

Diz-se que Thomas Hobbes estava andando em Londres com um amigo quando, de repente, parou para dar um dinheiro a um mendigo. O amigo se surpreendeu. Hobbes não dizia que a natureza humana é egoísta? O filósofo não viu nenhum problema. Presenciar o sofrimento do mendigo lhe causou desconforto, por isso deu ao homem algumas moedas. Logo, sua atitude foi motivada por interesse próprio.⁴

Ao longo dos últimos séculos, filósofos e psicólogos quebraram a cabeça sobre a existência de algo como o egoísmo puro. No entanto, para ser sincero, essa discussão não me interessa. Pois imagine um mundo onde você se sente mal a cada vez que toma uma atitude bondosa. Que espécie de inferno seria?

O aspecto positivo é que vivemos num mundo em que praticar o bem nos faz sentir bem. Gostamos de comer porque, se não comermos, morreremos de fome. Gostamos de sexo porque, sem sexo, seríamos extintos. Gostamos de ajudar uns aos outros porque, sem os outros, definharíamos. Praticar o bem nos faz sentir bem porque é *bom*.

Infelizmente, incontáveis empresas, escolas e instituições ainda se organizam em torno do mito de que competirmos uns com os outros faz parte da nossa natureza. "Em um grande negócio, é você quem ganha, não a outra parte", aconselha Donald Trump em *Pense grande nos negócios e na vida*. "Você esmaga o oponente e sai com algo melhor para si mesmo."[5]

Na verdade, funciona justamente ao contrário. Os melhores negócios são aqueles em que *todo mundo* ganha. As prisões na Noruega? São melhores, mais humanas e mais baratas. A empresa de cuidados médicos de Jos de Blok na Holanda? Oferece serviços de mais qualidade a um custo menor, paga melhor os profissionais e deixa tanto os funcionários como os pacientes mais satisfeitos. São cenários em que todo mundo ganha.

Na mesma vertente, a literatura sobre o perdão enfatiza que perdoar os outros serve a nosso próprio interesse.[6] Não é um presente, mas um bom negócio, pois perdoar é deixar de desperdiçar energia com rancores. Com efeito, você se liberta para a vida. "Perdoar é libertar um prisioneiro e descobrir que o prisioneiro era você", escreveu o teólogo Lewis B. Smedes.[7]

III) Faça mais perguntas

A regra de ouro de praticamente todas as filosofias diz mais ou menos o mesmo: "Não faça com os outros o que não gostaria que fizessem com você". Essas sábias palavras já eram explicadas pelo pensador chinês Confúcio dois mil e quinhentos anos atrás. Elas aparecem de novo com o historiador grego Heródoto e na filosofia de Platão e, alguns séculos mais tarde, foi codificada nas escrituras judaicas, cristãs e islâmicas.

Atualmente, bilhões de pais repetem a regra de ouro aos filhos. Ela vem em dois sabores: na injunção positiva ("trate os outros como você deseja ser tratado") e na injunção negativa ("*não* faça com os outros o que não gostaria que..."). Alguns neurologistas chegam a acreditar que a regra é um produto de milhões de anos de evolução humana e que está programada no cérebro da espécie.[8]

Mesmo assim, acredito que a regra de ouro deixa a desejar. No capítulo 10, vimos que a empatia pode ser má conselheira: pelo simples fato de que nem sempre somos bons em perceber o que os outros almejam. Gerentes, presidentes de empresas, jornalistas e formuladores de políticas que acham que sabem o que fazem estão na verdade roubando a voz alheia. É por isso que raramente você vê refugiados entrevistados na TV. É por isso que nossa democracia e o jornalismo constituem basicamente um tráfego de mão única. E é por isso que os Estados de bem-estar social estão impregnados de paternalismo.

Seria muito melhor começar fazendo uma pergunta. Deixar os cidadãos se expressarem, como na democracia participativa de Porto Alegre (ver capítulo 15). Deixar os empregados dirigirem as próprias equipes, como na fábrica de Jean-François Zobrist (ver capítulo 13). Deixar a garotada traçar os próprios caminhos de aprendizado, como na escola de Sjef Drummen (ver capítulo 14).

Essa variação da famosa máxima, também conhecida como "regra de platina", foi muito bem resumida por George Bernard Shaw: "*Não faça com os outros o que você gostaria que fizessem com você*", aconselhava. "Seus gostos podem ser diferentes."[9]

IV) Tempere sua empatia, treine sua compaixão

A regra de platina não demanda empatia, mas compaixão. Para tentar explicar a diferença, vou apresentar aqui o monge budista Matthieu Ricard, um homem com um domínio lendário dos próprios pensamentos. (Se gostou da ideia, só posso desejar boa sorte nas cinquenta mil horas de meditação necessárias para chegar lá.)

Não muito tempo atrás, Ricard foi convidado pela neurologista Tania Singer para passar uma manhã em seu tomógrafo cerebral.[10] Tania queria saber o que acontece no cérebro quando sentimos empatia. Mais importante, ela queria saber se havia alternativa.

Para preparar o exame, Tania fez Ricard assistir, na noite anterior, a um documentário sobre órfãos solitários em uma instituição romena. No dia seguinte, durante a tomografia, Tania pediu que ele se lembrasse dos olhos vazios das crianças. Dos braços e das pernas magras. Ricard fez o que ela pediu, pensando em como aqueles órfãos romenos se sentiam.

Uma hora depois, ele estava arrasado. Porque isso é o que a empatia faz com você. Ela é exaustiva. Em experimento posterior, Tania pediu a um grupo de voluntários que ficassem quinze minutos de olhos fechados evocando o máximo de empatia possível, todos os dias, durante uma semana. Foi mais ou menos o máximo que eles conseguiram aguentar. No fim da semana, todos os participantes se sentiram mais pessimistas. Uma mulher disse que, depois daquela experiência, quando olhava para os passageiros do trem em que estava, só via sofrimento.[11]

Depois da primeira sessão com Ricard, Tania resolveu tentar algo diferente. Mais uma vez, pediu para o monge pensar nos órfãos romenos, mas desta vez não era para se imaginar no lugar deles. Ela queria que Ricard praticasse o que havia passado anos aperfeiçoando, não sentindo *com* eles, mas *para* eles. Em vez de sentir o sofrimento dos órfãos, Ricard se concentrou em evocar sentimentos de afeto, solidariedade e atenção. Em vez de vivenciar o sofrimento dos órfãos, ele se manteve distanciado.

No monitor, Tania logo percebeu a diferença, pois partes totalmente distintas do cérebro de Ricard se acenderam. A empatia ativa a *ínsula anterior*, que fica logo acima das orelhas, e dessa segunda vez o que se iluminou foram o *corpus striatum* e o *córtex orbitofrontal*.

O que estava acontecendo? A nova mentalização de Ricard é o que chamamos de "compaixão". E, ao contrário da empatia, a compaixão não drena nossa energia. Aliás, Ricard se sentiu muito melhor depois do teste. Isso porque a compaixão é ao mesmo tempo mais controlada, mais remota e mais construtiva. Não é compartilhar o sofrimento alheio, mas reconhecer esse sofrimento e agir. Não só isso. A compaixão nos enche de energia, que é exatamente o que precisamos para ajudar.

Para dar outro exemplo, vamos supor que seu filho (ou sua filha) tenha medo do escuro. Como pai (ou mãe), você não vai se encolher num canto do quarto e choramingar junto (empatia). Você vai tentar acalmá-lo(a) e consolá-lo(a) (compaixão).

Então, todos deveríamos começar a meditar como Matthieu Ricard? Confesso que de início essa prática me pareceu modismo, mas há evidências científicas de que a meditação pode treinar nossa compaixão.[12] O cérebro é um órgão maleável. Assim, se fazemos exercícios para manter o corpo em forma, por que não fazer o mesmo com a mente?

V) Tente compreender o outro, mesmo se não souber de onde ele vem

Para ser sincero, tentei a meditação, mas até agora sem muito sucesso. Por alguma razão, há sempre um e-mail, um tuíte ou algum vídeo de cabra num trampolim exigindo imediata atenção. E... meditar cinquenta mil horas? Desculpe, mas eu tenho uma vida.

Para minha sorte, existe outra maneira de se distanciar: usar o método escolhido pelos filósofos do Iluminismo do século XVIII. Qual é? Razão. Intelecto. Nossa capacidade de situar as coisas numa perspectiva racional é um processo que demanda diferentes partes do cérebro. Quando usamos nosso intelecto para tentar entender alguém, isso ativa o *córtex pré-frontal*, região localizada logo atrás da testa, que é excepcionalmente grande nos humanos.[13]

Claro, sei que há um monte de estudos sobre 1001 casos em que esse córtex pisa na bola. Os estudos revelam que em geral não somos tão racionais e senhores de nós mesmos. No entanto, acho importante não supervalorizar essas descobertas. Usamos argumentos racionais e evidências o tempo todo – e até construímos sociedades cheias de leis e regras e compromissos. Os humanos pensam muito melhor que imaginam. E nossos poderes da razão não são uma fina camada recobrindo nossa natureza emocional, e sim uma aspecto essencial de quem somos e do que nos torna humanos.[14]

Considere a maneira como a Noruega vê as prisões, que pode parecer contraintuitiva para a maioria de nós. Ao aplicar nosso intelecto e avaliar as estatísticas das taxas de reincidência, percebemos que é uma excelente forma de lidar com criminosos. Ou considere a ética de Nelson Mandela como estadista. Muitas e muitas vezes ele mordeu a língua, reprimiu emoções e se manteve atento e analítico. Mandela não era apenas bondoso, era astuto. Ter fé nos outros é uma decisão tanto racional quanto emocional.

Claro que, para ver de onde alguém está vindo, não é preciso olhar nos olhos da pessoa. Você pode entender a atitude mental de um fascista, de um terrorista ou de um fã de *Simplesmente amor* sem se tornar um fascista, um terrorista ou um fã de comédias românticas. (Devo dizer que me orgulho de ser membro deste último grupo.) Entender o outro em um nível racional é uma habilidade. É um músculo a exercitar.

Nós precisamos de nossa capacidade de raciocínio, acima de tudo, para *suprimir*, de tempos em tempos, a vontade de sermos simpáticos. Às vezes nossos instintos sociais ofuscam a verdade e a equidade. Pense: quantos de nós já não vimos alguém ser tratado de forma injusta e ficamos calados para não sermos desagradáveis? Quantos já não engolimos palavras só para manter a paz? Quantos já não acusamos os que lutam por seus direitos de estarem perturbando a paz?

Acho que esse é o grande paradoxo deste livro. Estou argumentando que os humanos evoluíram para serem criaturas fundamentalmente sociáveis, mas às vezes nossa sociabilidade é um problema. A história ensina que o progresso costuma começar com pessoas – como Jos de Blok da Buurtzorg e Sjef Drummen da Ágora – que outros podem considerar chatas ou até *agressivas*. Gente com a coragem de fazer proselitismo em ocasiões sociais. Que toca em assuntos desagradáveis.

Admire essas pessoas, pois elas são a chave para o progresso.

VI) Ame os seus como os outros amam os deles

Em 17 de julho de 2014, um Boeing 777 da Malaysia Airlines caiu perto do vilarejo de Hrabove, na Ucrânia. A bordo havia 298 passageiros, 193 deles holandeses. O avião fora abatido por separatistas pró-russos. Ninguém sobreviveu à queda.

De início, os relatos – sobre as 298 mortes – pareceram abstratos, mas depois li um artigo num jornal holandês que atingiu como um soco no estômago.[15] Abria com uma foto de Karlijn Keijzer (de 25 anos) e Laurens van der Graaff (30 anos) – os rostos sorridentes de um homem louro e de uma garota de cabelos cacheados –, tirada pouco antes de subirem no avião. Li que os dois tinham se conhecido num clube de regatas de Amsterdã. Que Laurens escrevia para o *Propria Cures*, respeitado jornal estudantil, e que Karlijn estava prestes a concluir o doutorado nos Estados Unidos. E que os dois eram loucos um pelo outro.

"Eles sempre serão aquele casal feliz e apaixonado, que não consegue parar de se encostar", dizia um amigo. *Não era hipocrisia que, depois de pular uma matéria sobre as atrocidades cometidas no Iraque, na página 7, eu agora estivesse quase chorando?* Normalmente esse tipo de reportagem me incomoda. "Dois cidadãos holandeses morrem na costa da Nigéria", dizia o jornal, quando muito mais gente tinha morrido.

Nós, os humanos, porém, somos criaturas limitadas, que se importam mais com pessoas mais parecidas conosco, que falam a mesma língua, têm o mesmo tipo físico ou formação cultural. Eu também já fui um universitário holandês membro de um clube da faculdade. Também conheci uma linda garota de cabelos encaracolados e adoraria ter escrito para o *Propria Cures*. ("Para os que conheceram Laurens, não foi surpresa ter sido necessário um míssil antiaéreo para deter seu corpo forte", escreveu um de seus colegas do jornal.)[16]

Foi o irmão de Karlijn que mandou aquela foto deles sorridentes ao jornal, tirada horas antes da morte dos dois. "A única coisa que peço", escreveu, "é que vocês mostrem ao país e ao mundo a dor que eu, minha irmã e meus pais estamos sentindo. Essa é a dor de centenas de pessoas na Holanda."

E ele estava certo. Todo mundo conhecia alguém que conhecia alguém naquele avião. Durante aqueles dias, vi os holandeses de um jeito que nunca havia visto antes.

Por que nos importamos mais com gente que se parece conosco? No capítulo 10, escrevi que o mal faz seu trabalho a distância. A distância nos permite esbravejar com estranhos na internet. A distância ajuda soldados a superar sua aversão à violência. E a distância possibilitou os crimes mais hediondos da história, da escravidão ao Holocausto.

Quem escolhe o caminho da compaixão, porém, percebe que é muito pouco o que nos separa dos estranhos. A compaixão nos faz ir além de nós mesmos, a perceber que os que nos são mais próximos e queridos não têm nem mais nem menos importância que o restante do mundo. Por que outro motivo Buda abandonou sua família? Por que Jesus instruiu seus discípulos a deixarem para trás pais e mães, mulheres e filhos, irmãos e irmãs?

Mas talvez isso possa seguir longe demais.

Talvez o amor por um semelhante comece pequeno. Se uma pessoa se despreza, como poderá amar alguém mais? Se alguém perde de vista a família e os amigos, como conseguirá suportar as aflições deste mundo? Não podemos almejar o grande antes de lidarmos com o pequeno. Entre aqueles 193 passageiros holandeses, havia muitos homens e mulheres lutando para tornar o mundo um lugar melhor, de pesquisadores da cura para a aids a defensores de direitos humanos. Mesmo assim, a maior perda foi das pessoas de quem eles eram mais próximos.

Nós, humanos, diferenciamos tudo. Temos nossos favoritos e cuidamos mais dos nossos. Não há nada de que se envergonhar – faz parte de nossa natureza –, mas precisamos também entender que os outros, os estranhos mais distantes, têm família e pessoas que os amam. Que são tão humanos quanto nós.

VII) Evite as notícias

Uma das maiores fontes de distanciamento hoje são as notícias. Assistir ao noticiário da noite pode fazer você se sentir mais sintonizado com a realidade, mas a verdade é que distorce sua visão do mundo. As notícias tendem a generalizar grupos como políticos, elites, racistas e refugiados. Pior, as notícias se concentram nas maçãs podres.

O mesmo se aplica às mídias sociais. O que começa com dois valentões vociferando discursos de ódio a distância é alçado por algoritmos ao alto das páginas do Facebook e do Twitter. É explorando nosso viés negativo que essas plataformas digitais ganham dinheiro, extraindo altos lucros do comportamento dos piores tipos. Como as más ações chamam nossa atenção, são elas que geram a maioria dos cliques, e nas páginas em que clicamos as propagandas geram dinheiro.[17] Isso transformou as mídias sociais em sistemas que amplificam nossas piores características.

Neurologistas afirmam que nosso apetite por notícias e por abrir notificações manifesta todos os sintomas de um vício, algo que o vale do Silício já percebeu há muito tempo. Gerentes de empresas como Facebook e Google limitam rigorosamente o período que os próprios filhos passam na internet e nas mídias "sociais". Ao mesmo tempo que os gurus do sistema educacional cantam loas para iPads nas escolas e enaltecem as habilidades digitais, as elites tecnológicas, como chefões das drogas, protegem os filhos da toxicidade de seus negócios.[18]

Meus conselhos? Evitar os noticiários da TV e as notificações on-line, dando preferência a jornais mais sutis ou a textos que aprofundem os temas abordados, seja on-line, seja off-line. Desconecte-se e conheça pessoas de verdade, ao vivo. Seja tão cuidadoso com a informação que alimenta sua mente quanto com a comida que alimenta seu corpo.

VIII) Não esmurre nazistas

Se você for um ávido seguidor das notícias, é fácil cair na armadilha da desesperança. Qual é o sentido de reciclar, pagar impostos e fazer caridade enquanto outros fogem de seus deveres?

Ao se sentir tentado por tais pensamentos, lembre-se de que o cinismo é apenas outro termo para preguiça. É uma desculpa para não assumir responsabilidade. Pois, se acreditar que a maioria das pessoas não presta, você não vai precisar se preocupar com a injustiça. De um jeito ou de outro, o mundo está indo para o inferno.

Há também uma forma de ativismo que se parece insidiosamente com o cinismo. É o benfeitor mais preocupado com a própria imagem. Adotar esse caminho é se tornar o rebelde que sabe de tudo, distribuindo conselhos sem nenhuma preocupação genuína pelos outros. As más notícias se transformam em boas notícias, pois as más notícias ("o aquecimento global está acelerando!", "a desigualdade está pior do que pensávamos!") provam que eles sempre estiveram certos.[19]

Mas existe um jeito diferente, como mostra a cidadezinha de Wunsiedel, na Alemanha. No fim dos anos 1980, Rudolf Hess, vice-chanceler de Adolf Hitler, foi enterrado no cemitério local, e logo Wunsiedel tornou-se um ponto de peregrinação neonazista. Até hoje, *skinheads* marcham pela cidade, todos os anos, no dia 17 de agosto, aniversário da morte de Hess, tentando incitar tumulto e violência.

E, todos os anos, na mesma data, chegam antifascistas para dar aos neonazistas o que eles desejam. Inevitavelmente, surge um vídeo mostrando alguém esmurrando um nazista, com orgulho. Depois, porém, os efeitos se mostram contraproducentes. Assim como bombardear o Oriente Médio é um maná para os terroristas, esmurrar nazistas só reforça os extremistas. Reforça sua visão de mundo e torna muito mais fácil atrair recrutas.

Wunsiedel resolveu experimentar uma estratégia diferente. Em 2014, um alemão brincalhão chamado Fabian Wichmann teve uma ideia. E se a cidade transformasse a manifestação por Rudolf Hess numa passeata para arrecadar dinheiro ações beneficentes? Os moradores adoraram a sugestão. A cada metro que os neonazistas percorriam, os moradores da cidade pediam que doassem 10 euros para a EXIT-Deutschland, instituição de Wichmann que ajuda pessoas a abandonarem grupos de extrema direita.

Antes do evento, os moradores demarcaram linhas de partida e de chegada. Fizeram bandeirinhas agradecendo as doações. Enquanto isso, os neonazistas não faziam ideia do que encontrariam. Quando chegou o dia, Wunsiedel os recebeu com aplausos e uma chuva de confetes enquanto eles cruzaram a linha de chegada. No fim das contas, o evento arrecadou mais de 20 mil euros para a causa.

Wichmann destaca que o importante depois de uma campanha como esta é manter a porta aberta. No verão de 2011, a instituição distribuiu camisetas em um festival de rock extremista na Alemanha. Estampadas com símbolos da extrema direita, as camisetas pareciam endossar a ideologia neonazista. No entanto, depois de lavadas, aparecia uma mensagem diferente: "Você também pode fazer o que a sua camiseta faz. Nós podemos ajudá-lo a se libertar da extrema direita".[20]

Pode parecer piegas, mas nas semanas seguintes o número de telefonemas para a EXIT-Deutschland aumentou em 300%. Wichmann percebeu quanto sua mensagem foi desconcertante para os neonazistas. Quando esperavam desprezo e indignação, receberam mãos estendidas.

IX) Saia do armário: não tenha vergonha de ser bom

Para estender essa mão, é necessária uma coisa acima de tudo: coragem. Pois você pode ser chamado de coração mole ou de exibido. "Quando deres esmola, não faças tocar trombeta...", alertou Jesus no sermão da montanha; "quando orares, entra no teu aposento, fecha a tua porta e ora a teu Pai que está em secreto".[21]

Parece um conselho razoável. Quem quer ser visto como santarrão? É muito mais seguro fazer boas ações em segredo ou ao menos estar preparado com uma boa desculpa:
"É só para ter algo que fazer."
"Eu não precisava mesmo desse dinheiro."
"Vai pegar bem no currículo."
Psicólogos modernos descobriram que quando pessoas fazem alguma coisa boa de coração, em geral, inventam motivos egoístas. Isso fica evidente nas culturas ocidentais individualistas, nas quais a teoria do verniz está mais intrincada.[22] E faz sentido: ao partir do princípio de que a maioria das pessoas é egoísta, qualquer boa ação é inerentemente suspeita. Como observa um psicólogo americano: "Os indivíduos detestam reconhecer que seu comportamento pode ter sido motivado por compaixão ou generosidade genuínas".[23]

Infelizmente, essa reticência funciona como nocebo. Ao se disfarçar de egoísta, está reforçando o pressuposto cinismo da natureza humana. Pior, ao encobrir suas boas ações, você as põe em quarentena, onde não podem servir como exemplo para outros. E isso é uma pena, pois o poder secreto do *Homo cachorrinho* é o de ser muito bom em imitar os outros.

Não me entenda mal: inspirar outros não tem nada a ver com alardear os seus feitos, e defender o bem não implica tocar corneta. No sermão da montanha, Jesus acautelou seus discípulos quanto à primeira atitude, mas encorajou a segunda.

> Vós sois a luz do mundo; não se pode esconder uma cidade edificada sobre um monte. Nem se acende a candeia e se a coloca debaixo de um cesto, mas no velador, onde dá luz a todos que estão na casa. Assim, que vossa luz resplandeça diante dos outros, para que possam ver vossas boas obras...[24]

Que fazer o bem pode ser contagioso foi demonstrado por dois psicólogos americanos, em 2010, em um brilhante experimento.[25] Eles organizaram um jogo em que 120 voluntários, estranhos entre si, foram divididos em quatro grupos. Cada um recebeu algum dinheiro para começar e era livre para optar em quanto contribuir para o caixa do grupo. Depois da primeira rodada, os grupos se alternavam, para que nunca duas pessoas estivessem duas vezes no mesmo grupo.

O que aconteceu a seguir foi um verdadeiro truque de multiplicação de dinheiro. Sempre que alguém contribuía com 1 dólar a mais para o caixa na primeira rodada, os outros jogadores do grupo contribuíam em média com vinte cents a mais na rodada seguinte, *mesmo quando jogavam com diferentes pessoas*. Esse efeito persistiu até a terceira rodada, quando eles contribuíram com uma média de 5 centavos a mais. Na contagem final, todas as contribuições de 1 dólar tinham mais que dobrado.

Lembro-me com frequência desse estudo por ser algo que desejo manter em mente. Cada boa ação é como uma pedra jogada num lago, ampliando ondas em todas as direções. "Em geral não vemos como nossa generosidade repercute nas redes sociais", observou um dos pesquisadores, "chegando a afetar a vida de dezenas ou talvez centenas de pessoas."[26]

Generosidade é algo cativante. E tão contagioso que afeta gente que só vê isso de longe. Um dos primeiros psicólogos a estudar esse efeito foi Jonathan Haidt, no fim dos anos 1990.[27] Em um artigo, ele conta a história de um estudante que ajudou uma senhora a retirar a neve da calçada. Ao ver aquele altruísmo em ação, um amigo dele depois escreveu:

> Tive vontade de pular do carro e abraçar aquele cara. Senti vontade de cantar e correr, pular e dar risada. De fazer alguma coisa. Tive vontade de dizer coisas boas sobre as pessoas. De escrever um belo poema ou uma canção de amor. De brincar na neve como uma criança. E de falar com todo mundo sobre aquela atitude.[28]

Haidt descobriu que as pessoas costumam se surpreender e se emocionar com atos simples de generosidade. Quando o psicólogo perguntou aos participantes como esse tipo de experiência os afetava, eles descreveram uma vontade irresistível de sair para ajudar alguém também.

Haidt chamou essa emoção de "elevação". As pessoas são programadas de forma que um simples sinal de bondade as faz se sentir emocionadas. E o fascinante é que esse tipo de efeito acontece mesmo quando ouvimos essas histórias dos outros. É como se apertássemos o botão reset de nossos sentimentos de cinismo para voltarmos a ter uma visão clara do mundo.

X) Seja realista

Agora, minha regra mais importante para a vida.

Se há uma coisa que procurei fazer com este livro, foi mudar o significado da palavra "realismo". Não é revelador que a versão moderna do realismo tenha se tornado sinônimo de cinismo para alguém com visão pessimista?

Na verdade, é o cínico que está fora da realidade. Na verdade, vivemos no planeta A, onde as pessoas são tremendamente propensas a fazer o bem umas às outras.

Por isso, seja realista. Seja corajoso. Seja fiel a sua natureza e confie nos outros. Faça o bem em plena luz do dia e não se envergonhe de sua generosidade. No começo você pode ser taxado de crédulo ou ingênuo, mas lembre-se de que a ingenuidade de hoje pode ser o senso comum amanhã.

Chegou o momento de um novo realismo. Chegou o momento de uma nova visão da humanidade.

AGRADECIMENTOS

Em janeiro de 2013, recebi uma mensagem do filósofo holandês Rob Wijnberg me convidando para um café. Disse que queria discutir alguns planos para lançar uma nova plataforma jornalística. Imaginava uma publicação sem notícias, sem publicidade e sem cinismo. No lugar de tudo isso, ofereceríamos soluções.

Em meses, o que se tornaria *De Correspondent* já havia batido um recorde mundial em financiamento coletivo, e eu tinha um novo emprego. Este livro é resultado de sete anos de trabalho no site *De Correspondent*. É produto de inúmeras conversas com leitores que aperfeiçoaram, melhoraram ou reverteram minhas ideias. E é resultado do privilégio de ter ido atrás de coisas que me fascinam e do poder de algo mágico conhecido como "motivação intrínseca".

Meus agradecimentos são para todos os meus colegas de trabalho. A Rob, é claro, que me energizou como ninguém mais. A Jesse Frederick, que me ensinou a ser mais crítico. A Milou Klein Lankhorst, que mais uma vez provou ser a melhor *publisher* da Europa. E a Andreas Jonkers, cujas contribuições como editor foram inestimáveis para este livro.

Tive a boa sorte de Harminke Medendorp ter concordado em editar o texto original. Harminke está entre as melhores da área, capaz de levantar questões que o fazem entender melhor o que realmente quer dizer. Agradeço também a todos os colegas que leram as versões do manuscrito: Tomas Vanheste, Maurits Martijn, Rosan Smits,

Marnix de Bruyne, Sanne Blauw, Michiel de Hoog, Johannes Visser, Tamar Stelling, Jelmer Mommers, Arjen van Veelen, Maite Vermeulen, Riff y Bol, Charlotte Remarque e Anna Vossers. Quando se trabalha com pessoas como essas, é difícil ser cínico.

Gostaria de agradecer também a Matthias van Klaveren, Sem de Maagt, Huib ter Horst e Carlijn Kingma, que leram trechos do original e fizeram valiosas sugestões. Carlijn é uma das artistas plásticas mais talentosas da Europa, e os grafismos que criou baseados neste livro provavelmente estarão em galerias muito depois de minhas páginas já terem sido recicladas.

Pela tradução para o inglês, sou imensamente grato a Elizabeth Manton e Erica Moore. Traduzir é um ofício difícil e geralmente pouco valorizado, uma arte que elas dominam como ninguém. Também agradeço a meus editores Bem George, da Little, Brown, e Alexis Kirschbaum, da Bloomsbury, que ajudaram a melhorar ainda mais o texto, bem como a minhas agentes literárias Rebecca Carter e Emma Parry, que acreditaram no livro desde o começo, e ao editor de texto Richard Collins, por seu excelente trabalho.

Finalmente, devo muito aos mais próximos, minhas irmãs, meus cunhados e meus amigos. A Jurriën, por ser um amigo maravilhoso. A Maartje, por tudo (inclusive pelo título do livro). E a meus pais, Peta e Kees Bregman, aos quais este livro é dedicado.

NOTAS

Prólogo

1. Churchill disse isso na Casa dos Comuns em 30 de julho de 1934.

2. J. F. C. Fuller, *The Reformation of War* (London, 1923), p. 150.

3. Gustave Le Bon, *The Crowd. A Study of the Popular Mind* (Kitchener, 2001), p. 19. Publicado originalmente em 1896.

4. Richard Overy, "Hitler and Air Strategy", *Journal of Contemporary History* (julho de 1980), p. 410.

5. J. T. MacCurdy, *The Structure of Morale* (Cambridge, 1943). p. 16.

6. Citado em Richard Overy, *The Bombing War. Europe 1939--1945* (London, 2013), p. 185.

7. Angus Calder, *The People"s War. Britain 1939-1945* (London, 1991), p. 174.

8. Overy, *The Bombing War*, p. 160.

9. Robert Mackay, *Half the Battle: Civilian Morale in Britain During the Second World War* (Manchester, 2002), p. 160.

10. Citado em Overy, *The Bombing War*. No início de 1941, apenas 8% dos abrigos antiaéreos ainda estavam sendo usados. Ver Overy, p. 137.

11. Sebastian Junger, *Tribe. On Homecoming and Belonging* (London, 2016).

12. Richard Overy, "Civilians on the frontline", *Observer* (6 de setembro de 2009).

13. Mollie Panter-Downes, *London War Notes* 1939-1945 (New York, 1971), p. 105.

14. Overy, *The Bombing War*, p. 264.

15. Mesmo amigos que conheciam bem Frederick Lindemann definiam-no como alguém que "sempre achava ter razão sobre tudo e nunca estava preparado para admitir um erro", "tendia a conside-

rar opiniões contrárias à sua como uma ofensa pessoal" e "nunca deixava de pontificar sobre um assunto, mesmo se não entendesse a respeito". Ver Hugh Berrington, "When does Personality Make a Difference? Lord Cherwell and the Area Bombing of Germany", *International Political Science Review* (janeiro de 1989).

16 Citado em Brenda Swann e Francis Aprahamian, *J. D. Bernal. A Life in Science and Politics* (London, 1999), p. 176. Duas mil crianças foram designadas para escrever ensaios sobre suas experiências. Ao ler esses ensaios hoje, a coragem que tiveram é impressionante. "Eu estava soterrado, cortado, mas ainda assim ajudei a tirar os mortos e feridos", escreveu um garoto de 10 anos sobre a destruição de sua casa. Ver Martin L. Levitt, "The Psychology of Children: Twisting the Hull-Birmingham Survey to Influence British Aerial Strategy in World War II", *Psychologie und Geschichte* (maio de 1995).

17 Solly Zuckerman, *From Apes to Warlords. An Autobiography, 1904-1946* (London, 1988), p. 405. Na primeira edição desse livro, publicada em 1978, Zuckerman acrescentou a página de rosto do relatório Hull como um apêndice, violando assim o embargo ainda vigente até 2020.

18 Citado em Charles Webster e Noble Frankland, *The Strategic Air Offensive Against Germany 1935-1945* (London, 1961), p. 332.

19 C. P. Snow, "Whether we live or die", revista *Life* (3 de fevereiro de 1961), p. 98.

20 Overy, *The Bombing War*, p. 356.

21 Citado em Jörg Friedrich, *The Fire. The Bombing of Germany 1940-1945* (New York, 2006), p. 438.

22 Citado em Friedrich Panse, *Angst und Schreck* (Stuttgart, 1952), p. 12.

23 Friedrich, *The Fire*, pp. 418-20.

24 O relatório britânico só foi liberado cinquenta anos depois. Ver Sebastian Cox (ed.), *British Bombing Survey Unit, The Strategic Air War Against Germany, 1939-1945. The Official Report of the British Bombing Survey Unit* (London, 1998).

25 John Kenneth Galbraith, *A Life in Our Times* (Boston, 1981), p. 206. A grande pergunta, claro, é: o que teria acontecido se os Aliados tivessem investido menos na Força Aérea e mais no Exército e na Marinha? Depois da Segunda Guerra, o ganhador do Prêmio Nobel Patrick Blackett escreveu que a Guerra teria terminado de seis a doze meses mais cedo. E os alemães chegaram à mesma conclusão. Albert Speer, ministro de armamentos e produção para a Guerra, disse que estava mais preocupado com os ataques à infraestrutura da Alemanha, enquanto o comandante da *Luftwaffe*, Hermann Goering, referia-se principalmente aos ataques às refinarias de petróleo alemãs. No outono de 1944 as reservas de petróleo estavam se esvaindo. Tanques parados, aeronaves imobilizadas nos hangares e a artilharia era puxada por cavalos. No entanto, isso não impediu que os britânicos bombardeassem civis alemães. Nos últimos meses de 1944, 53% dos bombardeiros foram dirigidos a áreas urbanas, e só 14% às refinarias de petróleo. A essa altura os britânicos tinham praticamente deixado de usar bombas incendiárias, sabendo que não havia mais muito o que queimar. Nesse meio-tempo, a produção de petróleo alemã foi retomada. Ver Max Hastings, *Bomber Command* (London, 1979), pp. 327-34.

26 Edward Miguel e Gerard Roland, "The Long Run Impact of Bombing Vietnam", *Journal of Development Economics* (setembro de 2011), p. 2.

1 Um novo realismo

1 Tom Postmes, e-mail para o autor, 9 de dezembro de 2016.

2 Jack Winocour (ed.), *The Story of the Titanic As Told by Its Survivors* (New York, 1960), p. 33.

3 Citado em Rebecca Solnit, *A Paradise Built in Hell. The Extraordinary Communities that Arise in Disaster* (New York, 2009), p. 187.

4 Frans de Waal, *The Bonobo and the Atheism. In Search of Humanism Among the Primates* (New York, 2013), p. 43.

5 Gary Younge, "Murder and Rape – Fact or Fiction?", *Guardian* (6 de setembro de 2005).

6 Citado em Robert Tanner, "New Orleans Mayor Orders Police Back to Streets Amid Increasingly Violent Looting", *Seattle Times* (1º de setembro de 2005).

7 Timothy Garton Ash, "It Always Lies Below", *Guardian* (8 de setembro de 2005).

8 Jim Dwyer e Christopher Drew, "Fear Exceeded Crime's Reality in New Orleans", *New York Times* (29 de setembro de 2005).

9 Havidán Rodríguez, Joseph Trainor e Enrico L. Quarantelli, "Rising to the Challenges of a Catastrophe: The Emergent and Prosocial Behavior Following Hurricane Katrina", *The Annals of the American Academy of Political and Social Science* (nº. 1, 2006).

10 Matthieu Ricard, *Altruism. The Power of Compassion to Change Yourself and the World* (New York, 2015), p. 99.

11 Enrico L. Quarantelli, "Conventional Beliefs and Counterintuitive Realities", *Social Research: An International Quarterly of the Social Sciences* (nº. 3, 2008), p. 885.

12 Citado em AFP/Reuters, "Troops Told 'Shoot to Kill' in New Orleans" (2 de setembro de 2005).

13 Trymaine Lee, "Rumor to Fact in Tales of Post-Katrina Violence", *New York Times* (26 de agosto de 2010).

14 Solnit, *A Paradise Built in Hell*, p. 131.

15 Citado em CNN Money, "Coke Products Recalled" (15 de junho de 1999).

16 B. Nemery, B. Fischler, M. Boogaerts, D. Lison e J. Willems, "The Coca-Cola Incident in Belgium, junho de 1999", *Food and Chemical Toxicology* (nº. 11, 2002).

17 Victoria Johnson e Spero C. Peppas, "Crisis Management in Belgium: the case of Coca-Cola", *Corporate Communications: An International Journal* (nº. 1, 2003).

18 Citado em Bart Dobbelaere, "Colacrisis was massahysterie", *De Standaard* (2 de abril de 2000).

19 Karolina Wartolowska et al., "Use of Placebo Controls in the Evaluation of Surgery: Systematic Review", *British Medical Journal* (21 de maio de 2014).

20 Clayton R. Critcher e David Dunning, "No Good Deed Goes Unquestioned: Cynical Reconstruals Maintain Belief in the Power of Self-interest", *Journal of Experimental Social Psychology* (n° 6, 2011), p. 1212.

21 Sören Holmberg e Bo Rothstein, "Trusting other people", *Journal of Public Affairs* (30 de dezembro de 2016).

22 Jodie Jackson, "Publishing the Positive. Exploring the Motivations for and the Consequences of Reading Solutions-focused Journalism", *constructivejournalism.org* (outono de 2016).

23 Ver, por exemplo, Wendy M. Johnston e Graham C. L. Davey, "The psychological impact of negative TV news bulletins: The catastrophizing of personal worries", *British Journal of Psychology* (13 de abril de 2011).

24 Hans Rosling, *Factfulness* (London, 2018), p. 50.

25 Chris Weller, "A top economist just put the fight against poverty in stunning perspective", *Business Insider* (17 de outubro de 2017).

26 Toni van der Meer et al., "Mediatization and the Disproportionate Attention to Negative News. The case of airplane crashes", *Journalism Studies* (16 de janeiro de 2018).

27 Laura Jacobs et al., "Back to Reality: The Complex Relationship Between Patterns in Immigration News Coverage and Real-World Developments in Dutch and Flemish Newspapers (1999–2015)", *Mass Communication and Society* (20 de março de 2018).

28 Nic Newman (ed.), *Reuters Institute Digital News Report. Tracking the Future of News* (2012). Ver também Rob Wijnberg, "The problem with real news – and what we can do about it", *Medium.com* (12 de setembro de 2018).

29 Citado em Michael Bond, "How to keep your head in scary situations", *New Scientist* (27 de agosto de 2008).

30 Rolf Dobelli, "Avoid News. Towards a Healthy News Diet", *dobelli.com* (agosto de 2010).

31 Frans de Waal, *The Bonobo and the Atheist*, pp. 38-9.

32 Michael Ghiselin, *The Economy of Nature and the Evolution of Sex* (Berkeley, 1974), p. 247.

33 Joseph Henrich et al., "In Search of Homo Economicus: Behavioral Experiments in 15 Small-Scale Societies", *American Economic Review* (n° 2, 2001).

34 David Sloan Wilson e Joseph Henrich, "Scientists Discover What Economists Haven't Found: Humans", *Evonomics.com* (12 de julho de 2016).

35 Citado em David Sloan Wilson, "Charles Darwin as the Father of Economics: A Conversation with Robert Frank", *The Evolution Institute* (10 de setembro de 2015).

36 Thucídetes, *History of the Peloponnesian War*, tradução de Rex Warner (1972), pp. 242-5.

37 Santo Agostinho, *The Confessions of Saint Augustine*, tradução de Maria Boulding (2012), p. 12.

38 Thomas Henry Huxley, *The Struggle for Existence in Human Society* (publicado originalmente em 1888).

39 Herbert Spencer, *Social Statistic*, Capítulo XVIII, parágrafo 4 (1851).

40 "Eu me recuso a acreditar que a tendência da natureza humana está sempre para baixo", disse Mahatma Gandhi, o lendário líder do movimento de independência da Índia, que Churchill desdenhou como um "faquir seminu". "A bondade do homens é uma chama que pode ser escondida, mas jamais extinta", disse Nelson Mandela, que foi mantido preso 27 anos por um regime criminoso.

41 Emma Goldman, *Anarchism and Other Essays* (Stillwell, 2008), p. 29. Publicado originalmente em 1910.

42 Esta era Marie Lindegaard, que conheceremos no capítulo 9.

2 O verdadeiro *Senhor das moscas*

1. William Golding recordou-se disso na introdução da leitura gravada em áudio do livro produzido nos anos 1980. Ver William Golding, *Lord of the Flies. Read by the author* (Listening Library, 2005).

2. John Carey, *William Golding. The Man Who Wrote Lord of the Flies* (London, 2010), p. 150.

3. William Golding, *The Hot Gates* (London, 1965), p. 87.

4. Arthur Krystal (ed.), *A Company of Readers. Uncollected Writings of W. H. Auden, Jacques Barzun and Lionel Trilling* (2001), p. 159.

5. Citado em Carey, *William Golding*, p. 82.

6. Ibid., p. 259.

7. Em "Dit gebeurt er als je gewone kinderen vrijlaat in de wildernis", *De Correspondent* (6 de junho de 2017).

8. Frans de Waal, *The Bonobo and the Atheist,* p. 214.

9. MaryAnn McKibben Dana, "Friday Link Love: Doubt, Virginia Woolf, and a Real-Life Lord of the Flies", *theblueroom.org* (3 de maio de 2013).

10. Susanna Agnelli, *Street Children. A Growing Urban Tragedy* (London, 1986).

11. Jamie Brown, "Mates Share 50-Year Bond", *Daily Mercury* (12 de dezembro de 2014).

12. Citado em Kay Keavney, "The Dropout Who Went to Sea", *The Australian Women's Weekly* (19 de junho de 1974).

13. Exceto quando notificado, todas as citações de Peter Warner e Mano Totau neste capítulo são de minhas entrevistas com eles.

14. Ver especificamente Keith Willey, *Naked Island – and Other South Sea Tales* (London, 1970).

15. Steve Bowman, cineasta australiano, entrevistou David em 2007 e gentilmente me mostrou suas filmagens (não exibidas). Esta citação é do documentário de Bowman.

16. Willey, *Naked Island*, p. 6.

17 Citado em Scott Hamilton, "In remote waters", *readingthemaps.blogspot.com* (18 de novembro de 2016).

18 Peter Warner, *Ocean of Light. 30 years in Tonga and the Pacific* (Keerong, 2016), p. 19.

19 É como Sione também se lembra. "Nós ficamos muito próximos", disse-me por telefone. "Sempre que havia alguma discordância, eu tentava acalmar os garotos. Depois eles choravam, pediam desculpas e tudo se resolvia. Foi assim o tempo todo."

20 Na verdade, foi uma questão de sorte. Acreditando estarem perto de Samoa, os garotos estabeleceram um curso para o sul, quando na verdade teriam de ter ido para o norte.

21 Willey, *Naked Island*, p. 33.

22 Warner, *Ocean of Light*, p. 89.

23 Charlotte Edwardes, "Survivor Game Show Based on Public School", *Daily Telegraph* (3 de junho de 2001).

24 Robert Evans e Michael Thot, "5 Ways You Don't Realize Reality Shows Lie", *Cracked.com* (7 de julho de 2014).

25 Girl Scout Research Institute, "Girls and Reality TV" (2011).

26 Robert Sapolsky, *Behave. The Biology of Humans at Our Best and Worst* (London, 2017), p. 199.

27 Bryan Gibson et al., "Just 'Harmless Entertainment'? Effects of Surveillance Reality TV on Physical Aggression", *Psychology of Popular Media Culture* (18 de agosto de 2014).

28 Citado em CBC Arts, "George Gerbner Leaves the Mean World Syndrome", *Peace, Earth & Justice News* (8 de janeiro de 2006).

29 Um professor entrevistado pelo documentarista Steve Bowman, no material não exibido que me mostrou.

3 A ascensão do *Homo cachorrinho*

1 The *Oxford Dictionary* define hominídeos como "Um primata de uma tribo taxonômica (*Hominini*), que compreende as espécies consideradas como humanas, ancestrais diretas dos humanos, ou

relacionadas muito proximamente com humanos". A família mais abrangente dos hominídeos também inclui os grandes macacos.

2   Charles Darwin, "To Joseph Dalton Hooker", *Darwin Correspondence Project* (11 de janeiro de 1844).

3   Richard Dawkins, *The Selfish Gene. 30th Anniversary Edition* (2006), p. ix. Publicado originalmente em 1976. Dawkins depois cortou esse trecho (ver o final deste capítulo).

4   Claire Armitstead, "Dawkins Sees off Darwin in Vote for Most Influential Science Book", *Guardian* (20 de julho de 2017).

5   Michael J. Edwards, "Fascinating, But at Times I Wish I Could Unread It", resenha na Amazon.com (7 de agosto de 1999). Esta é uma das resenhas mais bem avaliadas de livros na Amazon.

6   Marcus E. Raichle e Debra A. Gusnard, "Appraising the Brain's Energy Budget", *PNAS* (6 de agosto de 2002).

7   E. Hermann et al., "Humans Have Evolved Specialized Skills of Social Cognition: The Cultural Intelligence Hypothesis", *Science* (7 de setembro de 2007).

8   Joseph Henrich, *The Secret of Our Success. How Culture Is Driving Human Evolution, Domesticating Our Species, and Making Us Smarter* (Princeton, 2016), pp. 16-17.

9   Ibid., pp. 17-21.

10 Maria Konnikova, *The Confidence Game* (New York, 2016). Ver o epílogo para mais informações sobre o fascinante livro de Maria Konnikova.

11 Charles Darwin, *The Expression of the Emotions in Man and Animals* (New York, 1872), p. 309. Em 2018 foi publicado um pequeno estudo com cinco araras-azuis e araras-amarelas sugerindo que esse tipo de papagaio também podia corar. Ver Aline Bertin et al., "Facial Display and Blushing: Means of Visual Communication in Blue-and-Yellow Macaws (*Ara Ararauna*)?", *PLoS One* (22 de agosto de 2019).

12 Johann Carl Fuhlrott, "Menschliche Überreste aus einer Felsengrotte des Düsselthals. Ein Beitrag zur Frage über die Existenz fossiler Menschen", em *Verhandlungen des Naturhistorischen*

Vereins der preußischen Rheinlande und Westphalens (Parte 16, 1859), pp. 131-53.

13 O nome da sociedade em alemão era *Niederrheinische Gesellschaft für Natur-und Heilkunde*.

14 Paige Madison, "The Most Brutal of Human Skulls: Measuring and Knowing the First Neanderthal", *British Journal for the History of Science* (n° 3, 2016), p. 427.

15 Este nome (*Homo stupidus*) foi proposto pelo biólogo Ernst Haeckel, mas não pegou porque o anatomista William King já tinha cunhado o *Homo neanderthalensis* dois anos antes.

16 Citado em João Zilhão, "The Neanderthals: Evolution, Paleoecology, and Extinction", em Vicki Cummings, Peter Jordan e Marek Zvelebil, *The Oxford Handbook of the Archaeology and Anthropology of Hunter-Gatherers* (Oxford, 2014), p. 192.

17 Thomas D. Berger e Erik Trinkaus, "Patterns of Trauma among the Neandertals", *Journal of Archaeological Science* (novembro de 1995).

18 Thomas Wynn e Frederick L. Coolidge, *How to Think Like a Neanderthal* (Oxford, 2012), p. 19. Se você ainda imagina o neandertal como uma espécie de homem das cavernas bárbaro, pense mais uma vez. Em 2018, uma equipe de arqueólogos comparou o número de fraturas de crânios em 295 neandertais com o *Homo sapiens* (nosso ancestral direto), no mesmo período. O que eles descobriram? Nenhuma diferença. A vida de um neandertal não era mais barbárica do que a nossa. Nós também parecemos ter sido uma espécie de touro de rodeio primordial. Ver Judith Beier et al., "Similar Cranial Trauma Prevalence among Neanderthals and Upper Palaeolithic modern humans", *Nature* (14 de novembro de 2018).

19 Paola Villa e Wil Roebroeks, "Neandertal Demise: An Archaeological Analysis of the Modern Human Superiority Complex", *PLoS One* (30 de abril de 2014).

20 Yuval Noah Harari, *Sapiens. A Brief History of Humankind* (London, 2011), p. 19.

21 Jared Diamond, "A Brand-New Version of Our Origin Story", *New York Times* (20 de abril de 2018).

22 Exceto quando notificado, minha principal fonte desta história é Lee Alan Dugatkin e Lyudmila Trut, *How to Tame a Fox (and Build a Dog). Visionary Scientists and a Siberian Tale of Jump--Started Evolution* (Chicago, 2017).

23 Lee Alan Dugatkin e Lyudmila Trut, "How to Tame a Fox and Build a Dog", *American Scientist* (n°. 4, 2017).

24 Dugatkin e Trut, *How to Tame a Fox*, p. 58.

25 Ibid., p. 124.

26 Robert L. Cieri et al., "Craniofacial Feminization, Social Tolerance, and the Origins of Behavioral Modernity", *Current Anthropology* (n°. 4, 2014).

27 Os humanos não são descendentes diretos dos neandertais (embora o *Homo sapiens* e o *Homo neanderthalensis* tenham tido filhos miscigenados, já que muitas pessoas têm o DNA de neandertais); no entanto, nossos ancestrais *Homo sapiens* domesticados de cinquenta mil anos atrás eram muito mais parecidos com os neandertais, o que significa que pareciam bem mais masculinos. Ver Brian Hare, "Survival of the Friendliest: *Homo sapiens* Evolved via Selection for Prosociality", *Annual Review of Psychology* (2017).

28 Brian Hare, *The Genius of Dogs. Discovering the Unique Intelligence of Man's Best Friend* (London, 2013). p. 40.

29 Ibid., p. 88.

30 Brian Hare, "Survival of the Friendliest – Brian Hare, Duke Forward in Houston", YouTube (20 de janeiro 2016). Hare diz isso aos 3min56seg.

31 A domesticação se expressa da melanina na pelagem, o que também explica as manchas brancas nas raposas de Dmitri. Brian Hare, "Survival of the Friendliest: *Homo sapiens* Evolved via Selection for Prosociality", *Annual Review of Psychology* (2017).

32 Ricardo Miguel Godinho, Penny Spikins e Paul O"Higgins, "Supraorbital Morphology and Social Dynamics in Human Evolution", *Nature Ecology & Evolution* (n° 2, 2018). Ver também Matteo Zanella, "Dosage analysis of the 7q11.23 Williams region identifies BAZ1B as a major human gene patterning the modern

human face and underlying self-domestication", *Science Advances* (4 de dezembro de 2019).

33 Henrich, *The Secret of Our Success*, p. 214.

34 James Thomas e Simon Kirby, "Self domestication and the evolution of language", *Biology & Philosophy* (27 de março de 2018).

35 Peter Turchin, *Ultrasociety. How 10,000 Years of War Made Humans the Greatest Cooperators on Earth* (Chaplin, 2016), p. 48.

36 Joris Luyendijk, "Parasitair", *NRC Handelsblad* (13 de dezembro de 2012).

37 Julia Carrie Wong, "Uber's "hustle-oriented" culture becomes a black mark on employees' résumés", *Guardian* (7 de março de 2017).

38 Jeremy Lent, *The Patterning Instinct. A Cultural History of Humanity's Search for Meaning* (New York, 2017), pp. 94-5.

39 Julianne Holt-Lunstad, "Testimony before the US Senate Aging Committee", *aging.senate.gov* (27 de abril de 2017).

40 Helen Louise Brooks, "The Power of Support from Companion Animals for People Living with Mental Health Problems: A Systematic Review and Narrative Synthesis of the Evidence", *BMC Psychiatry* (5 de fevereiro de 2018).

41 No final dos anos 1980, o antropólogo evolucionista David Buss conduziu uma pesquisa em 37 países, perguntando a dezenas de milhares de pessoas o que elas procuravam em um parceiro. As respostas revelaram uma ligeira diferença entre os sexos. A aparência parece ser mais importante para os homens; dinheiro é mais importante para as mulheres. Claro que isso foi alardeado por toda a mídia. O que foi totalmente ignorado foi uma característica essencial unânime a todos: a generosidade. Ver Dacher Keltner, "The Compassionate Species", *Greater Good Magazine* (31 de julho de 2012).

4 O coronel Marshall e os soldados que não atiravam

1 Citado em Melyssa Allen, "Dog Cognition Expert Brian Hare Visits Meredith", *meredith.edu* (outubro de 2016).

2   Carsten K. W. De Dreu et al., "The Neuropeptide Oxytocin Regulates Parochial Altruism in Intergroup Conflict Among Humans", *Science* (11 de junho de 2010).

3   Raymond Dart, "The Predatory Transition from Ape to Man", *International Anthropological and Linguistic Review* (n° 4, 1953).

4   Ibid.

5   Citado em Rami Tzabar, "Do Chimpanzee Wars Prove That Violence Is Innate?", bbc.com (11 de agosto de 2015).

6   Richard Wrangham e Dale Peterson, *Demonic Males: Apes and the Origins of Human Violence* (New York, 1996), p. 63.

7   O sinal "!" representa um som clicado que faz parte do idioma dos !Kung.

8   Richard Lee, *The !Kung San* (New York, 1979), p. 398.

9   Steven Pinker, *The Better Angels of Our Nature. Why Violence Has Declined* (London, 2011), p. 36.

10 Ibid., p. xxi.

11 Ibid.

12 Sobre a Batalha de Makin, ver Anthony King, *The Combat Soldier. Infantry Tactics and Cohesion in the Twentieth and Twenty-First Centuries* (Oxford, 2013), pp. 46-8.

13 Bill Davidson, "Why Half Our Combat Soldiers Fail to Shoot", *Collier's Weekly* (8 de novembro de 1952).

14 Citado em King, *The Combat Soldier*, p. 48.

15 S. L. A. Marshall, *Men Against Fire. The Problem of Battle Command* (Oklahoma, 2000), p. 79.

16 Ibid., p. 78.

17 Citado em John Douglas Marshall, *Reconciliation Road: A Family Odyssey* (Washington DC, 2000), p. 190.

18 Ibid.

19 David Lee, *Up Close and Personal: The Reality of Close-Quarter Fighting in World War II* (London, 2006), p. 19.

20 Citado em Max Hastings, "Their Wehrmacht Was Better Than Our Army", *Washington Post* (5 de maio de 1985).

21 Richard Holmes, *Acts of War. Behaviour of Men in Battle* (London, 1985), p. 376.

22 Dave Grossman, *On Killing. The Psychological Cost of Learning to Kill in War and Society* (New York, 2009), p. 31.

23 R. A. Gabriel, *No More Heroes. Madness and Psychiatry in War* (New York, 1987), p. 31.

24 Major T. T. S. Laidley, "Breech-loading Musket", em *The United States Service Magazine* (janeiro de 1865), p. 69.

25 Grossman, *On Killing*, pp. 23-6.

26 Ibid., p. 23.

27 George Orwell, *Homage to Catalonia* (London, 2000), p. 39. Publicado originalmente em 1938.

28 Randall Collins, *Violence. A Micro-sociological Theory* (Princeton, 2008), p. 53.

29 Ibid., p. 11.

30 Citado em Craig McGregor, "Nice Boy from the Bronx?", *New York Times* (30 de janeiro de 1972).

31 Lee Berger, "Brief Communication: Predatory Bird Damage to the Taung Type-Skull of Australopithecus africanus Dart 1925", American Journal of Physical Anthropology (31 de maio de 2006).

32 Sobre esse debate, ver John Horgan, "Anthropologist Brian Ferguson Challenges Claim that Chimp Violence is Adaptive", *Scientific American* (18 de setembro de 2014).

33 Michael L. Wilson et al., "Lethal Aggression in Pan is Better Explained by Adaptive Strategies than Human Impacts", *Nature* (18 de setembro de 2014).

34 Brian Hare, "Survival of the Friendliest: *Homo sapiens* Evolved via Selection for Prosociality", *Annual Review of Psychology* (2017), pp. 162-3.

35 Robert Sapolsky, "Rousseau with a Tail. Maintaining a Tradition of Peace Among Baboons", em *War, Peace, and Human Nature.*

The Convergence of Evolutionary and Cultural Views (Oxford, 2013), p. 421.

36 John Horgan, "The Weird Irony at the Heart of the Napoleon Chagnon Affair", *Scientific American* (18 de fevereiro de 2013).

37 Robert Sapolsky, *Behave. The Biology of Humans at Our Best and Worst* (London, 2017), p. 314.

38 R. Brian Ferguson, "Born to Live: Challenging Killer Myths", em Robert W. Sussman e C. Robert Cloninger (eds.), *Origins of Altruism and Cooperation* (New York, 2009), pp. 258-9.

39 Citado em Christopher Ryan e Cacilda Jethá, *Sex at Dawn. How We Mate, Why We Stray, and What It Means for Modern Relationships* (New York, 2010), p. 196.

40 Douglas Fry, "War, Peace, and Human Nature: The Challenge of Achieving Scientific Objectivity", em Douglas Fry (ed.), *War, Peace, and Human Nature. The Convergence of Evolutionary and Cultural Views* (Oxford, 2013), pp. 18-19.

41 Ibid., p. 20.

42 Douglas P. Fry e Patrik Söderberg, "Lethal Aggression in Mobile Forager Bands and Implications for the Origins of War", *Science* (19 de julho de 2013).

43 Kim R. Hill et al., "Hunter-Gatherer Inter-Band Interaction Rates. Implications for Cumulative Culture", *PLoS One* (24 de junho de 2014).

44 K. R. Hill et al., "Co-residence Patterns in Hunter-Gatherer Societies Show Unique Human Social Structure", *Science* (11 de março de 2011). Ver também Coren L. Apicella, "Social networks and cooperation in huntergatherers", *Nature* (26 de janeiro de 2012).

45 Jonathan Haas e Matthew Piscitelli, "The Prehistory of Warfare. Misled by Ethnography", em Douglas Fry (ed.), *War, Peace, and Human Nature*, pp. 178-81.

46 Ibid., pp. 181-3.

47 Duas escavações são normalmente citadas como apresentando a primeira "prova" de guerras pré-históricas. A primeira é a de Jebel

Sahaba, no norte do Sudão, onde em 1964 arqueólogos encontraram 61 esqueletos datados de aproximadamente 13 mil anos, dos quais 21 mostravam sinais de morte violenta. Análises mais recentes reduzem este número a quatro. Ver Robert Jurmain, "Paleoepidemiolgical Patterns of Trauma in a Prehistoric Population from Central California", *American Journal of Physical Anthropology* (12 de abril de 2001). O povo de Jebel Sahaba vivia nas margens férteis do Nilo e construía necrópoles para seus mortos, indicando que provavelmente já morava em assentamentos. O segundo sítio mencionado com frequência é o de Naturuk, perto do lago Turkana, no Quênia, onde foram encontrados 27 esqueletos (mostrando marcas de violência), que se estima terem 10 mil anos de idade. Quando arqueólogos publicaram essa descoberta na *Nature* em 2016, a mídia global definiu-a como a "prova" definitiva de que os humanos são criaturas inerentemente belicistas. No entanto, o significado da descoberta de Natura ainda é contestado. Inúmeros arqueólogos destacaram que as margens do lago Turkana eram um local fértil para onde convergiam caçadores-coletores, tornando plausível que já tivessem consolidado seus pertences e abandonado o modo de vida nômade. Poucos meses depois da publicação deste artigo, a *Nature* publicou a reação de outra equipe de arqueólogos questionando a validade da conclusão de que aquelas "vítimas" haviam sido mortas de forma violenta. Esse artigo seguinte foi ignorado pela maior parte da mídia. Ver Christopher M. Stojanowski et al., "Contesting the Massacre at Nataruk", *Nature* (24 de novembro de 2016). Mesmo sem essas controvérsias, é importante notar que – com exceção de Jebel Sahaba e Naturuk – não existem evidências de qualquer outra guerra pré-histórica, em gritante contraste com a fartura de evidências arqueológicas incontroversas (na forma de pinturas em cavernas e fossas comuns) de guerras no período *após* os seres humanos terem começado a viver em lavouras e assentamentos permanentes.

48 R. Brian Ferguson, "Pinker's List. Exaggerating Prehistoric War Mortality", em Douglas Fry (ed.), *War, Peace, and Human Nature*, p. 126. Ver também Hisashi Nakao et al., "Violence in the Prehistoric Period of Japan: The Spatio-Temporal Pattern of Skeletal Evidence for Violence in the Jomon Period", *Biology Letters* (1º de março de 2016).

5 A maldição da civilização

1   Citado em Sarah Blaffer Hrdy, *Mothers and Others. The Evolutionary Origins of Mutual Understanding* (2009), p. 27.

2   Catherine A. Lutz, *Unnatural Emotions: Everyday Sentiments on a Micronesian Atoll & Their Challenge to Western Theory* (Chicago, 1988).

3   Christopher Boehm, *Hierarchy in the Forest. The Evolution of Egalitarian Behavior* (Cambridge, 1999), p. 68. Ver também Christopher Boehm, *Moral Origins. The Evolution of Virtue, Altruism and Shame* (New York, 2012), pp. 78-82.

4   Robert Lee, *The !Kung San: Men, Women, and Work in a Foraging Society* (Cambridge, 1979), p. 244.

5   Ibid., p. 246.

6   Citado em Blaffer Hrdy, *Mothers and Others*, p. 27.

7   Lee, *The !Kung San,* pp. 394-5.

8   Provavelmente não teria sido possível controlar chefetes superconfiantes sem a inovação simples, porém eficaz de armas de projéteis, isto é, quando aprendemos a lançar pedras, atirar lanças e disparar flechas. Comparações entre esqueletos de *Homo* desenterrados mostram que, com o tempo, nossos ombros e pulsos evoluíram de forma a nos tornar melhores atiradores. Enquanto humanos têm uma pontaria muito boa, o mesmo não acontece com chimpanzés e orangotangos (um chimpanzé zangado pode às vezes atirar coisas, mas geralmente erra). Os arqueólogos acreditam que provavelmente nossas armas de projéteis eram bem mais refinadas que qualquer coisa que os neandertais tivessem. Segundo o antropólogo evolutivo Peter Turchin, isso pode ser considerada a mais marcante invenção da história da humanidade, inclusive mais importante que o fogo, a agricultura e a roda. Sem armas de projéteis, os membros mais agressivos da nossa espécie teriam tido proles muito maiores e o *Homo cachorrinho* jamais poderia ter domesticado a si mesmo.

9   Individualmente, forrageadores preferem a companhia dos próprios parentes. Se os homens são a única autoridade, eles favore-

cem as próprias famílias. Se homens e mulheres dividirem a autoridade, contudo, é preciso haver acordos. Cada um vai querer conviver com os dois lados da família, resultando numa rede social mais complexa. É exatamente o que vemos entre os nômades coletores-caçadores. Ver M. Dyble et al., "Sex Equality Can Explain the Unique Social Structure of Hunter-Gatherer Bands", *Science*, v. 348, edição 6236 (15 de maio de 2015). Ver também Hannah Devlin, "Early Men and Women Were Equal, Say Scientists", *Guardian* (14 de maio de 2015).

10   Blaffer Hrdy, *Mothers and Other*, p. 128.

11   Ibid., p. 134.

12   Nicholas A. Christakis, *Blueprint. The Evolutionary Origins of a Good Society* (New York, 2019), pp. 141-3.

13   Carel van Schaik e Kai Michel, *The Good Book of Human Nature. An Evolutionary Reading of the Bible* (New York, 2016), p. 51.

14   O que não quer dizer que os hippies dos anos 1960 tinham razão ao pensar que humanos foram feitos para o amor livre. O casamento se encaixa perfeitamente com a nossa natureza, com o *Homo cachorrinho* sendo um dos poucos mamíferos a adotar a "formação de pares" – vulgo amor romântico. É verdade que nem todos somos heróis para continuar fiel até que a morte nos separe, mas a ciência diz que uma relação amorosa é um desejo humano universal. Ver Christakis, *Blueprint*, p. 168.

15   Citado em E. Leacock, *Myths of Male Dominance. Collected Articles on Women Cross-Culturally* (New York, 1981), p. 50.

16   Jared Diamond, *The World Until Yesterday. What Can We Learn from Traditional Societies?* (London, 2013), p. 11.

17   No noroeste da Luisiana há um sítio arqueológico com descobertas datadas de 3.200 anos em um terreno cheio de pequenos montes que só podem ter sido feitos pelo homem. O maior, o Monte do Pássaro, tem 22 metros de altura e só pode ter sido erigido com 8 milhões de baldes de areia pesando 25 quilogramas cada um. As pesquisas arqueológicas demonstraram que a construção não demorou mais do que poucos meses e foi uma obra feita em conjunto por pelo menos 10 mil trabalhadores. Ver Anthony L. Ortmann,

"Building Mound A at Poverty Point, Louisiana: Monumental Public Architecture, Ritual Practice, and Implications for Hunter-Gatherer Complexity". *Geoarcheology* (7 de dezembro de 2012).

18 Jens Notroff, Oliver Dietrich e Klaus Schmidt, "Building Monuments, Creating Communities. Early Monumental Architecture at Pre-Pottery Neolithic Göbekli Tepe", em James F. Osborne (ed.), *Approaching Monumentality in Archeology* (New York, 2014), pp. 83-105.

19 Erik Trinkaus et al., *The People of Sunghir: Burials, Bodies, and Behavior in the Earlier Upper Paleolithic* (Oxford, 2014).

20 David Graeber e David Wengrow, "How to Change the Course of Human History (at Least, the Part That's Already Happened)", *Eurozine* (2 de março de 2018).

21 O termo "luta pela sobrevivência" foi cunhado pelo biólogo Martin Nowak. Ver Martin Nowak, "Why We Help", *Scientific American* (n° 1, 2012), pp. 34-9.

22 Van Schaik e Michel, *The Good Book of Human Nature*, pp. 44-5.

23 Ibid., pp. 48-9.

24 Gregory K. Dow, Leanna Mitchell e Clyde G. Reed, "The Economics of Early Warfare over Land", *Journal of Development Economics* (julho de 2017). A segunda seção desse artigo contém um bom apanhado das evidências arqueológicas.

25 Douglas W. Bird et al., "Variability in the Organization and Size of Hunter-Gatherer Groups. Foragers Do Not Live in Small-Scale Societies", *Journal of Human Evolution* (junho de 2019).

26 Turchin, *Ultrasociety*, p. 163.

27 R. Brian Ferguson, "Born to Live: Challenging Killer Myths", em Robert W. Sussman e C. Robert Cloninger (eds.), *Origins of Altruism and Cooperation* (New York, 2009), pp. 265-6.

28 Genesis 3:19–24. Ver também Van Schaik e Michel, *The Good Book of Human Nature*, pp. 44-5.

29 Ibid., pp. 50-51.

30 Jared Diamond foi o autor do artigo clássico sobre como nos ferramos ao inventar a agricultura. Ver Jared Diamond, "The Worst Mistake in the History of the Human Race", *Discover Magazine* (maio de 1987).

31 James C. Scott, Against the Grain. *A Deep History of the Earliest States* (New Haven, 2017), pp. 104-5.

32 Jean-Jacques Rousseau, *A Dissertation On the Origin and Foundation of The Inequality of Mankind and is it Authorised by Natural Law?* Publicado originalmente em 1754.

33 Van Schaik e Michel, *The Good Book of Human Nature*, pp. 52-4.

34 Hervey C. Peoples, Pavel Duda e Frank W. Marlowe, "Hunter-Gatherers and the Origins of Religion", *Human Nature* (dezembro de 2016).

35 Frank Marlowe, *The Hadza. Hunter-Gatherers of Tanzania* (Berkeley, 2010), p. 61.

36 Ibid., pp. 90-93.

37 Citado em Lizzie Wade, "Feeding the gods: Hundreds of skulls reveal massive scale of human sacrifice in Aztec capital", *Science* (21 de junho de 2018).

38 Citado em Richard Lee, "What Hunters Do for a Living, or, How to Make Out on Scarce Resources", *Man the Hunter* (Chicago, 1968), p. 33.

39 James C. Scott, Against the Grain, pp. 66-7.

40 Turchin, *Ultrasociety*, pp. 174-5.

41 Scott, *Against the Grain*, pp. 27-9.

42 Para uma abrangente visão histórica, ver David Graeber, *Debt. The First 5,000 Years* (London, 2011).

43 Scott, *Against the Grain*, pp. 139-49.

44 Ibid., p. 162.

45 Owen Lattimore, "The Frontier in History", in *Studies in Frontier History: Collected Papers, 1928-1958* (London, 1962), pp. 469-91.

46 Citado em Bruce E. Johansen, *Forgotten Founders* (Ipswich, 1982), Capítulo 5.

47 James W. Loeven, *Lies My Teacher Told Me. Everything Your American History Textbook Got Wrong* (2005), pp. 101-2.

48 Citado em Junger, *Tribe*, pp. 10-11.

49 Ibid., pp. 14-15.

50 Um ícone neste gênero é o livro de Edward Gibbon, *Declínio e queda do Império Romano* (1776). Um *best-seller* dos dias de hoje é *Colapso* (2005) de Jared Diamond.

51 Alguns acadêmicos questionam se *Ilíada* e *Odisseia* devem ser atribuídos ao mesmo indivíduo, sugerindo que o nome Homero deve ser visto como um rótulo relacionado a uma boa história grega. Isso significaria que Homero nunca existiu enquanto tal.

52 Adam Hochschild, *Bury the Chains: Prophets and Rebels in the Fight to Free an Empire's Slaves* (Boston, 2005), p. 2.

53 Max Roser e Esteban Ortiz-Ospina, "Global Extreme Poverty", *OurWorldInData.org* (2018).

54 Esta é a frase de abertura do livro *O contrato social* de Rousseau (publicado originalmente em 1762).

55 Bjørn Lomborg, "Setting the Right Global Goals", *Project Syndicate* (20 de maio de 2014).

56 Max Roser e Esteban Ortiz-Ospina, "Global Extreme Poverty".

57 Citado em Chouki El Hamel, *Black Morocco. A History of Slavery, Race, and Islam* (Cambridge, 2013), p. 243.

58 A República de Maurício, no Oeste da África, foi o último país do mundo a abolir a escravidão, em 1981.

59 Nos tempos da Pérsia e de Roma, a expansão do Estado já estava tornando o mundo cada vez mais seguro. Apesar de parecer um paradoxo, existe uma explicação lógica. À medida que os países e impérios cresciam, os cidadãos passaram a viver cada vez mais longe de suas fronteiras. Era nas fronteiras que as guerras eram travadas; a vida era mais pacífica no interior. Um bom exemplo foi a *Pax Romana* (Paz Romana), um longo período de estabilidade propiciado pelas grandes campanhas dos Leviatãs mais poderosos.

Pelo menos esse sentido Hobbes estava certo: é melhor um imperador todo-poderoso que uma centena de reizinhos frustrados. Ver Turchin, *Ultrasociety*, pp. 201-2.

60 José María Gómez et al., "The Phylogenetic Roots of Human Lethal Violence, Supplementary Information", *Nature* (13 de outubro de 2016), p. 9.

61 Em 2017, foram registradas 2.813.503 mortes nos Estados Unidos. Segundo o Sistema Nacional de Registros de Mortes Violentas, 19.500 foram vítimas de homicídios. Nesse mesmo ano, foram registradas 150.214 na Holanda, das quais 158 foram por homicídios.

62 Esta história provavelmente é apócrifa. "Não deixar os fatos estragarem uma boa matéria", *South China Morning Post* (29 de setembro de 2019).

6 O mistério da Ilha de Páscoa

1 Meu relato da vida e da expedição de Roggeveen é baseado na excelente biografia de Roelof van Gelder, *Naar het aards paradijs. Het rusteloze leven van Jacob Roggeveen, ontdekker van Paaseiland (1659-1729)* (Amsterdam, 2012).

2 F. E. Baron Mulert, *De reis van Mr. Jacob Roggeveen ter ontdekking van het Zuidland (1721-1722)*, (The Hague, 1911), p. 121.

3 H. J. M. Claessen, "Roggeveen zag geen reuzen toen hij Paaseiland bezocht", *NRC Handelsblad* (18 de abril de 2009).

4 O gerente do hotel suíço era Erich von Daniken, e o título de seu livro era *Eram os deuses astronautas? Enigmas decifrados do passado*.

5 Lars Fehren-Schmitz, "Genetic Ancestry of Rapanui before and after European Contact", *Current Biology* (23 de outubro de 2017).

6 Katherine Routledge, *The Mystery of Easter Island. The Story of an Expedition* (London, 1919).

7   Reidar Solsvik, "Thor Heyerdahl as world heritage", *Rapa Nui Journal* (maio de 2012).

8   Citado em Jo Anne Van Tilburg, "Thor Heyerdahl", *Guardian* (19 de abril de 2002).

9   William Mulloy, "Contemplate The Navel of the World", *Rapa Nui Journal* (n° 2, 1991). Originalmente publicado em 1974.

10 Jared Diamond, *Collapse. How Societies Choose to Fail or Succeed* (New York, 2005), p. 109.

11 J. R. Flenley e Sarah M. King, "Late Quaternary Pollen Records from Easter Island", *Science* (5 de janeiro de 1984).

12 Diamond tem um débito com o historiador Clive Ponting, que escreveu sobre a Ilha de Páscoa em seu livro *A Green History of the World* (1991). Na primeira página, Ponting descreve a ilha como Roggeveen a encontrou: "Cerca de 3 mil pessoas vivendo em esquálidas cabanas de junco ou em cavernas, envolvidas em um estado de guerra quase perpétuo e apelando desesperadamente ao canibalismo para suplementar o escasso suprimento de alimentos disponível na ilha".

13 Paul Bahn and John Flenley, *Easter Island, Earth Island* (London, 1992).

14 Jan J. Boersema, *The Survival of Easter Island. Dwindling Resources and Cultural Resilience* (Cambridge, 2015).

15 Carlyle Smith, "The Poike Ditch", in Thor Heyerdahl (ed.), *Archeology of Easter Island. Reports of the Norwegian Archaeological Expedition to Easter Island and the East Pacific* (Parte 1, 1961), pp. 385-91.

16 Carl P. Lipo e Terry L. Hunt, "A.D. 1680 and Rapa Nui Prehistory", *Asian Perspectives* (n° 2, 2010). Ver também Mara A. Mulrooney et al., "The myth of A.D. 1680. New Evidence from Hanga Ho'onu, Rapa Nui (Easter Island)", *Rapa Nui Journal* (outubro de 2009).

17 Caroline Polet, "Indicateurs de stress dans un échantillon d'"anciens Pascuans", *Antropo* (2006), pp. 261-70.

18 Ver Vincent H. Stefan et al. (ed.), *Skeletal Biology of the Ancient Rapanui (Easter Islanders)*, (Cambridge, 2016).

19 Carl P. Lipo et al., "Weapons of War? Rapa Nui Mata'a Morphometric Analyses", *Antiquity* (fevereiro de 2016), pp. 172-87.

20 Citado em Kristin Romey, "Easter Islanders" Weapons Were Deliberately Not Lethal", *National Geographic* (22 de fevereiro de 2016).

21 Terry L. Hunt and Carl P. Lipo, "Late Colonization of Easter Island", *Science* (17 de março de 2006).

22 Ronald Wright, *A Short History of Progress* (Toronto, 2004), p. 61.

23 Hans-Rudolf Bork and Andreas Mieth, "The Key Role of the Jubaea Palm Trees in the History of Rapa Nui: a Provocative Interpretation", *Rapa Nui Journal* (outubro de 2003).

24 Nicolas Cauwe, "Megaliths of Easter Island", *Proceedings of the International Conference "Around the Petit-Chausseur Sit"* (Sion, 2011).

25 Os arqueólogos Carl Lipo e Terry Hunt acreditam que algumas estátuas foram "andadas" na vertical aos locais com o uso de cordas, não árvores, da mesma forma que podemos mover uma geladeira ou máquina de lavar roupa. Este método também requer menos gente. Ver Carl Lipo e Terry Hunt, *The Statues that Walked. Unraveling the Mystery of Easter Island* (New York, 2011). A versão de Lipo e Hunt ganhou popularidade na mídia, mas Jan Boersema continua acreditando que a maioria das estátuas foi rolada sobre troncos por grandes grupos de pessoas, pois a eficácia não era o fator de motivação por trás desses eventos de trabalho coletivo.

26 E. E. W. Schroeder, *Nias. Ethnographische, geographische en historische aanteekeningen en studien* (Leiden, 1917).

27 S. S. Barnes, Elizabeth Matisoo-Smith e Terry L. Hunt, "Ancient DNA of the Pacific Rat (Rattus exulans) from Rapa Nui (Easter Island)", *Journal of Archaeological Science* (v. 33, novembro de 2006).

28 Mara A. Mulrooney, "An Island-Wide Assessment of the Chronology of Settlement and Land Use on Rapa Nui (Easter Island) Based on Radiocarbon Data", *Journal of Archaeological Science* (n° 12, 2013). Os ratos não foram um problema para as lavouras da ilha? Boersema acha que não. "A maior parte das plantações

era de tubérculos, que nascem embaixo da terra", explica, "E as bananas cresciam em pequenas árvores que as tornavam menos atraentes aos ratos."

29 Citado em "Easter Island Collapse Disputed By Hawaii Anthropologist", *Huffington Post* (6 de dezembro de 2017).

30 Jacob Roggeveen, *Dagverhaal der ontdekkings-reis van Mr. Jacob Roggeveen* (Middelburg, 1838), p. 104.

31 Bolton Glanvill Corney, *The Voyage of Captain Don Felipe González to Easter Island 1770-1* (Cambridge, 1908), p. 93.

32 Beverley Haun, *Inventing Easter Island* (Toronto, 2008), p. 247.

33 James Cook, *A Voyage Towards the South Pole and Round the World*, Parte 1 (1777).

34 Henry Lee, "Treeless at Easter", *Nature* (23 de setembro de 2004).

35 O livro em questão é de Thor Heyerdahl et al., *Archaeology of Easter Island. Reports of the Norwegian Archaeological Expedition to Easter Island and the East Pacific* (Parte 1, 1961), p. 51.

36 Thor Heyerdahl, *Aku-Aku: The Secret of Easter Island* (1957).

37 O relato de Carl Behren está incluído como um apêndice em Glanvill Corney, *The voyage of Captain Don Felipe González to Easter Island 1770-1*, p. 134.

38 Cook, *A Voyage Towards the South Pole and Round the World*, Capítulo 8.

39 Alguns cientistas acreditam que as estátuas tenham caído durante um terremoto. Outros acham que algumas *moai* foram deitadas sobre túmulos de chefes falecidos. Ver Edmundo Edwards et al., "When the Earth Trembled, the Statues Fell", *Rapa Nui Journal* (março de 1996).

40 Isso também deu origem ao "Culto ao Homem-pássaro", uma competição anual entre jovens representando diferentes tribos para pegar o primeiro ovo da gaivotinha-cor-de-ardósia (uma ave marítima) da temporada. Não se sabe quando surgiu essa tradição, mas provavelmente foi antes da chegada de Roggeveen. Esse culto também estava relacionado com as *moai*. Depois da competição,

os líderes recém-eleitos iam morar numa casa fora da pedreira onde as estátuas eram esculpidas. Quando Roggeveen chegou, em 1722, as *moai* ainda tinham uma função cerimonial definida, ainda que não fosse mais possível transportá-las (usando árvores) e quando o Culto ao Homem-pássaro provavelmente já existia.

41 Josh Pollard, Alistair Paterson e Kate Welham, "Te Miro o'one: the Archaeology of Contact on Rapa Nui (Easter Island)", *World Archaeology* (dezembro de 2010).

42 Henry Evans Maude, *Slavers in Paradise: The Peruvian Labour Trade in Polynesia, 1862-1864* (Canberra, 1981), p. 13.

43 Nicolas Casey, "Easter Island Is Eroding", *New York Times* (20 de julho de 2018).

7   Nos porões da Universidade Stanford

1 Citado em Ben Blum, "The Lifespan of a Lie", *Medium.com* (7 de junho de 2018).

2 Craig Haney, Curtis Banks e Philip Zimbardo, "A Study of Prisoners and Guards in a Simulated Prison", *Naval Research Review* (1973).

3 Malcolm Gladwell, *The Tipping Point. How Little Things Can Make A Big Difference* (London, 2000), p. 155.

4 Haney, Banks e Zimbardo, "A Study of Prisoners and Guards in a Simulated Prison".

5 Muzafer Sherif, *Group Conflict and Co-operation. Their Social Psychology* (London, 2017), p. 85. Publicado originalmente em 1967.

6 Muzafer Sherif et al., *The Robbers Cave Experiment. Intergroup Conflict and Cooperation* (Middletown, 1988), p. 115.

7 Ibid., p. 98.

8 Citado em Gina Perry, *The Lost Boys. Inside Muzafer Sherif's Robbers Cave Experiment* (London, 2018), p. 39.

9 Ibid. p. 138.

10 Ibid. p. 139.

11 Ibid. p. 146.

12 No experimento da prisão de Stanford, doze estudantes foram designados para o papel de prisioneiros (nove naus e três de prontidão), e doze para o papel de guardas (nove naus e três de prontidão).

13 Citado em Blum, "The Lifespan of a Lie".

14 Philip Zimbardo, *The Lucifer Effect. How Good People Turn Evil* (London, 2007), p. 55.

15 Peter Gray, "Why Zimbardo's Prison Experiment Isn't in My Textbook", *Psychology Today* (19 de outubro de 2013).

16 Citado em Romesh Ratnesar, "The Menace Within", *Stanford Magazine* (julho/agosto de 2011).

17 Dave Jaffe, "Self-perception", *Stanford Prison Archives*, nº ST-b09-f40.

18 "Tape 2" (14 de agosto de 1971), *Stanford Prison Archives*, nº ST-b02-f02.

19 A. Cerovina, "Final Prison Study Evaluation" (20 de agosto de 1971), nº ST-b09-f15.

20 "Tape E" (sem data), nº ST-b02-f21, pp. 1-2.

21 Citado em Blum, "The Lifespan of a Lie".

22 Blum, "The Lifespan of a Lie".

23 Ibid.

24 Ibid.

25 Citado em Alastair Leithead, "Stanford prison experiment continues to shock", *BBC* (17 de agosto de 2011).

26 Por muitos anos, psicólogos usaram o "experimento" de Zimbardo para despertar o interesse dos estudantes para a área. Thibault Le Texier conversou com vários palestrantes que disseram que gostavam de discutir o experimento da prisão de Stanford porque ao menos fazia os estudantes tirar os olhos de seus celulares. Em resposta à minha pergunta (o experimento ainda deveria ser ensinado em salas de aula nos dias de hoje?), Le Texier respondeu secamen-

te: "O experimento da prisão de Stanford é um bom exemplo de todos os erros que se pode cometer em pesquisas científicas".

27 Citado em Kim Duke e Nick Mirsky, "The Stanford Prison Experiment", *BBC Two* (11 de maio de 2002). A afirmação na íntegra de Dave Eshelman nesse documentário foi: "Teria sido interessante ver o que teria acontecido se eu não tivesse resolvido forçar as coisas. [...] Nós nunca saberemos".

28 Emma Brockes, "The Experiment", *Guardian* (16 de outubro de 2001).

29 Ibid.

30 Graeme Virtue, "Secret service; What happens when you put good men in an evil place and film it for telly? Erm, not that much actually", *Sunday Herald* (12 de maio de 2002).

31 Blum, "The Lifespan of a Lie".

8 Stanley Milgram e a máquina de choque

1 "Persons Needed for a Study of Memory", *New Haven Register* (18 de junho de 1961).

2 Stanley Milgram, *Obedience to Authority. An Experimental View* (London, 2009), pp. 30-31. Publicado originalmente em 1974.

3 Stanley Milgram, "Behavioral Study of Obedience", *Journal of Abnormal and Social Psychology*, v. 67, edição 4 (1963).

4 Walter Sullivan, "Sixty-five Percent in Test Blindly Obey Order to Inflict Pain", *New York Times* (26 de outubro de 1963).

5 Milgram, *Obedience to Authority*, p. 188.

6 Milgram disse isso em uma entrevista na televisão no programa *Sixty Minutes* em 31 de março de 1979.

7 Citado em Amos Elon, "Introduction", em Hannah Arendt, *Eichmann in Jerusalem. A Report on the Banality of Evil* (London, 2006), p. xv. Publicado originalmente em 1963.

8 Arendt, *Eichmann in Jerusalem*.

9   Citado em Harold Takooshian, "How Stanley Milgram Taught about Obedience and Social Influence", em Thomas Blass (ed.), *Obedience to Authority* (London, 2000), p. 10.

10 Citado em Gina Perry, *Behind the Shock Machine. The Untold Story of the Notorious Milgram Psychology Experiments* (New York, 2013), p. 5.

11 Ibid., p. 327.

12 Ibid., p. 134.

13 Gina Perry, "The Shocking Truth of the Notorious Milgram Obedience Experiments", *Discover Magazine* (2 de outubro de 2013).

14 Milgram, "Behavioral Study of Obedience".

15 Perry, *Behind the Shock Machine* (2012), p. 164. Ver também Gina Perry et al., "Credibility and Incredulity in Milgram's Obedience Experiments: A Reanalysis of an Unpublished Test", *Social Psychology Quarterly* (22 de agosto de 2019).

16 Stanley Milgram, "Evaluation of Obedience Research: Science or Art?", *Stanley Milgram Papers* (Caixa 46, arquivo 16). Manuscrito não publicado (1962).

17 Citado em Stephen D. Reicher, S. Alexander Haslam e Arthur Miller, "What Makes a Person a Perpetrator? The Intellectual, Moral, and Methodological Arguments for Revisiting Milgram's Research on the Influence of Authority", *Journal of Social Issues*, v. 70, edição 3 (2014).

18 Citado em Perry, *Behind the Shock Machine*, p. 93.

19 Citado em Cari Romm, "Rethinking One of Psychology"s Most Infamous Experiments", *The Atlantic* (28 de janeiro de 2015).

20 Stephen Gibson, "Milgram"s Obedience Experiments: a Rhetorical Analysis", *British Journal of Social Psychology*, v. 52, edição 2 (2011).

21 S. Alexander Haslam, Stephen D. Reicher e Megan E. Birney, "Nothing by Mere Authority: Evidence that in an Experimental Analogue of the Milgram Paradigm Participants are Motivated not by Orders but by Appeals to Science", *Journal of Social Issues*, v. 70, edição 3 (2014).

22 Citado em Perry, *Behind the Shock Machine*, p. 176.

23 Citado em S. Alexander Haslam e Stephen D. Reicher, "Contesting the 'Nature' of Conformity: What Milgram and Zimbardo's Studies Really Show", *PLoS Biology*, v. 10, edição 11 (2012).

24 Citado em Perry, *Behind the Shock Machine*, p. 70.

25 Citado em Blum, "The Lifespan of a Lie".

26 Ibid.

27 Citado em "Tape E" (sem data), *Stanford Prison Archives*, n° ST-b02-f21, p. 6.

28 Ibid., p. 2.

29 Perry, *Behind the Shock Machine*, p. 240.

30 Arendt, *Eichmann in Jerusalem*, p. 276.

31 Citado em Bettina Stangneth, *Eichmann Before Jerusalem: The Unexamined Life of a Mass Murderer* (London, 2015).

32 Citado em "The Adolph Eichmann Trial 1961", em *Great World Trials* (Detroit, 1997), pp. 332-7.

33 Ian Kershaw, "'Working Towards the Führer.' Reflections on the Nature of the Hitler Dictatorship", *Contemporary European History*, v. 2, edição 2 (1993).

34 Ver, por exemplo, Christopher R. Browning, "How Ordinary Germans Did It", *New York Review of Books* (20 de junho de 2013).

35 Citado em Roger Berkowitz, "Misreading "Eichmann in Jerusalem", *New York Times* (7 de julho de 2013).

36 Ibid.

37 Ada Ushpiz, "The Grossly Misunderstood 'Banality of Evil' Theory", *Haaretz* (12 de outubro de 2016).

38 Citado em Perry, *Behind the Shock Machine*, p. 72.

39 Matthew M. Hollander, "The Repertoire of Resistance: Non-Compliance With Directives in Milgram's 'Obedience' experiments", *British Journal of Social Psychology*, v. 54, edição 3 (2015).

40 Matthew Hollander, "How to Be a Hero: Insight From the Milgram Experiment", *Huffington Post* (27 de fevereiro de 2015).

41 Citado em Bo Lidegaard, *Countrymen: The Untold Story of How Denmark's Jews Escaped the Nazis, of the Courage of Their Fellow Danes – and of the Extraordinary Role of the SS* (New York, 2013), p. 71.

42 Ibid., p. 353.

43 Ibid., p. 113.

44 Ibid., p. 262.

45 Ibid., p. 173.

46 Ibid., p. 58.

47 Peter Longerich, "Policy of Destruction. Nazi Anti-Jewish Policy and the Genesis of the 'Final Solution'", United States Holocaust Memorial Museum, Palestra Anual de Joseph e Rebecca Meyerhoff (22 de abril de 1999), p. 5.

48 Lidegaard, *Countrymen*, p. 198.

49 Ibid., p. 353.

9 A morte de Catherine Susan Genovese

1 Para este primeiro relato do assassinato, ver Martin Gansberg, "37 Who Saw Murder Didn't Call the Police", *New York Times* (27 de março de 1964).

2 Nicholas Lemann, "A Call for Help", *The New Yorker* (10 de março de 2014).

3 Gansberg, "37 Who Saw Murder Didn't Call the Police", *New York Times*.

4 Peter C. Baker, "Missing the Story", *The Nation* (8 de abril de 2014).

5 Kevin Cook, *Kitty Genovese. The Murder, The Bystanders, The Crime That Changed America* (New York, 2014), p. 100.

6 Abe Rosenthal, "Study of the Sickness Called Apathy", *New York Times* (3 de maio de 1964)

7 Gladwell, *A ponta da virada*, p. 27.

8 Rosenthal disse isso no documentário *The Witness* (2015), feito por Bill Genovese, irmão de Kitty.

9 Bill Keller, "The Sunshine Warrior", *New York Times* (22 de setembro de 2002).

10 John M. Darley e Bibb Latené, "Bystander Intervention in Emergencies", *Journal of Personality and Social Psychology*, v. 8, edição 4 (1968).

11 Malcolm Gladwell afirma 85% e 31% em seu livro, mas o artigo original deixa claro que essas são as porcentagens de pessoas que correram para ajudar antes do fim do primeiro pedido de socorro da "vítima" (75 segundos depois). Muita gente acorreu depois disso, no período de dois minutos e meio.

12 Maureen Dowd, "20 Years After the Murder of Kitty Genovese, the Question Remains: Why?", *New York Times* (12 de março de 1984).

13 Cook, *Kitty Genovese*, p. 161.

14 Rachel Manning, Mark Levine e Alan Collins, "The Kitty Genovese Murder and the Social Psychology of Helping. The Parable of the 38 Witnesses", *American Psychologist*, v. 62, edição 6 (2007).

15 Sanne é um pseudônimo. Desconheço seu primeiro nome, mas os quatro que a resgataram conhecem.

16 "Mannen die moeder en kind uit water redden: 'Elke fitte A'dammer zou dit doen'", *at5.nl* (10 de fevereiro de 2016).

17 "Vier helden redden moeder en kind uit zinkende auto", *nos.nl* (10 de fevereiro de 2016).

18 Peter Fischer et al., "The bystander-effect: a meta-analytic review on bystander intervention in dangerous and non-dangerous emergencies", *Psychological Bulletin*, v. 137, edição 4 (2011).

19 Ibid.

20 R. Philpot et al., "Would I be helped? Cross-National CCTV Shows that Intervention is the Norm in Public Conflicts", *American Psychologist* (março de 2019).

21 Esse relato é baseado em três livros: Kevin Cook, *Kitty Genovese* (2014); Catherine Pelonero, *Kitty Genovese. A True Account of a*

Public Murder and Its Private Consequences (New York, 2014); e Marcia M. Gallo, *"No One Helped." Kitty Genovese, New York City and the Myth of Urban Apathy* (Ithaca, 2015).

22 Ela disse isso no documentário de 2015 de Bill Genovese, *The Witness*.

23 Baker, "Missing the Story".

24 Robert C. Doty, "Growth of Overt Homosexuality In City Provokes Wide Concern", *New York Times* (17 de dezembro de 1963).

25 Citado em Pelonero, *Kitty Genovese*, p. 18.

26 Ibid.

27 Ibid.

28 Ibid.

29 Saul M. Kassin, "The Killing of Kitty Genovese: What Else Does This Case Tell Us?" *Perspectives on Psychological Science*, c. 12, edição 3 (2017).

Parte 3 Por que pessoas boas se tornam más

1 Para uma discussão lúcida, ver Jesse Bering, "The Fattest Ape: Na Evolutionary Tale of Human Obesity", *Scientific American* (2 de novembro de 2010).

10 Como a empatia pode cegar

1 James Burk, "Introduction", em James Burk (ed.), *Morris Janowitz. On Social Organization and Social Control* (Chicago, 1991).

2 Ver, por exemplo, Martin Van Creveld, *Fighting Power: German and US Army Performance,* 1939-1945, ABC-CLIO (1982).

3 Max Hastings, "Their Wehrmacht Was Better Than Our Army", *Washington Post* (5 de maio de 1985).

4 Citado em Edward A. Shils e Morris Janowitz, "Cohesion and Disintegration in the Wehrmacht in World War II", *Public Opinion Quarterly*, v. 12, edição 2 (1948).

5   Ibid., p. 281.

6   Ibid., p. 303.

7   Ibid., p. 284.

8   Felix Römer, *Comrades. The Wehrmacht from Within* (Oxford, 2019).

9   O primeiro artigo de Janowitz e Shils se tornaria um dos mais citados estudos na sociologia do pós-guerra. Há um consenso geral entre sociólogos sobre a validade de sua "teoria de grupo principal", isto é, a ideia de que soldados lutam principalmente por seus companheiros imediatos, ainda que com algumas ressalvas. Alguns cientistas ressaltam que também havia um ódio real pelo inimigo entre recrutas comuns, particularmente na frente oriental. E também que, no que diz respeito a soldados profissionais do século XXI, somente três fatores determinam realmente o sucesso: treinamento e mais treinamento. Atualmente os sociólogos diferenciam entre *coesão de grupo* e *coesão de tarefas*, indicando que uma colaboração eficiente não exige que os soldados sintam muita afeição uns pelos outros. De qualquer forma, laços de fraternidade entre homens alistados têm sido historicamente cruciais na grande maioria das guerras.

10 Citado em Michael Bond, *The Power of Others. Peer Pressure, Group Think, and How the People Around Us Shape Everything We Do* (London, 2015), pp. 128-9.

11 Amy Chua, *Political Tribes. Group Instinct and the Fate of Nations* (New York, 2018), p. 100.

12 Bond, *The Power of Others*, pp. 94-5.

13 Citado em ibid., pp. 88-9.

14 Benjamin Wallace-Wells, "Terrorists in the Family", *New Yorker* (24 de março de 2016).

15 Citado em Donato Paolo Mancini e Jon Sindreu, "Sibling Ties Among Suspected Barcelona Plotters Underline Trend", *Wall Street Journal* (25 de agosto de 2017).

16 Deborah Schurman-Kauflin, "Profiling Terrorist Leaders. Common Characteristics of Terror Leaders", *Psychology Today* (31 de outubro de 2013).

17 Aya Batrawy, Paisley Dodds e Lori Hinnant, "Leaked Isis Documents Reveal Recruits Have Poor Grasp of Islamic Faith", *Independent* (16 de agosto de 2016).

18 Citado em ibid.

19 J. Kiley Hamlin, Karen Wynn e Paul Bloom, "Social Evaluation by Preverbal Infants", *Nature* (22 de novembro de 2007).

20 Paul Bloom, *Just Babies. The Origins of Good and Evil* (New York, 2013), p. 28.

21 J. Kiley Hamlin et al., "Not Like Me = Bad: Infants Prefer Those Who Harm Dissimilar Others", *Psychological Science*, v. 24, edição 4 (2013).

22 Karen Wynn disse isso no programa da CNN *Anderson Cooper 360*, em 15 de fevereiro de 2014.

23 Bloom, *Just Babies*, pp. 104-5.

24 A primeira metanálise, que incluiu 26 estudos, concluiu que a preferência de bebês por bons sujeitos é "uma descoberta empírica bem estabelecida". No entanto, nem todos estão convencidos. Alguns cientistas que repetiram o experimento de Hanlin viram o mesmo efeito, mas outros não encontraram correlações significativas. Ver Francesco Margoni e Luca Surian, "Infants' Evaluation of Prosocial and Antisocial Agents: A Meta-Analysis", *Developmental Psychology*, v. 54, edição 8 (2018).

25 Susan Seligson, "Felix Warneken Is Overturning Assumptions about the Nature of Altruism", *Radcliffe Magazine* (inverno de 2015).

26 Na palestra de Warneken na TEDx Talk (intitulada: "Need Help? Ask a 2-Year-Old"), disponível no YouTube, você pode assistir a um vídeo emocionante de uma criança saindo de uma piscina de bolas de isopor para ajudar alguém em necessidade.

27 Não só isso, se você recompensar uma criança começando a andar com um doce ou um brinquedo, Warneken constatou que na sequência elas ajudam *menos*, pois aquilo não era o motivo de terem ajudado (ver capítulo 13 sobre motivação intrínseca). Felix Warneken e Michael Tomasello, "Extrinsic Rewards Undermine

Altruistic Tendencies in 20-Month-Olds", *Development Psychology*, v. 44, edição 6 (2008).

28 Stephen G. Bloom, "Lesson of a Lifetime", *Smithsonian Magazine* (setembro de 2005).

29 Citado em ibid.

30 Citado em ibid.

31 Rebecca S. Bigler e Meagan M. Patterson, "Social Stereotyping and Prejudice in Children. Insights for Novel Group Studies", em Adam Rutland, Drew Nesdale e Christia Spears Brown (eds.), *The Wiley Handbook of Group Processes in Children and Adolescents* (Oxford, 2017), pp. 184-202.

32 Yarrow Dunham, Andrew Scott Barron e Susan Carey, "Consequences of "Minimal" Group Affiliations in Children", *Child Development*, v. 82, edição 3 (2011), p. 808.

33 Ver também Hejing Zhang et al., "Oxytocin Promotes Coordinated Outgroup Attack During Intergroup Conflict in Humans", *eLife* (25 de janeiro de 2019).

34 Aparentemente, não só eu. Ver Elijah Wolfson, "Why We Cry on Planes", *The Atlantic* (1º de outubro de 2013).

35 Paul Bloom, *Against Empathy. The Case for Rational Compassion* (New York, 2016), p. 15.

36 Daniel Batson, "Immorality from Empathy-induced Altruism: When Compassion and Justice Conflict," *Journal of Personality and Social Psychology*, v. 68, edição 6 (1995).

37 Michael N. Stagnaro e Paul Bloom, "The Paradoxical Effect of Empathy on the Willingness to Punish", Yale University, manuscrito não publicado (2016). Ver também Bloom, *Against Empathy*, p. 195.

38 Psicólogos referem-se a isso como "lacuna moral" – a tendência a perceber males infligidos a nós (ou a quem nós amamos) com algo muito pior que quaisquer danos que causemos aos outros. Uma agressão a um ente querido nos incomoda tanto que queremos retribuir, o que consideramos proporcional e justificável quando o fazemos, mas absolutamente excessivo quando *outros* fazem conosco, o que nos leva a contra-atacar mais uma vez. (Você já pode

ter vivenciado esse tipo de escalada em relacionamentos. A lacuna moral pode também nos ajudar a entender as décadas de derramamento de sangue em Israel e na Palestina. Muitos culpam a falta de empatia, mas nós vimos a acreditar que há empatia demais em ação no Oriente Médio.)

39 George Orwell, "Looking Back on the Spanish War" (agosto de 1942).

40 Grossman, *On Killing*, p. 122.

41 Citado em ibid., p. 126.

42 John Ellis, *The World War II Databook. The Essential Facts and Figures for All the Combatants* (London, 1993), tabela 57, p. 257.

43 E o que dizer então do genocídio em Ruanda em 1994, quando estima-se que 800 mil tutsis e hutus moderados foram massacrados? No Ocidente esse exemplo é usado com frequência para retratar os humanos como "monstros" sanguinários, mas isso é devido a sabermos pouco da história. Mais recentemente, um historiador escreveu: "Agora há amplas evidências de que o extermínio em massa de cidadãos de Ruanda foi a culminação de uma campanha burocrática cuidadosamente preparada e bem organizada, utilizando meios de propaganda de comunicação de massa, administração civil e logística militar". Na verdade, os assassinatos foram cometidos por uma pequena minoria, da qual se calcula que 97% dos hutus não fizeram parte. Ver Abram de Swan, *The Killing Compartments. The Mentality of Mass Murder* (New Haven and London, 2015), p. 90.

44 Łukasz Kamieński, *Shooting Up. A Short History of Drugs and War* (Oxford, 2016).

45 Lee, *Up Close and Personal*, p. 27.

46 Com muita frequência, os franco-atiradores fazem parte de 1% a 2% de soldados que são psicopatas sem nenhuma aversão natural a matar. Ver Susan Neiman, *Moral Clarity. A Guide for Grown--Up Idealists* (Princeton, 2008), p. 372.

47 Dave Grossman, "Hope on the Battlefield", em Dacher Keltner, Jason Marsh e Jeremy Adam Smith (eds.), *The Compassionate*

Instinct. The Science of Human Goodness (New York, 2010), p.41.

48 Grossman, *On Killing*, p. 178.

49 Muitos soldados que lutaram na Primeira Guerra e na Segunda Guerra também ficaram traumatizados; mas, comparativamente, o Vietnã foi muito mais traumatizante. Claro que se pode apontar outros fatores (como a fria recepção com que os veteranos do Vietnã foram recebidos na volta), mas todas as evidências sugerem que o mais importante foi a maneira como os soldados foram condicionados para matar. Três estudos recentes feitos com 1.200 veteranos do Vietnã, 2.797 do Iraque e 317 da Guerra do Golfo mostraram que soldados que mataram (capacitados por seu condicionamento) correm um risco substancialmente maior de sofrerem de Distúrbios de Estresse Pós-Traumáticos (DEPT). Ver Shira Maguen et al., "The Impact of Reported Direct and Indirect Killing on Mental Health Symptoms in Iraq War Veterans", *Journal of Traumatic Stress*, v. 23, edição 1 (2010); Shira Maguen et al., "The impact of killing on mental health symptoms in Gulf War veterans", *Psychological Trauma. Theory, Research, Practice, and Policy*, v. 3, edição 1 (2011); e Shira Maguen et al., "The Impact of Killing in War on Mental Health Symptoms and Related Functioning", *Journal of Traumatic Stress*, v. 45, edição 10 (2009).

50 Frederick L. Coolidge, Felicia L. Davis e Daniel L. Segal, "Understanding Madmen: A DSM-IV Assessment of Adolf Hitler", *Individual Differences Research*, v. 5, edição 1 (2007).

51 Bond, *The Power of Others*, pp. 94-5.

11 Como o poder corrompe

1 Citado em Miles J. Unger, *Machiavelli. A Biography* (London, 2011), p. 8.

2 Niccolò Machiavelli, *The Prince*, tradução de James B. Atkinson (Cambridge, Mass., 2008), p. 271. Publicado originalmente em 1532.

3 Machiavelli, *The Discourses*. Citado em ibid., p. 280.

4   Dacher Keltner, *The Power Paradox. How We Gain and Lose Influence* (New York, 2017), pp. 41-9.

5   Melissa Dahl, "Powerful People Are Messier Eaters, Maybe", *The Cut* (13 de janeiro de 2015).

6   Para uma visão geral, ver Aleksandra Cislak et al., "Power Corrupts, but Control Does Not: What Stands Behind the Effects of Holding High Positions", *Personality and Social Psychology Bulletin*, v. 44, edição 6 (2018), p. 945.

7   Paul K. Piff et al., "Higher Social Class Predicts Increased Unethical Behaviour", *Proceedings of the National Academy of Sciences,* v. 109, edição 11 (2012), pp. 4086-91.

8   Benjamin Preston, "The Rich Drive Differently, a Study Suggests", *New York Times* (12 de agosto de 2013).

9   Ver Jeremy K. Boyd, Katherine Huynh e Bonnie Tong, "Do wealthier drivers cut more at all-way stop intersections? Mechanisms underlying the relationship between social class and unethical behavior" (University of California, San Diego, 2013). E Beth Morling et al., "Car Status and Stopping for Pedestrians (#192)", *Psych File Drawer* (2 de junho de 2014).

10 Keltner, *The Power Paradox*, pp. 99-136.

11 Jeremy Hogeveen, Michael Inzlicht e Suhkvinder S. Obhi, "Power Changes How the Brain Responds to Others", *Journal of Experimental Psychology*, v. 143, edição 2 (2014).

12 Jerry Useem, "Power Causes Brain Damage", *The Atlantic* (julho/agosto de 2017).

13 Ver, por exemplo, M. Ena Inesi et al., "How Power Corrupts Relationships: Cynical Attributions for Others' Generous Acts", *Journal of Experimental Social Psychology*, v. 48, edição 4 (2012), pp. 795-803.

14 Keltner, *The Power Paradox*, pp. 137-58.

15 Varun Warrier et al., "Genome-Wide Analyses of Self-Reported Empathy: Correlations with Autism, Schizophrenia, and Anorexia Nervosa", *Nature, Translational Psychiatry* (12 de março de 2018).

16 Lord Acton, "Letter to Bishop Mandell Creighton" (5 de abril de 1887), publicada em J. N. Figgis e R. V. Laurence (eds.), *Historical Essays and Studies* (London, 1907).

17 Frans de Waal, *Chimpanzee Politics. Power and Sex Among Apes* (Baltimore, 2007), p. 4. Publicado originalmente em 1982.

18 Frans de Waal e Frans Lanting, *Bonobo. The Forgotten Ape* (Berkeley, 1997).

19 Natalie Angier, "In the Bonobo World, Female Camaraderie Prevails", *New York Times* (10 de setembro de 2016).

20 Frans de Waal, "Sex as an Alternative to Aggression in the Bonobo", em Paul R. Abramson e Steven D. Pinkerton, *Sexual Nature/Sexual Culture* (Chicago, 1995), p. 37.

21 Christopher Boehm, "Egalitarian Behavior and Reverse Dominance Hierarchy", *Current Anthropology*, v. 34, edição 3 (1993), p. 233.

22 Christina Starmans, Mark Sheskin e Paul Bloom, "Why People Prefer Unequal Societies", *Nature Human Behaviour*, v. 1, edição 4 (2017).

23 Ver também Rutger Bregman e Jesse Frederik, "Waarom vuilnismannen meer verdienen dan bankiers", *De Correspondent* (2015).

24 O defensor mais bem conhecido desta teoria é Yuval Noah Harari, em seu livro *Sapiens* (2011).

25 Robin Dunbar, *How Many Friends Does One Person Need? Dunbar's Number and Other Evolutionary Clues* (Cambridge, Mass., and London, 2010), p. 26.

26 A defesa mais persuasiva desta teoria está em Ara Norenzayan, *Big Gods* (2013). Ver também Harvey Whitehouse et al., "Complex Societies Precede Moralizing Gods Throughout World History", *Nature* (20 de março de 2019) e Edward Slingerland et al., "Historians Respond to Whitehouse et al. (2019), 'Complex Societies Precede Moralizing Gods Throughout World History'", *PsyArXiv Preprints* (2 maio de 2019).

27 Harari, *Sapiens*, p. 34.

28 Douglas W. Bird et al., "Variability in the organization and size of hunter-gatherer groups: Foragers do not live in small-scale societies", *Journal of Human Evolution* (junho de 2019).

29 Hill et al., "Hunter-Gatherer Inter-Band Interaction Rates. Implications for Cumulative Culture".

30 Graeber and Wengrow, "How to Change the Course of Human History (at Least, the Part That's Already Happened)".

31 Maquiavel, *O Príncipe*, p. 149.

32 David Graeber, *The Utopia of Rules. On Technology, Stupidity and the Secret Joys of Bureaucracy* (Brooklyn and London, 2015), pp. 31-3.

33 É por isso que economistas sérios conseguiram prever logo que o mito que chamamos de "bitcoin" estava destinado ao fracasso, enquanto o dólar continuaria a prevalecer por muito mais décadas. O dólar é apoiado pelo Exército mais poderoso do mundo, enquanto a bitcoin é apoiada apenas pela crença.

34 Harari, *Sapiens*, p. 153.

35 Citado em Noam Chomsky, "What is the Common Good?", *Truthout* (7 de janeiro de 2014).

36 O quanto a vergonha pode ser eficaz foi provado, mais uma vez, recentemente pelo movimento #MeToo. A partir de outubro de 2017, milhares de mulheres desbancaram uma sucessão de machos agressores de uma forma que lembra muito a maneira como as fêmeas bonobos continham antagonistas e as tribos nômades domavam os valentões. Ao humilhar publicamente os autores, os outros vão pensar duas vezes antes de se envolver em comportamentos semelhantes.

37 Olivia Solon, "Crazy at the Wheel: Psychopathic CEOs are Rife in Silicon Valley, Experts Say", *Guardian* (15 de março de 2017). Ver também Karen Landay, Peter, D. Harms e Marcus Credé, "Shall We Serve the Dark Lords? A Meta-Analytic Review of Psychopathy and Leadership", *Journal of Applied Psychology* (agosto de 2018).

12 O que deu errado no Iluminismo

1. C. P. Snow, "Science and Government", The Godkin Lectures (1960).

2. David Hume, "Of the Independency of Parliament", em *Essays, Moral, Political, and Literary* (1758, Parte 1).

3. Ver o famoso poema de Bernard Mandeville "The Grumbling Hive: Or, Knaves turn'd Honest", *The Fable of The Bees: or, Private Vices, Public Benefits* (1714).

4. Marshall Sahlins, *The Western Illusion of Human Nature* (Chicago, 2008), pp. 72-6.

5. Sua Santidade Papa Francisco, "Why the Only Future Worth Building Includes Everyone", TED Talks (abril de 2017).

6. Ara Norenzayan, *Big Gods* (Princeton, 2013), p. 75.

7. Se você não acredita, isso vai convencê-lo: Hans Rosling, *Factfulness. Ten Reasons We're Wrong About the World – and Why Things Are Better Than You Think* (New York, 2018).

8. Para uma visão geral, ver o primeiro capítulo do meu livro anterior, *Utopia para realistas*. Rio de Janeiro: Sextante, 2018.

9. Ver, por exemplo, Zygmunt Bauman, *Modernity and the Holocaust* (Ithaca, 1989), e Roger Griffin, *Modernism and Fascism. The Sense of a Beginning under Mussolini and Hitler* (Basingstoke, 2007).

Parte 4 Um novo realismo

1. Citado em Hanna Rosin e Alix Spiegel, "How to Become Batman", *NPR* (23 de janeiro de 2015).

2. Citado em Katherine Ellison, "Being Honest About the Pygmalion Effect", *Discover Magazine* (dezembro de 2015).

3. Ibid.

4. Dov Eden, "Self-Fulfilling Prophecy and the Pygmalion Effect in Management", *Oxford Bibliographies* (20 de outubro de 2016).

5   Lee Jussim e Kent D. Harber, "Teacher Expectations and Self-Fulfilling Prophecies: Knowns and Unknowns, Resolved and Unresolved Controversies", *Personality and Social Psychology Review* (1º de maio de 2005). Ver também Rhona S. Weinstein, "Pygmalion at 50: harnessing its power and application in schooling", *Educational Research and Evaluation* (11 de dezembro de 2018).

6   Dov Eden, citado em Ellison, "Being Honest About the Pygmalion Effect".

7   Franklin H. Silverman, "The 'Monster' Study", *Journal of Fluency Disorders*, v. 13, edição 3 (1988).

8   John C. Edwards, William McKinley e Gyewan Moon, "The enactment of organizational decline: The self-fulfilling prophecy", *International Journal of Organizational Analysis*, v. 10, edição 1 (2002).

9   Daisy Yuhas, "Mirror Neurons Can Reflect Hatred", *Scientific American* (1º de março de 2013).

10 John Maynard Keynes, *The General Theory of Employment, Interest, and Money* (London, 1936), Capítulo 12.

11 Dan Ariely, "Pluralistic Ignorance", *YouTube* (16 de fevereiro de 2011).

12 Pinker, *The Better Angels of Our Nature* (2011), pp. 561-5.

13 O poder da motivação intrínseca

1   Hedwig Wiebes, "Jos de Blok (Buurtzorg): 'Ik neem nooit zomaar een dag vrij'", *Intermediair* (21 de outubro de 2015).

2   Ibid.

3   Ibid.

4   Haico Meijerink, "Buurtzorg: 'Wij doen niet aan strategische flauwekul'", *Management Scope* (8 de outubro de 2014).

5   Gardiner Morse, "Why We Misread Motives", *Harvard Business Review* (janeiro de 2003).

6   Citado em ibid.

7   Frederick Taylor, *The Principles of Scientific Management* (New York, 1911), Capítulo 2, p. 59.

8   Citado em Robert Kanigel, *The One Best Way. Frederick Winslow Taylor and the Enigma of Efficiency* (Cambridge, 2005), p. 499.

9   Edward L. Deci, "Effects of Externally Mediated Rewards on Intrinsic Motivation", *Journal of Personality and Social Psychology*, v. 1, edição 1 (1971), p. 114.

10 Citado em Karen McCally, "Self-Determined", *Rochester Review* (julho-agosto de 2010).

11 Uri Gneezy e Aldo Rustichini, "A Fine is a Price", *Journal of Legal Studies*, v. 29, edição 1 (2000).

12 Samuel Bowles e Sandra Polanía Reyes, "Economic Incentives and Social Preferences: A Preference-Based Lucas Critique of Public Policy", *University of Massachusetts Amherst Working Papers* (2009).

13 Amit Katwala, "Dan Ariely: Bonuses boost activity, not quality", *Wired* (fevereiro de 2010).

14 *Perceptions Matter: The Common Cause UK Values Survey*, Common Cause Foundation (2016).

15 Milton Friedman, "The Methodology of Positive Economics", em *Essays in Positive Economics* (Chicago, 1966).

16 Sanford E. DeVoe e Jeffrey Pfeffer, "The Stingy Hour: How Accounting for Time Affects Volunteering", *Personality and Social Psychology Bulletin*, v. 36, edição 4 (2010).

17 Steve Crabtee, "Worldwide, 13% of Employees Are Engaged at Work", *Gallup* (8 de outubro de 2013).

18 Wiljan van den Berge e Bas ter Weel, *Baanpolarisatie in Nederland. CPB Policy Brief*, Statistics Netherlands (2015), p. 14.

19 Citado em Enzo van Steenbergen e Jeroen Wester, "Hogepriester van de kleinschalige zorg", *NRC Handelsblad* (12 de março de 2016). Alguns concorrentes criticaram o fato de a Buurtzorg transferir pacientes com problemas graves para outras empresas de atendimento médico, mas não há evidências de que isso aconteça.

Pelo contrário, a pesquisa do consultor David Ikkersheim, da KPMG, revelou que a Buurtzorg continuava sendo melhor e mais barata mesmo levando em conta o número de pacientes sob seus cuidados Ver David Ikkersheim, "Buurtzorg: hoe zat het ook alweer?", *Skipr* (9 de maio de 2016).

20 Citado em Stevo Akkerman, "Betere zorg zonder strategische fratsen", *Trouw* (1º de março de 2016).

21 Citado em The Corporate Rebels, "FAVI. How Zobrist Broke Down Favi's Command-And-Control Structures", *corporate-rebels.com* (4 de janeiro de 2017).

22 Patrick Gilbert, Nathalie Raulet Crozet e Anne-Charlotte Teglborg, "Work Organisation and Innovation – Case Study: FAVI, France", *European Foundation for the Improvement of Living and Working Conditions* (2013).

14 *Homo ludens*

1 Stephen Moss, *Natural Childhood Report* (National Trust), p. 5.

2 John Bingham, "British Children among Most Housebound in World", *Daily Telegraph* (22 de março de 2016).

3 S. L. Hofferth e J. F. Sandberg, "Changes in American Children's Time, 1981-1997", em S. L. Hofferth e J. Owens (eds.), *Children at the Millennium: Where Have We Come from? Where Are We Going?* (Stamford, 2001).

4 Peter Gray, "The Decline of Play and the Rise of Psychopathology in Children and Adolescents", *American Journal of Play*, v. 23, edição 4 (2011), p. 450.

5 Jantje Beton/Kantar Public (TNS NIPO), *Buitenspelen Onderzoek 2018*, jantjebeton.nl (17 de abril de 2018).

6 Frank Huiskamp, "Rapport: Nederlandse leerlingen zijn niet gemotiveerd", *NRC Handelsblad* (16 de abril de 2014).

7 *Gezinsrapport. Een portret van het gezinsleven in Nederland*, Netherlands Institute for Social Research (The Hague, 2011).

8 Rebecca Rosen, "America's Workers: Stressed Out, Overwhelmed, Totally Exhausted", *The Atlantic* (27 de março de 2014).

9   Jessica Lahey, "Why Kids Care More About Achievement Than Helping Others", *The Atlantic* (25 de junho de 2014).

10 Ver, por exemplo, C. Page Moreau e Marit Gundersen Engeset, "The Downstream Consequences of Problem-Solving Mindsets: How Playing with LEGO Influences Creativity", *Journal of Marketing Research*, v. 53, edição 1 (2016).

11 Peter Gray, "The Play Deficit", *Aeon* (18 de setembro de 2013).

12 *How to Tame a Fox (And Build a Dog)* (2017), p. 73.

13 Sarah Zielinski, "Five Surprising Animals That Play", *ScienceNews* (20 de fevereiro de 2015).

14 Johan Huizinga, *Homo Ludens. Proeve eener bepaling van het spelelement der cultuur* (1938).

15 Peter Gray, "Play as a Foundation for Hunter Gatherer Social Existence", *American Journal of Play* (primavera de 2009).

16 Jared Diamond, *The World Until Yesterday. What Can We Learn From Traditional Societies?* (London, 2013), p. 204.

17 Ibid., p. 194.

18 Citado em J. Mulhern, *A History of Education, a Social Interpretatio* (New York, 1959), p. 383.

19 James C. Scott, *Two Cheers for Anarchism. Six Easy Pieces on Autonomy, Dignity and Meaningful Work and Play* (Princeton, 2012), pp. 54-5.

20 O artigo seminal sobre esse processo é de Eugen Weber, *Peasants into Frenchmen: The Modernization of Rural France, 1870-1914* (Stanford, 1976).

21 Howard P. Chudacoff, *Children at Play. An American History* (New York, 2008).

22 Peter Gray, "The Decline of Play and the Rise of Psychopathology in Children and Adolescents" (2011).

23 Citado em Robert Dighton, "The Context and Background of the First Adventure Playground", *adventureplay.org.uk*

24 Citado em Colin Ward, *Anarchy in Action* (London, 1996), p. 89.

25 Citado em Arvid Bengtsson, *Adventure Playgrounds*, Crosby Lockwood (1972), pp. 20-21.

26 Citado em Penny Wilson, "Children are more complicated than kettles. The life and work of Lady Allen of Hurtwood", *theinternationale.com* (2013).

27 Ibid.

28 Ibid.

29 Mariana Brussoni et al., "What is the Relationship between Risky Outdoor Play and Health in Children? A Systematic Review", *International Journal of Environmental Research and Public Health*, v. 12, edição 6 (8 de junho de 2015).

30 Citado em Rebecca Mead, "State of Play", *The New Yorker* (5 de julho de 2010).

31 Erving Goffman, "On the Characteristics of Total Institutions" (1957).

32 Robin Bonifas, *Bullying Among Older Adults. How to Recognize and Address an Unseen Epidemic* (Baltimore, 2016).

33 Matt Sedensky, "A surprising bullying battleground: Senior centers", Associated Press (13 de maio de 2018).

34 Randall Collins, *Violence. A Micro-sociological Theory* (Princeton, 2008), p. 166.

35 Considere Hogwarts, a escola do famoso Harry Potter. O cativante mundo da fantasia de J. K. Rowling é um lugar mágico, mas desconfio que seria um inferno para a maioria das crianças. Os alunos são agrupados por idade (em classes) e por personalidade (em casas, ou sejam, Gryffindor e Slytherin). As figuras de autoridade estimulam a competição com um complexo sistema de notas. Para quem quiser sair, as únicas opções são o Natal e as férias de verão. Educadores concordam em que Hogwarts é uma receita para uma cultura de *bullying*.

36 Não me entenda mal, há alguns conhecimentos básicos, como ler e escrever, dos quais pessoas vivendo numa sociedade moderna não podem prescindir. E algumas crianças têm menos aptidão para assimilar esses conhecimentos. Nesses casos, é essencial um aprendizado com um professor especialmente capacitado.

37 Robert Dur e Max van Lent, "Socially Useless Jobs", Tinbergen Institute Discussion Paper (2 de maio de 2018).

38 David Graeber, "On the Phenomenon of Bullshit Jobs: A Work Rant", *Strike! Magazine* (agosto de 2013).

39 Ivan Illich, *Deschooling Society* (New York, 1971).

40 Peter Gray, *Free to Learn. Why Unleashing the Instinct to Play Will Make Our Children Happier, More Self-Reliant, and Better Students for Life* (New York, 2013).

41 Citado em Lois Holzman, "What"s the Opposite of Play?", *Psychology Today* (5 de abril de 2016).

42 "'Depression: Let's Talk' Says WHO, As Depression Tops List of Causes of Ill Health", Organização Mundial da Saúde (30 de março de 2017).

43 Peter Gray, "Self-Directed Education – Unschooling and Democratic Schooling", *Oxford Research Encyclopedia of Education* (abril de 2017).

15 É assim que a democracia parece ser

1 Os municípios na Venezuela são meio semelhantes aos condados de alguns estados dos EUA. Na Venezuela, porém, são também onde funcionam poderes locais e nos quais prefeitos são eleitos.

2 Gabriel Hetland, "Emergent Socialist Hegemony in Bolivarian Venezuela: The Role of the Party", em Susan J. Spronk e Jeffery R. Webber, *Crisis and Contradiction: Marxist Perspectives on Latin America in the Global Political Economy* (Leiden, 2015), p. 131.

3 Gabriel Hetland, "How to Change the World: Institutions and Movements Both Matter", *Berkeley Journal of Sociology* (3 de novembro de 2014).

4 Para um relato convincente, ver, Gabriel Hetland, "Grassroots Democracy in Venezuela", *The Nation* (30 de janeiro de 2012).

5 Citado em ibid.

6 Dmytro Khutkyy, "Participatory budgeting: An empowering democratic institution", *Eurozine* (31 de outubro de 2017).

7   Brazil: Toward a More Inclusive and Effective Participatory Budget in Porto Alegre (Banco Mundial, 2008), p. 2.

8   Citado em Martin Calisto Friant, "Sustainability From Below: Participatory Budgeting in Porto Alegre", First Ecuadorian Congress of Urban Studies (novembro de 2017), p. 13.

9   Paolo Spada, "The Economic and Political Effects of Participatory Budgeting", Congress of the Latin American Studies Association (2009).

10 Esteban Ortiz-Ospina e Max Roser, "Trust", *OurWorldInData.org* (2018).

11 Para uma crítica destas teses, ver Omar Encarnación, *The Myth of Civil Society. Social Capital and Democratic Consolidation in Spain and Brazil* (Basingstoke, 2003).

12 Citado em "Porto Alegre's Budget Of, By, and For the People", *Yes!Magazine* (31 de dezembro de 2002).

13 Ginia Bellafante, "Participatory Budgeting Opens Up Voting to the Disenfranchised and Denied", *New York Times* (17 de abril de 2015).

14 Mona Serageldin et al., "Assessment of Participatory Budgeting in Brazil", Harvard University Center for Urban Development Studies (2005), p. 4.

15 Gianpaolo Baiocchi, "Participation, Activism, and Politics: The Porto Alegre Experiment in Deliberative Democratic Theory", em Archon Fung e Erik Olin Wright (eds.), *Deepening Democracy. Institutional Innovations in Empowered Participatory Governance* (New York, 2001), p. 64.

16 Alana Semuels, "The City That Gave Its Residents $3 Million", *The Atlantic* (6 de novembro de 2014).

17 Baiocchi, "Participation, Activism, and Politics: The Porto Alegre Experiment in Deliberative Democratic Theory".

18 Gianpaolo Baiocchi e Ernesto Ganuza, "Participatory Budgeting as if Emancipation Mattered", *Politics & Society*, v. 42, edição 1 (2014), p. 45.

19 George Monbiot, *Out of the Wreckage. A New Politics for an Age of Crisis* (London, 2017), p. 130.

20 Anne Pordes Bowers e Laura Bunt, "Your Local Budget. Unlocking the Potential of Participatory Budgeting", *Nesta* (2010).

21 Gianpaolo Baiocchi, "Participation, Activism, and Politics: The Porto Alegre Experiment and Deliberative Democratic Theory", *Politics & Society*, v. 29, edição 1 (2001), p. 58.

22 Pesquisadores do Banco Mundial também chegaram à conclusão de que os rápidos avanços deviam tudo ao orçamento participativo. A parcela do orçamento da cidade alocado em saúde e educação aumentou de 13% em 1985 para 40% em 1996. Ver Serageldin et al., "Assessment of Participatory Budgeting in Brazil".

23 Patrick Kingsley, "Participatory democracy in Porto Alegre", *Guardian* (10 de setembro de 2012).

24 Serageldin et al., "Assessment of Participatory Budgeting in Brazil".

25 Michael Touchton e Brian Wampler, "Improving Social Well-Being Through New Democratic Institutions", *Comparative Political Studies*, v. 47, edição 10 (2013).

26 "Back to the Polis: Direct Democracy", *The Economist* (17 de setembro de 1994).

27 David Van Reybrouck, *Against Elections. The Case for Democracy* (London, 2016).

28 "Communism", oxforddictionaries.com.

29 Graeber, *Debt*, pp. 94-102.

30 Garrett Hardin, "The Tragedy of the Commons", *Science*, v. 162, edição 3859 (13 de dezembro de 1968).

31 John Noble Wilford, "A Tough-minded Ecologist Comes to Defense of Malthus", *New York Times* (30 de junho de 1987).

32 Ian Angus, "The Myth of the Tragedy of the Commons", *Climate & Capitalism* (25 de agosto de 2008).

33 John A. Moore, "Science as a Way of Knowing – Human Ecology", *American Zoologist*, v. 25, edição 2 (1985), p. 602.

34 Tim Harford, "Do You Believe in Sharing?" *Financial Times* (30 de agosto de 2013).

35 Ibid.

36 Oficialmente: o Prêmio Sveriges Riksbank de Ciências Econômicas em Memória de Alfred Nobel.

37 Tine de Moor, "The Silent Revolution: A New Perspective on the Emergence of Commons, Guilds, and Other Forms of Corporate Collective Action in Western Europe", *International Review of Social History*, v. 53, edição S16 (dezembro de 2008).

38 O trabalho clássico sobre este processo é o de Karl Polanyi, *The Great Transformation. The Political and Economic Origins of Our Time* (Boston, 2001). Publicado originalmente em 1944.

39 Tine de Moor, "Homo Cooperans. Institutions for collective action and the compassionate society", Palestra Inaugural na Universidade de Utrecht (30 de agosto de 2013).

40 Ver, por exemplo, Paul Mason, *Postcapitalism. A Guide to Our Future* (London, 2015).

41 Ver, por exemplo, Shoshana Zuboff, *The Age of Surveillance Capitalism. The Fight for a Human Future at the New Frontier of Power* (London, 2019).

42 Damon Jones e Ioana Elena Marinescu, "The Labor Market Impacts of Universal and Permanent Cash Transfers: Evidence from the Alaska Permanent Fund", *NBER Working Paper* (fevereiro de 2018).

43 Também escrevi sobre este estudo na Carolina do Norte e sobre renda básica universal em outros lugares. Ver *Utopia para realistas: Como construir um mundo melhor* 2018. Agora prefiro o termo "dividendo do cidadão" ao termo "renda básica", para ressaltar que estamos falando sobre rendimentos da propriedade comunitária.

44 Peter Barnes, *With Liberty and Dividends For All. How To Save Our Middle Class When Jobs Don't Pay Enough* (Oakland, 2014).

45 Scott Goldsmith, "The Alaska Permanent Fund Dividend: An Experiment in Wealth Distribution", *Basic Income European Network* (setembro de 2002), p. 7.

Parte 5 A outra face

1 Michael Garofalo, "A Victim Treats His Mugger Right", NPR Story Corps (28 de março de 2008).

2 Mateus 5:46.

16 Tomando chá com terroristas

1 Para uma visão clara do sistema prisional da Noruega, ver Ryan Berger, "Kriminalomsorgen: A Look at the World's Most Humane Prison System in Norway", *SSRN* (11 de dezembro de 2016).

2 Um guarda diz isso no documentário de Michael Moore, *Onde invadir agora?* (2015).

3 Citado em Baz Dreizinger, "Norway Proves That Treating Prison Inmates As Human Beings Actually Works", *Huffington Post* (8 de março de 2016).

4 "About the Norwegian Correctional Service", www.kriminalomsorgen.no (acessado em 17 de dezembro de 2018).

5 Dreizinger, "Norway Proves That Treating Prison Inmates As Human Beings Actually Works".

6 Manudeep Bhuller et al., "Incarceration, Recidivism, and Employment", Institute of Labor Economics (junho de 2018).

7 Berger "Kriminalomsorgen: A Look at the World's Most Humane Prison System in Norway", p. 20.

8 Erwin James, "Bastøy: the Norwegian Prison That Works", *Guardian* (4 de setembro de 2013).

9 Genevieve Blatt et al., *The Challenge of Crime in a Free Society*, President's Commission on Law Enforcement and Administration of Justice (1967), p. 159.

10 Ibid., p. 173.

11 Jessica Benko, "The Radical Humaneness of Norway's Halden Prison", *New York Times* (26 de março de 2015).

12 Robert Martinson, "What Works? Questions and Answers about Prison Reform", *The Public Interest* (primavera de 1974).

13 Michelle Brown, *The Culture of Punishment: Prison, Society, and Spectacle* (New York, 2009), p. 171.

14 Robert Martinson, "New Findings, New Views: A Note of Caution Regarding Sentencing Reform", *Hofstra Law Review*, v. 7, edição 2 (1979).

15 Citado em Adam Humphreys, "Robert Martinson and the Tragedy of the American Prison", *Ribbonfarm* (15 de dezembro de 2016).

16 Citado em Jerome G. Miller, "The Debate on Rehabilitating Criminals: Is It True that Nothing Works?", *Washington Post* (março de 1989).

17 Richard Bernstein, "A Thinker Attuned to Thinking; James Q. Wilson Has Insights, Like Those on Cutting Crime, That Tend To Prove Out", *New York Times* (22 de agosto de 1998).

18 "James Q. Wilson Obituary", *The Economist* (10 de março de 2012).

19 James Q. Wilson, *Thinking About Crime* (New York, 1975), pp. 172-3.

20 Citado em Timothy Crimmins, "Incarceration as Incapacitation: An Intellectual History", *American Affairs*, v. II, edição 3 (2018).

21 George L. Kelling e James Q. Wilson, "Broken Windows", *The Atlantic* (março de 1982).

22 Gladwell, *O ponto da virada*.

23 Ibid.

24 Ibid.

25 Holman W. Jenkins Jr. "The Man Who Defined Deviancy Up", *The Wall Street Journal* (12 de março de 2011).

26 James Q. Wilson, "Lock' Em Up and Other Thoughts on Crime", *New York Times* (9 de março de 1975).

27 Gladwell, O ponto da virada.

28 Ibid.

29 'New York Crime Rates 1960–2016, disastercenter.com.

30 Donna Ladd, "Inside William Bratton's NYPD: Broken Windows Policing is Here to Stay", *Guardian* (8 de junho de 2015).

31 Citado em Jeremy Rozansky e Josh Lerner, "The Political Science of James Q. Wilson", *The New Atlantis* (primavera de 2012).

32 Ver Rutger Bregman, *Met de kennis van toen. Actuele problemen in het licht van de geschiedenis* (Amsterdam, 2012), pp. 238-45.

33 Anthony A. Braga, Brandon C. Welsh e Cory Schnell, "Can Policing Disorder Reduce Crime? A Systematic Review and Meta-Analysis", *Journal of Research in Crime and Delinquency*, v. 52, edição 4 (2015).

34 John Eterno e Eli Silverman, "Enough Broken Windows Policing. We Need a Community-Oriented Approach", *Guardian* (29 de junho de 2015).

35 P. J. Vogt, "#127 The Crime Machine", *Reply All* (podcast de Gimlet Media, 11 de outubro de 2018).

36 Dara Lind, "Why You Shouldn't Take Any Crime Stats Seriously", Vox (24 de Agosto de 2014). Ver também Liberty Vittert, "Why the US Needs Better Crime Reporting Statistics", *The Conversation* (12 de outubro de 2018).

37 Michelle Chen, "Want to See How Biased Broken Windows Policing Is? Spend a Day in Court", *The Nation* (17 de maio de 2018).

38 A própria ordem acaba sendo uma questão de percepção. Em 2004, pesquisadores da Universidade de Chicago perguntaram a uma série de voluntários quantas "janelas quebradas" eles viam em um bairro negro e num bairro de brancos. Os respondentes classificaram unanimemente um bairro de afro-americanos como mais bagunçados, mesmo quando a quantidade de lixo, de pichações e vadiagem em grupo era igual no bairro de brancos. Ver Robert J. Sampson e Stephen W. Raudenbush, "Seeing Disorder: Neighborhood Stigma and the Social Construction of 'Broken Windows'", *Social Psychology Quarterly*, v. 67, edição 4 (2004). O mais triste é que Wilson e Kelling já haviam previsto isso num artigo na

The Atlantic em 1982, escrevendo: "Como podemos garantir que [...] cor da pele ou nacionalidade de origem [...] não se tornará a base para distinguir o indesejável do desejável? Como vamos garantir, em resumo, que a polícia não se torne os agentes da intolerância da vizinhança? Não podemos oferecer uma resposta totalmente satisfatória a esta importante pergunta".

39 Ver Braga, Welsh, e Schnell, "Can Policing Disorder Reduce Crime? A Systematic Review and Meta-Analysis".

40 Citado em Sarah Childress, "The Problem with 'Broken Windows' Policing", *Frontline* (28 de junho de 2016).

41 Vlad Tarko, *Elinor Ostrom. An Intellectual Biography* (Lanham, 2017), pp. 32-40.

42 Arthur A. Jones e Robin Wiseman, "Community Policing in Europe. An Overview of Practices in Six Leading Countries", Los Angeles Community Policing (lacp.org).

43 Sara Miller Llana, "Why Police Don't Pull Guns in Many Countries", *Christian Science Monitor* (28 de junho de 2015).

44 Citado em Childress, "The Problem with 'Broken Windows' Policing".

45 Beatrice de Graaf, *Theater van de angst. De strijd tegen terrorisme in Nederland, Duitsland, Italië en Amerika* (Amsterdam, 2010).

46 Citado em Quirine Eijkman, "Interview met Beatrice de Graaf over haar boek", *Leiden University* (25 de janeiro de 2010).

47 Citado em Joyce Roodnat, "'Het moest wel leuk blijven'", *NRC Handelsblad* (6 de abril de 2006).

48 Citado em Jon Henley, "How Do You Deradicalise Returning Isis Fighters?", *Guardian* (12 de novembro de 2014).

49 Citado em Hanna Rosin, "How A Danish Town Helped Young Muslims Turn Away From ISIS", *NPR Invisibilia* (15 de junho de 2016).

50 Citado em Richard Orange, "'Answer hatred with love': how Norway tried to cope with the horror of Anders Breivik", *Guardian* (15 de abril de 2012).

51 Prison Policy Initiative, "North Dakota Profile" (prisonpolicy.org, acessado em 17 de dezembro de 2018).

52 Citado em Dylan Matthews e Byrd Pinkerton, "How to Make Prisons More Humane", *Vox* (podcast, 17 de outubro de 2018).

53 Dashka Slater, "North Dakota's Norway Experiment", *Mother Jones* (julho/agosto de 2017).

54 National Research Council, *The Growth of Incarceration in the United States. Exploring Causes and Consequences* (Washington DC, 2014), p. 33.

55 Francis T. Cullen, Cheryl Lero Jonson e Daniel S. Nagin, "Prisons Do Not Reduce Recidivism. The High Cost of Ignoring Science", *The Prison Journal*, v. 91, edição 3 (2011). Ver também M. Keith Chen and Jesse M. Shapiro, "Do Harsher Prison Conditions Reduce Recidivism? A Discontinuity-based Approach", *American Law and Economics Review*, v. 9, edição 1 (2007).

56 "Louis Theroux Goes to the Miami Mega-Jail", *BBC News* (20 de maio de 2011).

57 Citado em Berger, "Kriminalomsorgen: A Look at the World's Most Humane Prison System in Norway", p. 23.

58 Citado em Slater, "North Dakota's Norway Experiment".

59 Cheryl Corley, "North Dakota Prison Officials Think Outside The Box To Revamp Solitary Confinement", *NPR* (31 de julho de 2018).

60 Ibid.

61 Citado em Slater, "North Dakota's Norway Experiment".

17 O melhor remédio para o ódio, a injustiça e o preconceito

1 Citado em John Battersby, "Mandela to Factions: Throw Guns Into Sea", *Christian Science Monitor* (26 de fevereiro de 1990).

2 Minha principal fonte para a história Constand e Abraham é o maravilhoso livro de Dennis Cruywagen, *Brothers in War and Peace. Constand and Abraham Viljoen and the Birth of the New South Africa* (Cape Town/Johannesburg, 2014).

3   Ibid., p. 57.

4   Ibid., p. 62.

5   Maritza Montero and Christopher C. Sonn (eds.), *Psychology of Liberation. Theory and Applications* (Berlin, Heidelberg, 2009), p. 100.

6   Aldous Huxley, *The Perennial Philosophy* (New York, 1945), p. 81.

7   Alfred McClung Lee e Norman Daymond Humphrey, *Race Riot, Detroit 1943* (Hemel Hempstead, 1968), p. 130.

8   Gordon Allport, *The Nature of Prejudice* (Reading, 1979), p. 277. Publicado originalmente em 1954. Pesquisadores fizeram a seguinte pergunta a soldados americanos: "Algumas divisões do Exército têm companhias que incluem pelotões de negros e brancos. O que você sentiria se a sua unidade estabelecesse algo assim? A parcela que respondeu "Eu não gostaria de jeito nenhum" foi de 63% em unidades estritamente segregadas e de 7% entre homens de companhias que incluíam pelotões de negros.

9   Ira N. Brophy, "The Luxury of Anti-Negro Prejudice", *Public Opinion Quarterly*, v. 9, edição 4 (1945).

10 Richard Evans, *Gordon Allport: The Man and His Ideas* (New York, 1970).

11 Gordon Allport, "Autobiography", em Edwin Boring e Gardner Lindzey (eds.), *History of Psychology in Autobiography* (New York, 1967), pp. 3-25.

12 John Carlin, *Invictus. Nelson Mandela and the Game that Made a Nation* (London, 2009), p. 122.

13 Citado em ibid., p. 123.

14 Ibid., p. 124.

15 Ibid., p. 135.

16 Cruywagen, *Brothers in War and Peace*, p. 143.

17 Citado em ibid., p. 158.

18 Citado em Simon Kuper, "What Mandela Taught Us", *Financial Times* (5 de dezembro de 2013).

19 Citado em Cruywagen, *Brothers in War and Peace*, p. 162.

20 Citado em Carlin, *Invictus*, p. 252.

21 Ao que Pettigrew respondeu: "O senhor me prestou a mais alta honra!". Citado em Frances Cherry, "Thomas F. Pettigrew: Building on the Scholar-Activist Tradition in Social Psychology", em Ulrich Wagner et al. (eds.), *Improving Intergroup Relations: Building on the Legacy of Thomas F. Pettigrew* (Oxford, 2008), p. 16.

22 Thomas F. Pettigrew, "Contact in South Africa", *Dialogue*, v. 21, edição 2 (2006), pp. 8-9.

23 Thomas F. Pettigrew e Linda R. Tropp, "A Meta-Analytic Test of Intergroup Contact Theory", *Journal of Personality and Social Psychology*, v. 90, edição 5 (2006).

24 Sylvie Graf, Stefania Paolini e Mark Rubin, "Negative intergroup contact is more influential, but positive intergroup contact is more common: Assessing contact prominence and contact prevalence in five Central European countries", *European Journal of Social Psychology*, v. 44, edição 6 (2014).

25 Erica Chenoweth, "The Origins of the NAVCO Data Project (or: How I Learned to Stop Worrying and Take Nonviolent Conflict Seriously)", *Rational Insurgent* (7 de maio de 2014).

26 Erica Chenoweth e Maria J. Stephan, "How The World is Proving Martin Luther King Right About Nonviolence", *Washington Post* (18 de janeiro de 2016). Ver também Maria J. Stephan e Erica Chenoweth, "Why Civil Resistance Works. The Strategic Logic of Nonviolent Conflict", *International Security*, v. 33, edição 1 (2008), pp. 7-44.

27 Citado em Penny Andersen et al., *At Home in the World. The Peace Corps Story* (Peace Corps, 1996), p. vi.

28 Carlin, *Invictus*, p. 84.

29 Ibid., p. 252.

30 Ibid.

31 Citado em Thomas F. Pettigrew, "Social Psychological Perspectives on Trump Supporters", *Journal of Social and Political Psychology*, v. 5, edição 1 (2017).

32 Ibid.

33 Chris Lawton e Robert Ackrill, "Hard Evidence: How Areas with Low Immigration Voted Mainly for Brexit", *The Conversation* (8 de julho de 2016). Ver também Rose Meleady, Charles Seger e Marieke Vermue, "Examining the Role of Positive and Negative Intergroup Contact and Anti-Immigrant Prejudice in Brexit", *British Journal of Social Psychology*, v. 56, edição 4 (2017).

34 Michael Savelkoul et al., "Anti-Muslim Attitudes in The Netherlands: Tests of Contradictory Hypotheses Derived from Ethnic Competition Theory and Intergroup Contact Theory", *European Sociological Review*, v. 27, edição 6 (2011).

35 Jared Nai, "People in More Racially Diverse Neighborhoods Are More Prosocial", *Journal of Personality and Social Psychology*, v. 114, edição 4 (2018), pp. 497-515.

36 Miles Hewstone, "Consequences of Diversity for Social Cohesion and Prejudice: The Missing Dimension of Intergroup Contact", *Journal of Social Issues*, v. 71, edição 2 (2015).

37 Matthew Goodwin e Caitlin Milazzo, "Taking Back Control? Investigating the Role of Immigration in the 2016 Vote for Brexit", *British Journal of Politics and International Relations*, v. 19, edição 3 (2017).

38 Citado em Diane Hoekstra, "De felle tegenstanders van toen gaan het azc in Overvecht missen", *Algemeen Dagblad* (29 de setembro de 2018). Ver também Marjon Bolwijn, "In Beverwaard was woede om azc het grootst, maar daar is niets meer van te zien: 'We hebben elkaar gek gemaakt'", *De Volkskrant* (1º de fevereiro de 2018).

39 Mark Twain, *The Innocents Abroad, or The New Pilgrims' Progress* (1869).

40 Rupert Brown, James Vivian w Miles Hewstone, "Changing Attitudes through Intergroup Contact: the Effects of Group Membership Salience", *European Journal of Social Psychology*, v. 29, edições 5–6 (21 de junho de 1999).

41 Gordon W. Allport, "Prejudice in Modern Perspective", The Twelfth Hoernlé Memorial Lecture (17 de julho de 1956).

18 Quando os soldados saíram das trincheiras

1 Esta frase foi cunhada pelo historiador George F. Kennan na introdução de seu livro *The Decline of Bismarck's European Order: Franco-Russian Relations 1875-1890* (Princeton, 1979).

2 Malcolm Brown e Shirley Seaton, *Christmas Truce. The Western Front December 1914* (London, 2014), p. 68. Publicado originalmente em 1984.

3 Ibid., p. 71.

4 Ibid., p. 73.

5 Ibid., pp. 76-7

6 Malcolm Brown, *Peace in No Man's Land* (documentário da BBC de 1981).

7 Luke Harding, "A Cry of: Waiter! And the Fighting Stopped", *Guardian* (1º de novembro de 2003).

8 Brown e Seaton, *Christmas Truce*, p. 111.

9 Ibid., p. 115.

10 Citado em Simon Kuper, "Soccer in the Trenches: Remembering the WWI Christmas Truce", espn.com (25 December 2014).

11 Historiadores modernos ressaltam que os alemães, embora tenham realmente cometidos crimes de guerra em 1914, foram bastante difamados pela propaganda britânica. O quanto podem ser desastrosos os efeitos dessas falsas notícias só ficou bem claro 25 anos mais tarde. Quando começaram a surgir relatos na Segunda Guerra Mundial de alemães cometendo as mais horrendas atrocidades em escala maciça, boa parte da população do Reino Unido e dos EUA duvidou de sua veracidade. Em vista dos exageros da imprensa durante a Primeira Guerra, parecia fazer sentido não dar muito crédito às histórias sobre as câmaras de gás. Ver Jo Fox, "Atrocit propaganda", British Library (29 de janeiro de 2014).

12 Brown and Seaton, *Christmas Truce,* p. 126.

13 Thomas Vinciguerra, "The Truce of Christmas, 1914", *New York Times* (25 de dezembro de 2005).

14 Citado em TED Stories, "Colombia: Advertising Creates Peace", YouTube (24 de janeiro de 2018).

15 Ibid.

16 Tom Vanden Brook, "Propaganda That Works: Christmas Decorations", *USA Today* (13 de agosto de 2013).

17 Lara Logan, "How Unconventional Thinking Transformed a War-Torn Colombia", CBS News, *60 Minutes* (11 de dezembro de 2016).

18 Citado em TED Stories, "Colombia: Advertising Creates Peace".

19 Jose Miguel Sokoloff em entrevista com o autor em 9 de novembro de 2017.

20 Os custos com a Operação Natal chegaram a 301,1 mil dólares. Os da Rio de Luz foram de 263 mil dólares, e os da Voz da Mãe foram de 546 mil dólares.

21 Até mesmo as Farc acreditaram nisso, porque durante as conversações de paz elas exigiram a interrupção da propaganda da MullenLowe, pois estava lhes custando a perda de muitos membros.

22 Sibylla Brodzinsky, "'Welcome to Peace': Colombia's Farc Rebels Seal Historic Disarmament", *Guardian* (27 de junho de 2017).

23 Citado em Vinciguerra, "The Truce of Christmas, 1914".

24 Brown e Seaton, *Christmas Truce*, p. 198.

25 Ibid., p. 248.

26 Ibid., p. 238.

27 Stanley Weintraub, *Silent Night* (London, 2001), p. 172.

28 Tony Ashworth, *Trench Warfare 1914-1918. The Live and Let Live System* (London, 2000), p. 224. Publicado originalmente em 1980.

29 Ibid., p. 24.

30 Ibid., p.143.

31 Erin E. Buckels, Paul D. Trapnell e Delroy L. Paulhus, "Trolls Just Want to Have Fun", *Personality and Individual Difference*, v. 67 (setembro de 2014).

32 Jose Miguel Sokoloff, "How Christmas Lights Helped Guerillas Put Down Their Guns", TED (outubro de 2014).

Epílogo

1 Detlef Fetchenhauer e David Dunning, "Why So Cynical Asymmetric Feedback Underlies Misguided Skepticism Regarding the Trustworthiness of Others", *Psychological Science*, v. 21, edição 2 (8 de janeiro de 2010).

2 Existem inúmeros estudos concretos que mostram que abordar pessoas como se elas tivessem boas intenções é um bom motivo para elas mudarem de atitude. Psicólogos chamam isso de "rótulo de virtude". Por exemplo, em 1975 o psicólogo americano Richard Miller fez um estudo entre alunos do curso básico no qual foi dito a um grupo selecionado aleatoriamente que eles eram "bem-arrumados". Com um segundo grupo, os pesquisadores fizeram o melhor possível para as crianças se arrumarem melhor, enquanto um terceiro grupo foi deixado por conta própria. Resultado? O primeiro grupo se mostrou de longe o mais bem-arrumado. Ver Christian B. Miller, "Should You Tell Everyone They're Honest?", *Nautilus* (28 de junho de 2018).

3 Maria Konnikova, *The Confidence Game. The Psychology of the Con and Why We Fall for It Every Time*, (Edinburgh, 2016).

4 Bloom, *Against Empathy*, p. 167.

5 Citado em Dylan Matthews, "Zero-sum Trump. What You Learn from Reading 12 of Donald Trump's Books", *Vox.com* (19 de janeiro de 2017).

6 Marina Cantacuzino, *The Forgiveness Project. Stories for a Vengeful Age* (London, 2016).

7 Lewis B. Smedes, *Forgive and Forget. Healing the Hurts We Don't Deserve* (San Francisco, 1984).

8   Donald W. Pfaff, *The Neuroscience of Fair Play. Why We (Usually) Follow the Golden Rule*, Dana Press (2007).

9   George Bernard Shaw, *Maxims for Revolutionists* (1903).

10 Matthieu Ricard, *Altruism. The Power of Compassion to Change Yourself and the World* (New York, 2015), pp. 58-63.

11 Ibid., p. 62.

12 Daniel Goleman e Richard Davidson, *The Science of Meditation. How to Change Your Brain, Mind and Body* (London, 2018). Mas ver também Miguel Farias e Catherine Wikholm, *The Buddha Pill. Can Meditation Change You?* (London, 2015).

13 Paul Bloom, "Empathy for Trump voters? No, thanks. Understanding? Yes", *Vox.com* (23 de fevereiro de 2017).

14 Bloom, *Against Empathy*, pp. 213-41.

15 Jarl van der Ploeg, "'Ze zullen altijd die enorm verliefde bom geluk blijven'", *De Volkskrant* (21 de julho de 2014).

16 "In memoriam: LvdG (1984-2014)", *Propria Cures* (19 de julho de 2014).

17 Ver, por exemplo, Chung Sup Park, "Applying 'Negativity Bias' to Twitter: Negative News on Twitter, Emotions, and Political Learning", *Journal of Information Technology & Politics*, v. 12, edição 4 (2015).

18 Chris Weller, "Silicon Valley Parents Are Raising Their Kids Tech-Free – And It Should Be a Red Flag", *Business Insider* (18 de fevereiro de 2018).

19 Rebecca Solnit, *Hope in the Dark. Untold Histories, Wild Possibilities* (Chicago, 2016), p. 23.

20 Fabian Wichmann, "4 Ways To Turn The Neo-Nazi Agenda On Its Head", *Huffington Post* (25 de Agosto de 2017).

21 Mateus 6:2-6.

22 O filósofo francês Alexis de Tocqueville fez uma observação sobre isso um século e meio atrás: "Os americanos [...] gostam de explicar quase todas as atitudes de suas vidas baseados no princípio do interesse próprio", escreveu. Tendo conhecido muitas pessoas prestativas em suas viagens, Tocqueville acreditava que os ameri-

canos estavam fazendo um desserviço consigo mesmos. "Mas os americanos", observou o filósofo, "estão muito pouco preparados para admitir que se permitem expressar emoções desse tipo." Ver Dale T. Miller, "The Norm of Self-Interest", *American Psychologist*, v. 54, edição 12 (1999).

23 Ibid., p. 1057.

24 Mateus 6:14-16.

25 James H. Fowler e Nicholas A. Christakis, "Cooperative Behavior Cascades in Human Social Networks", *PNAS*, v. 107, edição 12 (2010).

26 Citado em University of California, San Diego, "Acts of Kindness Spread Surprisingly Easily: Just a Few People Can Make a Difference", *ScienceDaily* (10 de março de 2010).

27 Jonathan Haidt, "Elevation and the Positive Psychology of Morality", em C. L. M. Keyes e J. Haidt (eds.), *Flourishing: Positive Psychology and the Life Well-Lived,* American Psychological Association (2003), pp. 275-89.

28 Citado em Jonathan Haidt, "Wired to Be Inspired", em Dacher Keltner, Jason Marsh e Jeremy Adam Smith (eds.), *The Compassionate Instinct. The Science of Human Goodness* (New York, 2010), p. 90.

ÍNDICE REMISSIVO

11 de Setembro, 21, 48
Abdeslam, Salah e Brahim, 207
Abrahams, Ruben, 189,195
aché (povo), 101-2, 109, 229
Acton, Lorde, 224
acidentes aéreos, 30
    ver também Malaysia Airlines
Adams, John, 34
África do Sul, 89, 330-3, 335, 337-9, 343
Agnelli, Susanna, 41
Ágora, 277-83, 286, 290, 367
agricultura, desenvolvimento da, 60, 64, 89, 92, 100, 103, 110, 113-4, 116-7, 121, 130, 142, 199, 231
Airbnb, 295, 301
Alaska Permanent Fund, 302
Allen *de* Hurtwood, Lady, 276
Allport, Gordon, 333-5, 338, 343
Al-Qaeda, 207, 218
Amazon, 84
amizade e guerra, 203-8
American Psychologist, 159
American Scientist, 248
animais domesticados, 74, 242
aprendizado social, 81
Arendt, Hannah, 168, 175-7, 181
Ariely, Dan, 251-2, 260
Aristóteles, 118
Ash, Timothy Garton, 22
Ashworth, Tony, 355
assassinatos por questões de honra, 252

Associação Americana de Psicologia, 162
astecas, 116
Atenas antiga, 118
atentado a bomba da Maratona de Boston, 207, 342
Atlantic, The, 317-9
Auschwitz, 39, 145-7, 176
Australopithecus africanus, 89, 98,
Bach, J. S., 131, 146
Bahn, Paul, 130, 137
bananas, 42, 52, 64
"bárbaros", 119-20
Batalha de Agincourt, 216
Batalha de Crécy, 216
Batalha de Gettysburg, 95
Batalha de Makin, 92-3
Batalha de Verdun, 94, 346
Batalhas de Ypres, 346
Batalha de Waterloo, 215-6, 220
Batalha do Somme, 215
Baumeister, Roy, 206
bebês e crianças, 208-12
Beethoven, Ludwig van, 146
behaviorismo, 258
Belyaev, Dmitri, 74, 77
benefícios a desempregados, 257
bens comuns, 296-9, 301-2, 323
Bentham, Jeremy, 33
Berkowitz, Roger, 177
Berners-Lee, Tim, 256
Bertsch, Leann, 326-7
bestialidade, 115
bin Laden, Osama, 207
Bismarck, Otto von, 220

bitcoin, 418
Blackett, Patrick, 380
Bletchley Park, 202
Blitz, a, 12-5, 17, 236
Bloom, Paul, 213-4
Boersema, Jan, 131-2, 134-5, 141-2
bolhas econômicas, 251
bombardeio de Dresden, 15
bonobos, 98-9, 225-6
Bornem, Incidente da Coca-Cola, 24-6
Bosch, Reinier, 189
Bowman, Steve, 49
Bratton, William, 318-21
Breivik, Anders, 325
Brexit, 342
brincadeira, 210, 272-3, 282
Brown, Jack, 195, 377
Buda, 368
bullying, 153, 170, 279-80, 311
Burke, Edmund, 33
Buss, David, 389
Buurtzorg, 256, 263-4, 267, 286, 367
cachorros, 76, 78-9
Calvino, João, 33-4
campanha da Sicília, 95
canários, 88
canibalismo, 127, 131,
capitalismo, 185, 229, 240-1, 257-8, 260, 295, 297, 299-300-1, 303
    e incentivos, 257-8, 260
Carlin, John, 341
características de demanda, 158
Carlos V, imperador, 220
catecismo de Heidelberg, 34

Cattivelli, Walter, 286
caubóis, 73
cercanias, 299-300
civilização micênica, 119
Chagnon, Napoleon, 91, 99-100
Chávez, Hugo, 286
Chávez, Julio, 286-7
Chenoweth, Erica, 340
chimpanzés, 33, 64, 68-9, 72, 79-82, 90, 98-8, 224-6
Churchill, Winston, 11, 14-7, 220, 236, 341
Cícero, 274
ciência da administração, 258
Cleary, Raoul, 195
Clinton, Bill, 187, 232
Código de Hamurabi, 118
código Enigma, 202
coesão de grupo *versus* coesão de tarefas, 411
Collins, Randall, 96, 377
Colômbia e a insurgência das Farc, 351, 353-4
Colombo, Cristóvão, 106, 108
comportamento não complementar, 307
comunismo 236, 267, 293-5, 300-1, 302
    do latim *communis*, 295
    e a teoria da evolução, 73, 75-6
    e incentivos, 257-8, 260
conflito entre Israel e a Palestina, 414
Confúcio, 363
Congresso dos Estados Unidos, 157
conquistadores, 116, 216
Constituição dos Estados Unidos, 232, 239
contato visual, 228
Cook, James, 137-9
corar, 70, 82, 232

corvos, 272
Crick, Francis, 256
crimes *de* guerra e propaganda, 434
criminalidade, 310-27
crocodilos, 88, 272
culto à carga, 139
culto do homem-pássaro, 402-3
Curtis, Richard, 359
Daily Mail, 348, 350
danos cerebrais, 222-3
Darley, John, 187-8, 190
Dart, Raymond, 89-90, 94, 98
Darwin, Charles, 34, 66-7, 70, 74
Dawkins, Richard, 67, 77, 84, 169
de Blok, Jos, 256-7, 262-6, 270, 363, 367
de Klerk, Frederik Willem, 338
de May, Joseph, 191
de Moor, Tine, 299-300
de Queirós, Pedro Fernandes, 124
de Tocqueville, Alexis, 440
de Waal, Frans, 21, 40, 224-5
Deci, Edward, 258-9, 261, 267
democracia, 231-93
    Alasca, 301-2
    Leicester East, 292
    Porto Alegre, 288-93, 303, 364
    Torres, 286-90, 303
    Vallejo, Califórnia, 291
    ver também bens comuns; orçamento participativo
depressão, 40, 85, 152, 282
desigualdade, 107, 111, 226, 229, 231, 286, 292, 301, 370
Diamond, Jared, 73, 110, 129, 131, 133-4, 137, 169
Diaz, Julio, 306, 362

Diderot, Denis, 59
direitos de pesca, 298
direito de reproduzir, 297
disfunções comportamentais, 168
diversidade institucional, 300
Divisão de Guerra Psicológica, 202-4
drones, 216
Drummen, Sjef, 277, 281, 283, 290, 364, 367
DSTs, 115
Du Bois, W. E. B., 247
du Picq, coronel Ardant, 96
Duckwitz, Georg Ferdinand, 179, 181
Eberhardt, Tom, 312
economia (palavra), 295
economia do conhecimento, 275
efeito espectador, 188, 190
efeito golem, 250-1
efeito pigmaleão, 249-51
Egito antigo, 118, 231
egoísmo, 28, 84, 130, 178, 238-9, 300, 362
Eichmann, Adolf, 168, 174-7, 181, 187
"elevação", 373
Elliott, Jane, 210-1
empatia, 201-17, 222-3, 238, 240, 242, 363-5
empregos socialmente inúteis, 282, 421
Enron, 84
era do gelo, 73
escravidão, 106, 118, 121, 241, 368
Eshelman, Dave, 162, 174
espelhamento, 222
Estado de direito, 91, 180, 238, 240-1
Estado Islâmico (EI), 207
Estados, origens dos, 117-8

estudo da prisão da BBC, 173-4
estudo do Come Come, 221
estupros coletivos, 252
Evangelho de Mateus, 228, 307
    ver também sermão da montanha
evolução humana, 363
Exit-Deutschland, 371
experimento da prisão de Stanford, 150, 158, 160, 162, 166, 174, 198, 314, 319
Experimento de Robbers Cave, 153-5, 169, 210
Facebook, 31, 227, 295, 301, 356, 369
Farrar, Sophia, 193
Favi, 266-7
Ferguson, Brian, 103
Ferguson, cabo, 347
financiamento da saúde, 266
    ver também Buurtzorg
Fink, Joseph, 192
Flenley, John, 130, 137
Fonua, dr. Posesi, 48
Ford, Gerald, 316
formigas, 253
franco-atirador, 217, 414
Frank, Anne, 145
Frank, Robert, 33
Frankl, Victor, 245
Franklin, Benjamin, 119
Freud, Sigmund, 33-4
Friedman, Milton, 261
Fry, Douglas, 101
Fuhlrott, Johann Carl, 70-1
Furacão Katrina, 21
Gandhi, Mahatma, 307

García, Juan Pablo, 351
Garner, Eric, 321
Gênesis, 114
genocídio, 146
genocídio de Ruanda, 414
Genovese, Catherine Susan (Kitty), 183-95, 198, 317
Gerbner, George, 29, 51
Gibson, Bryan, 51
Gingrich, Newt, 224
Gladwell, Malcolm, 152, 187, 317, 319, 321
Goebbels, Joseph, 218
Goering, *Hermann* , 402
Goethe, Johann Wolfgang von, 146
Goffman, Erving, 279
Golding, William, 39-40, 50, 154, 169, 198, 279
    ver também Senhor das moscas
Goldman, Emma, 34
González, don Felipe, 137
Goodall, Jane, 90, 98
Google, 31, 42, 226, 369
gorila, 108
Gray, Peter, 272
Grande Muralha da China, 118-9
Grécia antiga, 119, 360
Griffi, tenente Wyn, 355
Grossman, Dave, 96
Grund, Hattie, 192
guerra
    causas de mortes, 214-6, 236-7
    comandantes, 217-8
    e amizade, 203-8, 214
    e condicionamento, 216-7, 412
    origens da, 106-7, 111-3, 199

guerra civil americana, 95, 350
guerra civil espanhola, 96, 214, 350
guerra civil na Inglaterra, 120
Guerra da Coreia, 217
Guerra da Crimeia, 350
Guerra das Malvinas, 217
Guerra de Troia, 94, 216
Guerra do Golfo, 415
Guerra dos Cem Anos, 216
Guerra do Vietnã, 17, 216-7
Guerras dos Bôeres, 350
Guerra Fria, 69
Guerras Napoleônicas, 71, 350
hábito de beber, 252
hadza (povo), 102, 109, 115
Haidt, Jonathan, 373
Hamlin, Kiley, 208-9
Hammond, Jay, 301
"Happy Birthday" (música), 296
Harari, Yuval Noah, 73, 229, 231
Hardin, Garrett, 297-8
Hare, Brian, 78-9, 81, 88, 90, 198-9
Haslam, Alexander, 162-4, 173
Hawking, Stephen, 256
Henrich, Joseph, 32-3, 83
Heródoto, 363
Hess, Rudolf, 370-1
Heyerdahl, Thor, 128, 132-3, 137-8
Hitler, Adolf, 11-4, 17, 146, 176, 181, 203, 218, 220, 336, 346, 354, 370
hiwi (povo), 101
Hobbes, Thomas, 33, 58-61, 84, 89, 91-2, 96-7, 99, 102, 118, 120, 130, 198, 208, 237-8, 362

Hoffmann, Michael, 192
Hollander, Matthew, 178
Holocausto, 167, 175-6, 186, 241, 368
Homero, 119
hominídeos, 66, 72, 74, 89, 98, 108
Homo cachorrinho, aparência do, 78-9
Homo cooperans, 300-1
Homo denisova, 72
Homo economicus, 32-3, 297
Homo erectus, 72
Homo ludens, 269-83
Homo luzonensis, 72
Homo neanderthalensis, ver neandertal
Homo sapiens, 64, 66-8, 70, 72-3, 83, 103, 108
homossexualidade, 193
Houben, Rob, 278
Huizinga, Johan, 272
Hume, David, 57, 238, 241-2
Hunt, Terry, 400-1
Huxley, T. H., 34, 383
ifalik (povo), 106
ignorância pluralística, 252
igualdade sexual, 108-9, 114
Ikkersheim, David, 422
ilha de Nias, 135
Ilha de Páscoa, 123-42, 169, 297-8
Illich, Ivan, 282
Iluminismo, 34, 235-42, 299, 366
incentivo e motivação, 256-67
incompatibilidade, 199-200, 209, 238
índios americanos, 119
indústria publicitária, 296
innu (povo), 109

instituições legais, origens, 118
inteligência, 68-9, 79-81, 210, 223, 324
    canina, 80
irrigações comunitárias, 298
Jaffe, David, 159-60, 174
James, Jesse, 153
James, William, 247, 253
Janowitz, Morris, 202-4, 206, 251
Jebel Sahaba, 393
Jefferson, Thomas, 241
Jesus Cristo, 185, 307, 368, 371-2
Jobs, Steve, 256
Johnson, Lyndon B., 313
Johnson, Wendell, 250
judeus, 146, 184, 192, 202, 241
    resgate de judeus dinamarqueses, 179-81
    ver também Holocausto
Juventude Hitlerista, 16
Kant, Immanuel, 146
Keijzer, Karlijn, 367
Kelling, George, 317-9, 322
Keltner, Dacher, 221-2, 224, 231-2, 389
Kennedy, John F., 25, 232
Kentie, Rienk, 189
Kershaw, Ian, 176
Keynes, John Maynard, 251
King, Martin Luther, Jr., 194, 210, 307, 341
Konnikova, Maria, 362
Korpi, Douglas, 161
Ku Klux Klan, 336
Kubrick, Stanley, 98
!Kung (povo), 90-1, 107-8, 117, 225
lacuna moral, 413-4

Latané, Bibb, 187-8, 190
le Bon, Gustave, 11, 14, 17
Lee, Richard, 107
legiões romanas, 227
"lei de ferro da hierarquia", 231
Lênin, Vladimir I., 231, 258, 294, 346
Le Texier, Thibault, 158
Lidegaard, Bo, 180-1
Lindegaard, Marie, 190-1
Lindemann, Frederick, 14-5, 17, 236
linguagem, 83
Lipo, Carl, 400-1
Lissauer, Ernst, 349
Livro de Samuel, 112
Luís XV, rei, 220
Luther, Martin,
Luyendijk, Joris, 84
MacCurdy, John, 12
Madison, James, 239
maia (civilização), 119
Malaysia Airlines, 367
Mandela, Nelson, 330-1, 336-41, 366
mania das tulipas, 251
Mao, 146, 294
Maquiavel, Nicolau, 33-4, 69-70, 220-1, 224, 226, 230, 232
Markus, John, 160
Marshall, coronel Samuel, 87-103, 214-16, 389
Martinson, Robert, 314-6
massacre do Bataclan, 207
meditação, 364-6
Meenan, Danny, 194
metanfetamina, 216
Milgram, Stanley, 146, 165-81, 187, 198, 208

Miller, Richard, 439
mito, 228-30
"mito do mal em estado puro", 206
Mixon, Don, 174, 177
moeda, 214
Mol, Wietse, 189
Monte do Pássaro, 395
Montgomery, general Bernard, 95
Moren, Albert, 347
Marrocos, sultão do, 121
mortes violentas declínio de, 399
motivação, ver incentivo e motivação
movimento #MeToo, 418
mudança climática, 141
Mulloy, William, 128-30, 133-4
Mulrooney, Mara, 135-6
Muro de Berlim, queda do, 299
Mussolini, Benito, 11, 220, 258
Napoleão Bonaparte, 220, 231
Nature, 137
Naturuk, 393
nazistas, 39, 146-7, 168, 170-1, 17-6
deportação de judeus dinamarqueses, 178-81
neonazistas, 368-70
psicologia dos soldados, 202-7, 214
neandertal, 71, 73
Nietzsche, Friedrich, 33
nocebos, 26, 51
nômades, 33, 91, 97, 100-2, 107, 109-10, 112, 114-5, 117-8, 199, 209, 228, 228-9, 233, 272, 296
Northcliffe, lorde, 349
notícias, 29-32, 213-4, 367-9
falsas notícias e propaganda, 348-51

Nunamuite (povo), 102
olhos, branco dos, 82
orangotango, 68, 80-2, 394
orçamento participativo, 288-9, 291-3
Oropeza, Javier, 286-7
órfãos da Romênia, 384-5
Orwell, George, 96, 214-5
Ostrom, Elinor, 298-9, 301, 323
oxitocina, 77-8, 88, 212
Panse, Friedrich, 16
Paris, queda de, 216
parquinhos de ferro-velho, 275-8
Pelham-Burn, tenente Arthur, 348
People's Parliament, The, 293
Perry, Gina, 155, 158, 169-71
Pettigrew, Thomas, 338-9
Pinker, Steven, 91-2, 97, 100-1, 103
pinturas em cavernas, 73, 79, 102, 112
placebo, 25, 249
planície aluvial entre o Tigre e o Eufrates, 117
Platão, 118, 363
poder, psicologia do, 221, 224, 231, 236
Pol Pot, 146, 294
polinésios, 127, 134, 138
polvo, 272
Ponting, Clive, 400
Porto Alegre, 288-93, 303, 364
Postmes, Tom, 20-1
povo do Caribe, 106
praga, 29, 130, 136, 141, 193
Primavera Árabe, 231
prisões, 310-1, 313-6, 318, 322, 325-6, 330, 360, 363, 366
programas de reality show, 41, 51, 184, 310

Propria Cures, 367-8
propriedade privada, 60, 113-4, 199, 231, 237, 294, 296
protestantismo, 33-4
Prozi, Fred, 169-70
psicologia social, surgimento da, 146-7
racismo, 210-11, 24, 250, 252, 330, 333, 335
raposas prateadas, 75, 77-8, 80
rato, 135
rato polinésio (Rattus exulans), 135
recursos hídricos, 299, 301
Reforma, 34
refugiados sírios, 342
regiões do cérebro, 365-6
regra de ouro, 363
Reicher, Stephen, 162-4, 173
relacionamentos estendidos, 226-9, 236-7
religião, origens da, 115-6, 227-8
resistência não violenta, 340
retroalimentação assimétrica, 361
Revolução Francesa, 120, 122, 231
Revolução Industrial, 274
Revolução Russa, 231, 246, 346
Ricard, Matthieu, 364-5
Rodriguez, Carlos, 351, 381
Roggeveen, Arent, 124
Roggeveen, Jacob, 124-7, 129-31, 133-4, 136-8
Roosevelt, Franklin D., 11, 17
Roosevelt, Theodore, 247
Rosenthal, Abe, 186-7, 193-4
Rosenthal, Bob, 248-50, 253
Ross, Karl, 192-3
rótulo de virtude, 439

Rousseau, Jean-Jacques, 58-61, 91-2, 97, 99, 102, 106, 111, 113-4, 118-9, 121, 146, 208, 232, 237, 391
Routledge, Katherine, 127-9, 132
Rowling, J. K., 424
Russell, Bertrand, 246-7
Ryan, Richard, 259
sacrifício humano, 116
Santo Agostinho, 383
Santos, Juan Manuel, 354
Sapolsky, Robert, 99
Sassen, William, 175-6, 181
Schaaffhausen, Hermann, 70-1
Science, 100-1, 297
Scott, James C., 119
Senhor das moscas, 37-53, 124, 140, 146, 154, 187, 279
sermão da montanha, 307, 371-2
serotonina, 77-8
Shaw, George Bernard, 305, 364
Sherif, Muzafer, 146-7, 153-7, 167-8, 210
Shils, Edward, 203-4
Simplesmente amor, 359, 366
Simpsons, Os, 168
síndrome do mundo cruel, 30
Singer, Tania, 364
Sisulu, Walter, 341
Skilling, Jeffrey, 84
Smedes, Lewis B., 363
Smith, Adam, 239, 241-2
Smith, Carlyle, 132
socialização, 82, 223
sociopatia, 222, 233
Sodoma e Gomorra, 118
Sokoloff, Jose Miguel, 353, 356

Solnit, Rebecca, 24
Sørensen, Carl Theodor, 275-6
Speer, Albert, 380
Spencer, Herbert, 34
Spinoza, Baruch, 197
Stálin, Josef, 11, 146, 220, 231, 294, 346
Stangneth, Bettina, 175
Starr, Belle, 153
Stein, Gertrude, 247
Sudbury Valley School, 282
Summerhill School, 282
Sutton-Smith, Brian, 282
Taleb, Nassim Nicholas, 31
tamanho do cérebro, 67-8, 73, 76-8
Taufa'ahau Tupou IV, rei de Tonga, 43, 47, 50
Taylor, Frederick, 258, 260, 262
Tchekhov, Anton P., 9
TDAH (transtorno do déficit de atenção com hiperatividade), 274
Templo de Apolo (Delfos), 360
templo de Gobëkli Tepe, 110, 135, 229
teoria das janelas quebradas, 316-23, 326, 428
    ver também prisões; terroristas
teoria do macaco assassino, 89, 91, 94, 98
teoria do verniz, 21-2, 33, 35, 39, 94, 124, 130, 178, 198, 321, 372
Terre'Blanche, Eugène, 336
Terrorista, 30, 206-7, 308, 338, 341, 366
testes de escolha de objetos, 79-80
testes de QI, 249
Thomas, Elizabeth Marshall, 90
Tilley, Oswald, 348
Titanic, naufrágio do, 21, 317, 320
Tomasello, Michael, 79

Torre de Babel, 118
Torres, 286-90, 303
Totau, Mano, 42, 45, 54
trabalhos forçados, 120
transtorno de estresse pós-traumático, 217
Tratado de Versailles, 346
Travolta, John, 168
trégua de Natal (1914), 350
Trilling, Lionel, 39
Trump, Donald, 154, 341-2, 363
Trut, Lyudmila, 74, 88, 212
Tucídides, 33
túmulo de Sungir, 110
Turchin, Peter, 389, 394
Twain, Mark, 342
Twitter, 31, 356, 369
Uber, 84
Uhila, Taniela, 45, 48
Universidade de Delaware, Centro de Pesquisas de Desastres, 23
Uruk, 118
vacinas, 121
van der Graaff, Laurens, 367
van Reybrouck, David, 293
varíola, 114, 140
vedda (povo), 102
vergonha, 231-3
viés de negatividade, 31
viés de disponibilidade, 31
Viljoen, Abraham, 331, 334, 342-3
Viljoen, Constand, 331, 336-7, 340
Virgem Maria, 137
Voltaire, 241
Walkington, Leslie, 348

Ward, Colin, 41
Warneken, Felix, 210
Warner, Arthur, 43
Warner, Peter, 42-3, 53
Wesley, John, 273
Wichmann, Fabian, 371
Wigram, tenente-coronel Lionel, 95
Wikipédia, 296
Williams, Graham, 347
Williams, John, 170, 172-3
Wilson, James Q., 316-9, 322, 326
Wolfowitz, Paul, 187
World Values Survey, 28
Wrangham, Richard, 80, 90
xenofobia, 214, 237
Yahil, Leni, 180
yanomami (povo), 91, 99-100
Zehmisch, tenente Kurt, 348
Zimbardo, Philip, 147, 151-2, 157-61, 164, 166-7, 169-71, 174, 187, 198, 314-5, 319
Zobrist, Jean-François, 266-7, 364

NOTA SOBRE O AUTOR

Rutger Bregman é um dos jovens historiadores mais proeminentes da Europa. *Utopia para realistas* esteve na lista dos mais vendidos dos jornais *Sunday Times* e *The New York Times* e traduzido para 32 línguas. Foi indicado duas vezes ao prestigioso European Press Prize por seu trabalho no site *De Correspondent*, e seus textos também foram publicados nos jornais *The Washington Post* e *The Guardian*. Sua palestra no TED "Poverty Isn't a Lack of Character; It's a Lack of Cash" [Pobreza não é falta de caráter, é falta de dinheiro] foi assistida mais de 3 milhões de vezes. Bregman foi classificado em décimo lugar entre os Top 100 Changemakers de 2020 do *Big Issue*.

@rcbregman | rutgerbregman.com

**Acreditamos
nos livros**

Este livro foi composto em Fairfield LT Std e impresso pela Geográfica para a Editora Planeta do Brasil em fevereiro de 2021.